KB096733

이경기의 영화 음악(OST) 총서 Vol.26

호주 ABC Classic FM 선정

영화 음악을 뒤흔든 사운드트랙 100

100 soundtracks that rocked movie music

이경기의 영화 음악(OST) 총서 Vol. 26

호주 ABC Classic FM 선정

영화 음악을 뒤흔든 사운드트랙 100 - 1권

발 행 | 2022년 10월 5일

저 자 | 영화 칼럼니스트 이경기

펴낸이 | 한건희

펴낸곳 | 주식회사 부크크

출판사등록 | 2014.07.15.(제2014-16호)

주 소 | 서울시 금천구 가산디지털1로 119 SK트윈테크타워 A동 305-7호

전 화 | 1670-8316

이메일 | info@bookk.co.kr

ISBN | 979-11-372-9593-3

www.bookk.co.kr

영화 음악을 뒤흔든 사운드트랙 100

제 1 권

이 경 기
(국내 1호 영화 칼럼니스트)

머리말

테마를 쓸 때 하고 싶은 것 중 하나는 실제로 얼마나 많은 삶을 살고 있는지 확인하는 것이다. 얼마나 많은 가능성이 있는가? 그것이 당신에게 기쁨으로 말할 수 있는가? 슬픔 속에서 당신에게 말할 수 있는가? 사랑이 될 수 있을까? 증오가 될 수 있을까? 몇 개의 메모만으로 이 모든 것을 말할 수 있을까? 그것이 어떤 곡이 좋은지 아닌지를 알아낼 때의 일이다. 하나 이상의 얕은 작은 문자가 있는가? 그것은 당신에게 단지 하나의 작은 할 말을 갖고 있는가? 피부 아래로 들어갈 수 있는가? 어두워 질 수 있는가? 아버지의 죽음이나 그런 것에 대해 이야기할 수 있는가?

When you write a theme one of the things you want to do is you want to see how much life it really has. How many possibilities there are? Can it speak to you in joy? Can it speak to you in sorrow? Can it be love? Can it be hate? Can you say all these things with just a few notes? That's the thing when you figure out if a tune is any good or not. Does it have more than one shallow little character? Does it have just one little thing to tell you. Can it get underneath there under your skin? Can it get dark? Can it talk about the death of a father or something like that.

- 한스 짐머, 영화 음악 창작론 중에서

음악은 궁극(窮極)의 비밀 세계이다. 그 안에서 일하지 않으면 영감(靈感)을 이해하기 어렵다. 나에게는 영화에서 음악이 무엇을 해야 하는지에 대해 스스로 결정을 내려야 한다. 영화 제작자가 생각하는 대로. 당신은 상상력이 자유로

워지기를 원하고 있다.

Music is the ultimate secret world. It's hard to understand the inspiration if you don't work in it. For me, I really have to make my own decisions about what the music should do in the film although obviously I'm interested in what the filmmaker thinks. You want your imagination to be free-ranging.

- 영화음악 작곡가 엘머 번스타인 2003년 인터뷰 중

훌륭한 배경음악으로 나쁜 영화를 구할 수는 없다.

You can't save a bad movie with a good score.

- 엔니오 모리코네

블록버스터가 극장가를 주도하면서 영화 음악 혹은 사운드트랙은 흥행 지수를 선도하는 가장 중요한 요소가 되고 있다는 것은 익히 알려진 사실이다.

1927년 10월 6일 알 존슨 주연의 〈재즈 싱어〉가 뉴욕 시에서 그 실체를 공개하면서 영화계는 무성에서 사운드를 들려주는 유성(有聲) 시대를 선언하게 된다.

1950년대 뮤지컬 영화 전성기를 거치면서 사운드트랙은 확고한 흥행 지수 역할을 해낸다.

그동안 공개됐던 수 만 편의 영화 중 지구촌 영화 음악 애호가들이 절대적으로 추천해주고 있는 최고의 음악 영화 100편은 어떤 작품들일까?

할리우드, 영국, 프랑스, 이태리, 독일 등 영화 선진국을 제외하고 음악 영화를 꾸준히 공개하면서 특화된 영역을 개척해 나가고 있는 국가가 오스트레일리아-호주-다.

2022년 6월 공개된 엘비스 프레슬리 전기 음악 영화 〈엘비스〉로 다시 한 번 재능을 떨치고 있는 바즈 루어만 감독을 비롯해서 스웨덴 혼성 그룹 아바 열풍을 촉발시킨 〈뮤리엘의 웨딩〉의 P. J. 호간 그리고 〈매드 맥스〉 시리즈의 조지 밀러, 〈위트니스〉의 피터 위어 등은 호주를 대표하는 대표적 흥행 감독들이다.

지난 2013년 '호주 라디오 방송 ABC 클래식 FM the Australian radio station ABC Classic FM'은 '위대한 영화 음악 100' 선정 작업을 진행했다.

2013년 4월 15일-4월 26일까지 진행됐던 조사 결과는 2013년 6월 7일-6월 10일 방송, 전 세계에 산재한 영화 음악 애호가들의 뜨거운 호응을 얻어낸다.

하루가 다르게 새로운 뉴스가 쏟아지는 급변하는 뉴스 상황 속에서 2022년 기점으로 약 10여 년이 지난 설문 조사이지만 현재도 그 공신력을 인정받고 있다.

당시 선정된 100곡은 지금도 방송사 홈페이지를 통해 인터넷(www.abc.net.au/classic/featured-music)으로 재청취가 가능하다.

'ABC Classic FM' 조사 이후 다양한 영화 및 영화 음악 전문 매체에서는 특집 형식으로 '사운드트랙 100선'을 발표해 오고 있지만 많은 매체에서 'ABC Classic FM' 조사를 가장 권위 있는 조사 결과로 인정하고 있다.

영화 음악 100 선정으로 가장 많은 호응을 받았던 조사는 단연 미국 영화 연구소 American Film Institute의 'AFI's 100 Years...100 Songs-the 100 greatest american movie music'이다.

필자가 영화음악 애호가들에게 절대적 호응을 받고 있는 AFI 선정 '영화 음악 100'을 의도적으로 배척(?)하고 호주 ABC Classic FM 선정 '영화 음악 카운트 다운 100'을 선택한 것은 다소 일방적이고 독선적인 할리우드 취향에서 탈피해 보다 폭넓고 다양하게 엄선된 영화 음악 100을 접해 볼 수 있지 않을까하는 주관적 판단이 크게 작용했다는 것을 부연 설명해 드린다.

하지만 결론적으로 호주 ABC FM도 선정 주최가 호주 영화 애호가들이라는 한계 때문인지 호주 영화 〈갈리폴리〉가 11위, 30위, 72위 등 무려 3번 언급됐으며 〈베이브〉(50위) 〈미스 포터〉(91위) 〈더 이어 마이 보이스 브로크〉(95위) 등 호주 영화가 선정돼 다소 편파적 추천이 아닌가라는 의구심이 들었던 것이 사실이다.

이런 취약점에도 불구하고 100편의 면면은 영화 및 영화 음악 애호가들에게 사운드트랙의 진가를 음미해 볼 수 있는 기회를 제공하고 있다는 자료적 가치를 판단해서 이 자료를 바탕으로 이번 책자 〈호주 ABC Classic FM 선정-영화 음악을 뒤흔든 사운드트랙 100〉의 원고 구성을 진행했다.

개인적으로 할리우드의 쿠엔틴 타란티노 버금갈 정도로 천부적 음악 선정 재능을 발휘하고 있는 바즈 루어만 감독의 〈댄싱 히어로〉 〈로미오와 줄리엣〉 〈물랑 루즈〉 등이 모두 탈락됐다는 것에 큰 아쉬움을 갖고 있다.

'ABC Classic FM held a Classic 100 Music in the Movies countdown'에서 선정된 작품 면면을 분석해보면 다음과 같다.

독자들의 가장 많은 관심을 집중시킨 대망의 1위곡은 이태리 출신 엔니오 모리코네 작곡의 〈미션〉이 차지했다.

18세기 미개한 중남미 원시 부족을 종교로 교화시키기 위한 스페인 예수회 신부(神父)들의 선교 활동과 순교(殉教) 과정을 다룬 〈미션〉은 모리코네의 'Gabriel's Oboe'가 새삼 영화 음악의 위력과 영향력을 입증시켜준 사례로 지금까지 회자(膾炙)되고 있다.

1986년 칸 영화제는 감독 롤랑 조페에게 황금 종려상 Palme d'Or과 기술적 그랑 프리 Technical Grand Prize 등 2개의 트로피를 선사했다.

1987년 아카데미 어워드에서는 작곡, 작품, 감독, 의상 디자인, 미술 감독, 촬영, 편집 등 7개 부문 후보에 지명 받았으나 예상을 깨고 작곡상에서 탈락하고 촬영상-크리스 멘지스-1개 수상에 그쳐 아카데미 선정 불공정성이 제기되는 후유증을 남겼다.

모리코네는 전 세계적으로 뜨거운 호응을 받았던 〈미션〉 배경 음악으로 작곡상 수상을 열망했지만 재즈 뮤지션 허비 행콕이 수상을 차지하자 상당한 서운함을 토로한 바 있다.

모리코네는 2001년 영화 음악 전문 매체와 인터뷰를 통해 '〈미션〉(1986)은 내가 이겼어야 했다는 생각이 확실히 들었다. 특히 그 해 오스카상 수상작이 〈라운드 미드나잇 Round Midnight〉(1986)이라는 점을 고려하면 이 작품은 원래 배경 음악이 아니다. 허비 행콕 편곡은 아주 좋았다. 하지만 기존의 음악을 사용했다. 그래서 〈미션〉과 비교할 수 없다.

I definitely felt that I should have won for The Mission (1986). Especially when you consider that the Oscar winner that year was Round Midnight (1986) which was not an original score. It had a very good arrangement by Herbie Hancock but it used existing pieces. So there could be no comparison with The Mission'이라며 오랜 시간이 지났지만 1987년 아카데미 작곡상 탈락에 대한 서운한 감정을 드러내 영화 음악 토픽을 추가시킨바 있다.

2위는 우주 오페라라는 칭송을 받았던 존 윌리암스 작곡의 〈스타 워즈〉, 3위는 20세기 〈해리 포터〉와 함께 환타지 장르 열기를 주도했던 하워드 쇼어 작곡의 〈반지의 제왕〉이 선정됐다.

리스트 세부적 항목을 살펴보면 우선 영화음악 작곡가로는 존 윌리암스-2위 〈스타 워즈〉, 10위 〈쉰들러 리스트〉, 15위 〈인디아나 존스〉, 24위 〈해리 포터〉, 69위 〈슈퍼맨〉, 96위 〈쥬라기 공원〉, 99위 〈이 티〉-가 7회 추천으로 단연 압도적 1위를 차지하고 있다.

뒤를 이어서 존 배리-8위 〈아웃 오브 아프리카〉, 28위 〈늑대와 춤을〉, 64위 〈야성의 엘자〉, 86위 〈미드나잇 카우보이〉-가 4회. 엔니오 모리코네-1위 〈미션〉, 16위 〈시네마 천국〉, 21위 〈좋은 놈, 나쁜 놈, 추한 놈〉. 한스 짐머-25위 〈캐리비안의 해적〉, 54위 〈글라디에이터〉, 59위 〈라이온 킹〉. 버나드 허만-47위 〈사이코〉, 80위 〈북북서로 진로를 돌려라〉, 93위 〈현기증〉 등이 각각 3회 추천 받았다.

모리스 자르-5위 〈닥터 지바고〉, 6위 〈아라비아의 로렌스〉-가 2회. 반젤리스-4위 〈불의 전차〉, 65위 〈블레이드 러너〉-가 2회. 엘머 번스타인-35위 〈황야의 7인〉, 73위 〈대 탈출〉-2회. 조지 거쉰-36위 〈맨하탄〉, 39위 〈파리의 아메리카인〉-2회. 헨리 맨시니-34위 〈핑크 팬더〉, 51위 〈티파니에서 아침을〉-2회. 하워드 쇼어-3위 〈반지의 제왕〉, 88위 〈호빗: 뜻밖의 여정〉-가 2회 추천 받았다.

클래식 작곡가로는 예상을 깨고 요한 세비스찬 바흐-46위 〈마스터 앤 커맨드〉, 48위 〈환타지아〉, 55위 〈잉글리시 페이션트〉, 87위 〈트루리, 매드리, 딥프리〉, 90위 〈신들러 리스트〉-의 곡이 5회 추천 받았다.

이어서 모차르트-17위 〈아마데우스〉, 31위 〈엘비라 마디간〉, 40위 〈아웃 오브 아프리카〉가 3회. 베토벤-7위 〈킹스 스피치〉, 29위 〈시계 태엽 오렌지〉, 60위 〈킹스 스피치〉-이 각각 3회로 모차르트와 베토벤이 남긴 주옥같은 고전 선율이 시대를 초월해 현대 영화 배경 음악으로 활용되고 있음을 엿보게 해주고 있다. 세르게이 라흐마니노프-66위 〈밀회〉, 70위 〈샤인〉-가 2회를 추천 받았다.

이번 조사가 호주 음악 방송국에서 진행했다는 것을 입증 하려는 듯이 호주 출신 영화 음악 작곡가 중 니겔 웨스트레이크-41위 〈미지의 땅 남극〉, 91위 〈미스 포터〉 등 2회, 브루스 스미어튼-12위 〈행잉 록에서의 피크닉〉이 1회 각각 언급되고 있다. 추천 작품 제작 연도는 1939년 막스 스타이너 작곡의 〈바람과 함께 사라지다〉가 가장 오래된 영화 음악으로 선정됐다.

이어 월트 디즈니가 애니메이션과 클래식 배경 음악을 결합시켜 신선한 반응을 불러일으킨 〈환타지아〉(1940), 영국 작곡가 리차드 아딘셀이 배경 음악을 맡았던 〈위험한 달빛〉(1941), 구 소련 클래식 음악가 드미트리 쇼스타코비치의 음악을 사운드트랙에 선곡한 〈가프리〉(1956) 등이 가장 오래된 추억의 영화 음악이다. 반면 가장 최신 작품으로는 〈킹스 스피치〉(2010) 〈스타 트렉〉(1979-2013)이다.

이번 책자의 원고 구성 방법은 선정 작에 대한 개략적 내용을 소개하기 위해 영화 전문지 '버라이어티'에서 보도된 영화 리뷰를 원용(援用) 했다.

이어 미국과 유럽에서 발간되는 영화 음악 및 음악 전문지-Billboard, Rolling Stone 및 인터넷 영화 음악 사이트-SoundtrackTracklist Database, the Soundtrack INFO project, Internet Movie Soundtracks Database, FilmMusicSite.com, Allmusic.com, Variety.com, ET.com, empire.com, Filmmusicreview.com 등에서 보도한 선정 작품에 대한 현지 전문가들의 리뷰 및 기사를 참조해서 원고를 구성했다.

현지 영화 음악 및 음악 전문가들의 뛰어난 고견(高見)을 국내 영화 음악 애호가들에게 직접 전달하고자 하는 충정(忠情)으로 영어 원문을 병기(倂記)시켰다.

이런 독특한 영화 음악 원고 구성으로 인해 체계적으로 영화 음악 이론을 연구하거나 보다 심층적으로 해외 현지 음악 비평가들의 견해를 접해 보고자 하는 독자들에게는 매우 유용한 영화 음악 정보 참고 자료가 될 수 있도록 했다.

영어 원문은 직역을 피하고 보다 쉽게 이해할 수 있도록 의역(醫譯) 및 윤문(潤文) 번역을 시도했다. 번역 과정에서 행간의 오류나 곡해(曲解)가 있다면 필자의 해독력 부족이 초래한 것이다. 널리 혜량(惠諒)해 주실 것을 염치없이 부탁드린다.

또한 〈환타지아〉 〈갈리폴리〉 등 2회 이상 추천된 작품의 경우는 버라이어티평, 사운드트랙 리뷰에서는 원고 내용이 중복되지 않도록 해외 현지 리뷰 자료를 다양하게 검색하여 게재했다.

이러한 원고 구성 방식으로 인해 동일한 영화에 대해 식견 있는 현지 비평가들의 다채로운 견해를 접할 수 있는 기회가 될 것이라고 판단한다.

이번 책자가 할리우드 정보 일변도에서 벗어나 2022년 국내 정치권에서 유행하는 용어대로 '제3지역'에서 바라보는 영화 음악 정보를 소개할 수 있는 기회가 됐다면 더할 나위 없는 기쁨으로 여기겠다.

보다 알찬 콘텐츠를 담은 저작물로 다시 찾아뵐 것을 약속드린다.

2022년 10월

사족(蛇足)

더 이상 음악을 쓸 수 없는 상황이 발생하면 나를 죽일 것이다. 그냥 직업이 아니다. 단순한 취미가 아니다. 그것은 내가 아침에 일어나는 이유이다.

If something happened where I couldn't write music anymore, it would kill me. It's not just a job. It's not just a hobby. It's why I get up in the morning.

- 한스 짐머, 영화 음악을 작곡하는 이유 중

영화 혹은 영화 음악 관련 콘텐츠를 쓰는 것은 내가 존재하는 이유다. 사람 가치보다는 모두가 돈을 끌어 모으기 위해 아귀다툼을 벌이는 자본주의 광풍 속. 재테크와는 거리가 먼 저술 활동은 그나마 내가 숨을 쉬고 있는 유일한 끈이다. 액션 코믹 등장인물처럼 누가 뭐래도 난 독고다이(tokkoutai)로 이 길을 갈 것이다.

- 국내 1호 영화 칼럼니스트 이 경 기

Contents

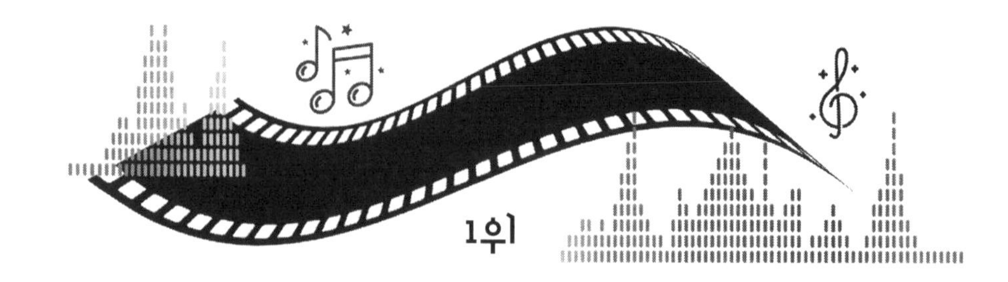

〈미션 The Mission〉(1986) - 18세기 중남미 선교에 나선 예수회 선교사 Jesuit missionary들의 수난사

작곡: 엔니오 모리코네 Ennio Morricone

엔니오 모리코네 작곡의 〈미션〉. © Warner Bros, Goldcrest Films International, Kingsmere Productions Ltd

1. <미션> - 버라이어티 평

18세기 스페인 예수회는 노예 제도를 지지하는 포르투갈 지배 아래 떨어질 위험에 처한 외딴 남미 부족을 보호하려고 한다.

제레미 아이언즈는 이 지역의 인디언을 개종시키기 위한 선교 사업을 위해 남미 광야로 가는 스페인 예수회 신부 역을 연기하고 있다.

로버트 드 니로는 개종하여 예수회에 합류한 노예 사냥꾼을 연기하고 있다. 스페인이 식민지를 포르투갈에 팔 때, 그들은 포르투갈 침략자들로부터 그들이 건설한 모든 것을 방어해야 한다. - 버라이어티

Eighteenth-century Spanish Jesuits try to protect a remote South American tribe in danger of falling under the rule of pro-slavery Portugal.

Jeremy Irons plays a Spanish Jesuit who goes into the South American wilderness to build a mission in the hope of converting the Indians of the region.

Robert De Niro plays a slave hunter who is converted and joins the Jesuit in his mission. When Spain sells the colony to Portugal, they are forced to defend all they have built against the Portuguese aggressors. - Variety

2. <미션> 사운드트랙 리뷰

〈미션 The Mission〉은 18세기 남미에서 한 예수회 선교사 경험을 다룬 시대극이다. 롤랑 조페 감독, 로버트 볼트가 각본을 맡았다.

로버트 드니로, 제레미 아이언스, 레이 맥애널리, 에이단 퀸, 체리 룽기, 리암 니슨이 출연하고 있다. 칸 영화제 황금 종려상과 아카데미 촬영상을 수상한다.

2007년 4월 '처치 타임즈 the Church Times'는 '탑 50 종교 영화 Top 50 Religious Films list' 1위로 선정한다.

또한 바티칸이 선정한 종교 영화 목록 15편 중 하나로 추천 받는다.

이태리 출신 작곡가 엔니오 모리코네(Ennio Morricone)가 작곡한 주제 음악은 호주 방송국(ABC) 영화 음악 100선 중 1위로 선정된다.

〈미션〉 사운드트랙은 엔니오 모리코네가 작곡했다.

'스페인어' 테마가 되는 'On Earth as It Is in Heaven'으로 시작된다. 이어 매우 토착적인 스타일로 쓰여지고 여러 토착 악기를 사용하는 'Guaraní' 테마로 빠르게 이동한다.

훗날 모리코네는 '미션' 테마를 '스페인어'와 '과라니' 테마 사이의 듀엣으로 정의해 주고 있다. 사운드트랙은 런던의 CTS 랜스다운 스튜디오에서 녹음된다.

영화 전반에 걸친 다른 주제에는 'Penance' 'Conquest' 'Ave Maria Guaraní 등이 포함되고 있다. 후자에서는 원주민의 대규모 합창단이 'Ave Maria'를 노래하고 있다. - 사운드트랙 리뷰 誌

The soundtrack for The Mission was written by Ennio Morricone. Beginning with a liturgical piece 'On Earth as It Is in Heaven' which becomes the 'Spanish' theme.

1986년 아카데미 작곡상에서 허비 행콕의 편곡 작품 〈라운드 미드나잇〉에서 수상 영예를 넘겨주어 수상에 대한 공정성 논란을 불러일으킨다. © Warner Bros, Goldcrest Films International, Kingsmere Productions Ltd

it moves quickly to the 'Guaraní' theme which is written in a heavily native style and uses several indigenous instruments. Later, Morricone defines The Mission theme as a duet between the 'Spanish' and 'Guaraní' themes.

The soundtrack was recorded at CTS

Lansdowne Studios in London.

Other themes throughout the movie include the 'Penance' 'Conquest' and 'Ave Maria Guaraní' themes. In the latter, a large choir of indigenous people sing a rendition of the 'Ave Maria' - Soundtrack Review

3. <미션 The Mission> 사운드트랙 해설 - 빌보드

〈미션〉은 엔니오 모리코네가 작곡, 편곡, 지휘, 제작한 동명의 영화(롤랑 조페 감독)의 사운드트랙이다.

이 작품은 영화에 묘사된 다양한 문화를 포착하기 위해 종종 같은 트랙에서 전례 합창, 네이티브 드럼 연주, 스페인의 영향을 받은 기타를 결합시키고 있다.

The Mission is the soundtrack from the film of the same name (directed by Roland Joffé), composed, orchestrated, conducted and produced by Ennio Morricone.

The work combines liturgical chorales, native drumming, and Spanish-influenced guitars, often in the same track, in an attempt to capture the varying cultures depicted in the film.

메인 테마 'Falls'는 모리코네의 가장 기억에 남는 작품 중 한 곡으로 남아 있다. 최초 출시 이후 수많은 광고에 사용되었다. 이태리 노래 'Nella Fantasia' (In My Fantasy)는 'Gabriel's Oboe' 테마를 기반으로 한 곡이다.

The main theme 'Falls' remains one of Morricone's most memorable pieces and has been used in numerous commercials since its original release. The Italian song 'Nella Fantasia' (In My Fantasy) is based on the theme 'Gabriel's Oboe.'

그리고 사라 브라이트만, 아미치 포에버, 일 디보, 러셀 왓슨, 헤이리 웨스텐라, 재키 이반초, 캐서린 젠킨스, 아미라 윌링하겐 및 유수토 타나카를 포함한 다수 아티스트가 음반을 발표했다.

and has been recorded by multiple artists including, Sarah Brightman, Amici Forever, Il Divo, Russell Watson, Hayley Westenra, Jackie Evancho, Katherine Jenkins, Amira Willighagen and Yasuto Tanaka.

사운드트랙은 1986년 아카데미상 후보에 올랐고 골든 글로브상 최우수 음악상을 수상한다. 미국 영화 협회(American Film Institute)의 100년 영화 스코어에서 아메리칸 시네마 부문 최고의 영화 스코어 23위로 선정 된다. 이 음악은 2002년 유타 주 솔트레이크시티에서 열린 동계 올림픽에서도 사용되었다.

The soundtrack was nominated for an Academy Award in 1986 and won the Golden Globe Award for Best Original Score.

It was selected as the 23rd best film score in American Cinema in the American Film Institute's 100 Years of Film Scores.

The music was also used during the 2002 Winter Olympics in Salt Lake City, Utah.

4. <미션> 아카데미 작곡상 탈락 이변

〈미션〉에 대한 모리코네 스코어는 허비 행콕 작곡의 〈라운드 미드나잇〉에 패배하여 오스카 작곡상을 수상하지 못한다.

이 때문에 이 해 작곡상은 가장 논란이 많은 것 중 하나로 여겨졌다.

그 이유는 그것이 〈에이리언〉에 대한 제임스 호너의 작곡, 〈후시어〉에 대한 제리 골드스미스 작곡, 〈미션〉에 대한 엔니오 모리코네 작곡을 능가했기 때문이다. 필름트랙닷컴 크리스티안 클리멘센은 〈라운드 미드나잇〉에 보낸 스코어에 대해 다음과 같이 말했다.

'〈라운드 미드나잇〉으로 허비 행콕에게 1986년 오스카 오리지널 작곡상을 수여한 것은 해당 부문 후보에게 닥친 많은 불공정한 것 중 가장 큰 것으로 간주되고 있다.'

Morricone's score for The Mission did not win the Oscar for Best Original Score, losing to Herbie Hancock's Round Midnight. The award is considered one of the most controversial in that category because it beat out James Horner's score for Aliens, Jerry Goldsmith's score for Hoosiers and that of Ennio Morricone for The Mission.

In his review of the score to Round Midnight, Christian Clemmensen of Filmtracks.com stated

'The awarding of the Original Score Oscar for 1986 to Herbie Hancock for Round Midnight is considered one of the greatest of the many injustices that have befallen nominees for that category.'

엔니오 모리코네와 제임스 호너는 그 해에 인정받을 가치가 있었다. 하지만 골드스미스의 〈후시어〉는 영화에 대한 엄청난 영향으로 인해 자체 클래스에 서 있게 된다.

Ennio Morricone and, to a lesser extent, James Horner were worthy of recognition that year, though Goldsmith's Hoosiers stands in a class of its own because of its Immense impact on the picture.

2015년 쿠엔틴 타란티노 감독의 〈헤이트풀 8〉까지 경쟁적인 오스카상을 수상하지 못한 모리코네는 인터뷰에서 다음과 같이 말했다.

Morricone who did not win a competitive Oscar until 2015 for Quentin Tarantino's The Hateful Eight said in an interview.

'특히 그 해 오스카상 수상자가 원래 오리지널 작곡이 아닌 〈라운드 미드나잇〉이었다는 점을 고려할 때 나는 〈미션〉에서 내가 이겼어야 한다고 느꼈다.

I definitely felt that I should have won for The Mission especially when you consider that the Oscar-winner that year was Round Midnight which was not an original score.

'허비 행콕의 편곡은 아주 좋았다. 하지만 기존의 악보를 사용했다.
그래서 〈미션〉과 비교할 수 없었다. 그것은 절도였다!'

'It had a very good arrangement by Herbie Hancock but it used existing pieces. So there could be no comparison with The Mission. There was a theft!'

'가브리엘 오보에'에 가사를 붙인 '넬라 판타지아'가 클로스 오버 곡으로 전 세계적 인기를 얻게 된다. © Warner Bros, Goldcrest Films International, Kingsmere Productions Ltd

5. '넬라 판타지아 Nella Fantasia' 열풍

국내 클래식 성악가들도 즐겨 열창해 주고 있는 'Nella Fantasia/In My Fantasy'는 영화 〈미션 The Mission〉(1986)의 여러 주제곡 중 한 곡인 'Gabriel's Oboe' 리듬에 이태리어 가사를 붙여 불러주는 노래이다.

작곡 엔니오 모리코네, 작사 치아라 페라우 Chiara Ferraù.

'Nella Fantasia'는 클래식 크로스오버 가수들이 경쟁적으로 취입하면서 국제적인 히트 곡으로 갈채를 받는다. 1998년 사라 브라이트만 Sarah Brightman의 곡이 가장 많은 환대를 받아낸다.

'Nella Fantasia'는 사라 브라이트만의 앨범 〈Eden〉(1998)에 처음 수록된다.

노래의 뮤직 비디오는 2006년 브라이트만의 〈디바: 더 비디오 콜렉션 Brightman' Diva: The Video Collection〉를 통해 공개된다.

1999년 3월 브라이트만은 콘서트 〈One Night in Eden〉을 발표할 때 노래 취입에 대한 일화를 다음과 같이 밝혔다.

'다음 곡은 원래 영화 〈미션〉의 작곡가 엔니오 모리코네가 작곡한 기악곡이었다. 약 3년 전에 나는 모리코네에게 이 특정 곡을 노래로 바꾸는 것을 허락해 줄 것인지 묻는 편지를 썼다.

그는 단호하게 거절했다. 그래서 두 달에 한 번씩 나는 또 다른 구걸 편지를 보냈다. 그가 나에게 너무 지쳐서 마침내 마음을 뉘우쳤다고 생각할 때까지.

그리고 그가 그렇게 해서 정말 기쁘다.

왜냐하면 그것이 노래처럼 아름답게 작동한다고 생각하기 때문이다.

My next song was originally an instrumental written by the composer Ennio Morricone for the film The Mission. About three years ago I wrote to Mr. Morricone asking whether he would give me permission to turn this particular piece into a song.

He flatly refused. So every two months I would send yet another begging letter until I think he became so sick of me that he finally relented.

And I am really glad that he did because I think it works beautifully as a song.'

Track listing

1. On Earth as It Is in Heaven
2. Falls
3. Gabriel's Oboe
4. Ave Maria Guaraní
5. Brothers
6. Carlotta
7. Vita Nostra
8. Climb
9. Remorse
10. Penance
11. The Mission
12. River
13. Gabriel's Oboe
14. Te Deum Guaraní
15. Refusal
16. Asunción
17. Alone
18. Guaraní
19. The Sword
20. Miserere

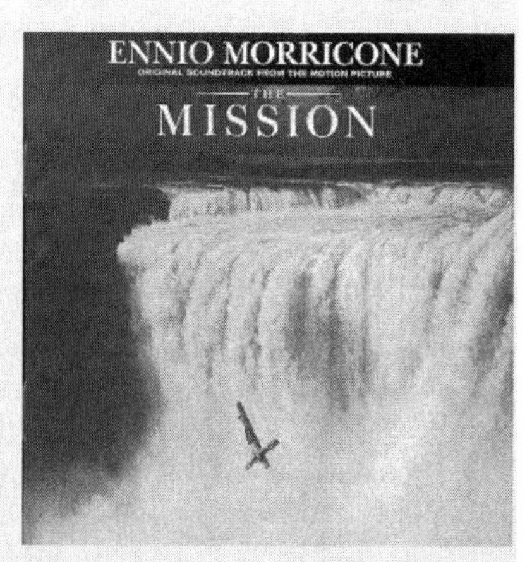

〈미션〉 사운드트랙. © Virgin Records

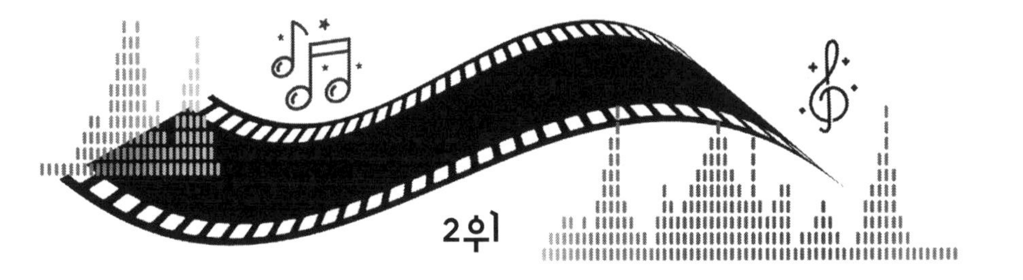

<스타 워즈 Star Wars> -

선악(善惡) 대결 묘사 위해

천공(天工)에 울려 퍼진 관현악 팡파르

작곡: 존 윌리암스 John Williams

20세기 우주 환타지극 서막을 선언한 〈스타 워즈〉. © 20th Century

1. <스타 워즈> 버라이어티 평

루크 스카이워커는 제다이 기사, 건방진 파일럿, 우키, 두 명의 드로이드와 힘을 합쳐 제국의 세계를 파괴하는 전투 기지에서 은하계를 구하는 동시에 신비한 다스 베이더로 부터 레이아 공주를 구하려고 한다.

Luke Skywalker joins forces with a Jedi Knight, a cocky pilot, a Wookiee and two droids to save the galaxy from the Empire's world-destroying battle station while also attempting to rescue Princess Leia from the mysterious Darth Vader.

잔인한 다스 베이더 명령에 따라 제국군은 은하 제국에 대한 반란을 진압하기 위해 레이아 공주를 인질로 잡는다.

The Imperial Forces, under orders from cruel Darth Vader, hold Princess Leia hostage in their efforts to quell the rebellion against the Galactic Empire.

루크 스카이워커와 밀레니엄 팔콘 선장 한 솔로는 드로이드 듀오 R2-D2 및 C-3PO와 함께 아름다운 왕자를 구출하게 된다. - 버라이어티

Luke Skywalker and Han Solo, captain of the Millennium Falcon, work together with the companionable droid duo R2-D2 and C-3PO to rescue the beautiful prince-Variety

2. <스타 워즈> 사운드트랙 리뷰

스필버그 추천을 받아 루카스는 스필버그와 함께 아카데미상을 수상한 영화

〈죠스〉에서 함께 일했던 존 윌리암스를 고용하게 된다.

On the recommendation of Spielberg, Lucas hired John Williams, who had worked with Spielberg on the film Jaws, for which he won an Academy Award.

루카스는 애초 존 윌리암스를 채용해서 음악 편집 선택에 대해 상담하고 음악의 소스 음악을 작곡하고 윌리암스에게 현존하는 음악을 사용할 계획이라고 말한다.

Lucas originally hired Williams to consult on music editing choices and to compose the source music for the music, telling Williams that he intends to use extant music.

루카스는 영화가 시각적으로 외국 세계를 묘사할 것이라고 믿었다.
하지만 음악은 관객에게 정서적 친숙함을 줄 것이라고 믿었다.
그는 〈스타 워즈〉를 위한 웅장한 음악적 사운드를 원했다.

Lucas believed that the film would portray visually foreign worlds but that the musical score would give the audience an emotional familiarity.
he wanted a grand musical sound for Star Wars.

따라서 루카스는 자신이 가장 좋아하는 오케스트라 곡을 사운드트랙용으로 끌어 모은다. 윌리암스는 루카스의 음악 선택을 임시 트랙으로 본 후 원곡이 독특하고 더 통합될 것이라는 확신을 갖게 된다.

Therefore, Lucas assembled his favorite orchestral pieces for the soundtrack until Williams convinced him that an original score would be unique and more unified having viewed Lucas music choices as a temp track.

그러나 윌리암스의 최종 악보 중 일부는 임시 트랙 영향을 받게 된다. 'Main Title Theme'는 에릭 볼프강 콘골드가 작곡했던 1942년 영화 〈킹스 로우 Kings Row〉 테마에서 영감을 받게 된다.

However, a few of Williams eventual pieces were influenced by the temp track. the 'Main Title Theme' was inspired by the theme from the 1942 film Kings Row scored by Erich Wolfgang Korngold

그리고 'Dune Sea of Tatooine' 트랙은 알레산드로 시코그니니가 작곡했던 〈자건거 도둑 Bicycle Thieves〉 사운드트랙에서 따온다.

and the track "Dune Sea of Tatooine" drew from the soundtrack of Bicycle Thieves, scored by Alessandro Cicognini.

1977년 3월 윌리암스는 런던 심포니 오케스트라를 지휘하여 12일 만에 〈스타 워즈〉 사운드트랙을 녹음하게 된다.

In March 1977, Williams conducted the London Symphony Orchestra to record the Star Wars soundtrack in 12 days.

오리지널 사운드트랙은 1977년 20세기 레코드 20th Century Records를 통해 2장짜리 LP로 발매 된다.

The original soundtrack was released as a double LP in 1977 by 20th Century Records.

20세기 레코드는 같은 해 오리지널 음악, 대화 및 음향 효과 중 일부를 활용하여 영화를 나레이션 오디오 드라마로 각색한 〈스타 워즈 스토리 The Story of Star Wars〉도 출시한다.

20th Century Records also released The Story of Star Wars that same year, a narrated audio drama adaptation of the film utilizing some of its original music, dialogue, and sound effects.

〈스타 워즈〉. © 20th Century

미국 영화 연구소(American Film Institute)의 최고의 영화 작곡 목록에서 〈스타 워즈〉 사운드트랙을 1위로 선정한다. - 사운드트랙 리뷰 誌

The American Film Institute's list of best film scores ranks the Star Wars soundtrack at number one. - Soundtrack Review.

3. <스타 워즈> 사운드트랙 해설 - 빌보드

〈스타 워즈: 오리지날 사운드트랙 Star Wars Original Motion Picture Soundtrack〉은 존 윌리암스가 작곡, 지휘하고 런던 심포니 오케스트라가 연주한 1977년 영화 〈스타 워즈〉 사운드트랙 앨범이다.

Star Wars (Original Motion Picture Soundtrack) is the soundtrack album to the 1977 film Star Wars composed and conducted by John Williams and performed by the London Symphony Orchestra.

〈스타 워즈〉에 대한 윌리암스 악보는 1977년 3월 5일, 3월 8일-12일, 3월 15일과 16일 영국 덴 햄 앤빌 스튜디오에서 8차례에 걸쳐 녹음된다.

스코어 연주에는 윌리암스, 허버트 W. 스펜서, 알렉산더 커리지, 안젤라 모리, 아서 모튼과 알버트 우드버리 등이 참여한다.

스펜서는 〈제국의 역습〉과 〈제다이의 귀환〉의 악보를 편곡한다.

Williams score for Star Wars was recorded over eight sessions at Anvil Studios in Denham, England on March 5, 8-12, 15 and 16, 1977.

The score was orchestrated by Williams, Herbert W. Spencer, Alexander Courage, Angela Morley, Arthur Morton and Albert Woodbury.

Spencer orchestrated the scores for The Empire Strikes Back and Return of the Jedi.

스코어는 엔지니어 에릭 톰린슨(Eric Tomlinson)이 녹음한다.

케네스 완버그(Kenneth Wannberg)가 편집한다. 스코어 세션은 〈스타 워즈〉 감독 조지 루카스(George Lucas)가 프로듀싱하고 20세기 폭스 음악 부서 책임자 라이오넬 뉴먼(Lionel Newman)이 지휘한다.

The score was recorded by engineer Eric Tomlinson and edited by Kenneth Wannberg, and the scoring sessions were produced by Star Wars director George Lucas and supervised by Lionel Newman, head of 20th Century Fox's music department.

사운드트랙 앨범은 1977년 6월 미국에서 20세기 레코드에 의해 2장짜리 LP 레코드로 출반된다.

The soundtrack album was released by 20th Century Records as a double-LP record in the United States in June 1977.

앨범 메인 타이틀은 빌보드 핫 100에서 10위를 기록하게 된다.

1977년 10월 메코가 영화 테마를 디스코 버전으로 만든 곡은 미국에서 싱글 히트 1위에 등극한다.

The album's main title peaked at No. 10 on the Billboard Hot 100 with a disco version of the film's theme by Meco becoming a number one single hit in the United States in October 1977.

〈스타 워즈〉. © 20th Century

사운드트랙 앨범 자체는 역사상 가장 많이 팔린 교향곡 앨범이 된다.

The soundtrack album itself became the best-selling symphonic album of all time.

미국 음반 산업 협회(Recording Industry Association of America)로 부터 골드 및 플래티넘 인증을 받는다. 최우수 영화 작곡 및 사운드트랙 앨범 부문에서 아카데미상, 골든 글로브상, BAFTA 상, 그래미상 등 수많은 상을 수상한다.

It was certified Gold and Platinum by the Recording Industry Association of America and won numerous accolades including an Academy Award, a Golden Globe Award, a BAFTA Award and Grammy Awards in the categories of best film score and soundtrack album.

2004년에 미국 의회 도서관 산하 '국가 녹음 등기소 National Recording Registry'에 '문화적으로, 역사적으로, 또는 미학적으로 중요하다'는 평가를 받으며 영구 소장 자료로 등록된다.

In 2004, it was preserved by the Library of Congress into the National Recording Registry calling it 'culturally, historically, or aesthetically significant.'

2005년 미국 영화 연구소는 오리지널 〈스타 워즈〉 사운드트랙을 미국 영화 역사상 가장 기억에 남는 배경 음악으로 선정한다.

In 2005, the American Film Institute named the original Star Wars soundtrack as the most memorable score of all time for an American film.

〈스타 워즈〉 사운드트랙은 최초 출시 이후 계속해서 재발매 되고 있다.

2016년 앨범은 윌리암스의 다른 〈스타 워즈〉 사운드트랙과 함께 LP, CD 및 디지털 형식으로 소니 클래식칼 레코드를 통해 재발매 된다.

The Star Wars soundtrack saw subsequent reissues since its initial release. In 2016, the album was re-released by Sony Classical Records on vinyl, CD, and digital formats alongside Williams other Star Wars soundtracks.

월트 디즈니 레코드는 2017년 12월 1일에 LP, 2018년 5월 4일에 CD 및 디지털 형식으로 사운드트랙을 리마스터링 한 뒤 재발매한다. - 빌보드

Walt Disney Records remastered and reissued the soundtrack on vinyl LP on December 1, 2017 and on CD and digital formats on May 4, 2018. - Billboard Magazine

4. <스타 워즈 3부작> 사운드트랙 앤소로지 발매
Star Wars Trilogy: The Original Soundtrack Anthology

1993년 20세기 폭스 필름 스코어는 오리지널 〈스타 워즈 3부작〉 음악이 포함된 4CD 박스 세트를 출시한다.

이번 출반은 처음 두 영화의 배경 음악에 대한 오리지날 더블 LP 출반의 전체

내용이 CD로 제공되는 최초의 기록이 된다.

In 1993, 20th Century Fox Film Scores released a four-CD box set containing music from the original Star Wars trilogy. This release marked the first time that the complete contents of the original double-LP releases of the scores from the first two films became available on CD.

5. <스타 워즈> 음악 Music of Star Wars

〈스타 워즈〉 시리즈 음악은 조지 루카스가 제작한 장편 스페이스 오페라 프랜차이즈 내에서 장편 영화, TV 시리즈 및 기타 상품의 개발과 함께 구성 및 제작된다.

The music of the Star Wars franchise is composed and produced in conjunction with the development of the feature films, television series and other merchandise within the epic space opera franchise created by George Lucas.

주요 장편 영화의 음악-다른 관련 미디어의 기반이 됨-은 존 윌리암스가 작곡한다.

The music for the primary feature films-which serves as the basis for the rest of the related media-was written by John Williams.

시리즈에 대한 윌리암스의 작업에는 9편의 장편 영화, 모음곡, 솔로의 주제 자료에 대한 몇 가지 악보, 'Galaxy's Edge Theme Park' 테마 음악 등이 포함되고 있다.

〈스타 워즈〉. © 20th Century

Williams work on the series included the scores of nine feature films, a suite and several cues of thematic material for Solo and the theme music for the Galaxy's Edge Theme Park.

이것은 현대 영화 음악에 대한 가장 널리 알려지고 인기 있는 공헌 중 하나로 간주되고 있다. 심포니 오케스트라를 활용해서 영화 역사상 가장 큰 주제 저장 중 하나인 캐릭터 및 기타 줄거리 요소를 나타내는 약 50개의 반복되는 음악 주제 모음을 제공하고 있다.

These count among the most widely known and popular contributions to modern film music and utilize a symphony orchestra and features an assortment of about fifty recurring musical themes to represent characters and other plot elements.
one of the largest caches of themes in the history of film music.

1977년과 2019년 사이에 출반된 주요 장편 영화 음악은 처음 2번의 3부작 경우 런던 심포니 오케스트라가, 일부 악보에서는 런던 보이스 합창단이 연주를 했다.

Released between 1977 and 2019, the music for the primary feature films was in the case of the first two trilogies, performed by the London Symphony Orchestra and in select passages by the London Voices chorus.

속 편 3부작은 대부분 존 윌리암스와 윌리암스 로스가 지휘했다. 할리우드

프리랜스 스튜디오 심포니와 LA 마스터 합창단이 몇 구절에서 공연을 했다.

The sequel trilogy was largely conducted by Williams and William Ross and performed by the Hollywood Freelance Studio Symphony and in a few passages by the Los Angeles Master Chorale.

6. <스타 워즈> 여러 음악 장르에서 영향 받아

〈스타 워즈〉 배경 음악은 리하르트 슈트라우스(Richard Strauss)와 동시대 사람들의 후기 낭만주의 관용구에서 발췌한 다양한 음악 스타일을 활용하고 있다. 그 자체가 에릭 콘골드(Erich Korngold)와 막스 스타이너(Max Steiner)의 황금기 할리우드 배경 음악이 통합되어 있다.

The scores utilize an eclectic variety of musical styles, many culled from the Late Romantic idiom of Richard Strauss and his contemporaries that itself was incorporated into the Golden Age Hollywood scores of Erich Korngold and Max Steiner.

그 이유는 조지 루카스가 공상 과학 설정보다는 내러티브의 기본 환타지 요소를 암시하고, 잘 알려진 관객이 접근할 수 있는 음악에서 그렇지 않으면 이상하고 환상적인 설정을 기반으로 삼고자 하는 열망과 관련이 있는 것으로 알려져 있다.

The reasons for this are known to involve George Lucas's desire to allude to the underlying fantasy element of the narrative rather than the science-fiction setting as well as to ground the otherwise strange and fantastic setting in well-known, audience-accessible music.

〈스타 워즈〉. © 20th Century

실제로 루카스는 영화 성공의 많은 부분이 고급 시각 효과가 아니라 줄거리, 등장인물, 그리고 중요하게는 음악의 단순하고 직접적인 감정적 호소에 달려 있다고 주장하고 있다.

Indeed, Lucas maintains that much of the films success relies not on advanced visual effects but on the simple, direct emotional appeal of its plot, characters and importantly, music.

루카스는 애초 〈2001 스페이스 오딧세이〉와 유사한 방식으로 추적된 오케스트라 및 영화 음악을 사용하기를 원했다.

그 자체가 〈스타 워즈〉의 주요 영감(靈感)이었다.

Lucas originally wanted to use tracked orchestral and film music in a similar manner to 2001: A Space Odyssey, itself a major inspiration for Star Wars.

소스 음악에 대한 컨설팅과 작업을 위해 고용된 윌리암스는 이야기를 보강하기 위해 반복되는 음악 테마로 사운드트랙을 구성할 것을 조언한다.

루카스가 선택한 음악은 윌리암스가 음악적 선택의 기반이 되는 임시 트랙으로 사용될 수 있었다고 한다.

Williams, who was hired to consult and possibly work on the source music, advised to form a soundtrack with recurring musical themes to augment the story, while Lucas's choice of music could be used as a temporary track for Williams to base his musical choices on.

이로 인해 〈스타 워즈〉 음악에서는 구스타프 홀스트, 윌리암 월튼, 세르게이 프로코피예프, 이고르 스트라빈스키 음악에 몇 차례 고개를 끄덕이거나 경의를 표하고 있다.

This resulted in several nods or homages to the music of Gustav Holst, William Walton, Sergei Prokofiev and Igor Stravinsky in the score to Star Wars.

윌리암스는 후반 8개 악보에서 기존 음악에 대한 언급에 점점 더 의존하지 않고 각 프로그레시브 악보에 모더니스트 오케스트라 작곡을 더 많이 통합하게 된다.
그러나 가끔 고개를 끄덕이는 소리가 계속 음악에 스며들게 했다고 한다.

Williams relied less and less on references to existing music in the latter eight scores, incorporating more strains of modernist orchestral writing with each progressive score, although occasional nods continue to permeate the music.

'Revenge of the Sith' 배경 음악은 당시 다른 현대 작곡가들의 성공적인 작곡, 즉 동시대인 하워드 쇼어의 〈반지의 제왕〉, 한스 짐머의 〈글래디에이터〉, 탄 둔의 〈와호장룡〉과 분명히 유사하다.

The score to Revenge of the Sith has clear resemblances to the successful scores of other contemporary composers of the time, namely Howard Shore's Lord of the Rings, Hans Zimmer's Gladiator and Tan Dun's Crouching Tiger, Hidden Dragon with which the movie was most likely scored contemporarily.

그러나 이후 그의 음악은 주로 이전 〈스타 워즈〉 영화에서 자신이 작곡한 음악으로 대부분을 뒤쫓고 있다.

Otherwise, however, his later scores were mostly tracked with music of his own composition mainly from previous Star Wars films.

그러나 윌리암스는 'The Last Jedi'에 대한 배경 음악에서는 시리즈에서 처음으로 다른 작곡가 아리 바로소 작곡의 'Aquarela Do Brasil'-1985 테리 길리암 감독의 〈브라질〉에 대한 경의-자니 머서가 공동 작곡한 'Long Goodbye' 등을 자신의 주제에서 직접적으로 인용한다.

Yet, in Williams score to The Last Jedi he, for the first time in the series went so as far as to incorporate direct quotes of other compositions, namely 'Aquarela Do Brasil' by Ary Barroso in a nod to the 1985 Terry Gilliam film Brazil and from his own theme for The Long Goodbye co-composed by Johnny Mercer.

그럼에도 불구하고 윌리암스는 또한 영화가 진행 됨에 따라 다른 악기, 특이한 오케스트라 설정-다양한 합창 앙상블 뿐만 아니라-심지어 전자 또는 전자적으로 감쇠된 음악을 통합한 뒤 다양한 영화를 통해 자신의 스타일을 발전시키기 시작하게 된다.

Nevertheless, Williams also started to develop his style throughout the various films, incorporating other instruments, unusual orchestral set-ups as well as various choral ensembles and even electronic or electronically attenuated music as the films progressed.

윌리암스는 종종 영웅적이다. 하지만 우스꽝스러운 스타일로 음악을 작곡했으며 작곡한 영화를 '뮤지컬'로 묘사했다.

Williams often composed the music in a heroic but tongue-in-cheek style and has described the scored film as a 'musical'.

Track listing

Side one

1. Main Title
2. Imperial Attack
3. Princess Leia's Theme
4. The Desert and the Robot Auction

Side two

5. Ben's Death and TIE Fighter Attack
6. The Little People Work
7. Rescue of the Princess
8. Inner City
9. Cantina Band

Side three

10. The Land of the Sandpeople
11. Mouse Robot and Blasting Off
12. The Return Home
13. The Walls Converge
14. The Princess Appears

Side four

15. The Last Battle
16. The Throne Room and End Title

〈스타 워즈〉 사운드트랙. © 20th Century

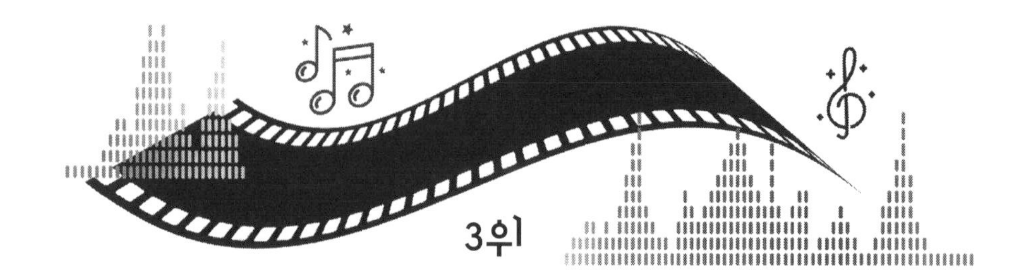

<반지의 제왕 The Lord of the Rings>(2001) - 하워드 쇼어가 들려준 환타지 선율

작곡: 하워드 쇼어 Howard Shore

피터 잭슨 감독이 2001-2003년 시리즈 3부작으로 발표해 선풍적 인기를 얻어낸 〈반지의 제왕〉.

1. <반지의 제왕> 버라이어티 평

샤이어 출신 온유한 호빗과 8명의 동료들은 강력한 절대 반지를 파괴하고 어둠의 군주 사우론으로 부터 중간계를 구하기 위한 여행을 시작하게 된다.

A meek Hobbit from the Shire and eight companions set out on a journey to destroy the powerful One Ring and save Middle-earth from the Dark Lord Sauron.

수 세기 동안 잃어버린 고대 반지의 생각이 발견된다.
기이한 반전을 통해 프로도라는 작은 호빗에게 운명이 주어지게 된다.

An ancient Ring thought lost for centuries has been found, and through a strange twist of fate has been given to a small Hobbit named Frodo.

간달프는 절대 반지가 사실은 어둠의 군주 사우론의 반지라는 것을 알게 된다.
프로도는 그것을 파괴하기 위해 운명의 균열에 대한 장대한 탐색을 수행해야 한다.

When Gandalf discovers the Ring is in fact the One Ring of the Dark Lord Sauron, Frodo must make an epic quest to the Cracks of Doom in order to destroy it.

그러나 그는 혼자 가지 않는다. 간달프, 요정 레골라스, 난쟁이 김리, 아라곤, 보로미르, 그리고 호빗의 3명의 친구 메리, 피핀, 샘와이즈가 합류하게 된다.

However, he does not go alone. He is joined by Gandalf, Legolas the elf, Gimli the Dwarf, Aragorn, Boromir and his three Hobbit friends Merry, Pippin, and Samwise.

산, 눈, 어둠, 숲, 강, 평원을 통과하여 사방에서 악과 위험에 맞서면서 반지 원정대는 가야만 한다.

Through mountains, snow, darkness, forests, rivers and plains, facing evil and danger at every corner the Fellowship of the Ring must go.

절대 반지를 파괴하려는 그들의 탐구는 어둠의 군주 통치의 끝을 위한 유일한 희망이 된다. - 버라이어티

Their quest to destroy the One Ring is the only hope for the end of the Dark Lords reign. - Variety Magazine Review

2. <반지의 제왕> 사운드트랙 리뷰

시리즈 3부작으로 공개된 〈반지의 제왕〉. © New Line Cinema, Wing-Nut Films, The Saul Zaentz Company

하워드 쇼어는 3부작 음악을 작곡, 편곡, 지휘 및 제작한다.

쇼어는 1999년 세트장을 방문하여 잭슨 감독이 촬영을 시작하기 전에 'Shire theme'와 'Frodo's Theme'를 작곡한다.

Howard Shore composed, orchestrated, conducted and produced the trilogy's music.

Shore visited the set in 1999 and composed a version of the Shire theme and Frodo's Theme before Jackson began shooting.

2000년 8월 그는 다시 세트장을 방문하여 〈반지 원정대〉와 〈왕의 귀환〉의 집합된 컷을 보게 된다.

In August 2000 he visited the set again and watched the assembly cuts of The Fellowship of the Ring and The Return of the King.

음악을 통해 쇼어는 다양한 캐릭터, 문화 및 장소를 나타내는 많은-85에서 110-조명 모티브를 포함시킨다. 비교를 위해 전체 〈스타 워즈〉 시리즈를 능가하는 영화 역사상 가장 큰 조명 모티브 카탈로그를 사용하게 된다.

In the music, Shore included many-85 to 110-leitmotifs to represent various characters, cultures and places the largest catalogue of leitmotifs in the history of cinema, surpassing, for comparison that of the entire Star Wars film series.

예를 들어, 호빗과 샤이어만을 위한 여러 가지 주제가 있다. 첫 번째 영화 스코어 중 일부는 웰링턴에서 녹음되었다. 하지만 사실상 3부작의 모든 스코어는 워트포드 타운 홀에서 녹음되었고 애비 로드 스튜디오에서 믹싱 된다.

For example, there are multiple leitmotifs just for the hobbits and the Shire.
Although the first film had some of its score recorded in Wellington, virtually all of the trilogy's score was recorded in Watford Town Hall and mixed at Abbey Road Studios.

잭슨은 매년 런던에서 6주 동안 스코어를 조언할 계획이었다.
그러나 〈두개의 탑〉에서는 12주 동안 체류하게 된다.

Jackson planned to advise the score for six weeks each year in London though for The Two Towers he stayed for twelve.

배경 음악은 주로 런던 필하모닉 오케스트라가 연주했으며 녹음 전체에 걸쳐 93명에서 120명의 연주자가 참여한다.
런던 보이스, 런던 오라토리 스쿨 스콜라 소년 합창단과 벤 델 마에스트로, 세일라 찬드라, 엔야, 르네 플레밍, 제임스 갤웨이, 애니 레녹스 및 에밀리아나 토리리니 등과 같은 다수의 아티스트들이 기여하게 된다.

The score is primarily played by the London Philharmonic Orchestra ranging from 93 to 120 players throughout the recording. London Voices, the London Oratory School Schola boy choir and many artists such as Ben Del Maestro, Sheila Chandra, Enya, Renée Fleming, James Galway, Annie Lennox and Emilíana Torrini contributed.

배우 빌리 보이드, 비고 모텐센, 리브 타일러, 미란다 오토 및 피터 잭슨 등이 스코어에 기여하게 된다.

Even actors Billy Boyd, Viggo Mortensen, Liv Tyler, Miranda Otto and Peter Jackson contributed to the score.

프란 월시와 필리파 보옌스는 데이비드 살로가 원작자 톨킨의 언어로 번역한 다양한 음악과 노래 가사를 쓰는 대본가로 봉사한다.
3번째 영화 마지막 곡 'Into the West'는 젊은 영화감독 잭슨과 월시가 2003년 암으로 사망한 절친한 친구 카메론 던칸에게 바치는 헌정 곡이었다.

Fran Walsh and Philippa Boyens served as librettists, writing lyrics to various music and songs which David Salo translated into Tolkien's languages.
The third film's end song 'Into the West' was a tribute to a young filmmaker Jackson and Walsh befriended named Cameron Duncan, who died of cancer in 2003.

쇼어는 〈반지 원정대〉 주요 테마를 다양한 캐릭터 테마로 구성한다.

볼륨의 강점과 약점은 시리즈의 다른 지점에서 묘사된다.

Shore composed a main theme for the Fellowship rather than many different character themes and its strength and weaknesses in volume are depicted at different points in the series.

〈반지의 제왕〉. © New Line Cinema, WingNut Films, The Saul Zaentz Company

또한 개별 테마를 구성하여 다양한 문화를 표현한다.

악명 높게 쇼어는 3번째 영화를 위해 매일 작성해야 하는 음악의 양이 약 7분으로 극적으로 증가하게 된다.

On top of that, individual themes were composed to represent different cultures. Infamously, the amount of music Shore had to write every day for the third film increased dramatically to around seven minutes.

시리즈 음악은 〈쉰들러 리스트〉(1993) 〈글라디에이터〉(2000) 〈스타 워즈〉(1977) 및 〈아웃 오브 아프리카〉(1985)를 각각 제치고 6년 연속 최고의 영화 사운드트랙으로 선정되었다. - 사운드트랙 리뷰 誌

The music for the series has been voted best movie soundtrack of all time for the six years running passing Schindler's List (1993), Gladiator (2000), Star Wars (1977) and Out of Africa (1985), respectively. - Soundtrack Review

3. <반지의 제왕> 사운드트랙 해설 - 빌보드

〈반지의 제왕〉 영화 시리즈 음악은 하워드 쇼어가 작곡, 편곡, 지휘 및 제작했다.

The music of The Lord of the Rings film series was composed, orchestrated, conducted and produced by Howard Shore.

악보는 종종 스코어의 길이, 상연된 세력의 규모, 특이한 악기, 주요 솔리스트, 음악 스타일과 사용된 반복적인 음악 테마의 수, 수많은 연주자 등의 면에서 영화 음악 역사상 가장 위대한 업적 중 하나로 간주되고 있다.

The scores are often considered to represent one of the greatest achievements in the history of film music in terms of length of the score, the size of the staged forces, the unusual instrumentation, the featured soloists, the multitude of musical styles and the number of recurring musical themes used.

쇼어는 〈반지의 제왕〉을 위해 많은 시간의 음악을 작곡하여 전체 영화 길이를 효과적으로 기록한다. 13시간이 넘는 음악-다양한 대체 테이크 포함-이 다양한 형식으로 출반 된다.

Shore wrote many hours of music for The Lord of the Rings, effectively scoring the entire film length. Over 13 hours of the music-including various alternate takes-have been released across various formats.

쇼어는 이 배경 음악을 오페라적이고 구식으로 인식하게 된다.
그는 대규모 교향악단-주로 런던 필하모닉 오케스트라-여러 기악 '밴드', 다양한 합창단, 성악 및 기악 독주자를 포함하는 등 230명에서 400명의 음악가에 이르는 앙상블을 필요로 했다.

Shore conceived the score as operatic and antiquated-sounding. He made use of an immense ensemble including a large symphony orchestra-principally, the London Philharmonic Orchestra-multiple instrumental 'bands', various choirs, and vocal and instrumental soloists, requiring an ensemble ranging from 230 to 400 musicians.

작곡 전반에 걸쳐 쇼어는 100개 이상의 식별된 주제 또는 160개 이상을 상호 연관시킨다.

그룹으로 분류되는 호빗 영화의 음악을 고려할 때 영화 역사상 가장 위대하고 복잡한 주제 모음 중 하나를 형성하는 것과 관련된 중간계 문화에 해당한다.

Throughout the composition, Shore has woven over 100 identified leitmotifs or over 160 when considering the music of the Hobbit films which are interrelated and categorized into groups that correspond to the Middle-earth cultures to which they relate forming one of the greatest and most intricate collections of themes in the history of cinema.

이 스코어는 3개의 오스카상, 2개의 골든 글로브, 3개의 그래미 상 및 기타 여러 후보에 올랐다. 쇼어의 일부 주제-샤이어 주제와 같은-와 노래는 큰 인기를 얻었다. 쇼어 경력 중 가장 성공적인 음악이 되었다

The score became the most successful of Shore's career, earning three Oscars, two Golden Globes, three Grammys and several other nominations and some of his themes-like the Shire theme-and songs earning great popularity.

이 스코어는 〈하워드 쇼어:인트로스펙티브 Howard Shore: An Introspective〉라는 단편 다큐멘터리 영화의 주제였다.

음악학자 더그 아담스가 연구 기반의 전용 책을 받는다.

〈반지의 제왕〉. © New Line Cinema, WingNut Films, The Saul Zaentz Company

The score was the subject of a short documentary film called Howard Shore: An Introspective and has earned a dedicated research-based book by the musicologist Doug Adams.

스코어는 계속해서 전 세계 합창단과 오케스트라에서 교향곡, 콘서트 모음곡 및 라이브 투 프로젝션 콘서트로 연주되고 있다.

The scores continue to be performed by choirs and orchestras around the world as symphony pieces, concert suites and live to-projection concerts-Billboard Magazine

4. <반지의 제왕>이 탄생시킨 추가적 스코어 및 주제곡

스코어는 디에제틱과 비(非) 디에제틱의 일련의 노래를 포함하고 있다.

일부 노래와 관련 밑줄은 전체 사운드트랙이 출시되기 전에 영화와 프로덕션의 장면을 포함하는 싱글 CD 출시 및 뮤직 비디오로 출시된다.

The score includes a series of songs, diegetic and non-diegetic.

Some of the songs and the associated underscore were released as single CD releases and music videos featuring footage from the film and the production, prior to the release of the entire soundtracks.

디에제틱 노래 중 일부는 하워드 쇼어가 작곡하지 않았다. 하지만 오케스트라 반주를 지휘했다. 심지어 일부를 자신의 교향곡으로 재반영 하기도 했다.

Some of the diegetic songs were not composed by Howard Shore but he orchestrated and conducted the orchestral accompaniment and even reprised some of them in his symphony.

* 'Aníron'-〈반지 원정대〉-은 엔야 Enya가 연주하고 작곡하고 쇼어가 오케스트라를 지휘했다. 엔야, 런던 필하모닉 및 런던 보이스의 싱글로 발매되었다.

'Aníron'-The Fellowship of the Ring-performed and composed by Enya, orchestrated and conducted by Shore. Released as a Single for Enya, the London Philharmonic and London Voices.

* 'Arwen's Song'-〈왕의 귀환 The Return of the King〉-리브 타일러가 공연해주고 있다.

'Arwen's Song' (The Return of the King) performed by Liv Tyler.

* 'Asea Aranion'-시셀 키르케보가 공연해주고 있다.

'Asea Aranion': Performed by Sissel Kyrkjebø.

〈반지의 제왕〉. © New Line Cinema, WingNut Films, The Saul Zaentz Company

5. <반지의 제왕> 엔딩 크레디트 주제가 End-credits songs

* 'May It Be'-〈반지 원정대 The Fellowship of the Ring〉: 엔야가 작곡하고 공연해 주고 있다. 2001년 아카데미 주제가상 후보에 지명 받는다.

'May It Be'-The Fellowship of the Ring-performed and composed by Enya. nominated for the Academy Award for Best Song in 2001 and performed at the ceremony.

* 'In Dreams'-〈반지 원정대 The Fellowship of the Ring〉-에드워드 로스가 공연해 주고 있다.

'In Dreams'-The Fellowship of the Ring-performed by Edward Ross.

* 'Gollum's Song'-〈두 개의 탑 The Two Towers〉 에밀리아나 토리니가 공연해 주고 있다. 음악적으로 골룸의 가련한 주제와 연관되어 있다.
가사는 프란 월시가 구성했다. 싱글과 영화 장면을 담은 뮤직 비디오로 발매되었다. 이 노래는 뷰욕이 부른 것이다.
그녀의 이름은 실제로 극장에서 상영된 영화의 엔딩 크레디트에 등장하고 있다.
아티스트 게오프 키저가 이 곡의 재즈 피아노 버전을 발표한다.
책에 나오는 동명 노래와 관련은 없다.

'Gollum's Song'-The Two Towers-performed by Emilíana Torrini is musically related to Gollum's Pity Theme. The lyrics are by Fran Walsh. Released as a Single and as a music video featuring footage from the film. The song was to have been performed by Björk whose name actually appeared in the closing credits of the film as shown in theatres. Artist Geoff Keezer has released a jazz piano version of the song. Unrelated to the song of the same name in the book.

* 애니 레녹스가 공연해 주고 있는 'Into the West'-〈왕의 귀환〉은 2004년 아카데미 주제가 상을 수상한다. 얼터너티브 어코스틱 테이크가 대중에게 공개된다. 싱글과 영화 장면을 담은 뮤직 비디오로 출반된다.

'Into the West'-The Return of the King-performed by Annie Lennox won the Academy Award for Best Song in 2004. Alternate acoustic takes were released to the public. Released as a Single and as a music video featuring footage from the film.

* 'Use Well Days'-〈왕의 귀환, 디럭스 사운드트랙〉-애니 레녹스가 공연해 주고 있다.

'Use Well the Days'-The Return of the King, Deluxe Soundtrack-performed by Annie Lennox.

Track listing

1. The Prophecy
2. Concerning Hobbits
3. The Shadow of the Past
4. The Treason of Isengard
5. The Black Rider
6. At the Sign of the Prancing Pony
7. A Knife in the Dark
8. Flight to the Ford
9. Many Meetings
10. The Council of Elrond feat. Aníron (Theme for Aragorn and Arwen) composed and performed by Enya
11. The Ring Goes South
12. A Journey in the Dark

13. The Bridge of Khazad-dûm
14. Lothlórien feat Lament for Gandalf by Philippa Boyens and Howard Shore, performed by Elizabeth Fraser
15. The Great River
16. Amon Hen
17. The Breaking of the Fellowship feat. In Dreams by Fran Walsh and Howard Shore, performed by Edward Ross
18. May It Be composed and performed by Enya

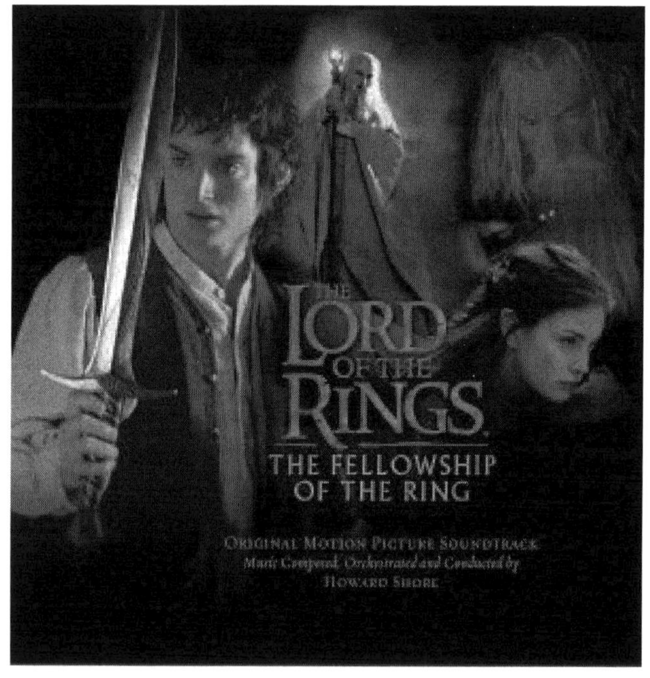

〈반지의 제왕〉 사운드트랙. © Reprise

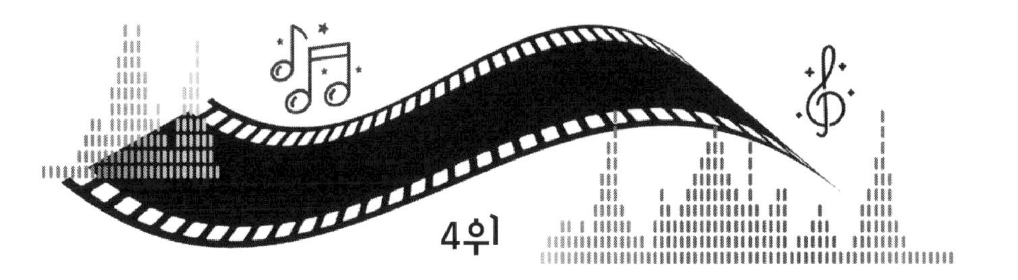

<불의 전차 Chariots of Fire> -

1924년 파리 올림픽에 출전한 2명의 영국 체육인들 사연

작곡: 반젤리스 Vangelis

휴 허드슨 감독의 〈불의 전차〉. © Twentieth Century-Fox

1. <불의 전차> 버라이어티 평

확고한 유대인과 독실한 기독교인 등 2명의 영국 육상 선수가 자존심과 양심 문제로 씨름하면서 1924년 올림픽에서 우승을 차지하게 된다.

Two British track athletes, one a determined Jew and the other a devout Christian, are driven to win in the 1924 Olympics as they wrestle with issues of pride and conscience

제1차 세계 대전 이후의 시대.

영국인 해롤드 아브라함과 에릭 리델은 모두 타고난 빠른 단거리 선수이다. 하지만 달리기에 접근하고 달리기가 각자의 삶에 어떻게 적용되는지는 다르다.

It's the post-World War I era. Britons Harold Abrahams and Eric Liddell are both naturally gifted fast sprinters but approach running and how it fits into their respective lives differently.

캠브리지에서 다소 특권적인 삶을 살고 있는 리투아니아 계 유대인 아들 해롤드. 특권에도 불구하고 유대인으로서 인생에서 직면한 장애물이라고 생각하는 것을 가장 빠른 방법으로 극복해 나간다.

The son of a Lithuanian Jew, Harold who lives a somewhat privileged life as a student at Cambridge uses being the fastest to overcome what he sees as the obstacles he faces in life as a Jew despite that privilege.

옛 격언을 바꾸어 말하면 그는 종종 구유에 초대되지만 술은 허용되지 않는다.

In his words to paraphrase an old adage, he is often invited to the trough but isn't allowed to drink.

그의 달리는 기량은 급우들, 특히 그의 달리는 동료들로부터 존경을 받고 있다.

항상 그런 것은 아니지만 어느 정도 학교 행정실에서 그들이 적절한 신사적 예의라고 생각하는 것을 그가 유지하기만 하면. 기독교 선교사 에릭의 아들로 중국에서 태어난다.

〈불의 전차〉. © Twentieth Century-Fox

스코틀랜드인은 결국 그 선교 사업으로 돌아가고 싶어 하는 스코틀랜드 교회의 독실한 회원이다. 그는 빨리 달린다는 악명이 그에게 하나님의 말씀을 전파하는 추가적인 출구를 제공한다는 점에서 달리기를 윈-윈으로 보고 있다.

반면 그의 속도는 하나님의 선물이라고 생각하고 그는 하나님과 그 선물을 영화롭게 하기 위해 달리기를 원하고 있다.

His running prowess does earn him the respect of his classmates, especially his running teammates and to some extent the school administration if only he maintains what they consider proper gentlemanly decorum which isn't always the case in their minds. Born in China, the son of Christian missionaries Eric. a Scot is a devout member of the Church of Scotland who eventually wants to return to that missionary work.

He sees running as a win-win in that the notoriety of being fast gives him an added outlet to spread the word of God, while he sees his speed as being a gift from God and he wants to run to honor God and that gift.

이러한 관점은 자신의 달리기가 직장에서 하나님께로 가는 시간을 빼앗아 가는 것이라고 생각하는 여동생 제니 리델과 어울리지 않게 된다. 해롤드와 에릭의 삶은 전국적인 경주에서 교차하게 된다. 하지만 두 남자와 그들의 지지자들이 가장 기대하는 것은 1924년 파리 올림픽의 100미터 육상 경기다.

This view does not sit well with his sister, Jennie Liddell who sees his running as only taking away time from his work to God. Harold and Eric's lives do intersect in national races but it is the one hundred meter track event at the 1924 Paris Olympics which the two men and their supporters most anticipate.

미국인 찰스 패독과 잭슨 숄츠가 이 행사에서 선호된다는 사실 외에도 해롤드와 에릭의 1대 1대결은 특히 에릭의 기독교 신앙에 영향을 미치기 때문에 다른 문제로 인해 더욱 가려질 수 있다. - 버라이어티

Beyond the fact that Americans Charles Paddock and Jackson Scholz are favored in the event, the much anticipated head to head between Harold and Eric may be further shadowed by other issues, especially as it affects Eric's Christian beliefs- Variety Magazine

2. <불의 전차> 사운드트랙 리뷰

영화는 1920년대를 배경으로 한 시대극이다. 하지만 반젤리스가 작곡하고 아카데미상을 수상한 오리지널 사운드트랙은 다른 악기들 중에서 신세사이저와 피아노를 강력하게 사용하는 현대적인 1980년대 전자 사운드를 사용하고 있다.

Although the film is a period piece, set in the 1920s, the Academy Award-winning original soundtrack composed by Vangelis uses a modern 1980s electronic sound, with a strong use of synthesizer and piano among other instruments.

이것은 전면적인 관현악 기악을 사용했던 초기 영화들에서 출발한 것이었다. 타이틀 테마는 슬로모션 부분에서 후속 영화와 TV 쇼에서 사용되고 있다.

This was a departure from earlier period films, which employed sweeping orchestral instrumentals. The title theme of the film has been used in subsequent films and television shows during slow motion segments.

1960년대 후반 파리로 이주한 그리스 태생 전자 작곡가 반젤리스는 1974년부터 런던에 거주하고 있다.

Vangelis, a Greek-born electronic composer who moved to Paris in the late 1960s had been living in London since 1974.

휴 허드슨 감독은 다큐멘터리와 광고에서 그와 함께 작업했다.
특히 1979년 앨범 〈Opera Sauvage〉와 〈China〉에서 깊은 인상을 받게 된다.

Director Hugh Hudson had collaborated with him on documentaries and commercials and was also particularly impressed with his 1979 albums Opera Sauvage and China.

제작자 데이비드 푸트남은 또한 반젤리스 작품에 크게 존경을 보낸다.
원래 그의 이전 영화 〈미드나잇 익스프레스〉를 위한 작곡자로 선택하게 된다.

David Puttnam also greatly admired Vangelis's body of work, having originally selected his compositions for his previous film Midnight Express.

허드슨 감독은 반젤리스와 현대적인 배경 음악을 위해 선택하게 된다.
Hudson made the choice for Vangelis and for a modern score.

'나는 우리가 현대적인 느낌을 주기 위해 시대에 뒤떨어진 작품이 필요하다는 것을 알았다. 그것은 위험한 생각이었다.

하지만 우리는 피리어드 교향곡 스코어로 가지 않고 그대로 갔다'

'I knew we needed a piece which was anachronistic to the period to give it a feel of modernity. It was a risky idea but we went with it rather than have a period symphonic score.'

사운드트랙은 반젤리스에게 개인적인 의미가 있었다.

상징적인 테마 곡을 작곡한 뒤 그는 푸트남에게 '내 아버지는 달리기 선수이다. 이것은 그에 대한 찬가이다'라고 말했다.

The soundtrack had a personal significance to Vangelis. After composing the iconic theme tune he told Puttnam 'My father is a runner and this is an anthem to him.'

허드슨은 애초 반젤리스의 1977년 곡 'L'Enfant'를 원했다.

그의 앨범 〈Opera Sauvage〉에서 영화 타이틀 테마가 되었다.

해변 달리기 시퀀스는 실제로 주자가 속도를 조절할 수 있는 확성기에서 'L'Enfant'가 재생되는 것으로 촬영되었다.

Hudson originally wanted Vangelis's 1977 tune L'Enfant. from his Opera Sauvage album to be the title theme of the film, and the beach running sequence was actually filmed with 'L'Enfant' playing on loudspeakers for the runners to pace to.

반젤리스는 마침내 허드슨에게 영화 주요 주제에 대해 새롭고 더 나은 작품을 만들 수 있다고 확신하게 된다.

그리고 그가 허드슨을 위해 이제 상징적인 '불의 전차' 테마를 연주했을 때 새로운 곡이 의심할 여지없이 더 낫다는데 동의하게 된다.

Vangelis finally convinced Hudson he could create a new and better piece for the film's main theme and when he played the now iconic 'Chariots of Fire' theme for Hudson, it was agreed the new tune was unquestionably better.

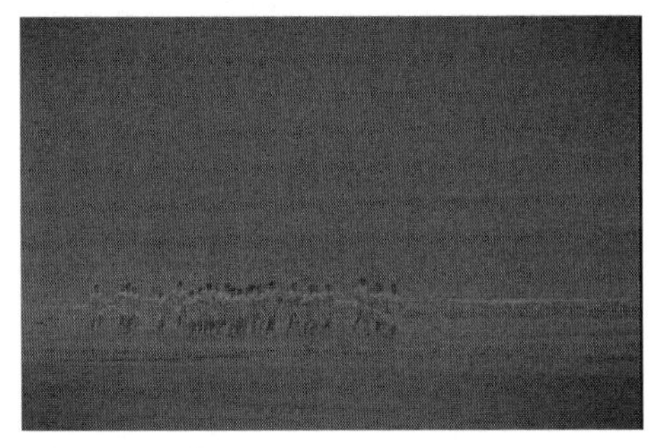

〈불의 전차〉. © Twentieth Century-Fox

'L'Enfant' 멜로디는 여전히 영화에 사용되고 있다. 선수들이 파리에 도착하여 경기장에 입장할 때 금관악대가 경기장을 행진하고 먼저 작품의 수정된 어쿠스틱 공연이 연주되고 있다.

The 'L'Enfant' melody still made it into the film.
when the athletes reach Paris and enter the stadium, a brass band marches through the field and first plays a modified, acoustic performance of the piece.

반젤리스의 일렉트로닉 'L'Enfant' 트랙은 마침내 1982년 영화 〈가장 위험한 해 The Year of Living Dangerously〉에서 두드러지게 사용되고 있다.

Vangelis's electronic 'L'Enfant' track eventually was used prominently in the 1982 film The Year of Living Dangerously.

영화에서 반젤리스 음악 중 일부는 영화 사운드트랙 앨범에 포함되지 않고 있다. 그 중 한 곡은 에릭 리델이 스코틀랜드 고원에서 달리는 경주의 배경 음악이다.

Some pieces of Vangelis's music in the film did not end up on the film's soundtrack album. One of them is the background music to the race Eric Liddell runs in the Scottish highlands.

이 곡은 반젤리스의 1979년 앨범 〈Opéra sauvage〉에 수록된 'Hymne'의 버전이다.

This piece is a version of 'Hymne', the original version of which appears on Vangelis's 1979 album Opéra sauvage.

반젤리스 편집 앨범 〈Themes, Portraits and Odyssey: The Definitive Collection〉에도 다양한 버전이 포함되어 있다.
하지만 영화에 사용된 버전은 포함되어 있지 않다

Various versions are also included on Vangelis's compilation albums Themes, Portraits and Odyssey: The Definitive Collection, though none of these include the version used in the film.

다섯 개의 활기찬 길버트와 셜리반의 곡도 사운드트랙에 등장하고 있다. 반젤리스의 현대적인 전자 악보와 대조되는 경쾌한 시대 음악으로 사용되고 있다.

Five lively Gilbert and Sullivan tunes also appear in the soundtrack and serve as jaunty period music which counterpoints Vangelis's modern electronic score.

영화는 또한 1978년 해롤드 아브라함 장례식에서 영국 합창단이 부른 'Jerusalem'이라는 주요 전통 작품을 포함시키고 있다.
1804-1808년에 윌리암 블레이크가 쓴 가사는 1916년 패리 Parry가 영국을 축하하는 음악으로 설정하게 된다.

The film also incorporates a major traditional work 'Jerusalem' sung by a British choir at the 1978 funeral of Harold Abrahams. The words written by William Blake in 1804-1808 were set to music by Parry in 1916 as a celebration of England.

이 찬가는 영국의 비공식 국가가 영화를 마무리하고 제목에 영감을 주게 된다.

This hymn has been described as England's unofficial national anthem concludes the film and inspired its title.

소수의 다른 전통 국가와 찬송가와 시대에 적합한 기악 볼룸 댄스 음악이 영화의 사운드트랙을 완성해주고 있다.

A handful of other traditional anthems and hymns and period-appropriate instrumental ballroom-dance music round out the film's soundtrack.

3. <불의 전차> 사운드트랙 해설 - 빌보드

〈불의 전차 Chariots of Fire〉는 그리스 출신 일렉트로닉 작곡가 반젤리스(Vangelis Papathanassiou)가 1981년 작곡했다.
영국 영화 〈불의 전차 Chariots of Fire〉는 작품상과 오리지널 작곡 등을 포함하여 4개의 아카데미상을 수상한다.

Chariots of Fire is a 1981 musical score by Greek electronic composer Vangelis (credited as Vangelis Papathanassiou) for the British film Chariots of Fire, which won four Academy Awards including Best Picture and Original Music Score.

앨범은 빌보드 200에서 4주 동안 1위를 차지했다.
캐나다 2위, 영국 5위, 호주 5위, 뉴질랜드 6위에 올랐다.

The album topped the Billboard 200 for 4 weeks.

It reached #2 in Canada, #5 in the UK, #5 in Australia, and #6 in New Zealand.

앨범 트랙 목록에는 'Titles'로 불리고 있지만 'Chariots of Fire'로 널리 알려진 영화 오프닝 테마가 싱글로 발매되었다.

빌보드 핫 100에서 1위에 올랐고 1주일 동안 머물렀다.

The opening theme of the film, called 'Titles' on the album track listing but widely known as 'Chariots of Fire' was released as a single on the Billboard Hot 100 it reached #1 and stayed there for one week.

4. <불의 전차> 작곡 일화와 주제곡이 남긴 에피소드

그(반젤리스)는 〈불의 전차 Chariots of Fire〉 음악을 프로듀싱하기 위해 설정한 방법에 대해 알려주고 있다. 저 예산에 대해. 작가와 이야기에 대한 생각을 끝없이 교환하는 방식에 대해. 영화가 완전히 끝났을 때 그는 실제로 그것을 위한 음악 작업을 시작했다고 한다. 그런 목적으로 딱 3번 영화를 보고 일을 시작했다고 한다. - 1982년 9월 뮤직 메이커 잡지와 가진 반젤리스 인터뷰 중

He (Vangelis) tells us about the way he set about producing the music for Chariots of Fire. About the low budget it really had. About the way in which he endlessly exchanged thoughts with the author about the story. Only when the movie was completely finished did he actually start working on the music for it. Saw it only three times for that purpose and then started work-Vangelis interview to Music Maker magazine, September 1982

나는 시대극을 하고 싶지 않았다. 나는 현대적이고 여전히 영화의 시대와 양립할 수 있는 배경 음악을 작곡하려고 노력했다.

그러나 나는 완전한 일렉트로닉 사운드도 원하지 않았다. - 1982년 9월 아메리칸 필름 매거진과 진행한 반젤리스 인터뷰 중

〈불의 전차〉. © Twentieth Century-Fox

I didn't want to do period music. I tried to compose a score which was contemporary and still compatible with the time of the film. But I also didn't want to go for a completely electronic sound.

- Vangelis interview in American Film magazine, September 1982

작곡가는 자신의 가장 성공적인 작품을 최고의 작품이라고 생각하는 경우는 매우 드물다. 나도 그런 규칙에 예외는 아니다. 내 사운드트랙은 〈바운티 호의 반란〉이 〈불의 전차〉보다 끝없이 흥미롭다고 생각하고 있다.

- 1991년 6월 15일 드 텔리그라프 신문과 진행된 반젤리스 인터뷰 중

It occurs very rarely that a composer thinks of his most successful work as his best. I am no exception to that rule. I think of my soundtrack for Mutiny on the Bounty as endlessly more interesting than Chariots of Fire.

- Vangelis interview to De Telegraaf newspaper, June 15, 1991

* 〈불의 전차〉 테마곡은 조직의 축하 행사에서 사용되었다. 한 가지 주목할 만한 사례를 들자면, 애플 Apple Inc 회장 스티브 잡스가 1984년 1월 24일 기술 시연 행사에서 최초의 매킨토시를 소개했을 때 연주되었다.

It has been used during celebratory occasions for organizations. For one notable example, it was played when Apple Inc's chairman Steve Jobs introduced the first Macintosh on January 24, 1984, at a technology demonstration event.

* 〈불의 전차〉 사운드트랙 앨범은 미국에서 4주 1위를 포함하여 다양한 국가의 판매 차트에서 1위를 차지한다. 앨범은 총 97주 동안 빌보드 200에 머물렀고 첫 해에만 300만장이 팔렸다. 앨범은 영국 앨범 차트에서 5위에 올랐고 107주 동안 목록에 머물렀다.

The album reached number-one in the sales charts of various countries including four weeks at number-one in the United States. In total, the album stayed 97 weeks in the Billboard 200 selling three million copies in the first year alone. The album reached number five in the UK Albums Chart and stayed in the listing for 107 weeks.

Track listing

Side one

1. Chariots of Fire (Titles)
2. Five Circles
3. Abraham's Theme
4. Eric's Theme
5. 100 Metres
6. Jerusalem

Side two

1. Chariots of Fire

〈반젤리스〉 사운드트랙. © Polydor

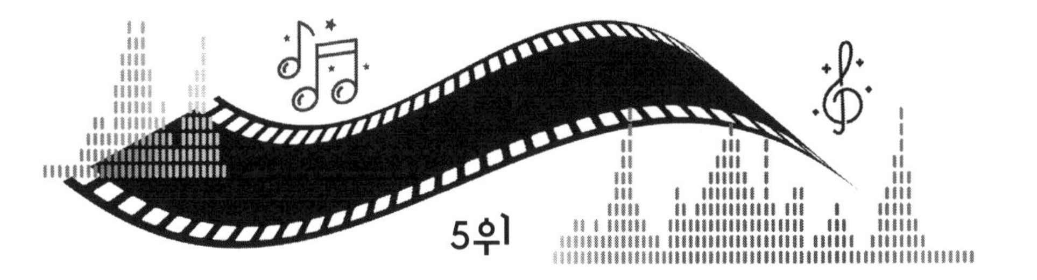

<닥터 지바고 Doctor Zhivago>(1965) - 전통 악기 발랄라이카 리듬에 담겨 있는 지바고 애환

작곡: 모리스 자르

애절한 주제 음악 덕분에 시대를 초월한 명작으로 대접 받고 있는 〈닥터 지바고〉. © Warner Bros

1. <닥터 지바고> 버라이어티 평

다른 사람과 결혼했지만 정치 활동가의 아내와 사랑에 빠지고 제1차 세계 대전과 10월 혁명 기간 동안 고난을 겪는 러시아 의사이자 시인의 삶.

The life of a Russian physician and poet who, although married to another, falls in love with a political activist's wife and experiences hardship during World War I and then the October Revolution.

러시아 혁명 기간 동안, 닥터 유리 지바고(오마 샤리프)는 아버지 자살 이후 숙모와 삼촌의 손에서 자라난 젊은 의사이다.

During the Russian Revolution, Dr. Yuri Zhivago (Omar Sharif) is a young doctor who has been raised by his aunt and uncle following his father's suicide.

유리는 파렴치한 사업가이자 어머니 연인 빅터 코마로프스키(로드 스타이거)와 바람을 피우고 있는 아름다운 라라 기샤르(줄리 크리스티)와 사랑에 빠진다.

Yuri falls in love with beautiful Lara Guishar (Julie Christie) who has been having an affair with her mother's lover, Victor Komarovsky (Rod Steiger), an unscrupulous businessman.

그러나 유리는 사촌 토냐(제랄린 채플린)와 결혼하게 된다. 그러나 그와 라라가 몇 년 후 다시 만났을 때, 사랑의 불꽃이 다시 불타오른다. - 버라이어티

Yuri, however, ends up marrying his cousin, Tonya (Geraldine Chaplin). But when he and Lara meet again years later, the spark of love reignites. - Variety Magazine

2. <닥터 지바고> 사운드트랙 리뷰

'Lara's Theme'는 작곡가 모리스 자르가 영화 〈닥터 지바고〉(1965)를 위해 쓴 주제에 붙인 이름이다.

곧이어 반복되는 곡조는 'Somewhere, My Love'라는 노래의 기초가 된다.

'Lara's Theme' is the name given to a leitmotif written for the film Doctor Zhivago (1965) by composer Maurice Jarre. Soon afterward, the leitmotif became the basis of the song 'Somewhere, My Love'.

〈닥터 지바고〉 사운드트랙을 작업하는 동안 모리스 자르는 데이비드 린 감독의 요청을 받아 줄리 크리스티가 연기한 라라 캐릭터 테마를 생각해 냈다고 한다.

While working on the soundtrack for Doctor Zhivago, Maurice Jarre was asked by director David Lean to come up with a theme for the character of Lara played by Julie Christie.

처음에 린 감독은 잘 알려진 러시아 노래를 사용하고 싶었다.

하지만 이에 대한 권리를 찾을 수 없었고 책임을 자르에게 위임하게 된다.

Initially Lean had desired to use a well-known Russian song but could not locate the rights to it and delegated responsibility to Jarre.

작곡에 여러 번 실패한 뒤 린 감독은 자르에게 그의 여자 친구와 함께 산에 가서 그녀를 위한 음악 한 곡을 써 볼 것을 제안했다.

After several unsuccessful attempts at writing it, Lean suggested to Jarre that he go to the mountains with his girlfriend and write a piece of music for her.

러시아 민속 악기 발랄라이카의 애절한 리듬으로 강한 여운을 남겨준 〈닥터 지바고〉. © Warner Bros

자르는 그 결과물이 'Lara's Theme'라고 말한다.

린 감독은 영화의 수많은 트랙에서 사용할 만큼 충분히 좋아한다. 지바고를 편집할 때 린과 프로듀서 카를로 폰티는 자르가 작곡한 많은 테마를 줄이거나 완전히 삭제한다.

Jarre says that the resultant piece was 'Lara's Theme' and Lean liked it well enough to use it in numerous tracks for the film. In editing Zhivago, Lean and producer Carlo Ponti reduced or outright deleted many of the themes composed by Jarre.

자르는 'Lara's Theme'에 대한 과도한 의존이 사운드트랙을 망칠 것이라고 생각했기 때문에 화를 낸다.

Jarre was angry because he felt that an over-reliance on 'Lara's Theme' would ruin the soundtrack.

자르의 미학적 두려움에도 불구하고 이 주제는 즉각적인 성공을 거두었으며 전 세계적으로 명성을 얻게 된다.

Jarre's aesthetic fears notwithstanding, the theme became an instant success and gained fame throughout the world.

3. 다양한 버전으로 발매된 '라라의 테마'

* 코니 프란시스의 특별한 요청을 받고 폴 웹스터는 나중에 주제를 선택하고 가사를 추가시켜 'Somewhere, My Love'를 만든다.

By special request of Connie Francis, Paul Webster later took the theme and added lyrics to it to create 'Somewhere, My Love'.

그러나 코니 프란시스는 가사가 너무 '진부하다'고 생각했기 때문에 가사가 그녀에게 제시되었을 때 프로젝트에서 물러난다.

몇 주 후 프란시스는 자신의 입장을 재고하면서 노래를 녹음하게 된다.

Connie Francis, however, withdrew from the project when the lyrics were presented to her because she thought of them as too 'corny'. A few weeks later, Francis reconsidered her position and recorded the song nonetheless,

그러나 그때까지 레이 카니프도 자신의 버전도 녹음하여 1966년 빌보드 핫 100 차트에서 9위에 올려놓는다. 카니프의 노래 버전은 또한 4주 동안 미국에서 '이지 리스닝 Easy Listening' 차트 1위를 차지하게 된다.

but by then Ray Conniff had also recorded a version of his own, reaching #9 on the Billboard Hot 100 chart in 1966. Conniff's version of the song also topped the 'Easy listening' chart in the U.S. for four weeks.

카니프의 성공에도 불구하고 프란시스의 버전도 싱글로 발매한다. 미국 차트에는 실패했지만 국제적으로 그녀의 가장 큰 성공작 중 한 곡이 된다.

스칸디나비아 및 아시아와 같은 지역에서 '톱 5' 중 한 곡이 된다.

Despite Conniff's success, Francis also had her version released as a single and although it failed to chart in the US. it became one of her biggest successes internationally, becoming one of the 'Top 5' in territories such as Scandinavia and Asia.

이태리에서 그녀의 이태리어 버전 'Dove non so'는 그녀의 마지막 1위 성공작이 된다.

In Italy, her Italian version of the song 'Dove non so' became her last #1 success.

* 영국 피아니스트, 지휘자, 테너 색소폰 연주자, 바이올리니스트, 클라리넷 연주자, 편곡자이자 작곡가 로니 알드리치는 1967년 데카 LP 〈Two Pianos In Hollywood〉를 통해 'Lara's Theme from Dr. Zhivago'를 로니 알드리치 앤 투 피아노 Ronnie Aldrich and His Two Pianos 버전으로 발매한다.

British pianist, conductor, tenor saxophonist, violinist, clarinettist, arranger and composer Ronnie Aldrich covered the song as Ronnie Aldrich And His Two Pianos for his 1967 Decca LP 'Two Pianos In Hollywood' under the title Lara's Theme from Dr. Zhivago.

* 이태리계 미국인 테너 세르지오 프란치는 RCA Victor 앨범 〈From Sergio -With Love〉를 통해 'Somewhere, My Love'를 커버 버전으로 발매한다.

Italio-American tenor, Sergio Franchi covered the song as 'Somewhere, My Love' in his 1967 RCA Victor album From Sergio-With Love.

* 해리 제임스는 앨범 〈The King James Version(Sheffield Lab LAB 3〉 (1976)을 통해 그의 버전을 녹음한다.

Harry James recorded a version on his album The King James Version (Sheffield Lab LAB 3, 1976).

* 영화 〈나를 사랑한 스파이〉(1977) 시작 부분. 뮤직 박스에서 '라라의 테마'가 연주되고 있다.

A music box plays 'Lara's Theme' at the beginning of the film The Spy Who Loved Me (1977).

오마 샤리프의 대표적 히트작 〈닥터 지바고〉. © Warner Bros

4. <닥터 지바고> 사운드트랙이 남긴 에피소드

* 지바고 사운드트랙 앨범에는 'Lara's Theme'으로 나열된 트랙이 없다. 그러나 악보의 변형은 여러 섹션에서 나타나고 있다. 일부 트랙에는 간략하게 포함되어 있는 반면 다른 트랙은 전적으로 모티프에서 구성되고 있다.

On the soundtrack album for Zhivago, there is no track listed as 'Lara's Theme'. A variation of the piece appears in numerous sections, however. Some tracks briefly include it while others are composed entirely from the motif.

* 오케스트레이션은 다양하다. 특히 발랄라이카와 오케스트라가 있다

The orchestration is varied, most notably with balalaika and orchestra.

* 이 주제가 많은 트랙에 등장하는 주된 이유 중 하나는 린 감독이 로스 엔젤레스에 있는 여러 러시아 정교회에서 즉석 발랄라이카 오케스트라를 고용했기 때문이다.

One of the main reasons the theme is featured in so many tracks is that Lean had hired an impromptu balalaika orchestra from several Russian Orthodox Churches in Los Angeles

* 음악가는 한 번에 16마디 음악만 배울 수 있었다. 작곡된 음악은 읽을 수 없었다. 필라델피아 거리 음악가 에드가 스태니스트리트는 MGM 경영진에게 전화로 노래를 들려달라는 요청을 받는다.

나중에 녹음을 위해 스튜디오로 데려갔다고 주장한다.

the musicians could only learn 16 bars of music at a time and could not read written music. Edgar Stanistreet, a street musician from Philadelphia claimed that he was asked to play the song over the telephone to an MGM executive and was later taken into the studio to record.

* 레이 카니프 버전 'Somewhere My Love'는 1966년 미국 빌보드 탑 10에 등극된다.

Ray Coniff had a US Top 10 hit with Somewhere My Love in 1966.

* 피아니스트 로저 윌리암스의 연주 버전 'Lara's Theme'는 1966년 빌보드 핫 100 65위, 이지 리스닝 차트 5위에 각각 진입한다.

Roger Williams (pianist) instrumental version of 'Lara's Theme' reached #65 on the Hot 100 and #5 on the Easy Listening chart in 1966 (US).

* 1967년 'Somewhere, My Love'는 그래미 어워드 합창 공연 상을 수상한다. 올해의 노래 부문 후보로도 지명 받지만 비틀즈의 'Michelle'에게 수상의 영예를 넘겨주게 된다.

In 1967, 'Somewhere, My Love' won Grammy Award for Best Performance by a Chorus, and was nominated for the Grammy Award for Song of the Year. It lost to 'Michelle' by John Lennon and Paul McCartney of The Beatles.

* 'Somewhere, My Love'는 1993년 영화 〈슈퍼 마리오 브라더스〉에서 루이기가 엘리베이터에서 굼바스에게 춤을 가르쳐 주는 장면에서 흘러나오고 있다.

A version of 'Somewhere, My Love' is played in the elevator scene of the 1993 film Super Mario Bros. when Luigi teaches the Goombas to dance.

* 2018년 〈오션스 8〉 사운드트랙에도 수록된다.

Another version of the song is on the soundtrack of the 2018 film Ocean's 8.

* 1966년 6월 미국 팝 대중 가수 코니 프란시스는 10번째 앨범으로 〈닥터 지바고〉 주제가 'Somewhere, My Love'를 타이틀로 내세운 음반을 발표한다.

Somewhere, My Love is a 10 studio album recorded by American popular music singer Connie Francis, June 1966.

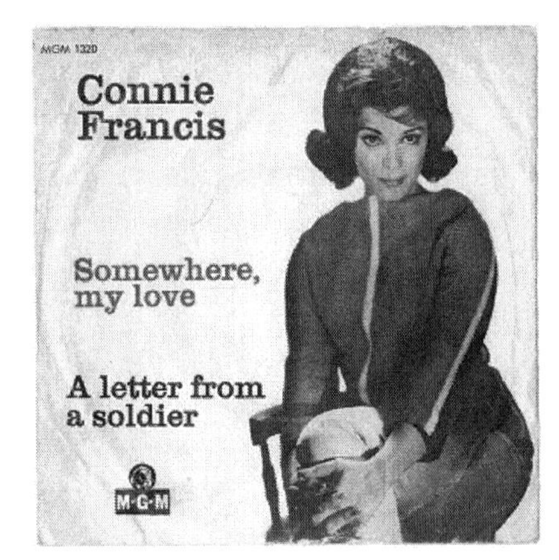

코니 프란시스가 1966년 6월 발매한 앨범 〈Somewhere, My Love〉. © MGM

5. <닥터 지바고> 주제 음악으로 널리 알려진 악기 발랄라이카

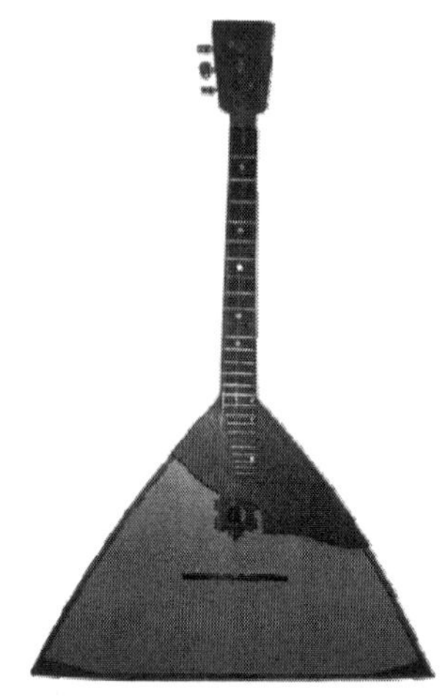

러시아 민속 악기 발랄라이카. © wikipedia

발랄라이카(balalaika)는 3각형 나무로 된 속이 빈 몸체, 프렛 목, 세 개의 현을 가진 러시아 현악기다.

2개의 현은 일반적으로 같은 음으로 조율되고 있다. 3번째 현은 완전 4도 높다.

The balalaika is a Russian stringed musical instrument with a characteristic triangular wooden, hollow body, fretted neck and three strings. Two strings are usually tuned to the same note and the third string is a perfect fourth higher.

고음(高音)의 발랄라이카는 멜로디와 코드를 연주하는 데 사용되고 있다.

이 악기는 일반적으로 서스테인이 짧기 때문에 멜로디를 연주할 때 빠른 스트러밍이나 현(鉉) 뜯기가 필요하다.

발랄라이카는 종종 러시아 민속 음악과 춤에 사용되고 있다.

The higher-pitched balalaikas are used to play melodies and chords. The instrument generally has a short sustain, necessitating rapid strumming or plucking when it is used to play melodies.

Balalaikas are often used for Russian folk music and dancing.

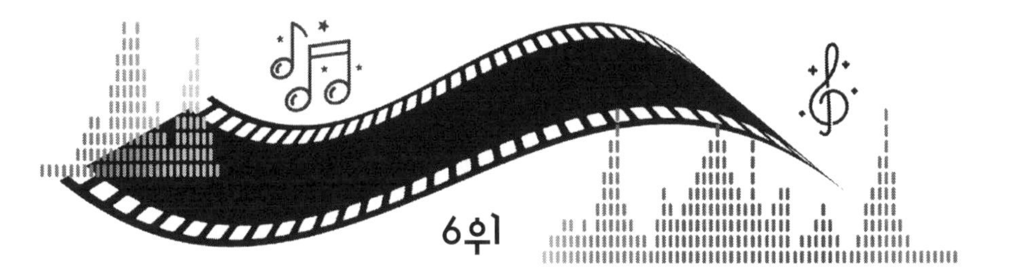

<아라비아의 로렌스 Lawrence of Arabia> - 광활한 아라비아 사막에서 펼쳐지는 로렌스의 영웅담

작곡: 모리스 자르 Maurice Jarre

데이비드 린 감독의 대하 명작 〈아라비아의 로렌스〉. © Columbia Pictures

1. <아라비아의 로렌스> 버라이어티 평

T. E 로렌스, 제1차 세계 대전 중에 터키인과 싸우기 위해 다양하고 종종 전쟁을 하는 아랍 부족을 성공적으로 통합하고 이끌었던 영국 장교 이야기.

The story of T.E. Lawrence, the English officer who successfully united and led the diverse, often warring, Arab tribes during World War I in order to fight the Turks.

토착 베두인 부족에 대한 그의 지식으로 인해 영국 중위 T.E. 로렌스는 파이잘 왕자를 찾아 아라비아로 파견된다.
터키인과의 싸움에서 아랍인과 영국인 사이의 연락 역할을 하게 된다.

Due to his knowledge of the native Bedouin tribes, British Lieutenant T.E. Lawrence is sent to Arabia to find Prince Faisal and serve as a liaison between the Arabs and the British in their fight against the Turks.

원주민 셰리프 알리의 도움으로 로렌스는 상관의 명령에 반항한다. 험난한 사막을 가로질러 과감한 낙타 여행을 떠나 잘 지켜진 터키 항구를 공격하게 된다.

With the aid of native Sherif Ali, Lawrence rebels against the orders of his superior officer and strikes out on a daring camel journey across the harsh desert to attack a well-guarded Turkish port.

2. <아라비아의 로렌스> 사운드트랙 리뷰

영화 음악은 당시 잘 알려지지 않은 모리스 자르가 작곡한다.

윌리암 월튼과 말콤 아놀드가 둘 다 섭외할 수 없는 것으로 판명된 후에야 선택된다. 자르는 로렌스를 위해 2시간 분량의 오케스트라 음악을 작곡하는데 단 6주가 주어졌다.

The film score was composed by Maurice Jarre, little known at the time and selected only after both William Walton and Malcolm Arnold had proved unavailable. Jarre was given just six weeks to compose two hours of orchestral music for Lawrence.

스코어는 런던 필하모닉 오케스트라가 연주한다.
아드라인 볼트 경(卿)은 영화 크레디트에 배경 음악 지휘자로 등극된다.

The score was performed by the London Philharmonic Orchestra. Sir Adrian Boult is listed as the conductor of the score in the film's credits.

그러나 그는 부분적으로 각 선곡의 복잡한 타이밍에 적응하지 못했기 때문에 대부분의 악보를 지휘할 수 없었다. 자르는 그를 지휘자로 교체하게 된다.

but he could not conduct most of the score, due in part to his failure to adapt to the intricate timings of each cue and Jarre replaced him as the conductor.

이 스코어는 자르에게 첫 번째 아카데미 실질적 작곡상을 수여받게 한다.
현재 미국 영화 연구소(American Film Institute)가 선정한 상위 25편의 영화 배경 음악 중 3위에 선정되면서 역대 최고 스코어 중 한 편으로 간주되고 있다.

The score went on to garner Jarre his first Academy Award for Music Score-Substantially Original and is now considered one of the greatest scores of all time ranking number three on the American Film Institute's top twenty-five film scores.

프로듀서 샘 스피겔은 영화의 '동양'과 영국적인 면을 보여주기 위해 두 가지 테마로 악보를 만들고 싶어 한다. 반쪽은 소련 작곡가 아람 카차투리안, 다른 한쪽은 영국 작곡가 벤자민 브리텐이 작곡할 예정이었다.

Producer Sam Spiegel wanted to create a score with two themes to show the 'Eastern' and British side for the film. It was intended for Soviet composer Aram Khachaturian to create one half and British composer Benjamin Britten to write the other.

오리지널 사운드트랙 녹음은 원래 1962년 컬럼비아 픽쳐스 레코드 부서 콜픽스 레코드에서 출반된다. 리 마스터 버전은 2006년 8월 28일 생크추어리 레코드 그룹 부서인 캐슬 뮤직을 통해 공개된다.

The original soundtrack recording was originally released on Colpix Records, the records division of Columbia Pictures, in 1962. A remastered edition appeared on Castle Music, a division of the Sanctuary Records Group, on 28 August 2006.

모리스 자르가 주제 음악 작곡을 맡은 〈아라비아의 로렌스〉. © Columbia Pictures

케네스 알포드의 행진곡 'Voice of the Guns'(1917)는 사운드트랙에 두드러지게 등장하고 있다.

알포드의 다른 작품 중 하나인 'Colonel Bogey March'는 린 감독의 이전 영화 〈콰이 강의 다리 The Bridge on the River Kwai〉의 주제 음악이었다.

Kenneth Alford's march The Voice of the Guns (1917) is prominently featured on the soundtrack. One of Alford's other pieces, the Colonel Bogey March was the musical theme for Lean's previous film The Bridge on the River Kwai.

대드로우 뮤직이 음악 CD를 제작한 2010년까지 배경 음악의 완전한 녹음은 들리지 않았다. 닉 레인은 리 필립스가 재구성한 악보를 프라하 필하모닉 지휘로 연주해준다.

A complete recording of the score was not heard until 2010 when Tadlow Music produced a CD of the music, with Nic Raine conducting the City of Prague Philharmonic from scores reconstructed by Leigh Phillips.

3. <아라비아의 로렌스> 사운드트랙 해설 - 빌보드

데이비드 린과 샘 스피겔은 T. E. 로렌스의 책 〈지혜의 7기둥 The Seven Pillars of Wisdom〉에 대한 영화 판권을 구입한다. 로버트 볼트를 고용하여 불가사의한 전쟁 영웅에 대한 시나리오를 작성하게 된다.

David Lean and Sam Spiegel purchased the film rights to T. E. Lawrence's book 'The Seven Pillars of Wisdom' and hired Robert Bolt to write the screenplay on the enigmatic war hero.

피터 오툴(T. E. 로렌스), 알렉 기네스(파이잘 왕자), 안소니 퀸(아우다 아부 타이), 잭 호킨스(알렌비 장군) 및 오마 샤리트가 보안관 알리로 출연하는 등 뛰어난 캐스트가 고용된다.

A stellar cast was hired that included Peter O'Toole (T.E. Lawrence), Alec Guiness (Prince Feisal), Anthony Quinn (Auda Abu Tayi), Jack Hawkins (General Allenby) and Omar Sharif as Sherif Ali.

영화는 제1차 세계 대전 중 카이로에 배정된 복잡하고 무례한 영국 중위 토마스 에드워드 로렌스를 중심으로 펼쳐지고 있다.
그는 오스만 투르크와의 투쟁에서 아라비아의 파이잘 왕자를 동맹으로 모집할 가능성을 평가하라는 명령을 받게 된다.

The film centers on Thomas Edward Lawrence, a complex and insolent British Lieutenant assigned to Cairo during World War I. He is ordered to assess the possibility of recruiting Prince Feisal of Arabia as an ally in their struggle against the Ottoman Turks.

대신 그는 자신의 주도로 항구 도시 아카바에 대한 대담한 횡단 사막 공격을 위해 최근에 패배한 아랍 군대를 집결하기로 선택하게 된다.

On his own initiative he instead chooses to rally the recently defeated Arab army for an audacious trans desert assault against the port city of Aqaba.

그는 성공하여 카이로로 돌아와 아랍 반란을 이끌고 승진하도록 지시를 받는다.
그의 게릴라 군대는 기습 사막 습격과 그들의 명령과 통제를 방해하는 열차 노선 공격으로 터키인을 괴롭히게 된다.

He succeeds and returns to Cairo in triumph where he is promoted and ordered to return and lead the Arab revolt. His guerrilla army harasses the Turks with surprise desert raids and train line assaults that disrupt their command and control.

그 과정에서 전쟁 폭력과 그의 학살 공모는 그의 양심을 괴롭히고 영원히 상처를 주게 된다.

Along the way the war violence and his complicity in a massacre serves to plague his conscience and forever scar him.

결국 그는 군대를 이끌고 북쪽으로 다마스쿠스를 점령하고 오스만 제국의 통제를 끝내는 데 도움을 주게 된다. 임무를 완수한 그는 영국으로 보내졌지만 오토바이 사고로 46세 젊은 나이에 사망하고 만다.

Eventually, he leads his army northward captures Damascus and helps end the control of the Ottoman Empire. With his mission complete, he is sent back to England only to die young at the age of 46 in a motorcycle accident.

영화는 모리스 자르의 작곡 상을 포함하여 7개의 아카데미상을 수상하는 놀라운 성공을 거둔다.

The film was a stunning success winning seven Academy Awards including Best Score for Maurice Jarr

원래 3명의 작곡가가 고용되어 공동 작업을 지시 받는다. 아람 카차투리안, 벤자민 브리텐 및 모리스 자르 등. 카차투리안이 러시아를 떠나는 것이 금지된다. 브리텐은 그의 일정이 너무 바빠서 선택을 취소했을 때 자르가 통치를 완전히 통제하게 된다.

Originally three composers were hired and instructed to collaborate; Aram Khachaturian, Benjamin Britten and Maurice Jarre. When Khachaturian was forbidden to leave Russia and Britten opted out as his schedule was too busy, Jarre took full control of the reigns.

〈아라비아의 로렌스〉.

그는 배경 음악을 완성하는데 한 달 밖에 남지 않았고 심한 시간 압박을 받았다.

하지만 세월을 위한 악보를 쓸 수 있었다. 자르는 그 자신이 타악기 연주자였다.

그의 지식과 전문 지식을 사용하여 11명의 타악기를 고용하여 배경에서 요구하는 이국적이고 민족적인 색상을 만들어 냈다.

He had but a month to complete the score and was under severe time duress but managed to write a score for the ages.

Jarre was himself a percussionist and used his knowledge and expertise to employ eleven percussionists to create the exotic and ethnic colors required by the setting.

또한 그는 3중음 음정을 조화롭게 그리고 선율적으로 활용했다. 그 구조 자체가 확장감을 조성하여 영화 촬영법의 광대하고 끝없는 사막 풍경을 강화하는데 기여하게 된다.

Additionally he utilized tritone intervals both harmonically and melodically that by their very structure serve to create feelings of expansiveness, thus reinforcing the vast endless desert vistas of the film's cinematography.

또한 3개의 온데스 마테노트와 1개의 시테라와 같은 이국적인 악기를 전통적인 오케스트라에 통합하여 그가 추구하는 독특한 사운드스케이프를 제공하게 된다.

In addition exotic instruments such as three Ondes Martenot and a cithera were integrated into the traditional orchestra to provide the unique soundscape he was seeking.

자르는 영화 내러티브를 뒷받침하기 위해 5가지 테마를 만들어낸다. 'The Desert Theme'는 영화의 가장 중요한 테마이다. 서사를 뒷받침하고 광활한 사막 풍경을 전면적인 낭만주의로 이야기하고 있다.

Jarre created five themes to support the film's narrative. The Desert Theme is the film's signature theme, which underpins its narrative and speaks of the vast desert vistas with a sweeping romanticism.

완전히 서양적인 구성으로 현악이 많은 표현은 몇몇 작곡가들이 실현할 수 없었던 풍부하고 영감을 주는 멜로디를 표현된다. 2개의 아랍 테마도 제공된다. 아랍 테마 1은 이국적이며 3중음으로 되어 있다. 미터를 이동하는 느낌을 주고 있다. 팀파니와 팀 발을 두드리는 민족적 목관 악기와 호른으로 구동되고 있다.

Fully Western in construct, its string-laden expression emotes a lush and inspiring melodicism few composers have been able to realize. Two Arab themes are also provided. Arab Theme 1 is exotic, tritonal, emoted in shifting meters and powered by pounding timpani and timbales with ethnic woodwinds and horns.

'Arab Theme 2'도 매우 타악기적이다. 하지만 '테마 1'과 달리 목관 악기와 탬버린 악센트가 있는 현에 의해 전달되는 명확한 멜로디 구성이 있다. 다음은 그가 로렌스의 영국 유산을 상기시키기 위해 사용하는 영국 테마이다.

Arab Theme 2 is also very percussive, but unlike theme 1 has a clear melodic construct being carried by unison woodwinds and strings with tambourine accents. Next there is the British Theme which he uses to remind us of Lawrence's English heritage.

그것은 단지 전염성이 있고, 자유롭게 흐르고, 스케르초와 같은 구조를 갖고 있다. 우리는 또한 호른 추진 10 음표 'Auda's Theme', 변덕스러운 지도자에게 말하는 허세를 부리는 작품을 갖고 있다.

It has an ebullient, free flowing, scherzo-like construct that is just infectious. We also have the horn propelled 10 note Auda's Theme, a bravado piece that speaks to the mercurial leader.

영국의 화려한 행사를 위해 자르는 케네스 알포드의 전통 행진곡 'Voices of The Guns'를 사용하고 있다.

For British pageantry Jarre uses Kenneth Alford's traditional march 'Voices of The Guns.'

'Overture'는 배경 음악의 하이라이트일 뿐만 아니라 영화의 보물이기도 하다.
자르의 불멸을 얻는 구성. 우리는 그의 주요 주제들의 장엄한 상호작용을 목격하게 된다.

'Overture' is a score highlight but also a film score treasure.
a composition that earns Jarre immortality.
We bear witness to a magnificent interplay of his primary themes.

거친 타악기 전주곡으로 시작하고 있다.
목관과 호른의 불협화음에 대한 '아랍 테마 1'을 소개하고 있다.
이어 '사막 테마'의 호화롭고 감동적인 프레젠테이션으로 현을 이어가고 있다.

We open with a prelude of harsh percussive power, which introduces Arab Theme 1 upon dissonant unison woodwinds and horns. we segue upon strings into a sumptuous and stirring presentation of the Desert Theme,

멜로디 라인은 '아랍 테마 2'의 맹공격에 의해 끊어진다.

알포드의 전통 행진곡 'Voices Of the Guns'가 이어지고 있다.

우리는 얽혀 있는 '아랍 테마'의 충격적인 공격과 함께 '사막 테마' 경연으로 대위법적 작법의 장엄한 전시로 끝을 맺게 된다.

whose melodic line is severed by the onslaught of Arab Theme 2. Alford's traditional march 'Voices of The Guns' next joins and we conclude with a magnificent display of contrapuntal writing as the Desert Theme contests with a percussive assault by the entwined Arab Themes.

'Main Titles'은 크레디트와 마지막 라이딩을 위해 오토바이 탑승 준비를 하는 로렌스 행적과 함께 흘러나오고 있다. 이 선곡은 '사막 테마'와 상호 작용하는 '영국 테마'를 소개하는 또 다른 다중 테마 보석이다.

'Main Titles' opens over the credits and Lawrence preparing his motorcycle for his final ride. This cue is another multi-thematic gem which introduces the British Theme that interplays with the Desert Theme.

팀파니 꼭대기에서 맥동하는 3중음이 분출하고 있다.

〈아라비아의 로렌스〉. © Columbia Pictures

그로부터 모든 경쾌한 영광 속에서 '브리티시 테마'가 시작되고 있다. '사막 테마'와의 상호 작용은 경이롭고 완벽한 3조 엔딩이 되고 있다.

A pulsing tritone erupts atop timpani from which launches the British Theme in all its ebullient glory. The interplay with the Desert Theme is wondrous and the tritonal ending perfect.

'First Entrance to the Desert'는 아랍 가이드 타파스와 함께 사막으로 첫 여행을 떠난 로렌스를 보여줄 때 흘러나오는 곡이다. 음악은 로렌스의 광활함과 해질녘의 독특한 아름다움에 대한 경이로움을 말해주고 있다.

'First Entrance to the Desert' reveals Lawrence with his Arab guide Tafas first journey into the desert. The music speaks to Lawrence's marvel of its vastness and stark singular beauty at sunset.

이 훌륭한 선곡은 사막의 광대한 공허함을 표현하는 솔로 플루트 미스테리오소 라인의 아름다운 오프닝을 특징으로 하고 있다. 곧 온데스 마테노크와 함께 섬뜩한 3중음이 상승하고 있다. '사막 테마'가 멋진 일몰 풍경 위로 모든 영광을 터뜨리는 크레센도가 되고 있다.

This superb cue features a beautiful opening by solo flute mysterioso line which emotes the vast emptiness of the desert.
Soon eerie tritones with Ondes Martenot rise and crescendo from which the Desert Theme bursts forth in all its glory over a stunning sunset vista.

남성 캠프로 우리는 '사막 테마'와 '영국 테마'의 상호 작용을 갖고 있다.
플루트, 치테라, 트레몰로 현의 반짝임으로 인한 황혼으로 마무리 되고 있다.

As the men setup camp we have interplay of the Desert Theme and British Theme, which concludes with nightfall born by flute, cithera and the sparkle of tremolo strings.

'Night and Stars'는 모닥불 위에서 로렌스와 타파스의 유대감을 보여주고 있다. 자르는 온데스 마테노트, 하프, 두 대의 피아노, 치테라와 함께 사막 주제의 프레이즈 'A Phrase of the Desert Theme'를 섬세하고 반짝이는 렌더링으로 표현해 주고 있다.

'Night and Stars' reveals Lawrence and Tafas bonding over a campfire. Jarre joins Ondes Martenot, harp, two pianos and cithera in a delicate and twinkling rendering of the 'A Phrase of the Desert Theme.'

'Lawrence and Tafas'에서 우리는 남자들이 광활한 사막을 가로질러 여행을 재개하는 것을 보게 된다. 자르는 알포드의 전통적인 'Voices of The Guns'의 무성한 단편과 함께 그의 Desert, British 및 Arab 2 테마의 놀라운 상호작용을 엮어 놀라운 친교를 형성하고 있다.

In 'Lawrence and Tafas' we see the men resume their journey across the desert expanse. Jarre weaves a wondrous interplay of his Desert, British and Arab 2 Themes along with a lush fragment of Alford's traditional 'Voices of The Guns' which join in a wondrous communion.

'Lawrence Rides Rides Alone'은 보안관이 가족의 술을 잘 마셨다는 이유로 타파스를 살해할 때 배경 음악이다.

도덕적으로 혐오스러운 로렌스는 보안관의 호위를 무시하고 혼자 탄다. 우리는 '사막의 파편'과 '영국 테마'가 얽혀 여행 음악으로 표현되는 것을 듣게 된다.

'Lawrence Rides Alone' reveals Sherif murdering Tafas for drinking from his family

〈아라비아의 로렌스〉. © Columbia Pictures

well. A morally repelled Lawrence spurns Sherif's escort and rides on alone. We hear fragments of the Desert and British Themes entwine and rendered as travel music.

'Exodus'에서 로렌스는 공중 공격을 받고 있는 파이잘의 진영에 도착하게 된다. 파이잘은 브리튼 대령의 조언에 따라 터키 공군 범위 밖으로 후퇴할 것을 명령한다.

In 'Exodus' Lawrence arrives at Feisal's camp which is under aerial attack. Feisal on the advice of Colonel Brighton orders a retreat to move outside Turkish aerial range.

자르는 'Arab 2' 테마를 암울한 행진으로 렌더링하고 있다.

이로부터 로렌스와 결속된 소년 다우드와 파라를 위한 새로운 장난기 있는 테마가 발생하게 된다.

Jarre renders the Arab 2 Theme as a dour march, from which arises a new playful theme for the boys Daud and Farraj who bond with Lawrence.

'We Need Miracle'은 전쟁 전략에 대해 논의하는 파이잘, 브리튼, 세리프 및 로렌스를 보여줄 때 흘러나오고 있다. 합의가 실패하자 로렌스는 별이 빛나는 창공 아래에서 대담한 계획을 세우고 떠난다.

'We Need a Miracle' reveals Feisal, Brighton, Sherif and Lawrence discussing war strategy. When consensus fails, Lawrence leaves and contemplates a bold plan under the starry firmament.

자르가 별이 빛나는 사막에 대한 로렌스의 관조와 경이로움의 결합에 대해 이야기할 때 이것은 잘 고안된 음색 신호가 된다.

음악 구성은 고조파와 멜로디 모두에서 3중음인 고새머 트레몰로 바이올린과 온데스 마테노트에 의해 뒷받침되고 있다.

This is a well-conceived tonal cue as Jarre speaks to the joining of Lawrence's contemplativeness and wonderment of the starlit desert.

The music's construct is underpinned by gossamer tremolo violins and Ondes Martenot that are tritonal in both their harmonics and melody.

느리지만 가차 없이 베이스가 결합하고 있다. 피아노가 반짝거릴 때 불협화음의 단일한 클라이맥스로 절정을 이루는 경이로운 오케스트라 오르막을 시작하고 있다. 현에서 디미누엔도로 페이드 되고 있다.

Slowly, yet inexorably basses join to begin a wondrous orchestral ascent that culminates in a unitary dissonant climax upon twinkling piano which fade to diminuendo upon strings!

'나자렛 예수'는 영화 버전을 초월한 '콘서트 모음곡'을 제공하고 있다.

'Jesus of Nazareth' offers a 'Concert Suite' that I believe transcends the film version.

Track listing

1. Overture
2. Main Title
3. Miracle
4. Nefud Mirage
5. Rescue of Gasim/ Bringing Gasim into Camp
6. Arrival at Auda's Camp
7. The Voice of the Guns composed by Kenneth J. Alford
8. Continuation of the Miracle
9. Suns Anvil
10. Lawrence & Body Guard
11. That is the Desert
12. End Title Composed and Conducted by Maurice Jarre

〈아라비아의 로렌스〉 사운드트랙. © Astor Records

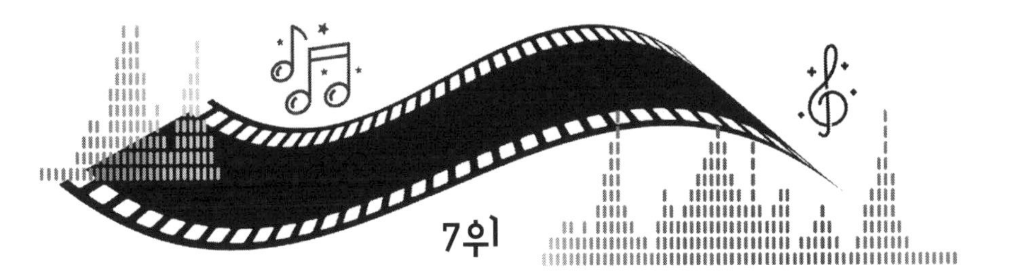

7위

〈킹스 스피치 The King's Speech〉(2010) -

말더듬이 영국 조지 6세, 달변의 정치가로 변신

작곡: 알렉산드르 데스플랏 Alexandre Desplat

톰 후퍼 감독, 콜린 퍼스 주연의 〈킹스 스피치〉. © Momentum Pictures, Paramount Pictures

1. <킹스 스피치> 버라이어티 평

조지 6세(George VI), 1936년 즉석 대영 제국의 왕좌에 즉흥, 그리고 불확실한 군주가 말더듬을 극복하도록 도운 언어 치료사의 이야기.

The story of King George VI his impromptu ascension to the throne of the British Empire in 1936 and the speech therapist who helped the unsure monarch overcome his stammer.

영국 알버트 왕자(콜린 퍼스)는 조지 6세 자리에 즉위해야 한다. 하지만 언어 장애가 있다. 국가는 남편이 효과적으로 의사소통할 수 있어야 한다는 것을 알게 된다. 엘리자베스(헬레나 본햄 카터)는 말더듬 극복을 돕기 위해 호주 배우이자 언어 치료사 라이오넬 로그(제프리 러시)를 고용하게 된다.

Britain's Prince Albert (Colin Firth) must ascend the throne as King George VI but he has a speech impediment.
Knowing that the country needs her husband to be able to communicate effectively Elizabeth (Helena Bonham Carter) hires Lionel Logue (Geoffrey Rush), an Australian actor and speech therapist to help him overcome his stammer.

로그가 군주에게 자신 있게 말하는 법을 가르치기 위해 색다른 수단을 사용함에 따라 두 남자 사이에 특별한 우정이 발전하게 된다. - 버라이어티

An extraordinary friendship develops between the two men, as Logue uses unconventional means to teach the monarch how to speak with confidence.

- Variety Magazine

2. <킹스 스피치> 사운드트랙 리뷰

영화 원곡은 알렉산드리 데스플랏이 작곡했다. 자신을 표현하기 위해 고군분투하는 한 남자에 관한 영화에서 데스플랏은 극적 작업을 가리는 것을 경계한다.

The film's original score was composed by Alexandre Desplat. In a film about a man struggling to articulate himself, Desplat was wary of overshadowing the dramaturgy.

'목소리의 소리에 대한 영화이다. 음악은 그것을 다루어야 한다. 음악은 침묵을 다루어야 한다. 음악은 시간을 다루어야 한다.'

'This is a film about the sound of the voice. Music has to deal with that. Music has to deal with silence. Music has to deal with time.'

스코어는 왕의 침묵에 대한 슬픔과 그와 로그 사이의 우정의 따뜻함을 전달하기 위해 현악과 피아노-오보에와 하프가 한 컷에 추가-의 드문드문 편곡이다.

The score is a sparse arrangement of strings and piano-with the addition of oboe and harp in one cut-intended to convey the sadness of the King's muteness and then the growing warmth of friendship between him and Logue.

미니멀리즘적 접근은 통제를 위한 주인공의 투쟁을 강조해 주고 있다.
데스플랏은 〈킹스 스피치〉 연설의 끈적거림을 표현하기 위해 단일 음표의 반복을 사용하고 있다.

The minimalist approach emphasises the protagonist's struggle for control.
Desplat used the repetition of a single note to represent the stickiness of the King's speech.

〈킹스 스피치〉. © Momentum Pictures, Paramount Pictures

영화가 진행됨에 따라 점점 더 커지는 따뜻한 끈이 두 주인공 사이의 깊어지는 우정을 감싸고 있다.

음악은 대관식 장면에서 클라이맥스로 올라가고 있다.

As the film progresses, growing banks of warm strings swaddle the deepening friendship between the two leads. The music rises to a climax in the coronation scene.

후퍼는 원래 음악 없이 장면을 찍고 싶었다.

하지만 데스플랏은 이것이 이야기의 진정한 클라이맥스, 즉 서로를 신뢰하기로 한 결정으로 우정이 확인되는 시점이라고 주장하고 있다.

Hooper originally wanted to film the scene without music but Desplat argued that it was the real climax of the story.

the point when the friendship was ratified by their decision to trust each other.

데스플랏은 '정말 드문 일'이라며 '대부분 러브스토리가 있다'고 말했다.

'That is really rare' said Desplat 'mostly you have love stories'

오래된 사운드를 만들기 위해 스코어는 왕실을 위해 특별히 제작된 EMI 아카이브에서 추출한 오래된 마이크로 녹음되었다고 한다.

To create a dated sound, the score was recorded on old microphones extracted from the EMI archives which had been specially made for the royal family.

영화 클라이막스인 1939년 라디오 연설 방송 중 흘러나온 음악은 베토벤의 '교향곡 7번 2악장(알레그레토)'에서 따온 것이다.

The music played during the broadcast of the 1939 radio speech at the climax of the film is from the 2nd movement (Allegretto) of Beethoven's 7th Symphony.

편집자인 타릭 앤워가 추가했다.
데스플랏이 나중에 음악을 쓰기 위해 팀에 합류했을 때 그는 앤워 제안을 칭찬하고 옹호했다.

it was added by Tariq Anwar, the editor. When Desplat later joined the team to write the music. he praised and defended Anwar's suggestion.

후퍼는 또한 작품 위상이 연설의 위상을 공개 행사로 높이는데 도움이 된다고 말했다.

Hooper further remarked that the stature of the piece helps elevate the status of the speech to a public event.

배경 음악은 오스카상, 골든 글로브상, BAFTA에서 최우수 오리지널 스코어를 포함하여 여러 상 후보에 올랐다.
이 곡은 제 54회 그래미 어워드에서도 그래미상을 수상한다.

The score was nominated for several awards, including Best Original Score at the Oscars, Golden Globes, and BAFTAs.
The score also won a Grammy at the 54th Grammy Awards.

3. <킹스 스피치> 사운드트랙 해설 - 빌보드

언어 장애의 가장 이상한 측면 중 하나는 사람들이 화자에 대해 정말로 신경 쓰지 않는다는 것이다. 그 혹은 그녀와 같은 방에 있지 않은 경우 일반적으로 그것들을 우스꽝스럽게 여긴다는 사실이다.

One of the oddest aspects of speech impediments is the fact that people usually find them funny if they don't really care about the speaker and aren't located in the same room with him or her.

당신이 그 사람에게 더 많이 공감할수록, 특히 당신이 바로 앞에서 그들의 말을 듣고 있다면, 그 고통은 누구에게나 더 절망적이고, 불편하고, 당혹스러울 수 있다.

The more you empathize with the person and especially if you're listening to them right in front of you. the more devastatingly frustrating, uncomfortable and embarrassing the affliction can be for everyone.

2010년 톰 후퍼 감독 영화 〈킹스 스피치〉는 지난 세기의 더 악명 높은 말더듬기 인물 중 한 명인 영국 조지 6세에 대해 이야기 하고 있다.

The 2010 Tom Hooper film The King's Speech tells of one of the last century's more notorious stammering figures, King George VI of the United Kingdom.

1930년대 예기치 않게 왕위에 오른다.
제2차 세계 대전을 통해 결연한 통치를 하게 된 왕은 대중 앞에서 연설하는 것이 두려웠다. 장애 때문에 군중 앞에서 굴욕을 당했다.

Rising to the throne unexpectedly in the 1930's and forced to rule with resolve through World War II. the King was terrified of speaking in public, humiliating himself in front of crowds because of his impediment.

〈킹스 스피치〉. © Momentum Pictures, Paramount Pictures

엘리자베스 여왕의 도움으로 그는 오스트레일리아 언어 치료사 라이오넬 로그의 서비스를 얻게 된다. 그의 이상한 방법론과 기발한 성격은 결국 왕이 문제를 크게 극복하도록 돕게 된다.

With the assistance of Queen Elizabeth, he acquired the services of Australian speech therapist Lionel Logue whose strange methodology and quirky personality eventually managed to assist the King in largely overcoming the problem.

그 과정에서 두 사람은 꽤 가까워지게 된다.
〈킹스 스피치〉는 장난스럽고 진지하게 그 성장하는 신뢰를 전달해 주고 있다.

The two men would become quite close in the process and The King's Speech both playfully and seriously conveys that growing trust.

예상 가능한 줄거리에도 불구하고 후퍼 영화는 독립 영화 순회에서 즉각적인 성공을 거두게 된다. 특히 콜린 퍼스가 왕으로, 헬레나 본햄 카터가 여왕으로, 제프리 러쉬가 로그로 주연을 맡은 덕분에 광범위한 찬사를 받아낸다.

Despite a predictable plot, Hooper's film was an immediate success in the independent film circuit gaining widespread accolades especially for the lead performances of Colin Firth as the King, Helena Bonham Carter as the Queen and Geoffrey Rush as Logue.

영국 정부 그리고 유명한 영국 마법사와 마녀에 대한 친밀한 영화를 만드는 데 전문가가 되지 못한 것은 프랑스 작곡가 알렉산드르 데스플랏이다.

그는 언젠가 기사 작위를 받을 수도 있다는 농담을 하고 있다.

Becoming the unlikely expert on scoring intimate movies about the British government and famous British wizards and witches is French composer Alexandre Desplat who jokes about perhaps being knighted one day.

여왕과 특별한 관계를 위해 음악을 작곡한 데스플랏은 이전 영화에 분명히 더 가까운 태도로 〈킹스 스피치〉를 처리하고 있다.

주제 고유의 유머 외에도 〈킹스 스피치〉 예고편은 데스플랏의 지적인 음악적 경향에 대한 열광자를 웃게 해야 한다.

Having written music for both The Queen and The Special Relationship, Desplat handles The King's Speech with a demeanor obviously closer to the previous film. Aside from the humor inherent in the topic, the trailer for The King's Speech has to make any enthusiast of Desplat's intellectual musical tendencies laugh.

그것은 트레일러 음악 제작사 오디오머신 Audiomachine-〈시티 오브 호프〉 작곡-의 선택을 사용하고 있다. 이 곡은 강력하고 애국가와 같은 불길한 현악기와 합창단의 크레센도가 매우 현대적이어서 데스플랏이 실제로 영화에 제공한 것에 대한 태도와 비교할 때 어리둥절하게 머리를 흔들어야 한다.

It employs a selection by the trailer music production house Audiomachine the composition 'City of Hope' that is so incredibly modern in its powerful, anthem-like crescendo of ominous strings and choir that you have to shake your head in bewilderment when comparing that attitude to what Desplat actually provided the film.

예고편 음악-왕의 말을 더듬는 것만으로도 히틀러가 영국을 정복하고 천년 동안 세계를 지배할 수 있다고 믿는다면 실제로 매우 효과적이었다-같은 것을 들을 것으로 기대하는 사람은 엄청나게 실망할 것이다.

Anyone expecting to hear anything like the trailer's music-which was actually quite effective if you believe that the King's stammering was going to by itself allow Hitler to conquer Britain and rule the world for a thousand years-will be immensely disappointed.

그러나 데스플랏은 이 배경 음악으로 그의 팬들을 기쁘게 할 것이다. 작곡가에게는 평소보다 약간 따뜻한 음색이 있고-깊은 전자 펄스는 없다!-여류 작곡가 레이첼 포트만 애호가도 매료시킬 수 있는 스코어를 얻을 수 있다.

Desplat will, however, please his fans with this score with a slightly warmer tone than normal for the composer-and no deep electronic pulses!-yielding a score that may attract Rachel Portman enthusiasts as well.

〈킹스 스피치〉 기본 테마는 부드럽게 흐르고 부글부글 끓어오르는 피아노 아이덴티티이다. 이 피아노 아이덴티티는 언어 장애를 나타내기 위해 건반에 있는 일련의 말더듬 음표에서 확장되고 있다.

The primary theme for The King's Speech is a softly flowing bubbling piano identity that is quite lovely and extends out of a series of stuttering notes on key to represent speech impediment.

〈킹스 스피치〉. © Momentum Pictures, Paramount Pictures

'struggling note' 모티브는 'My Kingdom, My Rules' 'Queen Elizabeth' 'Fear and Suspicion'에서 들을 수 있다. 메인 테마는 'The King's Speech' 'The Royal Household'에서 충분히 번창하고 있다.

이어 약간의 논리적 저항 후 'Fear and Suspicion'가 이어지고 있다.

The 'struggling note' motif is heard in 'My Kingdom, My Rules' 'Queen Elizabeth' and 'Fear and Suspicion' while the main theme flourishes in full in 'The King's Speech' 'The Royal Household' and after some logical resistance 'Fear and Suspicion.'

스코어의 가장 좋은 신호는 'The Rehearsal'이다.

현에 대한 이 주제의 힌트로 시작하여 유동적인 현과 피아노 리듬으로 발전하여 낙관적으로 아름다운 플루트 그림의 배경으로 사용되고 있다.

나중에 선곡에서 피아노와 기타 목관 악기로 전달되고 있다.

The score's best cue is 'The Rehearsal' which opens with hints of this theme on strings before developing into a fluid string and piano rhythm serving as a backdrop for optimistically pretty flute figures passed off to piano and other woodwinds later in the cue.

몇몇 선곡에서는 〈해리 포터와 죽음의 성물 1부〉를 강조한 것과 동일한 단

3도 리듬에 접근하는 보다 완전한 현악 연주를 특징으로 하고 있다.

A few cues feature fuller string performances that access the same minor-third rhythms that highlighted Harry Potter and the Deathly Hallows, Part I.

'King George VI'와 'Threat of War'에서 데스플랏은 제한된 녹음 측면 때문에 실제로 큰 공포감을 느끼지 않는 매우 낮은 수준의 긴장을 만들어 내고 있다.

In 'King George VI' and 'The Threat of War' Desplat creates a very low level of tension that doesn't really register any significant sense of dread because of the restricted recording aspects.

이러한 문제는 앨범 서막 곡 'Lionel and Bertie'까지 확장되고 있다.
마찬가지로 왕과 그의 치료사 사이에 유대가 형성되어야 하지만 대신 현과 목관 악기가 청자(聽者)의 명확한 청력에서 멀리 떨어진 위치에 놓이게 된다.

Those troubles extend to the album's opener 'Lionel and Bertie' which likewise should develop a bond between the King and his therapist but instead forces its strings and woodwinds to a position far from the listener's clear line of hearing.

전반적으로 〈킹스 스피치〉는 챔버와 같은 앙상블 크기 및/ 또는 모호한 녹음으로 인해 앨범의 30분 동안 잠시 동안 문제를 일으키지 않는 쉬운 청취 경험이다.
이것은 중추적 장면에 사용 된 9분짜리 베토벤 곡 2곡으로 마무리 되고 있다.

Overall, The King's Speech is an effortless listening experience that due to the chamber-like ensemble size and/ or the obscured recording will not stir trouble for a moment during its half hour on album which is rounded off by nine minutes of two Beethoven pieces used for pivotal scenes.

Track listing

1. Lionel and Bertie
2. The King's Speech
3. My Kingdom, My Rules
4. The King is Dead
5. Memories of Childhood
6. King George VI
7. The Royal Household
8. Queen Elizabeth
9. Fear and Suspicion
10. The Rehearsal
11. The Threat of War
12. Speaking Unto Nations, Beethoven Symphony No. 7-II, Terry Davies conducting the London Symphony Orchestra
13. Epilogue Beethoven Piano Concerto No. 5 Emperor-II, Terry Davies conducting the London Symphony Orchestra

〈킹스 스피치〉 사운드트랙. © Decca

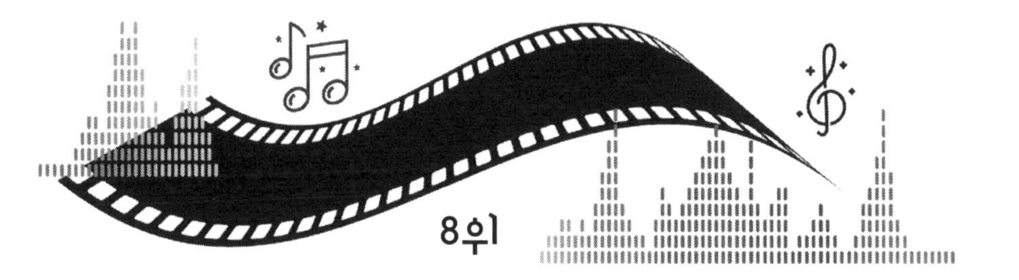

<아웃 오브 아프리카 Out of Africa>(1985) - 천혜의 아프리카 케냐 풍광을 각인시켜준 존 배리의 오케스트라 사운드

작곡: 존 배리 John Barry

중견 영화 음악 전문 작곡가 존 배리가 배경 음악을 맡아 장대한 로맨스 극의 흥미감을 각인시켜준 〈아웃 오브 아프리카〉. Ⓒ Universal Pictures

1. <아웃 오브 아프리카> 버라이어티 평

20세기 식민지 시대 케냐. 덴마크 남작/ 농장 주인은 자유분방한 거물 사냥꾼과 열정적인 사랑을 하고 있다.

In 20th-century colonial Kenya. a Danish baroness/ plantation owner has a passionate love affair with a free-spirited big-game hunter.

아프리카에 플랜테이션을 설립한 카렌 브릭센의 삶을 따라가고 있다.
그녀의 삶은 편리한 남편(브로 브릭슨), 진정한 사랑(데니스), 농장에서의 문제, 원주민의 학교 교육, 전쟁, 남편에게 성병 감염을 받는 등 복잡하다.

Follows the life of Karen Blixen who establishes a plantation in Africa.
Her life is complicated by a husband of convenience (Bror Blixen), a true love (Denys), troubles on the plantation, schooling of the natives, war and catching VD(venereal disease) from her husband.

〈아웃 오브 아프리카〉는 시드니 폴락이 감독 및 제작하고 메릴 스트립과 로버트 레드포드가 주연을 맡은 미국의 서사적 로맨틱 드라마 영화다.

Out of Africa is a American epic romantic drama film directed and produced by Sydney Pollack and starring Meryl Streep and Robert Redford.

영화는 아이작 디네센-덴마크 작가 카렌 브릭센의 필명-이 쓴 1937년 자전적 책 〈아웃 오브 아프리카〉에 느슨하게 기반을 두고 있다. 디네센의 1960년 책 〈섀도우 온 더 그래스 Shadows on the Grass〉 및 기타 출처에서 추가 자료를 제공하고 있다.

The film is based loosely on the 1937 autobiographical book Out of Africa written by Isak Dinesen-the pseudonym of Danish author Karen Blixen-with additional material from Dinesen's 1960 book Shadows on the Grass and other sources.

영화가 끝날 때 화면에 인쇄된 메모는 카렌이 나중에 아이작 디네센이라는 필명으로 출판된 작가가 되었다는 내용이다. 그녀의 작품 중 아프리카에서의 경험에 대한 회고록, 이 영화를 소개하는 첫 번째 줄인 〈아웃 오브 아프리카〉가 있다. 그녀는 아프리카로 돌아가지 않았다-버라이어티

As the movie ends, on-screen print notes that Karen later became a published author under the pen name Isak Dinesen. Among her work is the memoir about her experiences in Africa, Out of Africa, the first line from which is used to introduce this film. She never returned to Africa-Variety Magazine

2. <아웃 오브 아프리카> 사운드트랙 리뷰

〈아웃 오브 아프리카〉 음악은 베테랑 영국 작곡가 존 배리가 작곡하고 지휘했다.

The music for Out of Africa was composed and conducted by veteran English composer John Barry.

배경 음악은 모차르트의 'Clarinet Concerto'와 아프리카 전통 노래와 같은 다수의 외부 곡을 포함하고 있다. 이 사운드트랙은 오스카상 오리지널 작곡 부문을 수상했다. 미국 영화 연구소(American Film Institute) 상위 25개 미국 영화 스코어 목록에서 15위에 등극된다.

〈아웃 오브 아프리카〉. © Universal Pictures

The score included a number of outside pieces such as Mozart's Clarinet Concerto and African traditional songs.

The soundtrack garnered Barry an Oscar for Best Original Score and sits in fifteenth place in the American Film Institute's list of top 25 American film scores.

사운드트랙은 1985년 MCA 레코드를 통해 처음 출시된다.
33분이 조금 넘는 러닝타임에 12트랙의 배경 음악을 수록하고 있다.

The soundtrack was first released through MCA Records in 1985 and features 12 tracks of score at a running time of just over thirty-three minutes.

1987년에는 멜리사 맨체스터와 알 자루의 'Music of Goodbye (Love Theme)'가 포함된 스페셜 에디션이 출반된다.

In 1987 a Special Edition was issued that included the song 'The Music of Goodbye (Love Theme)' by Melissa Manchester & Al Jarreau.

조엘 맥닐리가 지휘하고 로얄 스코티시 내셔날 오케스트라가 연주한 재녹음은 바레세 사라방드 레코드를 통해 1997년에 발매 됐다. 39분미만의 러닝 타임에 18 트랙의 배경 음악이 담겨진다.

A rerecording conducted by Joel McNeely and performed by the Royal Scottish National Orchestra was released in 1997 through Varèse Sarabande and features eighteen tracks of score at a running time just under thirty-nine minutes.

3. <아웃 오브 아프리카> 사운드트랙 해설 - 빌보드

1985년 압도적인 드라마 강자 시드니 폴락 감독의 〈아웃 오브 아프리카〉는 예술적 측면과 기술적 측면 모두에서 평가되어야 할 힘을 갖고 있다.

The dominant dramatic powerhouse of 1985, Sydney Pollack's Out of Africa was a force to be reckoned with from both the arthouse and technical perspectives.

실존하는 덴마크 남작 카렌 브릭센 이야기를 다룬 영화는 1차 세계 대전 당시 케냐를 배경으로 미화하면서 전면적이지만 궁극적으로 슬픈 개인 이야기를 전달해 주고 있다.

Featuring the story of real life Danish baroness Karen Blixen, the film conveys a sweeping but ultimately sorrowful personal tale while glorifying the setting of Kenya at the time of the first World War.

장엄한 영상은 친밀한 캐릭터 상호 작용과 시대의 생활 방식에 대한 매력적인 논평과 잘 어울리고 있다. 특히 많은 유럽인들이 아프리카에서 새로운 삶을 찾을 때 대륙의 '문명화 된' 문화에 대해 느꼈던 환멸을 포함하고 있다.

It's epic visuals were well mated to the intimate character interactions and compelling commentary on lifestyles of the era, especially involving the disillusionment that many Europeans felt about the 'civilized' culture of the continent when searching out new lives in Africa.

남작 부인과 그녀의 남편이-편리한 방법으로-케냐에서 농장을 구입하고 운영할 때, 그녀는 영원히 혼자임을 알게 된다.

영국인 모험가-조종사이자 사냥꾼-가 그녀의 삶에 들어오면서 메릴 스트립과 로버트 레드포드의 매력이 시작되고 있다.

When the baroness and her husband-through convenient arrangement-purchase and operate a farm in Kenya, she finds herself perpetually alone. When an English adventurer-a pilot and hunter-enters her life, so begins the charm between Meryl Streep and Robert Redford.

〈아웃 오브 아프리카〉. © Universal Pictures

캐릭터들의 궁극적인 운명은 당연히 슬픔으로 무겁다. 하지만 그들의 삶의 넓은 여정은 아프리카 분위기와 함께 '아웃 오브 아프리카'의 압도적인 매력이 되고 있다.

While the ultimate fate of the characters is understandably heavy with sadness, the broad journey of their lives is along with the atmosphere of Africa, the overwhelming attraction of Out of Africa.

예상 가능한 오스카-그리고 골든 글로브-로 이어진 이 영화의 가장 기억에 남는 측면 중 하나는 당시 자신의 경력에서 낭만주의 르네상스의 절정을 경험하고 있던 존 배리의 배경 음악이다.

Among the most memorable aspects of the film that led to a predictable Oscar-and Golden Globe-was the score by John Barry, who was experiencing the height of the romantic renaissance in his career at the time.

작곡가 경력에 만연한 현악기의 장대한 멜로디는 그를 〈썸웨어 인 타임〉 〈늑대와 춤을〉에서 주류 음악으로 이끌었다.

후자는 그의 마지막 아카데미 수상작이 된다.

The grandiose melodies on strings that were pervasive in the composer's career then carried him as a mainstream favorite from Somewhere in Time to Dances With Wolves, the latter gaining him his final Academy Award.

〈늑대와의 춤〉이 세 작품 중 가장 잘 알려져 있다.

하지만 〈아웃 오브 아프리카〉는 배리의 전형적이고 낭만적인 취향을 반영하듯이, 짧고 덜 부담스러운 분량을 갖고 있다.

Although Dances With Wolves remains the best known of the three, Out of Africa is just as reflective of Barry's stereotypical romantic flavor, albeit in a shorter and less burdensome dosage.

이 작품의 기본 구조와 악기 기술은 모두 거의 동일하다.

구(句)의 거의 불쾌한 반복에서 기본 멜로디를 전달하기 위해 현을 사용하는 반면 보수적인 금관 음색은 완충 및 이따금 대위법을 제공.

The underlying structures and instrumental techniques in these works are all pretty much the same from the almost obnoxious repetition of phrases to the use strings to carry a primary melody while conservative brass tones offer buffer and occasional counterpoint.

내림차순 첼로와 베이스 현을 사용하면 배리 수집가를 위해 이 악보를

'Somewhere in Time'에 더 자주 연결할 수 있다.

The use of descending cello and bass string figures will connect this score to Somewhere in Time more often for Barry collectors.

궁극적으로 〈아웃 오브 아프리카〉의 가장 가까운 실습 작품은 〈하이 호드 투 차이나〉였다.

일관된 방식으로 배리에게 분명히 영감을 준 동일한 플롯 요소가 많이 있다.

Ultimately, the closest practice run for Out of Africa was High Road to China, which features many of the same plot elements that obviously inspired Barry in consistent ways.

전체적으로 이러한 주제는 일반적으로 배리의 〈아웃 오브 아프리카〉에서 연속적으로 실행되어 처음부터 끝까지 쉽고 조화로운 청취 경험으로서의 위치를 보장해 주고 있다.

Altogether, these themes usually run back to back in Barry's Out of Africa, ensuring its position as a easy, harmonic listening experience from start to end.

그들의 일반적인 렌더링 스타일은 혼합을 부드럽게 하는 데 도움이 되고 있다. 하지만 배경 음악의 보조 주제는 개발 측면에서 실망스럽게 짧게 변경되고 있다.

Their common style of rendering helps to soften their mingling, though the secondary themes in the score are disappointingly short-changed in terms of development.

청취 경험에서 유일하게 중요한 중단은 불협화음과 타악기가 있는 'Karen's Journey' 음원이다.

이것은 폴락이 배리의 전체 스코어에 사용하지 말아야 했던 지역의 전통 음악에 더 가깝다.

The only significant break in the listening experience is the dissonant and percussive 'Karen's Journey' material which was closer to the traditional music of the region that Pollack had to be talked out of using for the entire score by Barry.

〈아웃 오브 아프리카〉. © Universal Pictures

작곡가의 대규모 녹음은 일반적으로 그가 작곡 전성기였을 때의 시대를 초월하고 있다. 하지만 〈아웃 오브 아프리카〉는 슬프게도 주요 예외가 되고 있다.

The composer's large-scale recordings were typically beyond their era when he was at his composing prime but Out of Africa is sadly a major exception.

일부 배리 열광자들은 배경 음악 발표 중간에 모차르트 작품과 기타 소스 및 전통 음악을 삽입하는 것에 반대할 수도 있다.

Some Barry enthusiasts may also object to the insertion of the Mozart piece and some other source and traditional music in the middle of the score's presentation.

이 두 가지 문제는 1997년 바레세 사라방드 레코드가 조엘 맥닐리에게 앨범 발매를 위해 배리의 음악 선택 범위를 확대하고 로얄 스코티시 내셔날 오케스트라 지휘를 의뢰했을 때 해결된다.

Both of these problems were solved when Varèse Sarabande commissioned Joel

McNeely to conduct the Royal Scottish National Orchestra for an expanded selection of Barry's music for album release in 1997.

전체 모차르트 곡이 녹음되는 동안 배리가 영화를 위해 작곡한 추가 자료를 위해 다른 부수적인 음악은 제거 된다. 그러나 폴락의 늦은 재배열로 인해 항상 최종 컷으로 편집되지는 않았다. - 빌보드

While the full Mozart piece was recorded, the other incidental music was removed in favor of additional material written by Barry for the film but not always edited into the final cut due to Pollack's late rearrangements. - Billboard Magazine

Track listing

1. Main Title (I Had A Farm in Africa)
2. I'm Better at Hello (Karen's Theme I)
3. Have You Got A Story for Me
4. Concerto for Clarinet and Orchestra In A (K. 622)
5. Safari
6. Karen's Journey / Siyawe
7. Flying over Africa
8. I Had A Compass From Denys (Karen's Theme II)
9. Alone in The Farm
10. Let The Rest of The World Go By
11. If I Know A Song For Africa (Karen's Theme III)
12. End Title (You Are Karen)

〈아웃 오브 아프리카〉 사운드트랙. © MCA Records, Varèse Sarabande

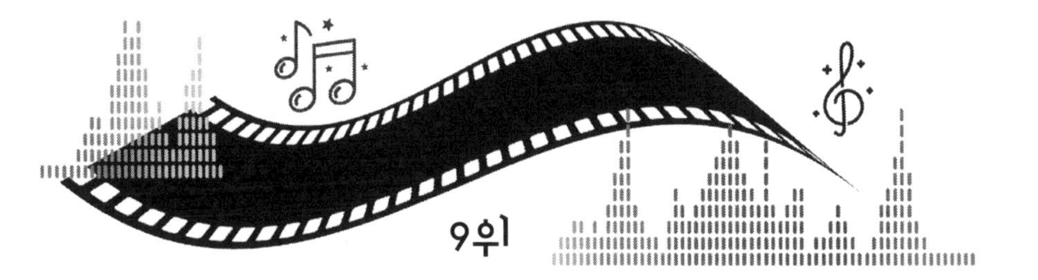

<피아노 The Piano>(1993) -

피아노에 집착하고 있는 한 여자. 그녀를 두고 벌이는 두 남자의 치정극

작곡: 마이클 니만 Michael Nyman

피아노 악기에 애착을 보이고 있는 벙어리 여인의 애환을 묘사하고 있는 〈피아노〉. © BAC Films, Miramax Films

1. <피아노> 버라이어티 평

19세기 중반. 아다는 말을 할 수 없다. 그녀에게는 어린 딸 플로라가 있다. 중매결혼으로 그녀는 딸과 사랑하는 피아노와 함께 고향 스코틀랜드를 떠나게 된다.

It is the mid-nineteenth century. Ada cannot speak and she has a young daughter, Flora. In an arranged marriage she leaves her native Scotland accompanied by her daughter and her beloved piano.

뉴질랜드 북쪽 섬의 울퉁불퉁한 숲에서의 삶은 그녀가 상상했던 전부가 아니다. 새 남편 스튜어트와의 관계도 아니다. 그녀는 스튜어트가 자신의 피아노를 이웃 조지에게 팔았을 때 고통과 상실을 겪게 된다.

Life in the rugged forests of New Zealand's North Island is not all she may have imagined and nor is her relationship with her new husband Stewart.

She suffers torment and loss when Stewart sells her piano to a neighbor, George.

아다는 조지에게 피아노 레슨을 하면서 피아노를 다시 얻게 된다. 하지만 이것은 다른 특정 조건이 붙은 경우에만 가능하다는 것을 배우게 된다.

처음에는 아다가 조지를 경멸한다. 그러나 서서히 둘의 관계가 바뀌고, 이로 인해 두 사람은 끔찍한 상황에 처하게 된다.

Ada learns from George that she may earn back her piano by giving him piano lessons but only with certain other conditions attached. At first Ada despises George but slowly their relationship is transformed and this propels them into a dire situation.

에필로그에서 아다는 영국 넬슨에서 조지와 플로라와 함께 한 삶에 대해 설명하고 있다. 그곳에서 그녀는 새 집에서 피아노 레슨을 시작했으며 잘린 손가락은 조지가 만든 은빛 손가락으로 교체되었다.

In an epilogue, Ada describes her life with George and Flora in Nelson, England, where she has started to give piano lessons in their new home, and her severed finger has been replaced with a silver digit made by George.

아다는 그녀가 바다 무덤에 있는 그녀의 피아노와 그 위에 매달려 있는 자신을 '잠이 들도록' 상상한다고 말한다.
아다는 또한 다시 말하는 법을 배우기 위해 말하기 수업을 받기 시작한다.

Ada says she imagines her piano in its grave in the sea, and herself suspended above it which 'lulls me to sleep'.
Ada has also started to take speech lessons in order to learn how to speak again.

영화는 토마스 후드의 시 '침묵'의 인용문으로 끝을 맺는다.

The film closes with the Thomas Hood quote, from his poem 'Silence' which also opened the film.

〈피아노〉. © BAC Films, Miramax Films

'소리가 들리지 않는 곳에 침묵이 있다. 깊은 바닷 속 차가운 무덤 속에는 아무 소리도 들리지 않는 고요함이 있다.'

'There is a silence where hath been no sound. There is a silence where no sound may be in the cold grave under the deep deep sea.'

2. <피아노> 사운드트랙 리뷰

영화 음악은 마이클 니만이 작곡했다. 찬사를 받은 'The Heart Asks Pleasure First'가 포함되었다. 추가 곡으로는 'Big My Secret' 'The Mood That Passes Through You' 'Silver Fingered Fling' 'Deep Sleep Playing' 및 'The Attraction of the Peddling Ankle' 등이 있다.

The score for the film was written by Michael Nyman, and included the acclaimed piece 'The Heart Asks Pleasure First'.
additional pieces were 'Big My Secret' 'The Mood That Passes Through You' 'Silver Fingered Fling' 'Deep Sleep Playing' and 'The Attraction of the Peddling Ankle.'

앨범은 역대 최고 사운드트랙 앨범 100위 안에 등록된다.
니만의 작업은 벙어리 주인공이 나오는 영화의 핵심 목소리로 간주되고 있다.

This album is rated in the top 100 soundtrack albums of all time and Nyman's work is regarded as a key voice in the film which has a mute lead character.

〈피아노〉는 버진 레코드로 발매됐으며 1993년 아카데미상을 수상한 영화 〈피아노 The Piano〉의 오리지널 사운드트랙이다.
오리지날 스코어는 마이클 니만이 작곡했다. 그의 20번째 발매 앨범이다.

The Piano is the original soundtrack, on the Virgin Records label of the 1993 Academy Award-winning film The Piano. The original score was composed by Michael Nyman and is his twentieth album release.

'사운드트랙'이라고 지칭하고 있음에도 불구하고 니만 자신이 앨범에서 피아노를 연주하기 때문에 부분 스코어 재녹음으로 불리고 있다.

영화 버전은 주연 여배우 홀리 헌터가 연주하고 있다.

Despite being called a 'soundtrack'. this is a partial score re-recording as Nyman himself also performs the piano on the album.
whereas the film version is performed by lead actress Holly Hunter.

음악은 니만이 지휘하는 뮌헨 필하모닉 오케스트라가 연주하고 있다.
마이클 니만 밴드 멤버 존 하리, 데이비드 로치, 앤드류 린돈 등이 뛰어난 색소폰 작품을 연주해 주고 있다.

The music is performed by the Munich Philharmonic Orchestra conducted by Nyman with Michael Nyman Band members John Harle, David Roach and Andrew Findon performing the prominent saxophone work.

음반은 골든 글로브상 최우수 오리지널 스코어 부문 후보에 올랐지만 〈하늘과 땅〉에게 수상을 넘겨준다. BAFTA 부문 베스트 스코어 부문에서도 후보로 올랐지만 〈쉰들러 리스트〉에게 수상을 빼앗긴다.

The album was nominated for the Golden Globe Award for Best Original Score but lost to the score of Heaven & Earth and the BAFTA Award for Best Score lost to the score of Schindler's List.

메인 테마는 'Gloomy Winter's Noo Awa'라는 스코틀랜드 전통 멜로디를 기반으로 하고 있다.

The main theme is based on a traditional Scottish melody titled 'Gloomy Winter's Noo Awa.'

3. <피아노> 사운드트랙 해설 – 빌보드

〈피아노〉에서 가장 기억에 남는 주제곡은 니만이 스코틀랜드 민요 'Bonny Winter's Noo Awa'를 참조해서 피아노로 멋지게 번역한 'The Heart Asks Pleasure First'와 완전한 오케스트라 반주와 함께 한 'The Promise'이다.

For the most memorable theme in The Piano, Nyman references the Scottish folk song 'Bonny Winter's Noo Awa' gorgeously translated on piano in 'The Heart Asks Pleasure First' and with full orchestral accompaniment 'The Promise'.

'The Sacrifice'에서 이 곡의 템포를 점진적으로 느리게 하는 것은 매우 효과적이다. 주인공의 덜 우울한 정체성은 'Big My Secret'과 'The Scent of Love'의 솔로 피아노에서 주로 탐구되고 있다.

The progressive slowing of the tempo of this piece in 'The Sacrifice' is quite effective. A less melancholy identity for the primary character is explored mostly on solo piano in 'Big My Secret' and 'The Scent of Love.'

그리고 영화의 더 큰 분위기는 'A Wild and Distant Shore'에서 'Dreams of a Journey'에 이르기까지 상당한 볼륨으로 니만의 전형적인 오케스트라 자료에 들어가 있는 애매한 주제에 의해 제공되고 있다.

and the film's larger atmosphere is served by an elusive theme that inhabits Nyman's typical orchestral material of significant volume from 'A Wild and Distant Shore' to 'Dreams of a Journey.'

이 후자의 음원은 흐르는 듯한 스트링 레이어가 있다.

하지만 의도적인 페이싱으로 인해 다시 한 번 패트릭 도일과 필립 글래스 스타일 사이의 이상한 교차처럼 보이고 있다.

This latter material, in its flowing string layers but deliberate pacing, seems once again like an odd cross between the styles of Patrick Doyle and Philip Glass.

〈피아노〉. © BAC Films, Miramax Films

의심할 여지없이 〈피아노〉의 하이라이트는 니만 자신의 피아노 연주-화면에서 헌터의 연주를 대신하여 앨범에 필요한 재능을 추가-가 스코어 전체에 걸쳐 현악 및 색소폰 솔로와 병치될 때 나오고 있다.

Undoubtedly, though, the highlights of The Piano come when Nyman's own piano performances-substituting for Hunter's performances on screen and in so doing adding some much needed flair for the album-are juxtaposed with the strings and saxophone solos throughout the score.

이러한 조합 신호는 최선의 방법으로 도일의 〈이스트-웨스트〉를 생각나게 하고 있다. 반면에 〈피아노〉는 때때로 비틀거리며, 악보의 어떤 신호도 'Here to There'의 기이한 색소폰 처리만큼 불쾌하다.

불행히도 앨범에서 스코어의 베스트 두 트랙 사이에 존재하고 있다.

These combination cues remind of Doyle's East-West in the best of ways.

On the other hand, The Piano does stumble at times, and no cue in the score is as obnoxious as the bizarre saxophone handling in 'Here to There' which unfortunately exists in between the score's best two tracks on album.

〈피아노〉. © BAC Films, Miramax Films

현에 대한 'Little Impulse'의 흐릿한 불협화음과 'The Fling'의 다른 두 민요를 완전히 각색한 것도 문제가 되고 있다.

2004년에 출반된 사운드트랙의 리마스터 버전에 여전히 존재하는 오디오 문제도 주의를 산만하게 하고 있다.

The hazy dissonant shades of 'Little Impulse' on strings and the stark adaptation of two other folk tunes in 'The Fling' are also problematic.

Distracting, too, are audio problems that still exist on the supposedly remastered version of the soundtrack released in 2004.

'Dreams of the Journey'의 게인 레벨이 너무 높아서 심각한 왜곡이 들릴 수 있다.

Gain levels in 'Dreams of a Journey' are so high that significant distortion is audible.

사운드스케이프에 대한 면밀한 감상을 요구하는 스코어를 위한 앨범에서 이러한 기본적인 녹음 실수는 단순히 용납될 수 없다.

니만의 스코어는 전반적으로 더 모호한 평가를 받고 있다.

설득력 있는 영혼을 실제로 전달하지 않고 아름답다.

On an album for a score that demands close appreciation to the soundscape, such fundamental recording flubs are simply unacceptable.

Nyman's score on the whole also suffers from a more nebulous detraction.

it is beautiful without really conveying a convincing soul.

피아노 솔로는 종종 차갑고 니만의 리드미컬한 오케스트라 구조는 따뜻함을 더하는 데 거의 도움이 되지 않고 있다.

10주년 에디션은 가장 매력적인 두 선곡인 'The Heart Asks Pleasure First'와 'The Promise' 트랙의 일부를 가져와 중간에 잘못 편집된 컷으로 일부를 병합하고 이 조합을 마지막에 배치하고 있다.

The piano solos are often cold and Nyman's rhythmic orchestral structures do little to add warmth.

The 10th anniversary edition takes portions of the tracks 'The Heart Asks Pleasure First' and 'The Promise' the two most engaging cues and merges parts of them with a poorly edited cut in the middle and places this combination at the end of the product.

하이라이트는 아름답고 클래식 피아노 애호가에게는 필수 불가결하다.

하지만 영화 배경 음악으로서 〈피아노〉는 기술 수준 이상으로 청중을 참여시키기 위해 고군분투하고 있다. - 빌보드

It's highlights are lovely and, for classical piano enthusiasts, indispensable but as a film score, The Piano struggles to involve the listener on anything more than a technical level-Billboard Magazine

4. <피아노> 사운드트랙이 남긴 에피소드

* 아마도 가장 특이한 재녹음은 지휘자 빌 브러톤과 오케스트라 오브 더 아메

리카-피아노를 제외한 오케스트라 버전-일 것이다. 색소폰 솔로인 'Here to There'는 현대 클래식 색소폰 연주자들의 단골 연주곡이 된다.

Perhaps the most unusual rerecording is by conductor Bill Broughton and the Orchestra of the Americas—an orchestral version sans piano.

'Here to There' a saxophone solo, has become something of a staple for contemporary classical saxophonists.

* 프레데릭 쇼팽의 '마주르카 Op'를 기반으로 한 두 개의 추가 피아노 독주곡 'The Attraction of the Pedaling Ankle' 'Deep Sleep Playing' 등이 영화에 등장하고 있다.

Two additional solo piano pieces 'The Attraction of the Pedalling Ankle' which is based on Frédéric Chopin's Mazurka Op and 'Deep Sleep Playing' are featured in the film,

전자는 장면 51, 57, 88에 있다. 후자는 장면 100에 있다.

앨범에는 없지만 출판된 악보에는 포함되어 있다.

the former in scenes 51, 57, and 88, and the latter in scene 100. While not on the album, they are included in the published sheet music.

* 사운드트랙의 몇 몇 작품은 알렉산더 맥퀸의 2006 가을/ 겨울 패션쇼에 사용 되었다.

Several of the pieces from the soundtrack were used in Alexander McQueen's Fall/Winter 2006 fashion show.

* 핀란드 심포닉 메탈 밴드 나이트위시는 그들의 앨범 'Dark Passion Play'

을 통해 싱글 'The Heart Asks Pleasure First'의 커버를 만들었다.

노랫말은 밴드 작곡가 겸 키보드 연주가 투오마스 홀로페이넨이 썼다.

〈피아노〉. © BAC Films, Miramax Films

The Finnish symphonic metal band Nightwish made a cover of 'The Heart Asks Pleasure First' for their album Dark Passion Play that includes lyrics written by Nightwish composer and keyboardist Tuomas Holopainen,

* 2010년 12월 이태리 록 느와르 밴드 벨라도나는 마이클 니만과 공동으로 작업을 통해 'The Heart Asks Pleasure First'를 기반으로 한 싱글 'Let There Be Light'를 발표한다. 마이클 니만 자신이 트랙에서 피아노를 연주해 주고 있다.

In December 2010 Italian rock noir band Belladonna release 'Let There Be Light' a single written in collaboration with Michael Nyman and based on 'The Heart Asks Pleasure First'. Michael Nyman himself plays piano on the track.

Track listing

1. To the Edge of the Earth
2. Big My Secret
3. A Wild and Distant Shore
4. The Heart Asks Pleasure First
5. Here to There
6. The Promise

7. A Bed of Ferns
8. The Fling
9. The Scent of Love
10. Deep into the Forest
11. The Mood That Passes Through You
12. Lost and Found
13. The Embrace
14. Little Impulse
15. The Sacrifice
16. I Clipped Your Wing
17. The Wounded
18. All Imperfect Things
19. Dreams of a Journey
20. The Heart Asks Pleasure First/ The Promise (Edit)

〈피아노〉 사운드트랙. © Virgin

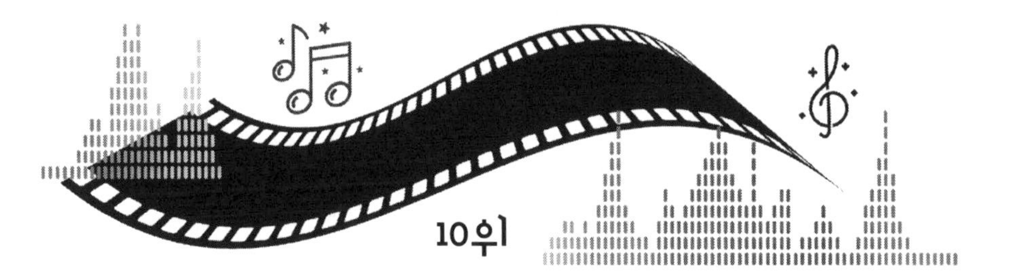

<쉰들러 리스트 Schindler's List>(1993) - 이차크 펄만의 바이올린 선율에 담겨진 유대인 수난사

작곡: 존 윌리암스 John Williams

스필버그 감독이 2차 대전 당시 유대인 학살에 대한 진혼(鎭魂) 사연을 담은 〈쉰들러 리스트〉.

1. <쉰들러 리스트> 버라이어티 평

〈쉰들러 리스트 Schindler's List〉는 스티븐 스필버그가 감독, 제작했다. 스티븐 자일리안이 각본을 맡은 1993년 미국 역사 드라마 영화이다.

Schindler's List is a 1993 American historical drama film directed and produced by Steven Spielberg and written by Steven Zaillian.

오스트레일리아 소설가 토마스 케닐리가 쓴 1982년 논픽션 소설 〈쉰들러의 방주〉를 원작으로 하고 있다. 영화는 제2차 세계 대전 중 폴란드 계 유대인 난민을 홀로코스트에서 자신의 공장에 고용하여 1,000명 이상을 구한 독일 기업가 오스카 쉰들러의 행적을 따라가고 있다.

It is based on the 1982 non-fiction novel Schindler's Ark by Australian novelist Thomas Keneally. The film follows Oskar Schindler, a German industrialist who saved more than a thousand mostly Polish-Jewish refugees from the Holocaust by employing them in his factories during World War II.

제2차 세계 대전 중 독일이 점령한 폴란드. 공장 경영주 오스카 쉰들러는 나치에 의한 박해를 목격한 후 점차 유대인 노동력에 대해 걱정하게 된다.

In German-occupied Poland during World War II, industrialist Oskar Schindler gradually becomes concerned for his Jewish workforce after witnessing their persecution by the Nazis.

오스카 쉰들러(Oskar Schindler)는 야만적이고 야만적인 독일 나치 치하에서 자신의 공장을 유대인들의 피난처로 바꿔야 한다고 느낀다.

그는 있을 법하지 않은 인도주의자가 된 허영심과 탐욕스러운 독일 사업가이다.

Oskar Schindler is a vain and greedy German businessman who becomes an unlikely humanitarian amid the barbaric German Nazi reign when he feels compelled to turn his factory into a refuge for Jews.

아우슈비츠 강제 수용소에서 1100여 명의 유대인을 구출한 오스카 쉰들러의 실화를 바탕으로 한 영화는 우리 모두의 선한 일에 대한 증거(證據)가 되고 있다.

Based on the true story of Oskar Schindler who managed to save about 1100 Jews from being gassed at the Auschwitz concentration camp.
it is a testament to the good in all of us.

2. <쉰들러 리스트> 사운드트랙 리뷰

스필버그와 자주 협업하는 존 윌리암스가 〈쉰들러 리스트〉의 배경 음악을 작곡한다. 작곡가는 이 영화에 놀랐다. 너무 도전적일 것이라고 생각한다.

John Williams who frequently collaborates with Spielberg, composed the score for Schindler's List.
The composer was amazed by the film and felt it would be too challenging.

그는 스필버그에게 '이 영화를 위해서는 나보다 더 나은 작곡가가 필요하다'고 말했다. 스필버그는 '알아요. 하지만 그들은 모두 죽었다!'라고 대꾸한다.

He said to Spielberg 'You need a better composer than I am for this film.'.
Spielberg responded 'I know. But they're all dead!'

존 윌리암스의 걸작 앨범으로 칭송 받은 〈쉰들러 리스트〉. © Universal Pictures

이차크 펄만이 바이올린 주제를 연주해 주게 된다.

Itzhak Perlman performs the theme on the violin.

빈민가가 나치에 의해 정리되는 장면에서 어린이 합창단은 민요 'Oyfn Pripetshik/ On the Cooking Stove'를 불러주고 있다.

In the scene where the ghetto is being liquidated by the Nazis, the folk song Oyfn Pripetshik/ On the Cooking Stove is sung by a children's choir.

이 노래는 종종 스필버그 할머니 베키가 그녀의 손주들에게 불러 주었다고 한다.

The song was often sung by Spielberg's grandmother, Becky, to her grandchildren.

영화에서 들려 오는 클라리넷 솔로는 클레머의 거장 지오라 펠드만이 녹음한 것이다.

The clarinet solos heard in the film were recorded by Klezmer virtuoso Giora Feidman.

윌리암스는 〈쉰들러 리스트〉로 아카데미 작곡상을 수상한다.
그의 5번째 수상이었다.

Williams won an Academy Award for Best Original Score for Schindler's List, his fifth win.

3. <쉰들러 리스트> 사운드트랙 해설 - 빌보드

〈쉰들러 리스트: 오리지날 모션 픽쳐 사운드트랙 Schindler's List: Original Motion Picture Soundtrack〉은 스티븐 스필버그의 1993년 동명 영화의 스코어 앨범이다. 존 윌리암스가 작곡하고 지휘한 오리지널 스코어는 바이올리니스트 이차크 펄만 itzhak Perlman이 참여했다.

Schindler's List: Original Motion Picture Soundtrack is the score album for Steven Spielberg's 1993 film of the same name. Composed and conducted by John Williams, the original score features violinist Itzhak Perlman.

전반적으로 윌리암스 자신도 〈쉰들러 리스트〉 수준에 다시 성공하는 데 어려움을 겪을 것이다.

Overall, even Williams himself would find himself hard pressed to succeed to the level of Schindler's List again.

〈게이샤의 추억〉에서 펄만 공연을 포함하여 이후 솔로 아티스트들과의 모든 협업에서 그 결과는 결코 압도적으로 효과적이지 않았다.

In all of his collaborations with solo artists thereafter, including Perlman's performances in Memoirs of a Geisha, the result was never as overwhelmingly effective.

〈쉰들러 리스트〉에서 바이올린을 사용하는 것은 그 주제에 대한 역사적 유행에서 매우 상징적일 뿐만 아니라 펄만과의 앙상블을 연상시키는 연주는 완벽한 타이밍과 실행의 공식이었다.

The use of the violin in Schindler's List, so symbolic in its historical prevalence to the topic as well as the evocative performances of Perlman and the ensemble were a formula of perfect timing and execution.

오리지날 앨범은 잘 편곡되었다. 솔로 연주-특히 리코더-는 세심한 주의를 기울여 믹싱 됐다.

The original album was arranged well and the solo performances-and the recorder in particular-are mixed with great care.

불행히도, 앨범의 원래 마스터링은 'Immolation' 및 'Remembrances'은 산만하게 삐걱거리는 의자를 포함하여 스튜디오 소음이 포함되어 어려움을 겪었다. 원래 MCA 앨범의 포장은 트랙 시간 목록 뿐 만 아니라 크레디트 표기에서도 올바르지 않다.

Unfortunately, the original mastering of the album suffered from the inclusion of studio noise including distractingly creaking chairs in 'Immolation' and at in 'Remembrances.' The packaging of the original MCA album is also incorrect in its credit notation as well as in its listing of track times.

그러나 앨범의 사소한 결함이 있더라도 〈쉰들러 리스트〉 스코어는 거의 비할 데 없는 예술적 걸작이다.
존 윌리암스의 경력에서 가장 미묘하게 강력한 승리다.

No matter the albums minor flaws, however, the Schindler's List score is a nearly unparalleled artistic masterpiece, the most subtly potent triumph in the storied career of John Williams.

앨범은 아카데미 상 오리지널 작곡 상, BAFTA상 영화 음악상, 그래미상 비주

얼 미디어 부문 최우수 스코어 사운드트랙 부문을 수상한다.

또한 골든 글로브 최우수 오리지널 스코어 부문 후보로 지명 받는다.

〈쉰들러 리스트〉. © Universal Pictures

The album won the Academy Award for Best Original Score, the BAFTA Award for Best Film Music and the Grammy Award for Best Score Soundtrack for Visual Media.

It also received a Golden Globe Award nomination for Best Original Score.

〈쉰들러 리스트〉 주제는 특히 바이올린 솔로로 가장 잘 알려진 현대 영화 스코어 중 하나가 된다.

Theme from Schindler's List is one of the most recognized contemporary film scores, particularly the violin solo.

카타리나 비트, 이리나 슬루츠카야, 안톤 스출레포프, 유나 시레이와, 폴 와일리, 자니 위어, 타티아나 나브카, 로만 사도프스키, 사토코 미야하라, 니콜 쇼트, 제이슨 브라운 그리고 유리나 립니스카야 등 많은 고급 피겨 스케이팅 선수들이 자신의 프로그램에서 이것을 사용했다.

Many high-level figure skaters have used this in their programs including Katarina Witt, Irina Slutskaya, Anton Schulepov, Yuna Shiraiwa, Paul Wylie, Johnny Weir, Tatiana Navka, Roman Sadovsky, Satoko Miyahara, Nicole Schott, Jason Brown and Yulia Lipnitskaya.

4. <쉰들러 리스트> 배경 음악 중 사운드트랙에서 누락된 곡 리스트

- 영화에서 들려오는 'OYF'N Pripetshok'과 'Yeroushalaim Chel Zahav'의 녹음은 앨범 버전과 매우 다르다.

영화에 사용된 'OYF'N Pripetshok'의 녹음은 1991년 영화 〈빌리 배스게이트 Billy Bathgate〉에서 가져온 것이다.

- 영화에서 사용된 'Yeroushalaim Chel Zahav'의 녹음은 1991년 영화 〈사사를 위해 Pour Sacha〉에서 가져 온 것이다.

- 카를로스 가르델(Carlos Gardel)과 알프레도 르 페라(Alfredo Le Pera) 작사, 작곡의 유명한 탱고 'Por Una Cabeza'는 나이트클럽 오프닝 장면에서 연주되고 있다.

- 야곱 가데 Jacob Gade가 연주해 주는 탱고 'Celos(Jealousy)'는 나이트클럽 장면에서 연주되고 있다.

- 프란츠 메이너 Franz Meißner(작곡)와 오토 테치 Otto Teich(작사)의 독일 가곡 'Die Holzauktion/ Im Grunewald ist Holzauktion'는 에곤 카이저 오케스트라 Egon Kaiser Orchestra가 연주하고 루돌프 슈러프링 Rudolf Scherfling이 불러주고 있다. 이 노래는 나이트클럽에서 연주되고 있다.

- 'Mein Vater war ein Wandersmann'은 나이트클럽 장면이 끝날 때 쉰들러와 후원자들이 라이브로 부르는 노래이다.

- 크라카우 Krakow로 행진하는 독일 군들이 불러 주고 있는 곡은 헐스 닐 Herms Niel 작곡의 독일 행진곡 'Erika (Auf der Heide blüht ein kleines Blümelein'이다.

〈쉰들러 리스트〉. © Universal Pictures

- 쉰들러의 생일 파티 장면.
그가 유대인 소녀로부터 축하 키스 세례를 받는 장면에서 폴란드 민속 노래 'To ostatnia niedziela'이 연주되고 있다.

- 유대인 집단 거주 지역을 초토화 시킬 때 바흐의 'English Suite No. 2'이 연주되고 있다.

- 빌헬름 스트리엔츠(Wilhelm Strienz)가 연주해 주고 있는 'Gute Nacht Mutter'는 수용소 수감자들이 검사를 위해 알몸으로 달려갈 때 확성기에서 흘러나오고 있다.

- 은신처에 있는 아이들을 트럭으로 유인할 때 독일 카바레 가수 미미 토마 Mimi Thoma가 불러 주는 'Mamatschi(Mamatschi, kauf mir ein Pferdchen'이 흘러나오고 있다.

- 쉰들러가 밤에 깨어 있는 동안 괴테로부터 투옥된 유대인들을 구매하기로 결정하는 장면에서 빌리 할리데이가 불러 주는 'God Bless the Child'가 흘러나오고 있다.

- 쉰들러가 비서관을 인터뷰하는 장면에서 에드워드 엘가 Edward Elgar의 'La Capricieuse, Op. 17'이 연주되고 있다.

곡은 야차 헤이페츠 Jascha Heifetz 편곡, 이차크 펄만 Itzhak Perlman과 사무엘 샌더스 Samuel Sanders가 연주해 주는 버전이 사용되고 있다.

- 보이체흐 킬라르 Wojciech Kilar 작곡 'Exodus'는 영화 예고편 배경 음악으로 선곡되고 있다.

Track listing

1. Theme from Schindler's List
2. Jewish Town, Krakow Ghetto-Winter 41
3. Immolation With Our Lives, We Give Life
4. Remembrances
5. Schindler's Workforce
6. Oyfn Pripetshik / Nacht Aktion, OYF'N Pripetshok performed by The Li-Ron Herzeliya Children's Choir Tel Aviv, conducted by Ronit Shapira
7. I Could Have Done More
8. Auschwitz-Birkenau
9. Stolen Memories
10. Making the List
11. Give Me Your Names
12. Yeroushalaim Chel Zahav (Jerusalem of Gold) performed by The Ramat Gan Chamber Choir Tel Aviv, conducted by Hana Tzur
13. Remembrances with Itzhak Perlman
14. Theme from Schindler's List (Reprise)

〈쉰들러 리스트〉 사운드트랙. © MCA Records

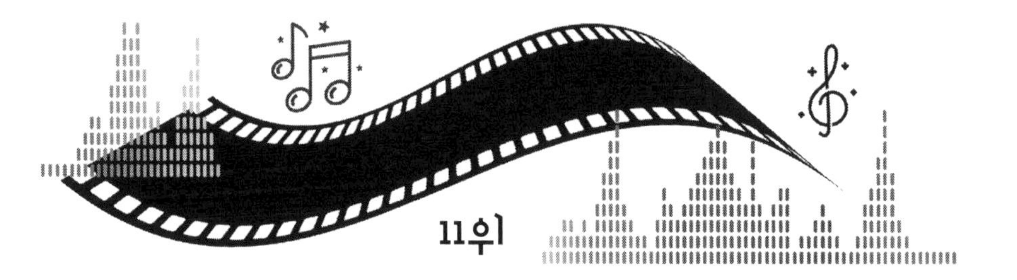

<갈리폴리 Gallipoli>(1981) - 전장터의 비극을 반추시켜준 알비노니의 '아다지오 G 단조'

작곡 토마소 알비노니 Tomaso Albinoni

피터 위어 감독의 〈갈리폴리〉. © Roadshow Film Distributors, Paramount Pictures

1. <갈리폴리> 버라이어티 평

2명의 오스트레일리아 단거리 선수가 제1차 세계 대전 중 터키 갈리폴리 전역에 파견되어 전쟁의 잔혹한 현실에 직면하게 된다.

Two Australian sprinters face the brutal realities of war when they are sent to fight in the Gallipoli campaign in Turkey during World War I.

제 1차 세계 대전에서 다양한 배경을 뒤로하고 ANZAC에 합류하기 위해 가입한 젊은 호주 남성 그룹의 이야기다.

The story of a group of young Australian men who leave their various backgrounds behind and sign up to join the ANZACs in World War I.

그들은 갈리폴리로 보내져 그곳에서 단호한 터키군과 조우하게 된다.

They are sent to Gallipoli, where they encounter the resolute Turkish army.

〈갈리폴리〉라는 제목을 본 낯선 사람은 〈지상 최대의 작전 The Longest Day〉 라인을 따라 일종의 다큐드라마를 볼 것이라고 생각할 수 있다.

A stranger seeing the title Gallipoli might think one was going to view a kind of docudrama along the lines of The Longest Day.

그것은 확실히 만들어지기를 기다리는 영화다.
대신 마크 리와 멜 깁슨이라는 두 명의 단거리 선수의 우정과 그들이 실제로 호주와 아무 관련이 없는 유럽의 머나먼 전쟁에서 싸우기 위해 가장 훌륭하고 뛰어난 인재를 많이 파견한 호주 육군에 합류하는 방법을 보게 될 것이다.

That's certainly a film waiting to be made. Instead one's going to see the friendship of two sprinters Mark Lee and Mel Gibson and how they join the Australian Army which sent a lot of its best and brightest to fight in a faraway war in Europe which really Australia had nothing to do with.

1915년 당시 호주는 겨우 14년 된 국가였다.

Australia was a nation at that point for only 14 years in 1915.

다양한 식민지와 불안정한 중산층이 1901년 연합하여 대영제국으로부터 독립을 이룩하게 된다.
그 때까지 호주는 국가로서 진정한 전통을 발전시키지 못했다.

The various colonies and the great unsettled middle united and achieved independence from Great Britain in 1901.
It had developed no real traditions as a nation up to that point.

미국은 비슷한 성장통을 겪었다. 많은 역사가들은 남북 전쟁이 끝날 때까지 미국이 국가가 되지 못했다고 주장하고 있다.

The USA had some similar growth pangs, many historians hold that we didn't become a nation really until the end of the Civil War.

스포츠에 대한 호주인의 매력이 여기에 표시되고 있다.
최근 프론티어 전통의 일부는 일반적으로 제공되는 설명이다.

The Aussie fascination with sports is shown here. Part of the recent frontier tradition is the explanation usually given.

〈갈리폴리〉. © Roadshow Film Distributors, Paramount Pictures

마크 리는 다가오는 올림픽에서 호주를 대표하기 위해 훈련하는 단거리 선수다. 멜 깁슨(Mel Gibson)도 단거리 선수지만 그에 대해 다소 자유분방한 태도를 취하고 있다.

Mark Lee is a sprinter, training to represent Australia in the Olympics to come. Mel Gibson is also a sprinter but takes a rather more casual attitude towards it.

당시 오스트레일리아의 트랙 스타였던 해리 라셀레스를 언급하고 있다. 사실 리는 입대할 때 성을 그대로 쓰고 나이를 속인다.

Reference is made to Harry Lascelles who was an Australian track star of the period. In fact Lee when he enlists adopts that as a last name and lies about his age.

호주에서 스포츠 스타는 미국에서처럼 부풀려진 자존심과 급여를 받는 운동선수가 아니다. 해리 라셀레스, 로드 라버, 머레이 로즈, 이안 토프 등에 이르기까지 이 사람들은 국가적 아이콘이다.

In Australia sports stars aren't just athletes with inflated egos and paychecks like they are in America. From Harry Lascelles, to Rod Laver, to Murray Rose right down to Ian Thorpe. these people are national icons.

깁슨과 리의 군 복무와 '갈리폴리 Gallipoli' 캠페인은 영화의 3분의 1만을 차지하고 있다.

다음 세계 대전에서 이 작전을 구상하는 데 큰 역할을 한 윈스턴 처칠은 안지오 상륙을 '해변 고래'라고 불렀다.

Gibson and Lee's army service and the Gallipoli campaign only occupy a third of the film. In the next World War, Winston Churchill who had a big hand in conceiving this operation called the landings at Anzio a 'beached whale.'

그러나 차이점은 결국 연합군이 몇 달 만에 안지오 Anzio 교두보와 연결되었다는 것이다.

The difference there though was that eventually the Allied Armies did hook up with the Anzio beachhead in a few months.

갈리폴리 반도의 ANZAC 코브에서 ANZAC 국가의 오스트레일리아 및 키위 군대와 함께 해변에 유사한 고래가 있었다.
이 군대는 교두보에 배치되었다. 하지만 어떤 방향으로도 이동할 수 없었다.

You had a similar beached whale at ANZAC cove on the Gallipoli peninsula with Aussie and Kiwi troops from the ANZAC countries with these troops established on a beachhead but unable to move in any direction.

갈리폴리 배후 아이디어는 그것을 탈취하고 전진하여 다데넬스 직선을 장악하는 것이었다. 그리고 보스포러스 해협은 러시아에 대한 보급품이 통과하여 오스만 제국을 전쟁에서 무너뜨릴 수 있도록 했다.

The idea behind Gallipoli was to seize it and march forward and seize control of the straights of the Dardenelles and Bosporus so supplies to Russia would get through and knock the Ottoman Empire out of the war.

곤경에 처한 이 작전을 구출하기 위해 연합군 사령관 이안 해밀턴 경(卿)은 반도 반대편의 서브라 베이 Suvla Bay에 또 다른 군대를 상륙시킨다.

To rescue this operation which was in trouble, the Allied commander Sir Ian Hamilton landed another army at Suvla Bay on the other side of the peninsula.

그 두 군대는 결코 연결되지 않았다. 이제 갈리폴리에는 해변에 고래 두 마리가 있었다. 다른 연합군은 그들과 연결하려고 하지 않았다.

Those two armies never hooked up and now there were two beached whales on Gallipoli and no other Allied Army looking to hook up with them.

이 특별한 행동과 이야기 핵심인 ANZAC 코브에 여전히 갇혀 있는 수천 명 중 2명이 깁슨과 리에게 일어나는 일이다. - 버라이어티

It's this particular action and what happens to Gibson and Lee as two of the thousands still stuck at ANZAC cove that is the heart of the story. - Variety Magazine

2. <갈리폴리> 사운드트랙 리뷰

원래 음악은 오스트레일리아 작곡가 브라이언 메이-〈매드 맥스〉도 작곡한다-가 제공한다.

The original music was provided by Australian composer Brian May-who had also scored Mad Max.

그러나 사운드트랙의 가장 두드러진 특징은 달리기 장면에서 프랑스 일렉트릭 음악 개척자 장 미셸 자르의 음반 'Oxygène'에서 발췌한 부분을 사용했다는 것이다.

〈갈리폴리〉. © Roadshow Film Distributors, Paramount Pictures

However the most striking feature of the soundtrack was the use of excerpts from Oxygène by French electronic music pioneer Jean Michel Jarre during running scenes.

〈갈리폴리〉의 고요하거나 음울한 순간과 엔딩 크레디트에는 토마스 알비노니의 'Adagio in G minor'가 사용되고 있다.

Quiet or sombre moments at Gallipoli and the closing credits, feature the Adagio in G minor by Tomaso Albinoni.

영화는 또한 최종 공격 전에 바튼 소령의 축음기로 연주되는 조르쥬 비제의 'Pearl Fisher's Duet'을 배경 음악으로 사용하고 있다.
영화의 불운한 군인들과 비제 오페라에서 어부들이 공유하는 유대 사이의 평행선을 묘사하고 있는 것이다.

The film also features the Pearl Fisher's Duet by Georges Bizet playing on Major Barton's gramophone before the final attack, drawing a parallel between the bond shared by the ill-fated soldiers of the film and the fishermen in Bizet's opera.

3. '아다지오 G 단조 Adagio in G minor'

〈갈리폴리〉 주제 음악처럼 사용돼 다시 한 번 널리 환대를 받았던 곡이 'Adagio in G minor'이다.

The song 'Adagio in G minor' was used as the theme song of 〈Galipoli〉 and was once again widely welcomed.

'현과 오르간을 위한 G 단조 아다지오 Adagio in Sol minore per archi e Organo su Due spunti tematici e su un Basso numerato'로도 알려진 'Adagio in G minor for strings and organ'은 18세기 베네치아 마스터 토마소 알비노니가 작곡한 네오 바로크 양식의 곡이다.

The Adagio in Sol minore per archi e organo su due spunti tematici e su un basso numerato di Tomaso Albinoni, also known as Adagio in G minor for strings and organ, is a neo-Baroque composition commonly attributed to the 18th-century Venetian master Tomaso Albinoni,

그러나 실제로 20세기 음악학자 이자 알비노니 전기 작가 레모 지아조토가 작곡했으며 알비노니 필사본 악보 발견에 기초한 것으로 알려져 있다.

but actually composed by 20th-century musicologist and Albinoni biographer Remo Giazotto purportedly based on the discovery of a manuscript fragment by Albinoni.

주장된 단편이 진짜인지, 아니면 지아조토가 자행한 음악적 날조인지에 대한 학술적 논쟁이 계속되고 있다.

하지만 나머지 작품에 대한 지아조토 저자에 대해서는 의심의 여지가 없다.

There is a continuing scholarly debate about whether the alleged fragment was real or a musical hoax perpetrated by Giazotto but there is no doubt about Giazotto's authorship of the remainder of the work.

4. 'Adagio in G minor'를 주제 음악으로 선곡했던 여러 영화들

'The Adagio'는 많은 영화, 텔레비전 프로그램, 광고, 녹음 및 단행본 책자에 사용되었다.

The Adagio has been used in many films, television programmes, advertisements, recordings, and books.

- 오손 웰즈 Orson Welles 감독 〈심판 The Trial〉(1962)
- 록 밴드 도어즈의 1978년 앨범 'An American Prayer' 트랙 'The Severed Garden'에서 배경 리듬으로 활용
- 〈플래시댄스 Flashdance〉(1983)
- 잉위 맘스틴 Yngwie Malmsteen의 1984년 곡 'Icarus Dream Suite Op. 4'.
- 올리버 스톤 〈도어즈 The Doors〉(1991) 중 페르 라셰즈 묘지 장면 the Père Lachaise Cemetery scene 배경 음악으로 사용
- 1998년 사라 브라이트만 Sarah Brightman 앨범 'Eden' 수록 곡 'Anytime, Anywhere'에서 활용
- 1999년 라라 파비안 Lara Fabian, 영어와 이태리어 크로스오버 노래 cross-over song 'Adagio' 발매

- 2016년 케네스 로네간 Kenneth Lonergan 감독 〈맨체스터 바이 더 씨 Manchester by the Sea〉 배경 음악으로 선곡

5. <갈리폴리>에서 영감을 받아 발표된 다양한 음악들

〈갈리폴리〉. © Roadshow Film Distributors, Paramount Pictures

아마도 다른 어떤 예술 형식보다 음악은 깊은 감정과 감정을 표현할 수 있다. '갈리폴리 Gallipoli에서 영감을 받았거나 당시 쓰여진 다양한 음악의 예는 다음과 같다.

Perhaps more than any other art form, music can express deep feelings and emotions. Examples of various music inspired by or written at the time of Gallipoli include.

1. 포크 송 Folk songs

- 마틴 퍼디, 랭카셔에서 온 한 군인의 경험과 왜 영국 오크나무가 터키에서 자라는지에 대해 노래하고 있다.

Martin Purdy who sings about the experience of one soldier from Lancashire and why an English oak tree grows in Turkey.

- 스코틀랜드 가수 로저 그래함은 스코틀랜드를 떠난 병사들에 대한 감동적인 노래를 작곡했다.

Scottish singer Roger Graham has composed a touching song about the soldiers who left Scotland for the Dardanelles.

- 이 유명한 노래는 스코틀랜드 태생 오스트레일리아인 에릭 보글이 1971년에 작곡했다. 'Waltzing Matilda'는 '호주의 비공식 국가'로 알려져 있어 갈리폴리에 대한 호주의 마음을 상징적으로 표현한 곡이다.

This famous song was written in 1971 by Eric Bogle, a Scottish-born Australian.
'Waltzing Matilda' is known as 'Australia's unofficial national anthem' so this song has become a symbol of Australia's feelings about Gallipoli.

2. 갈리폴리의 작곡가들 Composers at Gallipoli

- 갈리폴리 뮤직 메모리알은 갈리폴리에 있었던 몇 몇 작곡가, 특히 루퍼트 브룩의 친구 윌리암 데니스 브라운의 작품을 탐색하고 있다.
2015년 4월, 터키 대사관은 갈리폴리 100주년 교육 프로젝트와 협력하여 갈리폴리와 연결된 영국 및 터키 음악 콘서트를 조직했다.

The Gallipoli Music Memorial is exploring the work of some of the composers who were at Gallipoli, especially William Denis Browne, a friend of Rupert Brooke.
In April 2015, the Turkish Embassy worked with the Gallipoli Centenary Education Project to organise a concert of British and Turkish music linked to Gallipoli.

- 그 일환으로 매튜 샌디(테너)와 세리 오웬(피아노)은 1915년 6월 4일 갈리

폴리에서 사망한 윌리암 데니스 브라운의 음악에 맞춘 시 'The Isle of Lost Dreams'를 연주했다.

As part of this, Matthew Sandy (tenor) and Ceri Owen (piano) performed 'The Isle of Lost Dreams' a poem set to music by William Denis Browne who was killed at Gallipoli on 4th June 1915.

Track listing

1. Newsfront by Motzing
2. Gallipoli by Jarre/ Albinoni
3. My Brilliant Career by Schumann
4. Tall Timbers by Evans/ Rasbach
5. Cathy's Child by Motzing
6. Eliza Fraser by Smeaton
7. Breaker Morant by Stuart
8. The Child of Jimmy Blacksmith by Smeaton
9. The Picture Show Man by Best
10. Picnic at Hanging Rock by Smeaton/ Enesco
11. The Mango Tree by Wilkinson
12. Dimboola by Dreyfus
13. Caddie by Flynn

〈갈리폴리〉 사운드트랙. © DRG Record

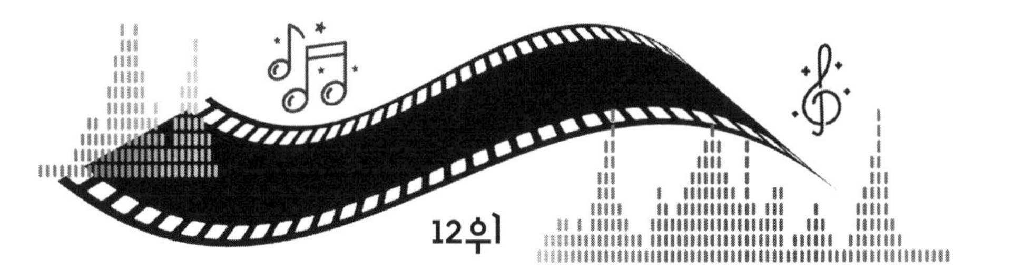

12위

<피크닉 엣 행잉 락 Picnic at Hanging Rock>(1975) - 게오르그 잠피르 팬 파이프 선율로 묘사해준 10대 소녀들의 기이한 경험

작곡: 브루스 스미어튼 Bruce Smeaton

피터 위워 감독의 초기 히트작 〈피크닉 엣 행잉 락〉. © B.E.F. Film

1. <피크닉 엣 행잉 락> 버라이어티 평

〈피크닉 엣 행잉 락〉은 할과 짐 맥엘로이가 제작하고 피터 위어가 감독 했다. 레이첼 로버츠, 도니믹 가드, 헬렌 모스, 비비안 그레이 및 재키 위버가 출연한 1975년 호주 미스터리 영화다.

Picnic at Hanging Rock is a 1975 Australian mystery film produced by Hal and Jim McElroy, directed by Peter Weir and starring Rachel Roberts, Dominic Guard, Helen Morse, Vivean Gray and Jacki Weaver.

1967년 조안 린세이 동명 소설을 클리프 그린이 각색했다.

It was adapted by Cliff Green from the 1967 novel of the same name by Joan Lindsay.

〈피크닉 엣 행잉 락〉은 상업적이고 중요한 성공을 거두었다. 당시 부상하고 있던 호주 뉴 웨이브 영화에 대한 국제적인 관심을 불러일으키는데 도움이 된다.

Picnic at Hanging Rock was a commercial and critical success, and helped draw international attention to the then-emerging Australian New Wave of cinema.

시골 여름 피크닉을 하던 중 호주 여학교 학생 몇 명과 선생님이 흔적도 없이 사라진다. 그들의 부재는 남겨진 사람들을 좌절시키고 괴롭히게 된다.

During a rural summer picnic, a few students and a teacher from an Australian girl's school vanish without a trace. Their absence frustrates and haunts the people left behind

1900년 발렌타인 데이. 빅토리아의 행잉 록으로 소풍을 가던 3 명의 학생과 학교 교사가 사라진다.

Three students and a school teacher disappear on an excursion to Hanging Rock, in Victoria on Valentine's Day, 1900.

영화는 사라진 자들과 뒤에 남은 자들을 따라 가고 있다.
하지만 답이 아니라 질문을 하는 것을 즐기고 있다.

The movie follows those that disappeared and those that stayed behind but it delights in the asking of questions, not the answering of them.

영화와 책 모두 실제 사건에서 영감을 받았다는 주장에 기반을 두고 있다.
하지만 이야기는 완전히 허구다.

Even though both the movie and the book it was based on claim to be inspired by real events. the story is comp letely fictional.

2. <피크닉 엣 행잉 락> 사운드트랙 리뷰

메인 타이틀 음악은 2개의 전통적인 루마니아 팬파이프 작품인 'Doina: Sus Pe Culmea Dealului'와 'Doina Lui Petru Unc'에서 파생되었다.
루마니아 출신 게오르그 잠피르가 팬 파이프-또는 팬 플루트-를 연주하고 있다. 스위스 태생 마르셀 셀리에르가 오르간을 연주하고 있다.

The main title music was derived from two traditional Romanian panpipe pieces

〈피크닉 엣 행잉 락〉. © B.E.F. Film

'Doina: Sus Pe Culmea Dealului' and 'Doina Lui Petru Unc' with Romanian Gheorghe Zamfir playing the panpipe-or panflute-and Swiss born Marcel Cellier the organ.

오스트레일리아 작곡가 브루스 스미어튼은 영화를 위해 작곡한 여러 원본 작곡-'The Ascent Music' 및 'The Rock'을 제공하고 있다.

Australian composer Bruce Smeaton also provided several original compositions-'The Ascent Music' and 'The Rock' written for the film.

기타 클래식 추가 곡으로 제조 얀도가 연주한 바흐 전주곡 'Well-Tempered Clavier', 모차르트의 'Eine kleine Nachtmusik' 중 '로망스 악장', 차이코프스키 '현악 4중주 1번 Op. 1' 중 '안단테 칸타빌레 악장. 11' 등이다.

Other classical additions included Bach's Prelude No. 1 in C from The Well-Tempered Clavier performed by Jenő Jandó.

the Romance movement from Mozart's Eine kleine Nachtmusik. the Andante Cantabile movement from Tchaikovsky's String Quartet No. 1, Op. 11.

헝가리 국립 교향악단과 이스트반 안탈이 연주하고 있는 베토벤 '피아노 협주곡 5번' 중 '황제'의 'Adagio un poco mosso', 영국 전통 노래 'God Save the Queen'과 'Men of Harlech' 등도 흘러나오고 있다.

and the Adagio un poco mosso from Beethoven's Piano Concerto No. 5 'Emperor' performed by István Antal with the Hungarian State Symphony Orchestra. Traditional British songs God Save the Queen and Men of Harlech also appear.

현재 상업적으로 이용 가능한 공식 사운드트랙은 없다. 1976년 CBS는 'A Theme from Picnic at Hanging Rock'이라는 제목의 비닐 LP를 발매했다. 같은 이름과 'Miranda's Theme'의 트랙이다. 7인치 싱글은 놀란-버들 콰르텟의 'Picnic at Hanging Rock' 테마로 1976년에 발매되었다.

There is currently no official soundtrack commercially available. In 1976, CBS released a vinyl LP titled 'A Theme from Picnic at Hanging Rock', a track of the same name and 'Miranda's Theme'. A 7 single was released in 1976 of the Picnic at Hanging Rock theme by the Nolan-Buddle Quartet.

이 노래는 호주 싱글 차트에서 15위에 올랐다

The song peaked at number 15 on the Australian singles chart.

앨범 'Flute de Pan et Orgue(Music from Picnic at Hanging Rock'가 페스티발 레코드 프랑스에서 발매되었다.

An album Flute de Pan et Orgue (Music from Picnic at Hanging Rock) was released by Festival Records France.

3. <피크닉 엣 행잉 락> 사운드트랙 해설 - 빌보드

호주 영화 음악의 가장 독특한 사례는 〈피크닉 엣 행잉 락〉에서 루마니아 민속 음악가 게오르그 잠피르의 팬 파이프 작품이다.

이 클립에서 우리는 미란다(앤 람베르)가 이끄는 바위와 여학생 이미지와 함께 중심 테마인 'Doïna: Lui Petru Unc'를 들을 수 있다.

Some of the most distinctive examples of Australian film music are the panpipe pieces by the Romanian folk musician Gheorghe Zamfir in Picnic at Hanging Rock. In this clip, we encounter the central theme 'Doïna: Lui Petru Unc' accompanying imagery of the rock and the schoolgirls led by Miranda (Anne Lambert).

구불구불한 파이프를 포함하여 음악의 섬세하고 미묘하며 강렬하게 불길한 특성 그리고 오르간의 지속적인 화음은 신비로움을 강조해 주고 있다. 석조 구조물의 고대 특성과 그것이 접촉하는 사람들을 압도하는 매혹적인 힘이다.

The delicate, ethereal and intensely ominous qualities of the music including the meandering pipes and sustained chords of the organ highlight the mysterious and ancient nature of the stone formation and the alluring power it has over those who come into contact with it.

피터 위어 감독이 말했듯이, 이 음악의 이교도적 특성은 이야기가 설정될 당시의 미지의 나라에 영향을 미쳤다. 시간, 문화, 재배에 대한 유럽의 개념 및 그리고 문명 개념과 같은 영화의 다른 주제와 대조를 이루고 있다.

As stated by director Peter Weir, the music's pagan qualities tapped into the great unknown of the country at the time the story was set and provided a contrast to other themes in the film such as European notions and concepts of time, culture, cultivation and civilisation.

ABC의 2013년 여론 조사에 따르면 〈피크닉 엣 행잉 락〉의 스코어는 역대 최고의 영화 스코어 100선에서 12위에 올랐다.

According to a 2013 poll by the ABC, the score for Picnic at Hanging Rock was ranked 12th in a list of the 100 best film scores of all time.

〈피크닉 엣 행잉 락〉. © B.E.F. Film

이 음악이 내러티브 설정, 즉 위치 설정 및 루마니아에서 멀리 떨어진 기간과의 어긋남을 감안할 때 잘 작동하는 것은 이상하다.

It is strange that this music works so well, given its dislocation from the narrative setting a locational setting and period far removed from Romania.

4. 게오르그 잠피르 Gheorghe Zamfir는 누구인가?

〈피크닉 엣 행잉 락〉에서 팬 파이프 연주 곡 'Doina: Sus Pe Culmea Dealului' 'Doina Lui Petru Unc'이 선곡되어 음악 애호가들의 이목을 끌어낸 루마니아 출신 연주인이 게오르그 잠피르.

Picnic at Hanging Rock, the fan pipe songs 'Doina: Sus Pe Culmea Dealului' and 'Doina Lui Petru Unc' were selected and the Romanian musician Georg Zampir drew the attention of music lovers.

잠피르는 범위를 늘리기 위해 22, 25, 28 또는 30개의 파이프가 있는 일반적으로 20 파이프 나이의 확장된 버전을 연주하는 것으로 알려져 있다. 그리고 각 파이프에서 주법을 변경하여 최대 8개의 배음-기본음에 추가-을 얻고 있다.

Zamfir is known for playing an expanded version of normally 20-pipe nai, with 22, 25, 28 or even 30 pipes to increase its range and obtaining as many as eight overtones-additional to the fundamental tone-from each pipe by changing his embouchure.

그는 '팬 플루트의 대가'로 알려져 있다.

He is known as 'The Master of the Pan Flute.'

작곡가 블라디미르 코스마(Vladimir Cosma)는 1972년 영화 〈그랜드 블론드 Le grand blonde avec une chaussure noire〉의 코스마 오리지널 음악의 독주자로서 처음으로 팬 플루트를 들고 잠피르를 서유럽 국가로 초빙해 온다. 이 영화는 1973년 '국립 비평가협회 National Board of Review'의 외국 영화상을 포함하여 여러 상을 수상하게 된다. 잠피르는 작곡가 프란시스 레이, 엔니오 모리코네 및 기타 많은 사람들의 영화 사운드트랙에서 솔리스트로 계속 연주해 준다. 주로 텔레비전 광고를 통해 '팬 플루트의 대가 잠피르(Zamfir, Master of Pan Flute)'로 불리며 현대 관객에게 민속 악기를 소개하고 무명의 상태에서 부활하게 된다.

The composer Vladimir Cosma brought Zamfir with his pan flute to Western European countries for the first time in 1972 as the soloist in Cosma's original music for the movie Le grand blond avec une chaussure noire. The movie received several awards including the Top Foreign Film from the National Board of Review in 1973.

Zamfir continued to perform as a soloist in movie soundtracks by composers Francis Lai, Ennio Morricone and many others. Largely through television commercials where he was billed as 'Zamfir, Master of the Pan Flute'. he introduced the folk instrument to a modern audience and revived it from obscurity.

5. 게오르그 잠피르 Gheorghe Zamfir의 곡을 선곡한 대표적 영화 목록

- 그는 엔니오 모리코네로 부터 세르지오 레오네의 1984년 갱스터 영화 〈원스 어폰 어 타임 인 아메리카〉 사운드트랙을 위해 'Childhood Memories'와 'Cockeye's Song'을 연주해 달라는 요청을 받게 된다.

He was asked by Ennio Morricone to perform the pieces 'Childhood Memories' and 'Cockeye's Song' for the soundtrack of Sergio Leone's 1984 gangster film Once Upon a Time in America.

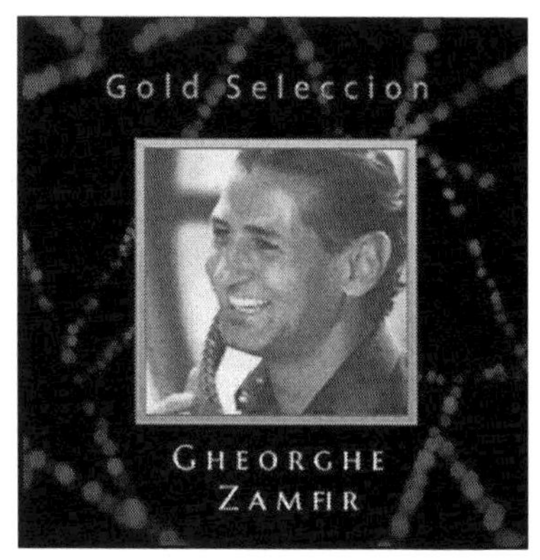

게오르그 잠피르. © amazon.com

- 그의 공연은 1984년 영화 〈가라데 키드 The Karate Kid〉와 속편에서도 들을 수 있다.

His performance can also be heard throughout the 1984 film The Karate Kid plus the sequels.

- 잠피르의 가장 유명한 작품 중 한 곡은 제임스 라스트가 작곡하고 제임스 라스트 오케스트라와 함께 녹음한 'The Lonely Shepherd'이다.

One of Zamfir's most famous pieces is 'The Lonely Shepherd' which was written by James Last and recorded with the James Last Orchestra

그리고 라스트의 1977년 앨범 'Russland Erinnerungen(Memories of Russia)'에 처음으로 포함 된다.싱글로도 발매된다. 'Lonely Shepherd'는 1979년 호주 미니시리즈 〈골덴 소크 Golden Soak〉 주제로도 사용된다.

and first included on Last's 1977 album Russland Erinnerungen (Memories of Russia). it was also released as a single. 'The Lonely Shepherd' was used as the theme for the 1979 Australian miniseries Golden Soak.

- 쿠엔틴 타란티노 감독의 2003년 영화 〈킬 빌 1 Kill Bill: Volume 1〉과 니콜라스 그라소 감독 단편 영화 〈도이나 Doina〉에도 등장했다.

It was also featured in Quentin Tarantino's 2003 film Kill Bill: Volume 1 and in Nikolas Grasso's short film Doina.

- 그의 곡 'Frunzuliţă Lemn Adus Cântec De Nuntă(Fluttering Green Leaves Wedding Song)'는 1991년 지브리 스튜디오 Studio Ghibli 제작 영화 〈온리 예스터데이〉에도 등장하고 있다.

His song 'Frunzuliţă Lemn Adus Cântec De Nuntă (Fluttering Green Leaves Wedding Song)' appears in the 1991 Studio Ghibli film Only Yesterday.

Track listing

1. Overture
2. Opening Scene-Valentines Day
3. Travel Music
4. A Hot Picnic
5. Botticeli Angel

6. Transition to Girls Climbing
7. Girls Climbing
8. Vanishing
9. Gossip Mystery
10. Passage of Time
11. Albert's Theme
12. Interlude
13. Michael Wakes Up
14. Gossip Girls
15. Irma Meets Michael
16. Passage of Time Act 2
17. Dinner Setup
18. Dinner Packup
19. Dora Toad
20. In the Gym
21. Dream Sequence
22. Appleyard Walks

〈피크닉 엣 행잉 락〉 사운드트랙. © Epic Records

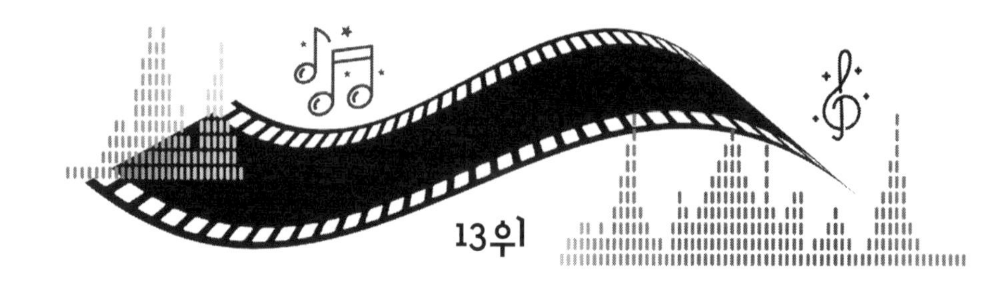

<2001 스페이스 오딧세이 2001: A Space Odyssey> (1968) - 인류 탄생 비화 리듬으로 채택된 리하르트 스트라우스의 'Also sprach Zarathustra'

작곡: 리하르트 스트라우스 Richard Strauss

스탠리 큐브릭 감독의 서사 SF 걸작 〈2001 스페이스 오딧세이〉. ⓒ Metro-Goldwyn-Mayer

1. <2001 스페이스 오딧세이> 버라이어티 평

모노리스 Monoliths는 인류가 별에 도달하도록 부추기고 있다.

몇 세대 전 아프리카에서 발견된 불가사의한 물체는 H.A.L. 9000 세계 최고 슈퍼컴퓨터 도움으로 인류를 목성(木星)으로 가는 멋진 여행으로 이끌어낸다.

The Monoliths push humanity to reach for the stars after their discovery in Africa generations ago. the mysterious objects lead mankind on an awesome journey to Jupiter with the help of H.A.L. 9000. the world's greatest supercomputer.

'2001'은 진화(進化)의 이야기다. 먼 과거의 언젠가 누군가 또는 무언가가 단일체를 지구에 배치하여 진화를 촉발하게 된다.

아마도 우주 전체의 다른 곳에서도 마찬가지일 것이다.

'2001' is a story of evolution. Sometime in the distant past, someone or something nudged evolution by placing a monolith on Earth presumably elsewhere throughout the universe as well.

그런 다음 진화를 통해 인류가 달 표면에 도달할 수 있게 된다. 그곳에는 또 다른 단일체가 발견된다. 이것은 인류가 그렇게까지 진화했다는 단일체 배치자에게 신호를 보내는 것이다. 이제 컴퓨터(HAL)와 인간(Bowman) 사이의 경쟁이 모노리스 플레이서에 도달하기 위해 시작된다.

Evolution then enabled humankind to reach the moon's surface where yet another monolith is found. one that signals the monolith placers that humankind has evolved that far. Now a race begins between computers (HAL) and human (Bowman) to reach the monolith placers.

승자는 그것이 무엇이든 간에 진화의 다음 단계를 달성할 것이다.
달 표면 아래에서 커다란 검은색 단일체를 발견했을 때 즉각 반응은 그것을 의도적으로 묻었다는 것이다.

The winner will achieve the next step in evolution, whatever that may be.
When a large black monolith is found beneath the surface of the moon, the reaction immediately is that it was intentionally buried.

출발지가 목성으로 확인되면 근원을 찾기 위해 원정대가 파견된다.
데이비드 보우만 박사는 탐사선의 통신 시스템에서 결함을 발견했을 때 그가 알고 싶었던 것보다 더 많은 것을 발견하게 된다.

When the point of origin is confirmed as Jupiter, an expedition is sent in hopes of finding the source. When Dr. David Bowman discovers faults in the expeditionary spacecraft's communications system, he discovers more than he ever wanted to know.

2. <2001 스페이스 오딧세이> 사운드트랙 리뷰

제작 초기부터 큐브릭은 영화가 주로 비언어적 경험이 되기를 원한다고 결정하게 된다. 그것은 내러티브 영화의 전통적인 기술에 의존하지 않고 음악이 특정 분위기를 불러일으키는 데 중요한 역할을 하게 되는 것이다.

From early in production, Kubrick decided that he wanted the film to be a primarily nonverbal experience.
that did not rely on the traditional techniques of narrative cinema and in which music would play a vital role in evoking particular moods.

〈2001 스페이스 오딧세이〉. © Metro-Goldwyn-Mayer

영화에서 음악의 약 절반이 대화의 첫 번째 줄 앞이나 마지막 줄 뒤에 나타나고 있다. 대사가 있는 장면에서는 음악이 거의 들리지 않고 있다.

About half the music in the film appears either before the first line of dialogue or after the final line. Almost no music is heard during scenes with dialogue.

이 영화는 기존의 상업 녹음에서 가져온 클래식 음악을 혁신적으로 사용한 것으로 유명하다. 대부분 장편 영화에는 일반적으로 전문 작곡가가 특별히 작곡한 정교한 영화 스코어나 노래가 수반되고 있다.

The film is notable for its innovative use of classical music taken from existing commercial recordings. Most feature films, then and now are typically accompanied by elaborate film scores or songs written specially for them by professional composers.

제작 초기 단계에서 큐브릭은 할리우드 작곡가 알렉 노스 Alex North에게 〈2001...〉 악보를 의뢰한다.

알렉 노스는 〈스팔타커스〉 악보를 썼고 〈닥터 스트란젤러브〉도 작업했다.

In the early stages of production, Kubrick commissioned a score for 2001 from

Hollywood composer Alex North who had written the score for Spartacus and also had worked on Dr. Strangelove.

후반 작업 동안 큐브릭은 이전에 영화 임시 음악으로 선택한 이제는 친숙한 클래식 곡을 위해 노스의 음악을 포기하기로 결정한다. 노스는 영화 시사회를 볼 때까지 자신의 스코어가 포기되었다는 사실을 알지 못하게 된다.

During post-production, Kubrick chose to abandon North's music in favour of the now-familiar classical pieces he had earlier chosen as temporary music for the film. North did not learn that his score had been abandoned until he saw the film's premiere.

최초 MGM 사운드트랙 앨범 발매에는 영화에 사용된 리게티 작곡의 'Aventures'가 변경됐다. 인증되지 않은 버전의 자료가 포함되어 있지 않고 있다. 영화에서 들은 것과 다른 녹음 칼 보헴 지휘 베를린 필하모닉 오케스트라의 'Also sprach Zarathustra'와 영화에서보다 룩스 아테나의 더 긴 발췌가 사용되고 있다.

The initial MGM soundtrack album release contained none of the material from the altered and uncredited rendition of Ligeti's Aventures used in the film used a different recording of Also sprach Zarathustra performed by the Berlin Philharmonic conducted by Karl Böhm from that heard in the film and a longer excerpt of Lux Aeterna than that in the film.

1996년 터너 엔터테인먼트/ 라이노 레코드는 영화에 사용된 'Zarathustra' 버전과 'Aventures'의 영화 연주가 포함된 새 사운드트랙을 CD로 출반한다.

In 1996, Turner Entertainment/Rhino Records released a new soundtrack on CD that included the film's rendition of 'Aventures', the version of 'Zarathustra' used in the film

알렉 노스 작곡의 미사용 음악은 텔락 레코드의 'Hollywood's Greatest Hits, Vol. 2', 에릭 쿤젤과 신시네티 팝 오케스트라 편집 앨범으로 출반된다.

Alex North's unused music was first released in Telarc's issue of the main theme on Hollywood's Greatest Hits, Vol. 2, a compilation album by Erich Kunzel and the Cincinnati Pops Orchestra.

노스가 원래 작곡한 모든 음악은 그의 친구이자 동료인 제리 골드스미스가 내셔날 필하모닉 오케스트라와 함께 상업적으로 녹음했다. 텔락 레코드의 첫 번째 테마 출시 직후와 노스가 사망하기 전에 바레사 사라방드 CD로 출시된다.

All of the music North originally wrote was recorded commercially by his friend and colleague Jerry Goldsmith with the National Philharmonic Orchestra and released on Varèse Sarabande CDs shortly after Telarc's first theme release and before North's death.

3. <2001 스페이스 오딧세이> 사운드트랙 해설 - 빌보드

〈2001: A Space Odyssey〉는 1968년에 발매된 동명의 영화의 사운드트랙 앨범이다.

2001: A Space Odyssey is a soundtrack album to the film of the same name released in 1968.

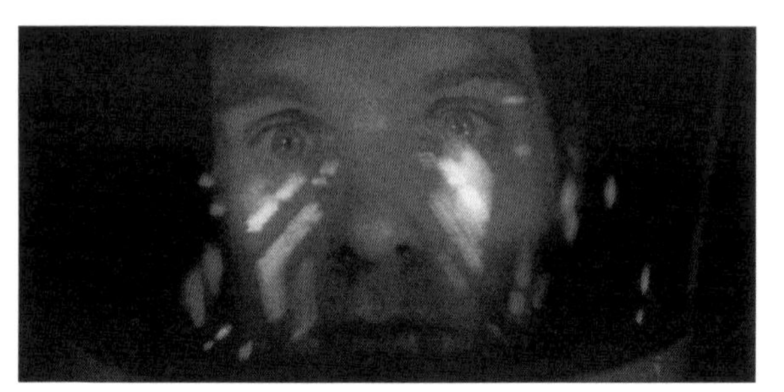
〈2001 스페이스 오딧세이〉. © Metro-Goldwyn-Mayer

사운드트랙은 많은 클래식 및 오케스트라 곡을 사용하는 것으로 유명하며 많은 클래식 곡이 인기를 되찾게 한 것으로 알려져 있다.

The soundtrack is known for its use of many classical and orchestral pieces, and credited for giving many classical pieces resurgences in popularity.

예를 들면 요한 슈트라우스 2세의 1866년작 '푸른 도나우 왈츠', 리하르트 슈트라우스의 교향시 'Also spach Zarathustra'-프리드릭 니체의 글에서 영감을 받음-, 기오르기 리게티 작곡의 'Atmosphères' 등이 선곡되고 있다.

such as Johann Strauss II's 1866 Blue Danube Waltz, Richard Strauss symphonic poem Also sprach Zarathustra-inspired by the writings of Friedrich Nietzsche and György Ligeti's Atmosphères.

〈2001...〉은 특히 리하르트 슈트라우스의 음색 시 'Also sprach Zarathustra' -보통 'Thus Spake Zarathustra' 또는 'Thus Spoke Zarathustra'로 번역됨-의 오프닝 테마를 사용한 것으로 기억되고 있다.

2001 is particularly remembered for the use of the opening theme from the Richard Strauss tone poem Also sprach Zarathustra-Usually translated as 'Thus Spake Zarathustra' or 'Thus Spoke Zarathustra' where the soundtrack album gives the former.

이 주제는 영화의 시작과 끝에서 모두 사용되고 있다.
또한 영화에서 기억에 남는 것은 요한 슈트라우스 2세의 가장 유명한 왈츠 'An der schönen blauen Donau'-'아름다운 푸른 도나우 강에서'의 일부를 우주 정거장에 도킹하는 동안 사용한 것이다.

The theme is used both at the start and at the conclusion of the film.
Also memorable in the film is its use of parts of Johann Strauss II's best-known waltz, An der schönen blauen Donau-On the Beautiful Blue Danube-during the extended space-station docking.

두 명의 스트라우스와 아람 카찬투리안의 장엄하지만 상당히 전통적인 작곡 외에도 큐브릭은 시간이 지남에 따라 천천히 변하는 지속적인 불협화음의 소다성(micropolyphony)을 사용하고 있는 기요르기 리게티의 고도로 현대적인 작곡 4곡을 사용하고 있다.

In addition to the majestic yet fairly traditional compositions by the two Strausses and Aram Khachaturian.
Kubrick used four highly modernistic compositions by György Ligeti which employ micropolyphony, the use of sustained dissonant chords that shift slowly over time.

리하르트와 요한 스트라우스의 작품과 기요르기 리게티 작곡의 'Requiem' (Kyrie 섹션)은 영화의 스토리라인에서 반복되는 모티브로 작용하고 있다.
리하르트 스트라우스의 'Also Sprach Zarathustra'는 태양, 지구, 그리고 달을 병치시키는 오프닝 타이틀에서 처음으로 들려오고 있다.

The Richard and Johann Strauss pieces and György Ligeti's Requiem-the Kyrie section-act as recurring motifs in the film's storyline.
Richard Strauss Also Sprach Zarathustra is first heard in the opening title which

juxtaposes the Sun, Earth and Moon.

이후 원숭이가 도구 사용법을 처음 배울 때, 그리고 영화 말미에 보우만이 '스타-차일도'로 변신할 때 들려오고 있다.

It is subsequently heard when an ape first learns to use a tool and when Bowman is transformed into the Star-Child at the end of the film.

따라서 '차라투스트라'는 영화의 시작과 끝을 위한 북엔드 역할을 하고 있다. 처음에는 원숭이에서 인간으로, 다음에는 인간에서 별-차일드로의 진화적 변화를 나타내는 모티브로 사용되고 있는 것이다.

Zarathustra thus acts as a bookend for the beginning and end of the film and as a motif signifying evolutionary transformations, first from ape to man, then from man to Star-Child.

이 작품은 원래 원숭이와 인간, 인간과 슈퍼맨의 관계를 간략하게 암시하는 철학자 니체의 동명 책에서 영감을 받았다.

This piece was originally inspired by the philosopher Nietzsche's book of the same name which alludes briefly to the relationship of ape to man and man to Superman.

'The Blue Danube'는 두 개의 복잡하고 확장된 우주여행 시퀀스와 엔딩 크레디트에 등장하고 있다. 첫 번째는 팬암 우주선이 스페이스 스테이션 5 Space Station V에 도킹하는 특히 유명한 장면이다.

The Blue Danube appears in two intricate and extended space travel sequences as well as the closing credits. The first of these is the particularly famous sequence of the PanAm space plane docking at Space Station V.

리게티 작곡의 '레퀴엠'은 3번 들려오고 있다. 모두 모노리스가 출현하는 동안 들려오고 있다. 첫 번째는 차라투스트라와 동행한 원숭이가 도구를 발견하기 직전에 원숭이를 만나는 장면이다.

Ligeti's Requiem is heard three times, all of them during appearances of the monolith. The first is its encounter with apes just before the Zarathustra-accompanied ape discovery of the tool.

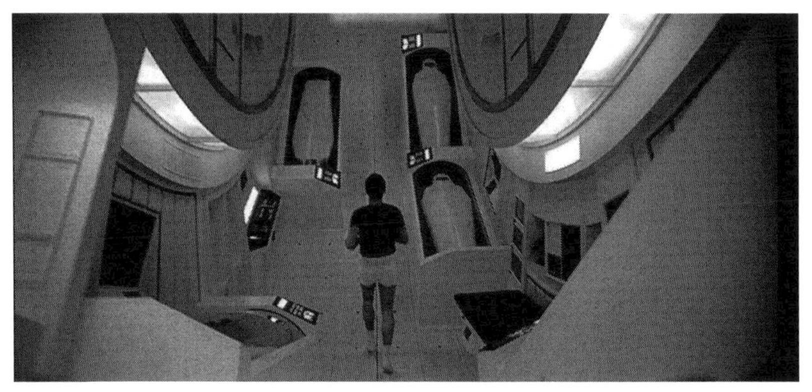

〈2001 스페이스 오딧세이〉. © Metro-Goldwyn-Mayer

두 번째는 달에서 모놀리스의 발견 장면이다. 세 번째는 보우만이 스타 게이트에 들어가기 직전 목성 주변에 접근하는 장면이다.

The second is the monolith's discovery on the Moon and the third is Bowman's approach to it around Jupiter just before he enters the Star Gate.

'레퀴엠'이 들려오고 있는 이 마지막 장면은 처음 두 장면 보다 훨씬 더 많은 움직임을 갖고 있다. 보우만이 실제로 스타 게이트에 들어갈 때 들리는 리게티 작곡의 'Atmosphères' 음악으로 직접 전환 되고 있다.

This last sequence with the Requiem has much more movement in it than the first two and it transitions directly into the music from Ligeti's Atmosphères which is heard when Bowman actually enters the Star Gate.

'차라투스트라'가 동반한 보우만이 스타-차일드로 변하기 직전, 데이비드 보우만의 천상의 침실에서 모놀리스의 훨씬 더 짧은 최종 모습 동안 음악은 들리지 않고 있다.

No music is heard during the monolith's much briefer final appearance in Dave Bowman's celestial bedroom which immediately precedes the Zarathustra-accompanied transformation of Bowman into the Star-Child.

영화의 모든 복사본에 포함되지 않은 사전 크레디트 전주곡과 영화 인터미션 동안 분위기에서 발췌한 내용이 더 짧게 들리고 있다.

A shorter excerpt from Atmosphères is heard during the pre-credits prelude and film intermission, which are not in all copies of the film.

아람 카차투리안의 'Gayane 발레' 중 'Gayaneh's Adagio'는 다소 외롭고 애절한 품질을 전달하는 디스커버리 호에 탑승한 보우만과 풀 Poole을 소개하는 섹션에서 들려오고 있다.

'Gayaneh's Adagio' from Aram Khatchaturian's Gayane ballet is heard during the sections that introduce Bowman and Poole aboard the Discovery conveying a somewhat lonely and mournful quality.

사용된 다른 음악은 리게티 작곡의 'Lux Aeterna'와 그의 'Aventures'의 전자적으로 변경된 형식이다. 마지막 음악도 리게티의 허가 없이 사용되었다.

영화 크레디트에 나열되지 않고 있다.

Other music used is Ligeti's Lux Aeterna and an electronically altered form of his Aventures, the last of which was also used without Ligeti's permission and is not listed in the film's credits.

4. 'Also sprach Zarathustra'가 사용된 다른 작품 리스트

- 〈2001...〉 이후로 'Also sprach Zarathustra'는 다른 많은 맥락에서 사용되었다.

그것은 BBC와 캐나다의 CTV에서 아폴로 우주 임무에 대한 텔레비전 보도를 위한 도입 주제 음악으로 사용되었을 뿐만 아니라 그의 경력 후반(1971-1977)에 엘비스 프레슬리를 포함한 여러 공연 무대 오프닝 음악으로 사용되었다.

Since the film, Also sprach Zarathustra has been used in many other contexts.

It was used by the BBC and by CTV in Canada as the introductory theme music for their television coverage of the Apollo space missions as well as stage entrance music for multiple acts including Elvis Presley later in his career (1971-1977).

- 재즈 및 록 변형 테마도 작곡되었다. 가장 잘 알려진 것은 에미르 데오다토의 1972 편곡이다. 이 곡은 1979년 〈챈스 가드너 그곳에 가다〉에 사용됐다.

Jazz and rock variants of the theme have also been composed, the most well known being the 1972 arrangement by Eumir Deodato. itself used in the 1979 film Being There.

- 'Zarathustra'와 'The Blue Danube'는 모두 영화 자체와 공상 과학/ 우

주여행 이야기 전반에 대한 수많은 패러디에 사용 되고 있다.

Both Zarathustra and The Blue Danube have been used in numerous parodies of both the film itself and science fiction/ space travel stories in general.

- HAL의 'Daisy Bell'은 또한 코미디 산업에서 광기의 진보된 단계에 있는 인간과 기계를 모두 나타내는데 자주 사용되고 있다.

HAL's 'Daisy Bell' also has been frequently used in the comedy industry to denote both humans and machines in an advanced stage of madness.

Track listing

1. Also Sprach Zarathustra (Thus Spake Zarathustra) (Main Title) Composed By Richard Strass, Harl Bohm Conducting The Berlin Philarmonic Orchestra
2. Requiem For Soprano. Mezzo Soprano. Two Mixed Choirs And Orchestra (The Monolith) Composed By Gyorgy Ligeti, Francis Travis Conducting The Bavarian Radio Orchestra
3. Lux Aeterna (The Lunar Landscape) Composed By Gyorgy Ligeti, Stuttgart Schola Cantorum conducted By Clytus Gottwald
4. The Blue Danube (The Space Station) Composed By Johann Strauss, Herbert Von Karajan Conducting The Berlin Philarmonic Orchestra
5. Gayane Ballet Suite (Adagio) (The Discovery) Composed By Aram Khachaturian, Leningrad Philarmonic Orchestra Conducted By Gennadi Rezhdestvensky
6. Atmospheres (Beyond The Infinite) Composed By Gyorgy Ligeti, Sudwesfunk Orchestra Conducted By Ernest Bour
7. The Blue Danube (End Titles) Composed By Johann Strauss, Herbert Von Karajan Conducting The Berlin Philarmonic Orchestra

8. Also Sprach Zarathustra (Thus Spake Zarathustra) (The Star Child) Composed By Richard Strass, Harl Bohm Conducting The Berlin Philarmonic Orchestra

〈2001 스페이스 오딧세이〉 사운드트랙. © Polydor Records

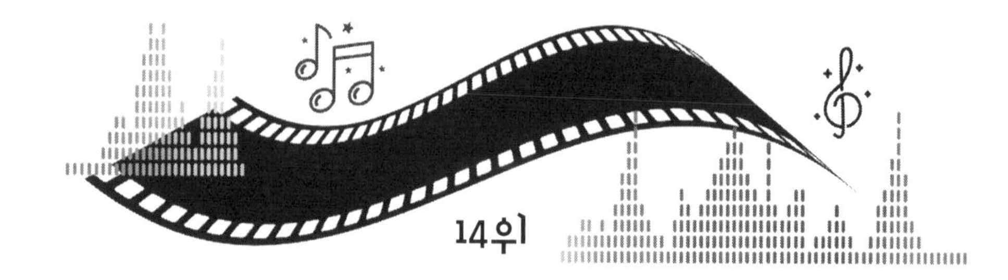

<댐 버스터 The Dam Busters>(1955) - 2차 대전 나치 독일 댐을 공격하기 위한 영국 군 작전

작곡: 에릭 코츠 Eric Coates

마이클 앤더슨 감독의 2차 대전 전쟁 영화 〈댐 버스터〉. © Associated British Picture Corporation, Associated British Pathé

1. <댐 버스터> 버라이어티 평

〈댐 버스터〉는 리차드 토드와 마이클 레드그레이브가 주연을 맡은 1955년 영국 서사 전쟁 영화이다.

The Dam Busters is a 1955 British epic war film starring Richard Todd and Michael Redgrave.

〈댐 버스터〉 © variety, imdb

마이클 앤더슨이 감독했다.

영화는 1943년 RAF의 617 중대가 바네스 윌리스의 튀는 폭탄으로 나치 독일의 모네, 에더 및 소르프 댐을 공격하는 차스티스 작전의 실화를 재현해 주고 있다.

It was directed by Michael Anderson. The film recreates the true story of Operation Chastise when in 1943 the RAF's 617 Squadron attacked the Möhne, Eder, and Sorpe dams in Nazi Germany with Barnes Wallis's bouncing bomb.

영화는 폴 브릭힐의 〈댐 버스터 The Dam Busters〉(1951)와 가이 깁슨의 〈에너미 코스트 어헤드 Enemy Coast Ahead〉(1946)를 기초로 했다.

The film was based on the books The Dam Busters (1951) by Paul Brickhill and Enemy Coast Ahead (1946) by Guy Gibson.

영화의 반영적인 마지막 순간은 등장인물이 느끼는 가슴 아픈 감정의 혼합을 전달해 주고 있다. 적(敵)의 산업 기반을 성공적으로 타격한 승리는 그것을 전달하는 과정에서 많은 사람들이 죽었다는 냉정한 지식에 의해 누그러지게 된다.

The film's reflective last minutes convey the poignant mix of emotions felt by the characters triumph over striking a successful blow against the enemy's industrial base is tempered by the sobering knowledge that many died in the process of delivering it.

제2차 세계 대전에서 영국인이 가장 효과적인 곳에 폭탄을 투하하는 독창적인 기술을 사용하여 독일 댐을 공격한 방법에 대한 이야기다.

The story of how the British attacked German dams in World War II by using an ingenious technique to drop bombs where they would be most effective.

영국인은 제2차 세계 대전 기간을 단축하고 독일의 산업 심장부를 박살내기 위한 대담한 공습을 제안하기 위해 필사적이다.
처음에는 영국 과학자가 계획된 목표물을 파괴할 수 있는 독창적인 무기를 발명할 때까지 목표가 불가능해 보인다.

The British are desperate to shorten the length of World War II and propose a daring raid to smash Germany's industrial heart.
At first, the objective looks impossible until a British scientist invents an ingenious weapon capable of destroying the planned target.

2. <댐 버스터> 사운드트랙 리뷰

에릭 코츠 작곡의 'Dam Busters March'는 많은 사람들에게 영화는 물론 최대한 잘 활용한다는 것과 동의어이다.

플라이패스와 콘서트홀에서 가장 좋아하는 군악대 아이템으로 남아 있다.

The Dam Busters March, by Eric Coates, is for many synonymous with the film as well as with the exploit itself and remains a favourite military band item at flypasts and in the concert hall.

〈댐 버스터〉 © variety, imdb

도입부와 트리오 섹션 주제를 제외하고, 공연된 행진의 대부분은 영화 사운드트랙에 등장하지 않고 있다. 코츠 자신은 동료 작곡가 아서 브리스의 경험을 기억하면서 영화를 위한 음악 작곡을 피했다고 한다.

Other than the introduction and trio section theme, the majority of the march as performed is not featured in the film soundtrack. Coates himself avoided writing music for the cinema remembering the experiences of his fellow composer Arthur Bliss.

코츠는 영화 제작자들이 이 서곡이 '국가적으로 중요'하다는 것을 설득한다. 그의 출판사 차펠을 통해 그에게 압력을 가한 후 영화를 위한 서곡을 제공하는데 동의하게 된다.

Coates only agreed to provide an overture for the film after he was persuaded by the film's producers it was of 'national importance' and pressure was put on him via his publisher, Chappell.

그가 최근에 완료한 '행진'은 영웅적 주제와 잘 맞아서 제출된다.

A march he had recently completed was found to fit well with the heroic subject and was thus submitted.

영화의 습격 장면에서 흘러나오고 있는 테마를 포함한 대부분 사운드트랙은 리히튼 루카스가 작곡한다.

The majority of the soundtrack including the theme played during the raid sequence in the film was composed by Leighton Lucas.

리히튼 루카스의 오케스트라 악보-분실됨-일부를 재구성한 필립 레인은 루카스가 영화 내내 코츠와 숨바꼭질을 하며 패권을 놓고 경쟁하는 것처럼 보이는 자신의 주요 테마를 만들었다고 한다.

Philip Lane who reconstructed parts of Leighton Lucas's orchestral score-which had been lost-notes that Lucas created his own main theme which seems to play hide and seek with Coates's throughout the film, both vying for supremacy.

3. 'The Dam Busters March'가 남긴 에피소드

- 'The Dam Busters March'은 1955년 영국 전쟁 영화 〈댐 버스터〉 테마곡이다. 에릭 코츠의 음악 구성은 영화와 실제 차스티스 작전 모두와 동의어가 되는 구별을 달성한다.

The Dam Busters March is the theme to the 1955 British war film The Dam Busters.

The musical composition by Eric Coates has achieved the distinction of becoming synonymous with both the film and the real Operation Chastise.

〈댐 버스터〉 © variety, imdb

'The Dam Busters March'는 영국에서 플라이패스에 대한 매우 인기 있는 반주로 남아 있다.

The Dam Busters March remains a very popular accompaniment to flypasts in the UK.

고츠 아들 오스틴 고츠는 BBC 라디오 인터뷰에서 이 행진이 〈댐 버스터〉를 위해 쓰여진 것이 아니라고 말한 바 있다.

Coates's son, Austin Coates recounted in a BBC radio interview that the march was not written for The Dam Busters.

그의 아버지는 '위풍당당 행진곡 Pomp and Circumstance Marches'과 같이 에드워드 엘가의 음악적 형식을 모방한 행진곡을 작곡하는 연습을 하고 있었다고 한다.

It just so happened his father had been carrying out an exercise in composing a march that emulated the musical forms of Edward Elgar, such as in the Pomp and Circumstance Marches.

영화 제작자로부터 고츠에게 연락을 취한 것은 작곡을 완료한 후 불과 며칠이었다. 고츠는 영화 음악을 쓰는 것을 극도로 싫어했다.
제작자의 수많은 요청을 거절했다.

It was only a few days after completing the composition that Coates was contacted by the film's producers. Coates had a profound dislike of writing film music and turned down the producer's numerous requests.

그들이 이것이 '국가적으로 중요한 영화'라고 말할 때까지 그는 동의하지 않았다. 영화에 대한 자세한 내용을 들은 그는 자신이 방금 완성한 작품이 완벽한 서곡이 될 것이라는 결론에 도달했다고 한다.

Not until they told him that this was 'a film of national importance' did he agree.
On hearing more about the film, he came to the conclusion that the piece he had just finished would be a perfect overture.

'행진'은 어쇼시에이티드 브리티시 오케스트라 Associated British Studio Orchestra가 영화를 위해 연주해 주게 된다.

The march was performed for the film by the Associated British Studio Orchestra.

영화의 스코어 악보는 리히튼 루카스가 완성한다.

The film's musical score was completed by Leighton Lucas.

4. <댐 버스터>가 남긴 영향

- 1982년 영화 〈핑크 플로이드 더 벽 Pink Floyd The Wall〉에서 〈댐 버스터 The Dam Busters〉 장면은 영화가 진행되는 동안 TV 세트에서 재생되는 장면을 통해 여러 번 보고 들을 수 있다.

In the 1982 film Pink Floyd The Wall, scenes from The Dam Busters can be seen and heard playing on a television set several times during the film.

플로이드 멤버 로저 워터스는 '〈댐 버스터〉가 〈벽〉의 영화 버전에 등장하는 이유는 내가 전후 영국에서 자란 그 세대 출신이고 그 모든 영화가 우리에게 매우 중요했기 때문이다. 〈댐 버스터〉는 그들 중 내가 가장 좋아하는 것이었다. 훌륭한 캐릭터들로 가득 차 있다'라고 설명해 주고 있다.

'The reason that The Dam Busters is in the film version of The Wall' explained the Floyd's Roger Waters 'is because I'm from that generation who grew up in postwar Britain and all those movies were very important to us. The Dam Busters was my favourite of all of them. It's so stuffed with great characters.'

워터스는 이전 라이브 쇼에서 밴드 노래 'Echoes'를 'March of the Dam Busters'로 소개한 바 있다.

Waters had previously introduced the band's song 'Echoes' at live shows as 'March of the Dam Busters.'

- 영화 〈스타 워즈〉 클라이막스에서 데스 스타에 대한 공격은 〈댐 버스터〉 클라이맥스 장면에 대한 의도적이고 인정된 오마쥬이다.

The attack on the Death Star in the climax of the film Star Wars is a deliberate and acknowledged homage to the climactic sequence of The Dam Busters.

전작 영화에서 반군 조종사들은 적의 공격을 피하면서 참호를 뚫고 날아가 목표물로부터 정확한 거리에 양성자 어뢰를 발사하여 한 번의 폭발로 기지 전체를 파괴해야 했다.

In the former film, rebel pilots have to fly through a trench while evading enemy fire and fire a proton torpedo at a precise distance from the target to destroy the entire base with a single explosion.

하나의 실행이 실패하면 다른 조종사가 다른 실행을 수행해야 한다.
장면의 유사성 외에도 일부 대화는 거의 동일하다.

if one run fails, another run must be made by a different pilot. In addition to the similarity of the scenes, some of the dialogue is nearly identical.

〈스타 워즈〉는 또한 〈댐 버스터〉와 같은 'Elgarian march'로 끝나고 있다.
633 부대 633 Squadron 경우에도 마찬가지다.
드 하빌랜드 모스키토 De Havilland Mosquitos 중대는 노르웨이 피요르드 끝의 독일 주요 공장에 돌출된 바위에 폭탄을 투하해야 한다.

Star Wars also ends with an Elgarian march, like The Dam Busters.
The same may be said of 633 Squadron, in which a squadron of de Havilland Mosquitos must drop a bomb on a rock overhanging a key German factory at the end of a Norwegian fjord.

〈댐 버스터〉 특수 효과 사진을 담당한 길버트 테일러는 〈스타 워즈〉 촬영 감독이었다.

Gilbert Taylor, responsible for special effects photography on The Dam Busters was the director of photography for Star Wars.

Track listing

The Dam Busters March by Eric Coates

〈댐 버스터〉 사운드트랙. © BBC Music

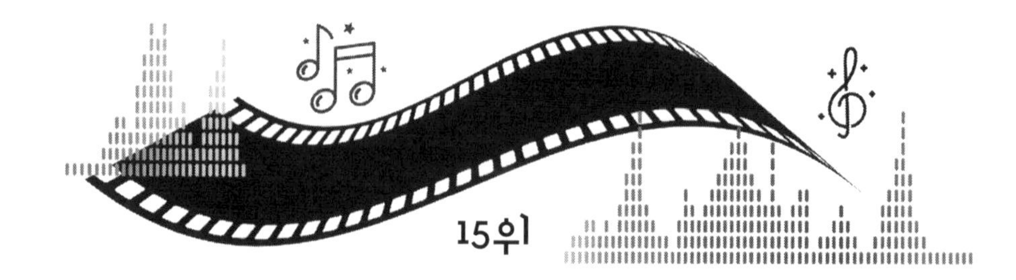

<인디아나 존스 Indiana Jones>(1981-2008) - 경쾌한 관현 리듬으로 묘사해준 인디 박사의 모험담

작곡: 존 윌리암스 John Williams

존 윌리암스의 모험 사운드 〈인디아나 존스〉. © Paramount Pictures, Lucasfilm

1. <인디아나 존스> 시리즈 버라이어티 평

때는 1936년.

인디아나 존스라는 고고학 교수는 황금 조각상을 찾아 남미 정글을 탐험하고 있다. 불행히도 그는 치명적인 덫에 걸리지만 기적적으로 탈출하게 된다.

The year is 1936. An archeology professor named Indiana Jones is venturing in the jungles of South America searching for a golden statue.

Unfortunately, he sets off a deadly trap but miraculously escapes.

그런 다음 존스 박사는 마커스 브로디라는 박물관 큐레이터로 부터 인간 존재의 열쇠를 쥐고 있을 수 있는 '모세 10계명을 새겨 놓은 두 짝의 석판을 넣은 계약의 궤 The Ark of the Covenant'라는 성서 유물에 대해 듣게 된다.

Then, Jones hears from a museum curator named Marcus Brody about a biblical artifact called The Ark of the Covenant which can hold the key to human existence.

존스는 이 유물을 찾기 위해 네팔과 이집트와 같은 광활한 곳을 탐험해야 한다. 그러나 그는 적 르네 벨로크와 나치 무리와 싸워야 도달할 수 있게 된다.

Jones has to venture to vast places such as Nepal and Egypt to find this artifact. However, he will have to fight his enemy Rene Belloq and a band of Nazis in order to reach it-〈레이더스 Raiders of the Lost Ark〉(1981)

인디아나 존스는 빌헬미나 윌리 스코트라는 나이트클럽 가수와 쇼트 라운드라는 12세 중국 소년과 팀을 이루게 된다.

Indiana Jones teams up with a nightclub singer named Wilhelmina Willie Scott and a twelve-year-old Chinese boy named Short Round.

그들은 결국 신성한 보석을 도난당한다. 이후 악령이 모든 아이들을 데려갔다고 믿는 인도의 작은 고통 받는 마을에 도착하게 된다.

They end up in a small distressed village in India where the people believe that evil spirits have taken all their children away after a sacred precious stone was stolen.

그들은 또한 마궁의 사원으로 알려진 부비 트랩 사원을 둘러싼 크고 신비한 공포를 발견하게 된다.

인도 암살단원이 행하는 폭력 조직 Thuggee은 5개의 산카라 돌 모두의 힘으로 세계를 지배할 수 있다고 믿으며 다시 한 번 일어나려고 한다.

They also discover the great mysterious terror surrounding a booby-trapped temple known as the Temple of Doom. Thuggee is beginning to attempt to rise once more believing that with the power of all five Sankara stones they can rule the world.

인도 암살단원이 행하는 폭력 조직 캠페인을 끝내고 잃어버린 아이들을 구하고 소녀를 얻고 마궁의 사원을 정복하는 것은 모두 인디아나에게 달려 있게 된다.

It's all up to Indiana to put an end to the Thuggee campaign, rescue the lost children, win the girl and conquer the Temple of Doom-<인디아나 존스 Indiana Jones and the Temple of Doom>(1984)

1938년 존스 아버지 헨리 존스 시니어가 성배를 찾아 나섰다가 실종된다.

이후 헨리 인디아나 존스 주니어 교수는 아돌프 히틀러의 나치에 맞서 권력을 장악하는 것을 막으려 한다.

In 1938, after his father Professor Henry Jones, Sr. goes missing while pursuing the Holy Grail, Professor Henry Indiana Jones, Jr. finds himself up against Adolf Hitler's Nazis again to stop them from obtaining it's powers-<인디아나 존스 3 : 최후의 성전

Indiana Jones and the Last Crusade>(1989)

1957년.

고고학자이자 모험가 헨리 인디아나 존스 주니어 박사는 다시 작전에 투입 된다.

'크리스탈 해골'로 알려진 신비한 유물 뒤에 숨겨진 비밀을 밝히기 위한 소련의 음모에 휘말리게 된다.

〈인디아나 존스〉 시리즈 1부에 해당하는 〈레이더스〉. © Paramount Pictures, Lucasfilm

In 1957, archaeologist and adventurer Dr. Henry Indiana Jones Jr is called back into action and becomes entangled in a Soviet plot to uncover the secret behind mysterious artifacts known as the Crystal Skulls-<인디아나 존스: 크리스탈 해골의 왕국 Indiana Jones and the Kingdom of the Crystal Skull/ Indiana Jones 4>(2008)

2. <레이더스> 사운드트랙 리뷰

존 윌리암스는 〈레이더스〉의 작곡가로 일하게 된다. 그는 음악이 영화를 위해 진지할 필요는 없으며 대신 연극적이고 과도하다고 말했다.

John Williams served as composer for Raiders of the Lost Ark. He said the music did not have to be serious for the film and was instead theatrical and excessive.

윌리암스는 몇 주 동안 주인공의 영웅적인 장면에서 흘러나오는 'The Raiders March'로 더 잘 알려진 '인디아나 존스 테마'를 작업하는 데 보낸다.

Williams spent a few weeks working on the Indiana Jones theme more commonly known as 'The Raiders March' that plays during the main character's heroic scenes.

둘 다 사용하기를 원하는 스필버그를 위해 두 개의 개별 곡이 연주된다.
이 곡들은 'The Raiders March'의 메인 테마이자 음악적 다리가 된다.

Two separate pieces were played for Spielberg who wanted to use both.
These pieces became the main theme and musical bridge of 'The Raiders March'

낭만적인 주제의 경우 윌리암스는 드라마 〈나우, 보이어 Now, Voyager〉(1942)와 같은 오래된 영화에서 영감을 받는다. 영화의 유머와 가벼운 순간과 잘 대조되는 감정적으로 기념비적인 무언가를 만들어 낸다.

For the romantic theme, Williams took inspiration from older films like the drama Now, Voyager (1942) to create something more emotionally monumental that he felt would contrast well with the film's humor and lighter moments.

윌리암스는 '바닥 규모의 7도'를 사용하여 '어두운' 관현악 곡을 사용하여 나치의 행동을 나타낸다. 그는 이것이 군사적 악을 의미한다고 말했다.

Williams used 'dark' orchestral pieces to represent the actions of the Nazis using the 'seventh degree on the scale of the bottom.' He said this signified a militaristic evil.

'모세의 10계명이 새겨진 2짝의 석판을 넣은 계약의 궤'에 적합한 성경적인 것을 만들기 위해 그는 합창과 오케스트라를 혼합하여 사용했다.

To create something suitably biblical for the Ark of the Covenant. he used a mix of chorus and orchestra.

3. <레이더스> 사운드트랙 해설 - 빌보드

〈레이더스: 오리지날 사운드트랙 Raiders of the Lost Ark: Original Motion Picture Soundtrack〉은 1981년 스티븐 스필버그 감독의 영화 〈레이더스 Raiders of the Lost Ark〉의 영화 음악이다.

Raiders of the Lost Ark: Original Motion Picture Soundtrack is the film score to the 1981 Steven Spielberg film Raiders of the Lost Ark.

음악은 존 윌리암스가 작곡하고 지휘했다. 런던 심포니 오케스트라가 연주했다. 오케스트레이션은 허버트 W. 스펜서가 수행했다. 추가 오케스트레이션은 알 우드버리가 수행했다.

〈레이더스〉 초함 인디아나는 시리즈 4부작까지 공개되는 성원을 받는다. © Paramount Pictures, Lucasfilm

The music was composed and conducted by John Williams and performed by the London Symphony Orchestra. Orchestrations were done by Herbert W. Spencer with additional orchestrations done by Al Woodbury.

배경 음악은 1981년 6월 컬럼비아 레코드 Columbia Records에서 발매된다.

The score was released by Columbia Records in June 1981.

사운드트랙은 아카데미상 최우수 오리지널 스코어 부문 후보에 올랐지만 반젤리스의 〈불의 전차〉 스코어에 밀려 수상에 실패한다.

The soundtrack received an Academy Award nomination for Best Original Score but lost out to Vangeli's score for Chariots of Fire.

4. <인디아나 존스 3부작 The Indiana Jones Trilogy> 사운드트랙

실바 레코드는 2003년 1월 21일 〈인디아나 존스 3부작〉이라는 제목의 〈윌리암스 인디아나 존스〉 음악의 새로 녹음된 버전을 발매한다.

여기에는 〈레이더스 Raiders〉의 7곡을 포함하여 처음 세 편의 인디아나 존스 영화의 다양한 선곡이 수록되어 있다.

Silva released a newly recorded version of William's Indiana Jones music entitled 'The Indiana Jones Trilogy' on January 21, 2003. It features various cues from the first three Indiana Jones films with seven from Raiders.

그러나 오리지날 원고를 사용했음에도 불구하고 이것은 프라하 시립 필하모닉 오케스트라에서 연주한 재녹음이다.

However, although they use the original manuscripts, this is a re-recording performed by the City of Prague Philharmonic Orchestra.

5. <인디아나 존스: 사운드트랙 콜렉션 Indiana Jones: The Soundtracks Collection>

2008년 11월 11일 콘코드 레코드 Concord Records에서 5장의 디스크로 발매 되었다. 이 세트에는 CD로 발매된 적이 없는 음원 자료를 포함하여 확장 및 리마스터 된 3부작의 3가지 오리지널 사운드트랙이 포함되어 있다.

The five-disc release by Concord Records was released on November 11, 2008. The set contains the three original soundtracks to the trilogy, expanded and remastered including material never before issued on CD.

박스 세트에는 표준 〈크리스탈 왕국 Kingdom of the Crystal Skull〉 사운드트랙-2008년 5월 출시, 추가 자료 없음-과 3부작의 더 많은 음악이 포함된 보너스 CD 및 윌리암스와의 독점 오디오 인터뷰 CD도 포함되어 있다.

The box set also includes the standard Kingdom of the Crystal Skull soundtrack-released in May 2008, no bonus material added-plus a bonus CD that includes more music from the trilogy and an exclusive audio interview CD with Williams.

Disc One

1. In the Jungle
2. The Idol Temple
3. Escape from the Temple
4. Flight from Peru
5. Washington Men / Indy's Home
6. A Thought for Marion / To Nepal

7. The Medallion
8. Flight to Cairo
9. The Basket Game
10. Bad Dates
11. The Map Room: Dawn
12. Reunion in the Tent / Searching for the Well
13. The Well of the Souls
14. Indy Rides the Statue
15. The Fist Fight/ The Flying Wing
16. Desert Chase
17. Marion's Theme / The Crate
18. The German Sub
19. Ride to the Nazi Hideout
20. Indy Follows the Ark
21. The Miracle of the Ark
22. Washington Ending & Raiders March

6. <인디아나 존스 3부작> 사운드트랙 리뷰 The Indiana Jones Trilogy Review - 빌보드

제목에서 알 수 있듯이 실바 레코드의 〈인디아나 존스 3부작〉은 〈레이더스〉 〈인디아나 존스〉 〈인디아나 존스와 최후의 성전〉에 대한 존 윌리암스의 각 스코어 음악을 수록하고 있다. 그러나 이것은 악보의 원본 녹음이 아니다.

프라하 필하모닉 오케스트라가 연주하는 버전이다.

여기에서의 공연은 원본 녹음만큼 존재감이 많지는 않다.

하지만 'The Raiders March' 'Airplane Fight' 'Raiders of the Lost Ark' 'The Raiders of the Lost Ark' 등과 같은 곡들은 결코 나쁘지 않다.

'The Mine Car Chase'는 여전히 윌리암스가 의도한 치솟는 설렘과 드라마로 가득 차 있다. 완전주의자와 순수주의자는 이 컬렉션을 별로 이용하지 않을 것이다. 하지만 전체 스코어나 원래 공연이 필요하지 않은 영화 음악 팬들은 아마 그것을 즐길 것이다.

〈인디아나 존스 3부작〉 사운드트랙.
© Silva Records

As the title suggests, Silva's Indiana Jones Trilogy collects music from each of John William's scores for Raiders of the Lost Ark, Indiana Jones and the Temple of Doom and Indiana Jones and the Last Crusade. However, these are not the original recordings from the scores.

They're versions performed by the Prague Philharmonic Orchestra. While the performances here don't have quite as much presence as the original recordings.

they're by no means bad pieces like 'The Raiders March' 'Airplane Fight' 'Raiders of the Lost Ark' and 'The Mine Car Chase' are still filled with the soaring excitement and drama that Williams intended. Completists and purists won't have much use for this collection, but fans of the film's music who don't need the entire scores or the original performances will probably enjoy it.

Track listing

1. The Raiders March (Indiana Jones Theme)
2. Flight from Peru
3. The Basket Game
4. The Map Room: Dawn

5. The Well of the Souls
6. Desert Chase
7. Marion's Theme
8. The Miracle of the Ark
9. End Credits

* 사운드트랙은 1995년 11월 DCC Compact Classics, Inc.에서 확장판으로 CD와 LP로 재발매 된다.

30분 분량의 신규 및 확장된 선곡과 24페이지의 소책자가 첨부된다.

The soundtrack was re-released in an expanded edition by DCC Compact Classics, Inc. in November 1995 on CD and LP, with thirty minutes of new and extended cues and a 24-page booklet.

LP에는 CD 발매에는 없는 확장된 '영혼의 우물 The Well of the Souls' 장면이 추가된다.

The LP had an extended 'The Well of the Souls' sequence that was absent on the CD release.

* <레이더스 확장판 Raiders of the Lost Ark, Expanded>

Track listing

1. The Raiders March(The Indiana Jones Theme)
2. Main Title: South America, 1936 (new track)
3. In the Idol's Temple (extended track)

4. Flight from Peru
5. Journey to Nepal (new track)
6. The Medallion (new track)
7. To Cairo
8. The Basket Game (extended track)
9. The Map Room: Dawn
10. Reunion and the Dig Begins (new track)
11. The Well of the Souls (Extended to include Uncovering the Ark / Marion Into the Pit on DCC LP release)

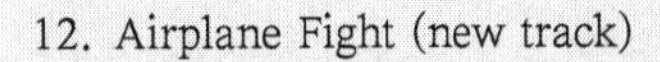

12. Airplane Fight (new track)
13. Desert Chase (extended track)
14. Marion's Theme
15. The German Sub / To the Nazi Hideout (new track)
16. Ark Trek (new track)
17. The Miracle of the Ark
18. The Warehouse (new track)
19. End Credits

〈레이더스〉 사운드트랙. © PolyGram, Columbia Records

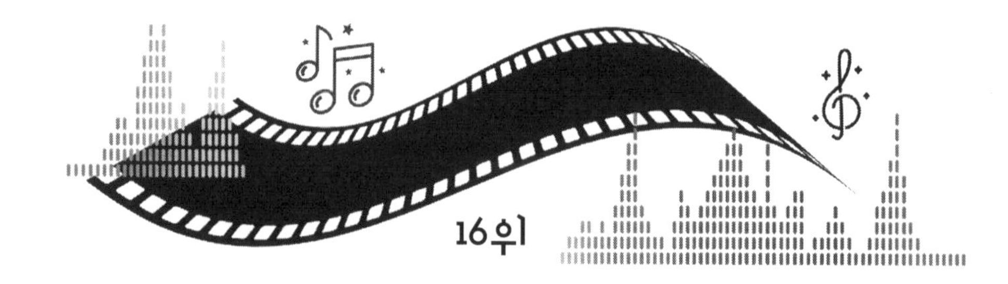

<시네마 천국 Cinema Paradiso>(1988) -
엔니오 모리코네가 천상의 리듬으로 들려준
환상의 은막(銀幕) 풍경

작곡: 엔니오 모리코네 Ennio Morricone

엔니오 모리코네 작곡의 〈시네마 천국〉. © Miramax

1. <시네마 천국> 버라이어티 평

영화감독은 고향 영화관에서 영화와 사랑에 빠졌을 때 어린 시절을 회상한다. 그리고 영화관 영사기사와 깊은 우정을 이루게 된다.

A filmmaker recalls his childhood when falling in love with the pictures at the cinema of his home village and forms a deep friendship with the cinema's projectionist.

토착 시칠리아 마을에서 자란 소년은 오랜 친구의 죽음에 대한 소식을 듣고 유명 감독 자격으로 집으로 귀향하게 된다.

A boy who grew up in a native Sicilian Village returns home as a famous director after receiving news about the death of an old friend.

회상 장면에서 살바토레는 어린 시절과 시네마 파라디소 Cinema Paradiso 극장 영사 기사 알프레도와의 관계를 회상하게 된다.

Told in a flashback, Salvatore reminiscences about his childhood and his relationship with Alfredo, a projectionist at Cinema Paradiso.

알프레도 아버지 영향으로 살바토레는 영화 제작과 사랑에 빠지게 된다. 두 사람은 많은 시간을 영화에 대해 토론한다. 알프레도는 살바토레가 어린 소년에서 영화 제작의 세계로 들어가는 디딤돌이 되도록 기술을 열심히 가르친다.

Under the fatherly influence of Alfredo, Salvatore fell in love with film making with the duo spending many hours discussing about films and Alfredo painstakingly teaching Salvatore the skills that became a stepping stone for the young boy into the world of film making.

영화는 영화의 변화와 전통적인 영화 제작, 편집 및 상영의 죽어가는 무역을 통해 관객을 안내하고 있다. 또한 작은 마을을 떠나 외부 세계로 진출하려는 어린 소년의 꿈을 탐구해 나가고 있다.

The film brings the audience through the changes in cinema and the dying trade of traditional film making, editing and screening. It also explores a young boy's dream of leaving his little town to foray into the world outside.

2. <시네마 천국> 사운드트랙 리뷰

사운드트랙은 영리하고 홍보가 가능하며 상업적이었고 젊은 청중들이 좋아했다.

the soundtracks were clever, promotable and commercial, and young audiences loved them.

우리는 모리코네의 제자가 되었다. 〈시네마 천국〉은 감동적이고 감상적이며 우리 각자의 우울함을 잡아 당겨주고 있다.
아들 안드레아 모리코네가 작곡한 'Love Scene' 트랙 6, 9를 주목하라.
그의 기술은 마에스트로 기술을 반영하고 있다.

We became a Morricone disciple. Cinema Paradiso is touching, sentimental and tugs at the melancholy in each of us. Pay close attention to the 'Love Scene' track 6 and 9 written by Andrea Morricone, the son. His technique mirrors that of il maestro.

레뷔에서 모리코네에게 적절한 경의를 표할 수는 없다. 그의 말을 듣고 숙고해야 한다. 그의 스코어를 예상하면서 눈물을 흘려야 한다.
자신의 의미를 찾기 위한 내적 탐색을 시작해야 한다.

One simply cannot pay proper homage to Morricone in a revue, he must be heard, and contemplated. The tears must be formed while anticipating his scoring and you must start the inward search for your own meaning.

그는 우리의 삶에 너무 생생하게 감동을 주었다.
그가 당신에게도 닿기를 바란다.

He has touched our life so vividly. We hope he reaches you, as well.

〈시네마 천국〉. © Miramax

3. <시네마 천국> 사운드트랙 해설 - 빌보드

Ennio Morricone은 유럽 영화 산업에서 유명했고 그는 Tornatore의 첫 번째 선택이었습니다.

Ennio Morricone was renown in the European film industry and he was Tornatore's first choice.

친밀감을 제공하기 위해 소규모 앙상블이 제공하는 것이 가장 좋은 토르나토레 감독의 삶의 전기 영화다. 독주 관악기, 피아노, 작은 건반 악기인 첼레스타, 현악기, 알토 색소폰은 영화의 향수, 사랑, 그리고 우울 등 3가지 생생한 감정을 말해주는 대부분의 배경 음악을 전달해 주고 있다.

a biopic of Tornatore's life which would be best served by a small ensemble so as to provide intimacy. Solo wind instruments, piano, celeste, strings and alto saxophone would carry the bulk of the score which would speak to the film's three animating emotions; nostalgia, love and melancholia.

배경 음악은 3가지 기본 주제에 의해 뒷받침 되고 있다.
향수를 불러일으키는 메인 테마는 현악 4중주와 피아노, 알토 색소폰이 만들어내는 낭만적인 10음 선율로 눈물을 흘리게 만든다.

The score would be supported by three primary themes. the wistful Main Theme abounds with nostalgia and offers a romantic ten-note melody born by string quartet, piano and alto saxophone which cause us to succumb to tears.

모리코네는 영화의 감정적 핵심인 남자의 씁쓸하고 달콤한 추억을 완벽하게 포착해주고 있다. '토토의 테마'는 그의 아이덴티티 역할을 하고 있다.
작은 건반 악기 첼레스타, 플루트, 현악기로 탄생한 이 곡은 발저 지오코소로 표현되어 그의 젊음의 정신을 완벽하게 포착해 주고 있는 것이다.

Morricone perfectly captures the film's emotional core, a man's bittersweet reminiscence. Toto's Theme serves as his identity. Born by celeste, flute and strings. it emotes as a valzer giocoso, which perfectly captures his youthful spirit.

다양한 독주 목관악기 또는 알토 색소폰으로 연주되며 경쾌하다. 영화의 가장 주목할 만한 주제는 모리코네 막내 아들 안드레아가 작곡한 'Love Theme'이다.

It is playful, carried by a variety of solo woodwinds or alto saxophone.

The film's most notable theme is the Love Theme composed by Morricone's youngest son Andrea.

그것은 살바토레와 엘레나의 사랑을 말한다. 알토 색소폰, 피아노 젠틸네레, 현악 로맨티코로 표현되고 있다. 배경 음악을 완성하는 데는 당시 필수 소스 음악과 시네마 파라디소에서 상영되는 영화의 실제 영화 스코어가 포함되고 있다.

It speaks to the love of Salvatore and Elena, and is emoted by an alto saxophone, piano gentile and strings romantico. Rounding out the score would be the requisite source music of the time as well as the actual film scores of the film's showing at the Cinema Paradiso.

영화는 모리코네가 그의 캐논에서 가장 훌륭한 영화 오프닝 중 한 곡으로 우리를 축복하는 숭고한 스코어 하이라이트 'Cinema Paradiso'로 시작되고 있다.

지안칼도 시칠리아에 있는 살바토레 집에서 바람에 펄럭이는 커튼 너머로 광활하게 반짝이는 바다가 보인다.

The film opens with 'Cinema Paradiso' a sublime score highlight where Morricone graces us with one of the finest film openings in his canon.

We look out from Salvatore's home in Giancaldo Sicily past a drape fluttering in the breeze to behold a vast shimmering sea.

오프닝 크레디트가 올라감에 따라 모리코네는 영화 분위기를 설정하고 있다.

그의 주요 테마를 훌륭하게 완벽하게 렌더링 하여 영화의 정서적 핵심을 포착해 주고 있다.

As the opening credits roll, Morricone sets the tone of the film and captures its

엔니오 모리코네 작곡의 〈시네마 천국〉. © Miramax

emotional core with a wondrous full rendering of his Main Theme.

멜로디는 그리운 향수로 가득 차 우리 위로 흐르고 있다.

우리는 살바토레 어머니와 여동생이 로마에서 그에게 전화하려고 하는 장면에서 'Maturity'으로 매끄럽게 흘러가고 있다.

The melody is wistful and flows over us so full of nostalgia. We flow seamlessly into 'Maturity' where Salvatore's mother and sister try to telephone him in Rome.

그가 30년 동안 방문할 집에 없었기 때문에 우리는 그녀의 슬픔에 대해 알려주고 있다. 모리코네는 솔로 기타, 플루트 및 현악기 도로로소와 함께 우울함으로 우리를 목욕시켜주고 있다.

We are informed of her sadness, as he has not been home to visit for thirty years. Morricone bathes us with melancholia with solo guitar, flute and strings doloroso.

알프레도의 사망 소식은 살바토레가 그의 젊음을 회상하는 것을 보게 되며 'First Youth'를 통해 슬픔에 빠진다. 그는 미사 시간에 깨어 있기 위해 애쓰면서 아델피오 신부로부터 질책을 받는 제단 소년이 된다.

The news of Alfredo's death saddens Salvatore in 'First Youth' where we see him flash back to his youth. He is an altar boy, earning a reprimand from Father Adelfio as he struggles to stay awake during mass.

모리코네는 셀레스트, 플루트, 현으로 탄생한 '토토 테마'의 부드러운 렌더링으로 젊은 살바토레에 대한 우리의 소개를 지원해 주고 있다.
그의 테마는 그의 억제할 수 없는 젊음의 정신을 완벽하게 포착한 발저 지오코소로 표현되고 있다.

Morricone supports our introduction to young Salvatore with a tender rendering of Toto's Theme born by celeste, flute and strings. His theme emotes as a valzer giocoso which perfectly captures his irrepressible youthful spirit.

'Childhood and Manhood'는 스코어 하이라이트를 제공하고 있다.
토토는 아델피오 신부(神父)가 요구하는 모든 키스 장면을 잘라 내는 알프레도 영사실에 방문하게 된다.

'Childhood and Manhood' offers a score highlight. Toto visits Alfredo in the projection room as he splices out all the kissing scenes demanded by Father Adelfio.

그들은 결속을 다지기 시작한다.
토토가 떠나면서 그는 잘라낸 영화 장면 중 일부를 훔친다. 촛불 아래서 집의 풍경을 바라보는 그의 어머니는 어리둥절한 표정으로 그를 바라보고 있다.

They begin to forge a bond and as Toto departs.
he steals some of the excised film scenes. As he views the scenes at home by candlelight his mother looks on with bemusement.

아버지가 전쟁에서 집으로 돌아오지 않은 이유를 묻자 어머니는 아버지가 언젠가는 돌아올 것이라고 안심시킨다.
모리코네는 솔로 바이올린에서 플루트 델리카토, 알토 색소폰.
그리고 마지막으로 친척 목관 악기와 피아노로 멜로디 라인을 전송하는 우아함을 주는 '토토 테마'의 아름답게 확장된 렌더링으로 장면을 지원해 주고 있다.

When he asks why papa has not come home from the war his mother reassures him that he will some day. Morricone supports the scenes with a beautiful extended rendering of Toto's Theme which graces us with a transfer of the melodic line from solo violin, to flute delicato, to alto saxophone and lastly to kindred woodwinds and piano.

'While Thinking About Her Again'은 토토가 극장을 나서지만 자신을 기다리고 있는 어머니를 발견하는 모습을 보여준다. 그가 그녀에게 티켓을 사기 위해 우유 돈을 썼다고 말하자 그녀는 그를 때리기 시작한다.

'While Thinking about Her Again' reveals Toto exiting the theater only to discover his mother waiting for him.

When he tells her he spent the milk money to buy a ticket she begins slapping him.

알프레도는 그를 구하러 와서 그녀에게 '그가 좌석 아래에서 찾은 돈'을 제안한다. 모리코네는 결코 풀리지 않는 '메인 테마'에 가까운 슬픈 멜로디로 장면을 지지하면서 마리아가 토토의 영화 사랑을 이해하고 있음을 알려준다.

Alfredo comes to his rescue and offers her 'money he found under the seats'. Morricone supports the scene with sad melody kindred to the Main Theme which never resolves, thus informing us that Maria understands Toto's love for the cinema.

'Toto and Alfredo'에서 토토는 신부(神父) 아델피오와 함께 장례식에서 집으로 걸어갈 때 발을 다친 척한다.

알프레도는 그를 자전거에 태우고 집으로 데려간다.

In 'Toto and Alfredo' Toto feigns hurting his foot as he walks home from a funeral with Father Adelfio. Alfredo's hoist him up on his bike and takes him home.

독주 바이올린과 플루트가 표현하는 토토 테마의 부드러운 연출은 그들의 발전을 이끈다. 토토와 알프레도의 결속력이 볼 수 있다.

A tender rendering of Toto's Theme emoted by solo violin and flute carries their progress. We can see that Toto and Alfredo are bonding.

앨범에 수록되지 않은 'Toto's Theme'의 확장된 렌더링은 알프레도가 영사실 룸에서 토토의 훈련을 완료하는 장면의 몽타주를 지원해 주고 있다.

An extended rendering of Toto's Theme not included on the album, supports a montage of scenes where Alfredo completes Toto's training in the projection room.

엔니오 모리코네 작곡의 〈시네마 천국〉. © Miramax

마리아는 남편이 사망했다는 비극적인 소식을 듣고 토토와 함께 눈물을 흘리며 집으로 걸어간다.

모리코네는 진행 상황을 전달하는 'Main Theme'의 반복으로 그녀의 고뇌를 지원해 주고 있다.

In a subsequent scene where Maria receives the tragic news that her husband has been declared dead.

she walks home devastated and weeping with Toto. Morricone supports her anguish with a reprise of the Main Theme which carries their progress.

'Cinema on Fire'는 배경 음악에서 가장 극적인 신호를 제공하고 있다.

영사실에서 화재가 발생하고 알프레도는 폭발하는 필름 릴로 인해 눈이 멀기 때문에 진압할 수 없게 된다. 화염이 영사실을 집어 삼킬 때 무서운 현이 소리를 내며 트럼펫 소리와 함께 무시무시한 오스티나토를 울려주고 있다.

'Cinema on Fire' offers the score's most dramatic cue. Fire breaks out in the projection room and Alfredo is unable to contain it, as an exploding reel of film blinds him.
Dire strings rise in their register and launch a horrific ostinato with trumpet blasts as the conflagration consumes the projection room.

'After Destruction'에서 우리는 '메인 테마'에 대한 또 다른 훌륭한 스트링 태생의 설명으로 은총을 받게 된다. 아델피오 신부는 너무 가난해서 재건할 수 없기 때문에 오락이 없는 마을이 어떻게 될지 궁금해 한다. 모리코네는 'Main Theme'의 애절한 표현으로 순간의 슬픔을 지지해주고 있다.

In 'After The Destruction' we are graced with another fine string born exposition of the Main Theme. Father Adelfio wonders how the town will fare with no entertainment, as they are too poor to rebuild it. Morricone supports the sadness of the moment with a plaintive rendering of the Main Theme.

'Projection for Two'는 또 다른 배경 음악의 하이라이트를 제공하고 있다.
운명은 아내가 토토를 영사실로 데려오자 토토와 알프레도는 재회하게 된다.
포근하게 감싸 안아주는 모리코네는 감성이 넘치는 호화로운 현악기 구절을 통해 서정적인 가사로 부드러운 순간을 지지해 주고 있다.

'Projection for Two' offers another score highlight. Fate reunites Toto and Alfredo when his wife brings him up to the projection room.
As they warmly embrace, Morricone supports the tender moment with great lyricism using a passage by sumptuous strings full of sentimentality.

'From American Sex Appeal to The First Fellini'는 살바토레가 아래 층 관객들에게 상영 중인 다양한 영화의 몽타주를 보여 주고 있다. 시대가 바뀌었고 관객들은 이제 사람들이 화면에서 키스하는 것을 볼 수 있게 된다.

'From American Sex Appeal to The First Fellini' reveals a montage of various movies Salvatore is projecting to the audience below.

Times have changed and the audience can now see people kissing on screen.

'Love Theme'는 안드레아 모리코네의 시대를 초월한 사랑 테마가 도입된 숭고한 악보 하이라이트를 제공하고 있다.

살바토레는 엘레나에게 한 달 동안 매일 밤 엘레나가 그녀의 사랑의 표시로 침실 셔터를 열어주기를 바라는 마음으로 집 밖에 서 있을 것이라고 말한다.

'Love Theme' offers a sublime score highlight where Andrea Morricone's timeless love theme is introduced. Salvatore has informed Elena that each night for a month he will stand outside her house in hope that she will open her bedroom shutters as a sign of her love.

'For Elena'는 엘레나가 대학에 가기 위해 팔레르모로 이사했음을 보여주게 된다. 살바토레는 그녀를 깊이 그리워하고 그녀의 귀환을 간절히 바라고 있다.

시내에서 야외 영화를 보던 밤에, 그는 비가 내리기 시작할 때 별을 보기 위해 누워 있다.

'For Elena' reveals that Elena has moved to Palermo to go to university.

Salvatore misses her deeply and longs for her return. On a night where he is watching a movie in town outdoors. he lays back to look at the stars as it begins to rain.

갑자기 그에게 열정적으로 키스하는 엘레나가 나타난다. 그는 기뻐하며 현악 4중주로 'Love Theme'이 감동적으로 표현되어 그 순간을 아름답게 뒷받침해 주고 있다.

엔니오 모리코네 작곡의 〈시네마 천국〉. © Miramax

From out of nowhere comes Elena who kisses him passionately. He is overjoyed and the moment is supported beautifully by a stirring rendering of the Love Theme by string quartet.

'Visit to The Cinema'에서 살바토레는 알프레도의 장례식을 위해 집으로 돌아오게 된다.
그 후 그는 며칠 안에 철거될 예정인 폐쇄된 시네마 파라디소를 방문하게 된다.

In 'Visit to The Cinema' Salvatore has returned home for Alfredo's Funeral.
Afterwards he visits the shuttered Cinema Paradiso which is scheduled to be torn down in a few days.

'Love Theme For Nata'에서 살바토레는 알프레도가 그에게 준 필름 릴을 연주한다. 놀랍게도 여기에는 아델피오 신부가 삭제를 주문한 모든 키스 장면이 포함되어 있다. 씁쓸한 향수를 불러일으키는 그가 지켜보는 동안 모리코네는 마음을 훈훈하게 하는 연주를 위해 오케스트라 사이에서 멜로디가 전달되는 '메인 테마'의 절묘하게 확장된 렌더링으로 우리를 우아하게 만들어 주고 있다.

In 'Love Theme For Nata' Salvatore plays the reel given to him by Alfredo.
To his amazement it contains all the kissing scenes ordered excised by Father Adelfio. As he watches with bittersweet nostalgia, Morricone graces us with an exquisite extended rendering of the Main Theme whose melody is transferred among the orchestral for a heart-warming performance.

'Four Interludes'는 영화 속 4장면의 막간이 하나의 큐로 연결된다는 점에서 묘한 선곡을 제공하고 있다.

앰비언트 목관악기와 현악 프레이즈로 시작되는 간주곡이다.

'Four Interludes' offers a curious cue in that four scene interludes in the film are joined in a single cue. Interlude one opens with ambient woodwind and string phrases.

마지막으로 'Cinema Paradiso'는 현악 오케스트라 메인 테마의 아름다움을 보여주는 보너스 선곡을 제공하고 있다.

Lastly, 'Cinema Paradiso' offers a bonus cue, which showcases the beauty of the Main Theme by string orchestra.

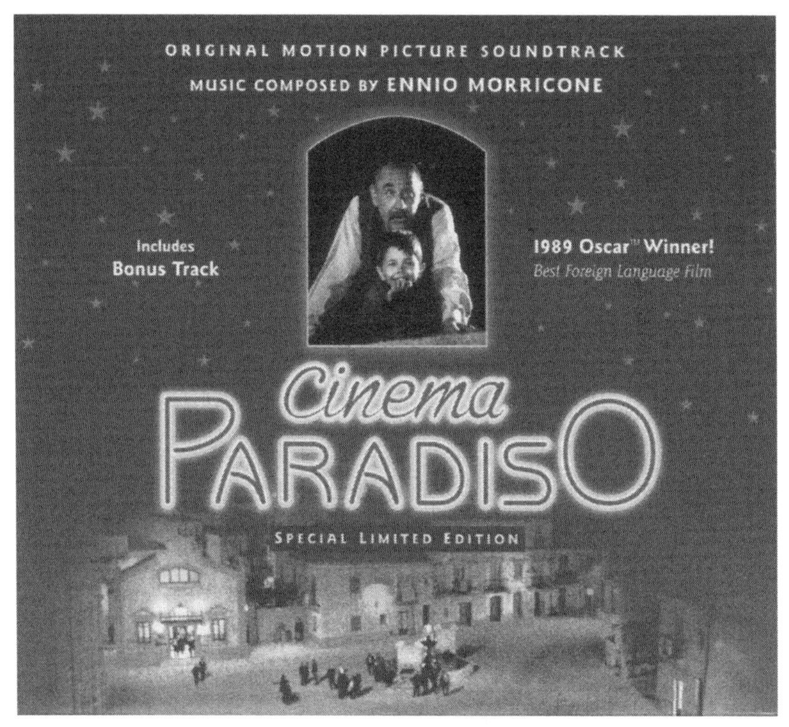

〈시네마 천국〉 사운드트랙. © DRG Records

Track listing

1. Cinema Paradiso
2. Maturity
3. While Thinking About Her Again
4. Childhood And Manhood
4. Cinema On Fire
5. Love Theme
6. After The Destruction
7. First Youth
8. Love Theme For Nata
9. Visit To The Cinema
10. Four Interludes
11. Runaway, Search And Return
12. Projection For Two
13. From American Sex Appeal To The First Fellini
14. Toto And Alfredo
15. For Elena
16. Cinema Paradiso-String Version

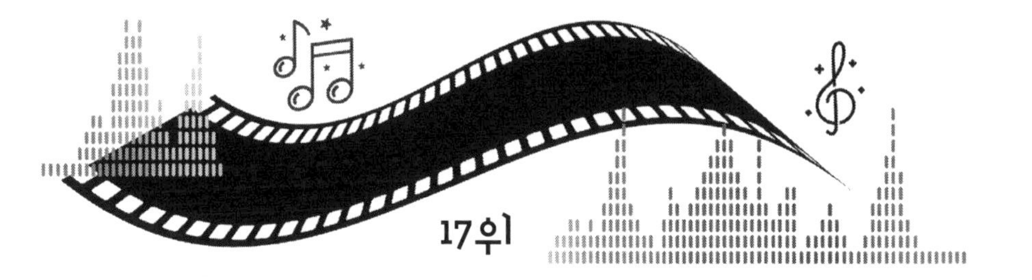

<아마데우스 Amadeus>(1984) - 모차르트, 조물주가 내린 음악 천재

작곡: 볼프강 아마데우스 모차르트 Wolfgang Amadeus Mozart

밀로스 포만 감독의 시대 전기 음악 영화 〈아마데우스〉. © Orion Pictures, Thorn EMI Screen Entertainment

1. <아마데우스> 버라이어티 평

볼프강 아마데우스 모차르트의 삶, 성공, 어려움.

동 시대 작곡가 안토니오 살리에리(Antonio Salieri)가 말한 대로 모차르트 재능을 미친 듯이 질투해서 그를 살해했다고 주장하고 있다.

The life, success and troubles of Wolfgang Amadeus Mozart, as told by Antonio Salieri, the contemporaneous composer who was insanely jealous of Mozart's talent and claimed to have murdered him.

안토니오 살리에르는 볼프강 아마데우스 모차르트 음악이 신성하고 기적적이라고 믿고 있다. 그는 자신이 모차르트처럼 훌륭한 음악가가 되어 작곡을 통해 주님을 찬양할 수 있기를 바라고 있다.

Antonio Salieri believes that Wolfgang Amadeus Mozart's music is divine and miraculous. He wishes he was himself as good a musician as Mozart so that he can praise the Lord through composing.

그는 작곡가로서 그의 성공과 재능이 그의 경건에 대한 하나님의 보상이라고 믿는 독실한 사람으로 그의 경력을 시작한다. 그는 또한 존경 받고 재정적으로 부유한 오스트리아 황제 요제프 2세의 궁정 작곡가로서 만족하고 있다.

He began his career as a devout man who believes his success and talent as a composer are God's rewards for his piety. He's also content as the respected, financially well-off, court composer of Austrian Emperor Joseph II.

그러나 그는 모차르트가 그렇게 천박(淺薄)한 존재라는 사실을 알고 충격을 받는다. 신(神)이 모차르트를 그의 악기로 선호한 이유를 이해할 수 없다. 살리에리의 시기심(猜忌心)은 그를 모차르트에서 분명히 나타난 위대함을 지닌 신의 적(敵)으로 만들게 된다.

But he's shocked to learn that Mozart is such a vulgar creature and can't understand why God favored Mozart to be his instrument. Salieri's envy has made him an enemy of God whose greatness was evident in Mozart.

그는 자신의 음악적 평범(平凡)함에 대해 신과 모차르트에게 복수할 준비가 되어 있다.

He is ready to take revenge against God and Mozart for his own musical mediocrity.

2. <아마데우스> 사운드트랙 리뷰

모차르트 전기 음악 영화 〈아마데우스〉. © Orion Pictures, Thorn EMI Screen Entertainment

모차르트(톰 헐스)를 인간적으로 강렬하게 묘사한 드라마임에 틀림없다는 것을 인정해야 한다.

it is certainly a gripping drama that portrays Mozart (played by Tom Hulce) as intensely human.

줄거리 면에서 영화는 위대한 작곡가이지만 천박한 사람인 볼프강 아마데우스 모차르트와 평범한 궁정 작곡가 안토니오 살리에리(오스카상을 수상한 F. 머레이 에이브라함)의 관계에 대한 이야기를 담고 있다.
모차르트의 천재성은 그를 집어삼킨다.

In terms of plot, the movie tells the story of the relationship between Wolfgang Amadeus Mozart, great composer but vulgar person, and mediocre court composer Antonio Salieri (portrayed by F. Murray Abraham, who won an Oscar for his role) whose jealousy of Mozart's genius consumes him.

솔직히 말해서, 우리는 우리가 생각하는 '좋은 놈'이 누구이고 '나쁜 놈'이라고 생각한 사람이 누구인지 전혀 알 수 없었다. 아마도 영화 요점의 일부일 것이다.
살리에리는 악의적인 의도를 가진 반면 모차르트는 그저 불쾌할 뿐이었다.
그는 부적절하게 행동했고 터무니없는 웃음을 지었고 더러운 유머 감각을 가지고 있었고 가족을 돌보는 데 소홀했다.

To be honest, We never really figured out who We thought was the 'good guy' and who We thought was the 'bad guy' which is perhaps part of the movie's point.
Salieri had malicious intentions while Mozart was just plain obnoxious.
He behaved inappropriately had an absurd laugh, a dirty sense of humor and neglected to care for his family.

그의 모든 행동은 청중을 오싹하게 만들고 있다. 하지만 그의 음악은 오! 그의 음악은 당신의 영혼을 달래줄 것이다. 모차르트의 페르소나와 그의 음악의 병치는 극명하고 그것이 살리에리를 짜증나게 하는 것이다.

His every action makes the audience cringe but his music. oh! his music will soothe your soul. The juxtaposition of Mozart's persona and his music is a stark one and that is what irks Salieri.

그 남자 모차르트에 대한 증오에도 불구하고 그는 모차르트 음악에 끌리지 않을 수 없다. 영화에서 우리가 가장 좋아하는 장면 중 하나는 정신병자 살리에리가 처음으로 모차르트의 'Gran Partita'를 들었다고 설명하는 장면이었다.

Despite his hatred of Mozart, the man, he cannot help but be drawn to Mozart's music. One of our favorite scenes of the movie was when Salieri as a mentally ill old man, describes hearing Mozart's Gran Partita for the first time.

3번째 악장이 배경에서 연주될 때-DSO 관악기에 의해 라이브로 연주-그는 향수를 불러일으키는 트랜스 상태에 있는 것처럼 자신의 기억에 목소리를 내고 있다.

As the third movement plays in the background-which was performed live by the DSO winds-. he gives voice to his recollections as if in a nostalgic trance.

'페이지에서는 아무 것도 보이지 않았다. 시작은 단순하고 거의 코믹했다.
그냥 맥박이다. 녹슨 스퀴즈박스 같은 바순, 바셋 뿔. 그리고 갑자기 그 위로 높은 곳에서 오보에가 연주되고 있다.
거기에 흔들리지 않고 매달려 있는 단 하나의 음표가 클라리넷이 그 자리를 차지하여 그러한 기쁨의 프레이즈로 달콤해졌다.

'On the page it looked nothing, the beginning simple, almost comic. Just a pulse. Bassoons, basset horns, like a rusty squeezebox. And then, suddenly, high above it, an oboe. A single note hanging there unwavering, until, a clarinet took it over, sweetened it into a phrase of such delight.'

'이것은 공연하는 원숭이가 작곡한 것이 아니다. 들어본 적 없는 음악이었다. 그리움, 이루지 못한 그리움으로 가득 차서 마치 하나님의 음성을 듣는 것 같았다.'

'This was no composition by a performing monkey. This was a music I had never heard. Filled with such longing, such unfulfillable longing, it seemed as if I was hearing the voice of God.'

우리 생각에 이 장면은 영화 줄거리의 근본적인 뉘앙스를 포착하고 있다.

This scene, in our opinion, captures the underlying nuances of the movie's plot.

〈아마데우스〉는 음악 역사에 대한 정확한 설명을 찾고 있다면 볼 영화가 아닐 수도 있다. 하지만 시간을 초월한 주제와 인간 조건의 복잡성에 호소하는 이야기다. 사운드트랙의 DSO의 라이브 공연은 그것을 더 좋게 만들고 있다.

피터 섀퍼 원작을 각색한 〈아마데우스〉. © Orion Pictures, Thorn EMI Screen Entertainment

While Amadeus may not be the film to watch if you're seeking an accurate account of music history. it is a story that appeals to timeless themes and the complexities of the human condition and the DSO's live performance of the soundtrack only made it better!

3. <아마데우스> 사운드트랙 해설 - 빌보드

8개 아카데미상을 수상한 피터 섀퍼 히트작을 영화로 만든 〈아마데우스〉는 작곡상을 수상하지 못했다. 57회 아카데미 시상식의 작곡 부분은 모리스 자르의 〈인도로 가는 길〉가 승리한다.

주제가 작곡 부문은 프린스의 〈퍼플 레인〉이 차지한다.

The winner of eight Academy Awards, Amadeus, the film of the Peter Shaffer's hit play did not however win for Best Original Score that honor went to Maurice Jarre and his score for Passage to India, though the music portion of the 57th Academy Awards was when Best Original Song Score that same year went to Prince for Purple Rain.

〈아마데우스〉는 초기에 버브 Verve에서 노만 그랜츠를 위해 일했으며 나중에 1967년 환타지 레코드 소유자 중 한 명이 된 음악 비즈니스 안팎에서 삶을 살았던 사울 자엔츠가 제작했다.

Amadeus was produced by Saul Zaentz who lived a life in and out of the music business having worked early on for Norman Granz at Verve, and later becoming one of the owners of Fantasy Records in 1967.

자엔츠는 아카데미 작품상을 수상한 〈잉글리시 페이션트〉 〈아마데우스〉 〈뻐꾸기 둥지 위로 날아간 새〉 등 3편의 영화를 제작해 가장 널리 기억되고 있다.

Zaentz is most widely remembered however for the three films he produced that won Best Picture Oscars.

The English Patient, Amadeus and One Flew Over The Cuckoo's Nest.

〈아마데우스〉 영화 버전이 성공할 수 있었던 비결은 영화가 촬영되기 전에 음악이 대본과 동기화 되어 녹음 되었다는 것이다. 다시 말해서 영화와 음악이 결합되는 일반적인 방식이 아닌, 음악을 중심으로 영화를 촬영했다는 점이다.

The key to the film version of Amadeus being a success is that the music was synched to the script and recorded before the film was shot.
To say it another way, the film was shot around the music rather than the reverse which is the usual way film and music are joined.

결과적으로 F. 머레이 아브라함, 제프리 존스 그리고 물론 톰 헐스 등의 억제할 수 없지만 궁극적으로 비극적인 W. A. 모차르트 연기는 훌륭했지만 영화의 스타는 음악이었다.

Consequently, while the acting of F. Murray Abraham, Jeffrey Jones and of course, Tom Hulse as the irrepressible yet ultimately tragic W. A. Mozart was wonderful, the star of the film was and is the music.

1982년 런던 애비 로드 스튜디오에서 녹음된 사운드트랙은 아카데미 세인트 마틴 오케스트라와 코러스, 앰브로시안 오페라 합창단 및 웨스트민스터 애비 합창단을 이끌었던 네빌 마리너가 지휘를 맡았다.

Recorded in 1982 in Abbey Road Studios in London, the soundtrack was conducted by Neville Marriner who marshaled the considerable forces of the Academy of St. Martin-In-The-Fields Orchestra and Chorus, the Ambrosian Opera Chorus and the Choristers of Westminster Abbey.

솔리스트는 코벤트 가든 출신이며 소프라노 펠리시티 로트와 베이스 존 톰린슨과 같은 유명하고 뛰어난 가수를 포함하고 있다.
이반 모라벡과 이모겐 쿠퍼가 수석 피아니스트를 담당한다.

The soloists came from Covent Garden and include such well-known and accomplished singers as soprano Felicity Lott and bass John Tomlinson. Ivan Moravec and Imogen Cooper are the chief pianists.

이와 같은 사운드트랙은 맥락에서 벗어난 더 큰 클래식 작곡의 일부인 블리딩 덩어리의 개념을 마음과 귀에 떠올리게 하고 있다.

Soundtracks like this conjure in the mind and in the ear the concept of bleeding chunks, i.e. parts of larger classical compositions, taken out of context.

이러한 비트는 이미지와 완전히 논리적으로 작동할 수 있다.
하지만 시각적 요소 없이 들을 때 상황이 조금 더 어려워질 수 있다.

While these bits may work completely logically with the images when you listen without the visuals, things can get a little more difficult.

게오르기 솔티와 LSO의 〈불멸의 여인〉에서 수행된 것처럼 모차르트 또는 베토벤의 전체에 뛰어드는 것은 재미있을 것 같지만 실제로는 지옥처럼 어렵다.

While diving into the totality of Mozart or Beethoven as was done in Immortal Beloved by Georg Solti and the LSO, sounds like fun. it's actually hard as hell.

일반적으로 음악의 비트는 종종 더 큰 구조에서 제거되는 것을 거부하고 있다.
구절이 없는 비틀즈의 합창을 생각해보라.

Bits of music, in general, often resist removal from their larger structure.
Think of a Beatles chorus without the verses.

그리고 아마도 이 사운드트랙의 가장 큰 장점인 발췌된 비트 사이의 전환이

아카데미 8개 부분상을 석권한 〈아마데우스〉. © Orion Pictures, Thorn EMI Screen Entertainment

있다. 세그가 보기 드물게 훌륭하다.

And then there are the transitions between excerpted bits which is probably this soundtrack's greatest strength. The segues are uncommonly brilliant.

예를 들어 'the E flat Piano Concerto (K. 482)'의 11분 3악장에서 돈 지오반니의 코멘다토르 장면의 거의 7분으로 점프하는 것은 이 사운드트랙이 제작된 신중하고 독창적인 방법의 전형이다.

For example, the jump from the eleven minute 3rd movement of the E flat Piano Concerto (K. 482) to the nearly seven minutes of the Commendatore scene of Don Giovanni is typical of the careful, ingenious way in which this soundtrack was crafted.

이것은 더 부드러운 용어가 없기 때문에 모차르트에 대한 최고의 히트작 접근 방식은 실제로 그의 놀라운 작품에 매혹적이고 통찰력 있는 명확성을 제공하고 있다. 모차르트 리믹스라고 생각하면 된다. 비교할 수 없는 입문서인 동시에 새로운 방식으로 지식이 풍부한 청취자의 귀를 사로잡고 있다.

This, for lack of a gentler term, greatest hits approach to Mozart actually gives his incredible body of work an alluring and insightful clarity. Think of it as Mozart Remixed. And while it's a primer beyond compare.
it also catches the ear of knowledgeable listeners in new ways.

이 모든 작업은 '교향곡 41번 C장조(K.551)' 또는 '클라리넷 협주곡 A장조(K. 622)'와 같은 명백한 곡에 의존하지 않고 이루어지고 있다.

All this is done without resorting to such obvious pieces as the Symphony No. 41 in C Major (K.551) or the Clarinet Concerto in A major (K. 622).

'레퀴엠(K.626)'을 10분 13초로 압축한 것은 특히 천재적이다.

발췌의 명백한 도전/위험에도 불구하고 제대로 했다면, 자극적이며 삐걱거리거나 무례하지 않은 방식으로 함께 연결되고 있다.

The condensation of the Requiem (K.626) into a ten minute, thirteen second glob is particularly genius. Despite the obvious challenges/ pitfalls of excerpting.

if done right, and strung together in such a way that is evocative and not grating or disrespectful.

또한 여기에서와 같이 이미지 없이도 들을 수 있는, 단독으로 설 수 있는 즐거운 음악 앨범을 만들 수 있다.

마리너 메모에 따르면 JFK 공항 승객 라운지에서 이 영화에 대한 거래를 마무리한 밀로스 포만 감독과 지휘자 네빌 마리너는 마리너 아내가 '예상치 않은 플라스틱 환경'이라고 부르는 곳에서 영화와 매력적인 사운드트랙 앨범 모두를 훌륭하게 만든 것에 대해 큰 찬사를 받을 만하다.

it can also make for a delightful music album, able to stand on its own, listenable without the images, as is the case here. Director Milos Forman and Conductor Neville Marriner, who according to Marriner's notes finalized the deal for this film in a passenger lounge at JFK Airport, in what Marriner's wife is quoted as calling an 'unlikely plastic environment' deserve huge kudos for making both a wonderful film and a compelling soundtrack album.

* Original soundTrack listing

〈아마데우스〉 사운드트랙 앨범은 빌보드 클래식 앨범 차트 1위, 빌보드 인기 앨범 차트 56위에 올랐다. 650만 장 이상 판매되고 13개의 골드 디스크를 받으며 역사상 가장 인기 있는 클래식 음악 앨범 중 한 장이 된다. 1984년 그래미상 최우수 클래식 앨범 상을 수상한다.

The soundtrack album reached No. 1 in the Billboard Classical Albums Chart, No. 56 in the Billboard Popular Albums Chart, has sold over 6.5 million copies and received thirteen gold discs, making it one of the most popular classical music recordings of all time. It won the Grammy Award for Best Classical Album in 1984.

Disc 1

1. Mozart: Symphony No. 25 in G minor, K. 183, 1st movement
2. Giovanni Battista Pergolesi: Stabat Mater: 'Quando corpus morietur' and 'Amen'
3. Early 18th Century Gypsy Music: Bubak and Hungaricus
4. Mozart: Serenade for Winds in B-flat major, K. 361, 3rd movement
5. Mozart: The Abduction from the Seraglio, K. 384, Turkish Finale

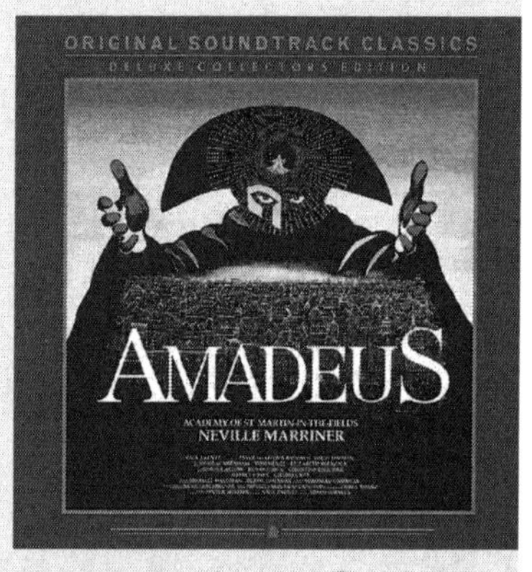

〈아마데우스〉 사운드트랙. © EMI Screen Entertainment

6. Mozart: Symphony No. 29 in A major, K. 201, 1st movement
7. Mozart: Concerto for Two Pianos in E-flat major, K. 365, 3rd movement
8. Mozart: Great Mass in C minor, K. 427, Kyrie
9. Mozart: Symphonie Concertante in E-flat major, K. 364, 1st movement

Disc 2

1. Mozart: Piano Concerto No. 22 in E-flat major, K. 482, 3rd movement
2. Mozart: The Marriage of Figaro, K. 492, Act III, 'Ecco la marcia'
3. Mozart: The Marriage of Figaro, K. 492, Act IV, 'Ah, tutti contenti'
4. Mozart: Don Giovanni, K. 527, Act II, Commendatore scene
5. Mozart: Zaide, K. 344, Aria, 'Ruhe sanft'
6. Mozart: Requiem, K. 626, Introitus (orchestral introduction)
7. Mozart: Requiem, K. 626, Dies irae
8. Mozart: Requiem, K. 626, Rex tremendae majestatis
9. Mozart: Requiem, K. 626, Confutatis
10. Mozart: Requiem, K. 626, Lacrimosa
11. Mozart: Piano Concerto No. 20 in D minor, K. 466, 2nd movement

* 앨범의 모든 트랙은 영화를 위해 특별히 연주되었다. 포만 감독과 원작 각본가 섀퍼의 영화 해설에 따르면, 마리너는 모차르트 음악이 원래 배경 음악에서 완전히 변경되지 않은 경우 영화를 스코어 하는데 동의했다고 한다.

마리너는 살리에르가 고백을 시작할 때 영화 시작 부분에서 눈에 띄는 살리에르 음악에 몇 가지 메모를 추가했다고 한다.

All tracks on the album were performed specifically for the film. According to the film commentary by Forman and Schaffer, Marriner agreed to score the film if Mozart's music was completely unchanged from the original scores.

Marriner did add some notes to Salieri's music that are noticeable in the beginning of the film as Salieri begins his confession.

오페라 〈자이데〉 아리아 'Ruhe sanft'는 영화에 등장하지 않고 있다.

The aria 'Ruhe sanft' from the opera Zaide does not appear in the film

* 오리지날 사운드트랙 추가 음악 More Music from the Original Soundtrack

1985년 〈아마데우스〉 오리지날 사운드트랙 The Original Soundtrack of the Film Amadeus의 '추가 음악 More Music'이라는 제목의 앨범이 발매된다.

여기에는 오리지널 사운드트랙 발매에 포함되지 않은 추가 음악이 포함되어 있다.

In 1985 an additional album with the title More Music from the Original Soundtrack of the Film Amadeus was issued containing further selections of music that were not included on the original soundtrack release.

1. Mozart: The Magic Flute, K. 620, Overture
2. Mozart: The Magic Flute, K. 620, act 2, Queen of the Night aria
3. Mozart: Masonic Funeral Music, K. 477
4. Mozart: Piano Concerto No. 20 in D minor, K. 466, 1st movement
5. Antonio Salieri: Axur, re d'Ormus, Finale
6. Mozart: Eine kleine Nachtmusik (Serenade No. 13 for Strings in G major), K. 525, 1st movement, arranged for woodwind octet by Graham Sheen
7. Mozart: Concerto for Flute and Harp in C major, K. 299, 2nd movement
8. Mozart: Six German Dances (Nos. 1–3), K. 509 Giuseppe Giordani 'Caro mio ben'
9. Mozart: The Abduction from the Seraglio, K. 384, Chorus of the Janissaries (Arr.) and 'Ich möchte wohl der Kaiser sein' (Ein deutsches Kriegslied), K. 539 (Arr.)

- 프리메이슨 장례 음악은 원래 클로징 크레디트에서 재생될 예정이었다. 하지만 영화에서 '피아노 협주곡 20번 D단조 2악장'으로 대체 된다.

원본 사운드트랙 녹음에 포함.

The Masonic Funeral Music was originally intended to play over the closing credits but was replaced in the film by the second movement of the Piano Concerto No. 20 in D minor. included on the Original Soundtrack Recording.

* 디렉터스 컷 사운드트랙 Director's Cut soundtrack

2002년, 영화의 '디렉터스 컷 Director's Cut' 출시와 동시에 사운드트랙은 24비트 인코딩으로 리마스터 되었다. 2장의 24K 골드 CD에 Special Edition: Director's Cut-Newly Remastered Original Soundtrack Recording이라는 제목으로 재발매된다. 여기에는 이전 두 발매 음반 대부분의 음악이 포함되어 있다. 하지만 다음과 같은 차이점이 있다.

In 2002, to coincide with the release of the Director's Cut of the film, the soundtrack was remastered with 24-bit encoding and reissued with the title Special Edition: The Director's Cut-Newly Remastered Original Soundtrack Recording on two 24-karat gold CDs. It contains most of the music from the previous two releases but with the following differences.

이번 발매에는 다음 음원이 추가 된다.

The following pieces were added for this release

- 살리에르를 환영하는 행진은 <피가로 결혼>에서 'Non più andrai'로 교체된다. 영화 대화 포함.

Salieri's March of Welcome turned into "Non più andrai" from The Marriage of Figaro includes dialogue from the film.

- '유리 하모니카를 위한 아다지오 C단조, K. 617'. 2001년 새로운 녹음

'Adagio in C minor for Glass Harmonica, K. 617' from a new 2001 recording.

- 이전에 영화 〈아마데우스〉 오리지날 사운드트랙에 있는 '모어 뮤직'에 출시된 다음 작품은 포함되지 않았다.

The following pieces, previously released on More Music from the Original Soundtrack of the Film Amadeus, were not included

1. Masonic Funeral Music, K. 477
2. Six German Dances (Nos. 1-3), K. 509

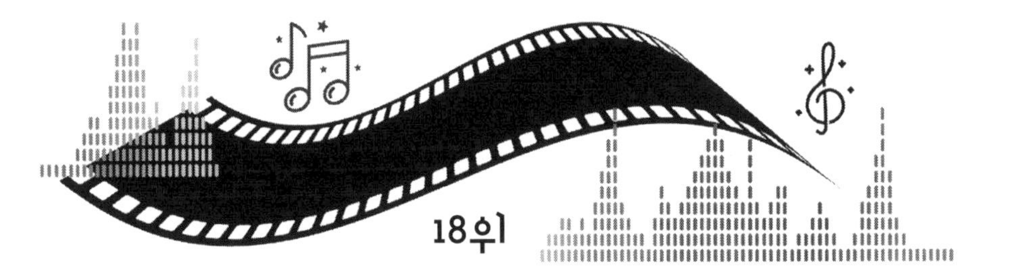

<희랍인 조르바 Zorba the Greek>(1964) - 흑해, 발칸 반도를 장식한 풍성한 그리스 음악 향연(饗宴)

작곡: 미키스 데오도라키스 Mikis Theodorakis

그리스 출신 데오도라키스가 들려주는 미지 음악 세계 〈희랍인 조르바〉. © Twentieth Century-Fox Film Corporation

1. <희랍인 조르바> 버라이어티 평

〈희랍인 조르바〉는 그리스 계 키프로스 출신 미하엘 카코야니스가 각색, 제작, 편집 및 감독한 1964년 그리스 코미디 드라마 영화이다.

안소니 퀸이 주인공으로 등장하고 있다. 니코스 카잔차키스의 1946년 소설 〈알렉시스 조르바의 삶과 시대〉를 바탕으로 제작된 영화에는 알란 베이츠, 릴라 케드로바, 이레인 파파스, 소티리스 무스타카스 등이 출연하고 있다.

Zorba the Greek is a 1964 Greek comedy-drama movie written, produced, edited and directed by Greek Cypriot Michael Cacoyannis and featuring Anthony Quinn as the titular character.

Based on the 1946 novel The Life And Times of Alexis Zorba by Nikos Kazantzakis, the movie's cast includes Alan Bates, Lila Kedrova, Irene Papas and Sotiris Moustakas.

초조한 영국 작가는 사업 문제로 크레타 섬으로 여행을 가다가 사교적인 알렉시스 조르바를 만나면서 인생이 완전히 바뀌었음을 알게 된다.

An uptight English writer travelling to Crete, on a matter of business finds his life changed forever when he meets the gregarious Alexis Zorba.

목적 없는 영국 작가는 그리스 섬에서 자신에게 작은 유산이 있다는 것을 알게 된다. 삶에 대한 진정한 욕망을 지닌 중년의 그리스인 조르바를 만나면서 그의 기쁨 없는 존재는 혼란에 빠지게 된다.

An aimless English writer finds he has a small inheritance on a Greek island.

His joyless existence is disturbed when he meets Zorba, a middle aged Greek with a real lust for life.

그리스의 소박한 즐거움을 발견하면서 영국인은 삶에 대한 관점이 바뀌는 것을 발견하게 된다.

As he discovers the earthy pleasures of Greece, the Englishman finds his view on life changing.

2. <희랍인 조르바> 사운드트랙 리뷰

부주키. 최고의 그리스 작곡가 미키스 테오도라키스의 클래식 앨범에 담긴 천국. 크레타 전통 민속 춤에서 영감을 받은 강렬하고 아름다운 멜로디에는 놀라운 다이나믹 레인지가 있다.

A bouzouki. heaven on a classic album from the greatest Greek composer, Mikis Theodorakis. There is an incredible dynamic range in the intense & beautiful melodies presented here, inspired by traditional Cretan folk dances.

소용돌이치는 더비쉬 댄스와 부드러운 왈츠를 위한 곡과 함께 빠른 리듬과 느린 리듬이 혼합된 것을 들을 수 있다. 바이올린, 플루트, 아코디언 및 투벨레키-전통 드럼-는 감정적 임팩트를 높여주고 있다.

You will hear a mixture of fast rhythms and slow, with tunes for whirling dervish dancing and also gentle waltzes. Violin, flute, accordion and toubeleki-a traditional drum-heighten emotional impact.

이 작품은 1980년대에 발레로 만들어졌다.
오프닝 곡 'Theme From Zorba'는 이제 세계적인 대중문화의 일부가 되었다.

수 년 동안 양키 스타디움 Yankee Stadium에서 연주된 것을 알게 되어 기뻤다. 1964년 영화 〈희랍인 조르바〉 역시 여전히 훌륭하며 이 전설적인 사운드트랙 녹음에 대화 발췌문이 제공되고 있다.

This work was made into a ballet in the 1980s and the opening song, Theme From Zorba, is a part of global popular culture now. We were pleased to find it has been played at Yankee Stadium for years. The 1964 film Zorba the Greek remains brilliant too and excerpts of dialogue are provided on this legendary soundtrack recording.

알렉시스 조르바: 당신은 너무 많이 생각한다. 그것이 당신의 문제이다. 영리한 사람들과 식료품 가게, 그들은 모든 것을 저울질 한다. 젠장, 보스, 말하지 않기에는 당신이 너무 좋아. 당신은 한 가지를 제외하고 모든 것을 갖고 있다. 광기(狂氣)! 남자는 약간의 광기가 필요하거나 그렇지 않으면…

Alexis Zorba: You think too much. That is your trouble. Clever people and grocers, they weigh everything. Damn it boss, I like you too much not to say it. You've got everything except one thing: madness! A man needs a little madness, or else...

바실: 혹은 아니면? Basil: Or else?

알렉시스 조르바: 그는 감히 밧줄을 끊고 자유를 얻지 못하지.

Alexis Zorba: he never dares cut the rope and be free.

* 부주키(bouzouki)는 만돌린과 비슷하지만 낮은 음높이로 4쌍의 현이 있는 뽑아낸 악기다.

A bouzouki is a plucked instrument with 4 pairs of strings similar to a mandolin but pitched lower.

3. <희랍인 조르바>가 히트시킨 'Zorba's Dance'

'조르바 댄스'는 그리스 작곡가 미키스 테오도라키스(Mikis Theodorakis)가 작곡한 기악곡이다. 테오도라키스가 작곡한 1964년 영화 〈희랍인 조르바〉에서 시르타키(sirtaki)로 알려지게 된 춤에 등장한 노래다.

사운드트랙으로 전 세계적으로 유명해졌다.

'Zorba's Dance' is an instrumental by Greek composer Mikis Theodorakis.

The song featured for the dance, which has become known as sirtaki, in the 1964 film Zorba the Greek for which Theodorakis wrote the soundtrack and became renowned around the world.

그것은 지금 일반적으로 그리스 타베르나에서 연주되고 춤을 춘다. 영화 트랙은 그 이후로 전 세계의 다양한 음악가에 의해 독립형 노래로 녹음 되었다.

It is now commonly played and danced to in Greek tavernas.

The film's track has since been recorded as a standalone song by many different musicians from around the world.

4. 다양하게 녹음된 버전 Recorded versions

- 미국에서는 허브 알버트와 티후아나 브라스가 1965년 앨범 'Going Places'에 4분 25초 버전의 노래-'그리스인 조르바'로-를 녹음했다.

라이브 청중을 더빙한 편집된 싱글로 발매된 이 노래는 빌보드 핫 100 차트 11위, 이지 리스닝 차트 2위에 오른다.

In the US, Herb Alpert and the Tijuana Brass recorded a 4:25 version of the song-as 'Zorba the Greek' for their 1965 album Going Places.

Issued as an edited single with live audience dubbed in, the song reached number 11 on the Billboard Hot 100 chart and number 2 on the Easy Listening chart.

- 마르첼로 미너비와 그의 오케스트라가 연주한 곡은 1965년 8월 영국 싱글 차트에서 6위에 오른다.

The tune reached number 6 in the UK Singles Chart in August 1965, performed by Marcello Minerbi & His Orchestra.

- 이 곡은 영국 그룹 데이브 디, 도지, 비키, 믹 앤 티치의 1966년 히트 싱글 'Bend It!'에 영감을 주었다.

독일, 뉴질랜드, 남아프리카 공화국에서 1위를 차지한다.

The composition provided the inspiration for 'Bend It!'.

a 1966 hit single by British group Dave Dee, Dozy, Beaky, Mick & Tich that reached number 1 in Germany, New Zealand and South Africa.

- 1998년 영국 댄스 액트 LCD가 이 노래를 커버한다.

그들의 버전은 그 해 영국 차트에서 20위에 오른다.

1999년 10월에 재발행 되었을 때 22위에 진입한다.

The British dance act LCD covered the song in 1998. Their version peaked at number 20 in the UK chart that year and at number 22 when re-issued in October 1999.

- 이 노래는 특히 페루에서 센데로 루미노소(Sendero Luminoso)와의 연관성으로 악명이 높다.

1990년대 초에 센데로 루미노소의 리더십이 축하 행사에서 노래에 맞춰 춤을 추는 비디오의 일부가 언론에 공개되어 조직의 수장이 리마 자체의 중산층 지역에 숨어 있음을 보여 주게 된다.

〈희랍인 조르바〉. © Twentieth Century-Fox Film Corporation

The song is particularly infamous in Peru for its association with Sendero Luminoso. In the early 1990s, excerpts of a video of Sendero Luminoso's leadership dancing to the song during a celebration was given to the media, showing that the organization's heads were hiding in middle-class districts of Lima itself.

5. 다른 대중문화에 등장한 사례
Other appearances in popular culture

- 이 노래는 무엇보다도 영화 〈록, 스탁 앤 투 스모킹 배럴스 Lock, Stock and Two Smoking Barrels〉 그리고 미드 〈프리즌 브레이크〉 에피소드 'Subdivision' 편에서 찰스 헤이와이어 파토식이 패스트 푸드 점을 급습하고 탄산음료와 아이스크림을 탐식하는 장면에서 흘러나오고 있다.

The song was featured, among others, in the film Lock, Stock and Two Smoking Barrels and in the 'Subdivision' episode of Prison Break where Charles Haywire Patoshik raided a fast food joint and gorged himself on soda and ice cream.

- 연주곡은 이고르 모이세예프 앙상블이 '다른 나라 포크 댄스 Folk Dances From Different Countries' 대회 간주곡으로 연주되기도 했다. 2009년 모스크바에서 열린 유로비전 송 콘테스트 준결승에서도 연주됐다.

The instrumental was also performed as the interval act Folk Dances From Different Countries by the Igor Moiseyev Ensemble. Semifinal of the Eurovision Song Contest 2009 in Moscow, Russia.

6. 미키스 테오도라키스, <희랍인 조르바> <서피코> 작곡가, 향년 96세 사망 Mikis Theodorakis, Composer of 'Zorba the Greek' and 'Serpico,' Dies at 96

미키스 테오도라키스 베스트 앨범. © amazon.com

〈희랍인 조르바 Zorba Greek〉 〈Z〉 〈서피코 Serpico〉 등으로 저명한 작곡가이자 20세기 작곡가들 중 가장 정치적으로 활동적인 작곡가였던 미키스 테오도라키스(Mikis Theodorakis)가 2021년 9월 1일 아테네 자택에서 96세를 일기로 사망했다.

Mikis Theodorakis, the celebrated Greek composer of 'Zorba the Greek' 'Z' and 'Serpico' and among the most politically active of all 20th-century composers died at his home in Athens, Sep 1, 2021, He was 96.

그의 공식 웹사이트에는 사인을 '심폐 정지'로 기재했다. 리나 멘도니 그리스 문화부 장관은 트위터를 통해 '오늘 우리는 그리스 영혼의 일부를 잃었다. 미키

스 테오도라키스, 미키스 선생, 지식인, 급진주의자, 우리 미키스가 사라졌다.'

His official website listed the cause of death as cardiopulmonary arrest.

'Today we lost a part of Greece's soul' Greece's cultural minister, Lina Mendoni said on Twitter. 'Mikis Theodorakis, Mikis the teacher, the intellectual, the radical, our Mikis has gone.'

카테리나 사켈라로풀루 그리스 대통령은 그를 '범-헬레닉 인물...보편적인 예술가, 우리 음악 문화의 귀중한 자산'이라고 불렀다. 키리아코스 미초타키스 총리는 3일간의 국가 애도 기간을 선포한다.

Greek president Katerina Sakellaropoulou called him a "pan-Hellenic personality...a universal artist, an invaluable asset of our musical culture' and Prime Minister Kyriakos Mitsotakis announced three days of national mourning.

안소니 퀸과 알란 베이츠가 주연한 1964년 〈희랍인 조르바〉의 다채로운 스코어는 전염성 있는 'Zorba's Dance'와 독특한 부주키 사운드로 국제적인 히트를 기록한다. 사운드트랙 앨범이 빌보드 앨범 차트의 상위 30위에 올랐다.

그래미상과 골든 글로브 상 후보에 올랐다. 춤은 시르타키(sirtaki)로 알려지게 되었다. '조르바 댄스'는 허브 알퍼트와 티후아나 브라스를 포함하여 여러 커버로 발표됐다.

Theodorakis' colorful score for the 1964 'Zorba the Greek' starring Anthony Quinn and Alan Bates was an international hit. it's soundtrack album reached the top 30 of Billboard's album charts with its infectious 'Zorba's Dance' and it's unusual bouzouki sounds. It was nominated for a Grammy and a Golden Globe. The dance became known as sirtaki and 'Zorba's Dance' was covered numerous times including by Herb Alpert and the Tijuana Brass.

미하엘 카코야니스 감독은 당시 '테오도라키스는 조르바 정신의 영광스러운 도전에 걸맞는 내적 흥분과 감동적인 리듬의 음악을 만드는 데 성공했다'고 말했다. 그들은 고전 문학의 각색-1962년 〈엘렉트라 Electra〉, 1971년 〈트로이잔 우먼 Trojan Women〉, 1977년 〈이파제니아 Iphigenia〉, 현대 코미디-〈물고기 나온 날〉(1977), 성서를 기반으로 한 TV 영화 〈야곱과 요셉 이야기〉 등을 포함하여 5편의 영화를 함께 했다.

As director Michael Cacoyannis said at the time, 'Theodorakis succeeded in creating music of such inner excitement and stirring rhythms as to match the glorious defiance of Zorba's spirit.' They did five other films together, including adaptations of classic literature-'Electra' in 1962, 'The Trojan Women' in 1971, 'Iphigenia' in 1977), a contemporary comedy-'The Day the Fish Came Out(1977) and a Biblical story for television-'The Story of Jacob and Joseph'(1974).

테오도라키스의 정치 활동은 이후의 영화 음악 걸작에 영감을 주게 된다.
1964년에 처음으로 좌익 의원으로 그리스 의회에 3번 선출되었다.
솔직한 성격으로 인해 1967년에 집권한 군사 정권에 의해 그의 음악이 금지된다. 그는 투옥된 후 강제 수용소에 수감된다.
그리고 레오나드 번스타인, 아서 밀러, 해리 벨라폰테 등을 포함한 동료 예술가들의 국제적 압력 이후 1970년에 망명한다.

Theodorakis political activities inspired later film-music masterpieces.
He was elected three times to the Greek Parliament first as a left-wing deputy in 1964 and his outspoken nature resulted in his music being banned by the military junta that took power in 1967. He was jailed, then interned in a concentration camp, and after international pressure by fellow artists including Leonard Bernstein, Arthur Miller and Harry Belafonte exiled in 1970.

그리스 출신 프랑스 영화감독 코스타 가브라스는 1963년 그리스 반전 운동가 그리고리스 람브라키스의 암살에 근거한 1969년 정치 스릴러 〈Z〉를 위해 자신의 음악을 고집한다. 테오도라키스는 비밀리에 매력적인 악보를 쓴다.
음악은 밀반출되어 파리에서 녹음되었다.
1970년 BAFTA 올해의 최고 스코어를 수상한다.

The Greek-French film director Costa-Gavras insisted on his music for 'Z' the 1969 political thriller loosely based on the 1963 assassination of Greek anti-war activist Grigoris Lambrakis. Theodorakis wrote a compelling score in secret, the music smuggled out and recorded in Paris. it won the BAFTA as the year's best score in 1970.

코스타-가브라스는 남 아메리카 테러리스트 납치에 관한 또 다른 정치적 스릴러인 1972년 〈계엄령 State of Siege〉을 위해 테오도라키스와 재회한다.
작곡가는 전통적인 라틴 아메리카 민속 악기를 사용하여 그의 가장 인상적인 스코어 중 하나를 만들어 낸다.

Costa-Gavras reunited with Theodorakis for another political thriller 1972's 'State of Siege' about terrorist kidnappings in South America. the composer's use of traditional Latin American folk instruments resulted in one of his most evocative scores.

그리고 1973년에 테오도라키스는 시드니 루멧 감독의 〈서피코 Serpico〉를 위해 뉴욕시 경찰서의 부패에 대한 음악을 작곡한다.
두 스코어 모두 BAFTA 후보에 오른다.
미국 재즈 아티스트 밥 제임스가 편곡한 'Serpico'도 그래미상 후보에 오른다.

And in 1973, Theodorakis wrote the music for Sidney Lumet's 'Serpico' about corruption in the New York City police department. Both scores were BAFTA nominated.
'Serpico' with arrangements by American jazz artist Bob James also earned a

Grammy nomination.

그리스 군사 정권이 무너진 후 테오도라키스는 1974년 그리스로 돌아와 음악적 경력과 정치 활동을 계속하게 된다. 그는 1981년(공산주의자)과 1989년(민주당)에 그리스 의회에 재선된다. 1990년대에는 그리스 라디오 및 텔레비전 오케스트라의 총 음악 감독이 된다.

After the overthrow of the Greek military regime, Theodorakis returned to Greece in 1974, continuing both his musical career and his political activities. He was re-elected to the Greek Parliament in 1981 (as a Communist) and 1989 (as a Democrat) and in the 1990s he became general music director of Hellenic Radio and Television orchestras.

그리고 그가 가끔 유럽 영화를 계속 연주하는 동안 그의 음악 대부분은 여러 교향곡, 오페라 및 노래 주기를 포함한 고전적 영역에 있게 된다.

And while he continued to score the occasional European film, most of his music was in the classical realm including several symphonies, operas and song cycles.

Track listing

1. Thème de Zorba
2. La Vie S'En Va (1ère Partie)
3. Une Grande Catastrophe
4. Questions Sans Réponse
5. Désir Secret
6. Une Île Sans Loi
7. La Danse de Zorba

8. Un Pêche Impardonnable

9. À La Recherche Des Ennuis

10. La Vie S'En Va (2ème Partie)

11. Liberté

12. C'Est Moi-Zorba!

〈희랍인 조르바〉 사운드트랙. © 20th Century Fox

<스팅 The Sting>(1973) -

도박 영화의 잔재미를 부추겨준 래그타임 사운드

작곡: 스코트 조플린 Scott Joplin

래그타임 사운드의 진수를 선사해 주었던 〈스팅〉. © Universal Pictures

1. <스팅> 버라이어티 평

〈스팅 The Sting〉은 1936년 9월을 배경으로 한 미국의 범죄 영화이다. 두 명의 전문 도둑(폴 뉴먼과 로버트 레드포드)이 마피아 보스(로버트 쇼)에게 사기를 치기 위한 복잡한 줄거리를 담고 있다.

The Sting is a 1973 American caper film set in September 1936 involving a complicated plot by two professional grifters (Paul Newman and Robert Redford) to con a mob boss (Robert Shaw).

영화는 뉴먼과 레드포드의 서부극 〈내일을 향해 쏴라〉를 연출했던 조지 로이 힐이 감독했다. 시나리오 작가 데이비드 S. 워드가 창조해 낸 이야기는 프레드와 찰리 곤돌프 형제가 저지른 실제 죄수들에서 영감을 받아 데이비드 머러가 출간한 1940년 저서 〈거대한 사기 The Big Con: Story of the Confidence Man〉에서 영감을 받았다.

The film was directed by George Roy Hill who had directed Newman and Redford in the western Butch Cassidy and the Sundance Kid.
Created by screenwriter David S. Ward, the story was inspired by real-life cons perpetrated by brothers Fred and Charley Gondorff and documented by David Maurer in his 1940 book The Big Con: The Story of the Confidence Man.

타이틀 문구는 사기꾼이 '놀이'를 끝내고 표시된 돈을 가져가는 순간을 의미하고 있다. 사기꾼이 성공하면 표식은 사기꾼들이 오래 전에 속았다는 사실을 깨닫지 못하게 된다.

The title phrase refers to the moment when a con artist finishes the 'play' and takes the mark's money.

If a con is successful, the mark does not realize he has been cheated until the con men are long gone, if at all.

두 명의 사기꾼이 팀을 이뤄 최고의 사기(詐欺)를 펼친다. 소소한 도둑질을 하고 있는 자니 후커(Johnny Hooker)는 엄청난 범죄 보스 도일 로네간(Doyle Lonnegan)이 평범한 거리 사기꾼을 뽑을 때 자신도 모르는 사이에 도둑질을 하게 된다. 로네간은 모욕에 대한 배상을 요구한다.

Two grifters team up to pull off the ultimate con. Johnny Hooker, a small time grifter, unknowingly steals from Doyle Lonnegan, a big time crime boss when he pulls a standard street con. Lonnegan demands satisfaction for the insult.

그의 파트너인 루터가 살해당한 뒤, 후커는 도망쳐 루터의 인맥 중 한 명인 장기 사기의 대가 헨리 곤돌프에게 도움을 요청한다.

After his partner, Luther is killed, Hooker flees and seeks the help of Henry Gondorff, one of Luther's contacts who is a master of the long con.

후커는 곤돌프의 전문 지식을 사용하여 로네간이 '그를 죽이기에 충분한 살인에 대해 알지 못한다'고 인정하기 때문에 엄청난 돈을 받고 점수를 올리기를 원한다.

Hooker wants to use Gondorff's expertise to take Lonnegan for an enormous sum of money to even the score, since he admits he 'doesn't know enough about killing to kill him.'

그들은 복잡한 계획을 고안한다. 배상금을 자신의 몫으로 원하는 다른 사기꾼들의 재능 있는 그룹을 모으게 된다.

They devise a complicated scheme and amass a talented group of other con artists who want their share of the reparations.

<내일을 향해 쏴라>와 함께 로이 힐 감독의 대표적 흥행작 <스팅>.
© Universal Pictures

이 게임의 위험은 높다.

우리의 영웅은 로네 간의 살인적인 경향뿐만 아니라 액션을 원하는 다른 사이드 플레이어도 처리해야 한다.

The stakes are high in this game and our heroes must not only deal with Lonnegan's murderous tendencies but also other side players who want a piece of the action.

이기기 위해서는 후커와 곤돌프가 갖고 있는 모든 기술과 상당한 자신감이 필요하다.

To win, Hooker and Gondorff will need all their skills and a fair amount of confidence.

2. <스팅> 사운드트랙 리뷰

영화는 '래그타임'의 시대착오적인 사용, 특히 스코트 조플린 작곡의 멜로디 'The Entertainer'로 유명하다. 이 멜로디는-조플린의 다른 곡들과 함께-마빈 햄리시가 영화를 위해 각색했다. 그리고 영화 사운드트랙에서 싱글로 발매되었을 때 햄리시의 탑 10차트 싱글곡이 된다.

영화의 성공은 조플린 작품에 대한 관심을 다시 불러일으킨다.

The film is noted for its anachronistic use of ragtime, particularly the melody 'The Entertainer' by Scott Joplin, which was adapted along with others by Joplin for the film by Marvin Hamlisch and a top-ten chart single for Hamlisch when released as a single from the film's soundtrack.

The film's success created a resurgence of interest in Joplin's work.

길 로딘이 총괄 제작한 사운드트랙 앨범에는 마빈 햄리시가 각색한 스코트 조플린의 '래그타임' 작곡이 여러 곡 포함되어 있다.

The soundtrack album, executive produced by Gil Rodin included several Scott Joplin ragtime compositions adapted by Marvin Hamlisch.

조플린 학자 에드워드 A. 버린(Edward A. Berlin)에 따르면 '래그타임'은 1970년대에 몇 가지 개별적이지만 통합된 사건으로 인해 부활을 경험하게 된다.

According to Joplin scholar Edward A. Berlin, ragtime had experienced a revival in the 1970s due to several separate but coalescing events.

슐러의 녹음에서 영감을 받아 힐은 햄리시가 영화를 위해 조플린 음악을 작곡하도록 하여 조플린을 대중적으로 알리게 된다.

Inspired by Schuller's recording Hill had Hamlisch score Joplin's music for the film, thereby bringing Joplin to a mass, popular public.

3. <스팅> 사운드트랙 해설 - 빌보드

영화 〈스팅 The Sting〉 사운드트랙은 일반 대중에게 큰 영향을 주었다. 'Ragtime' 음악 전반에 대한 관심을 다시 불러일으키게 된다.

The soundtrack to the film The Sting made a huge impact on the public at large and brought with it a resurgence of interest in Ragtime music in general.

사운드트랙 앨범에는 배경 이야기를 들려주는 조지 로이 힐 감독의 커버 노트가 있다.
힐은 그의 아들과 조카가 스코트 조플린의 피아노 연주를 듣고 'Ragtime'에 푹 빠졌고 거의 같은 시간에 〈스팅 Sting〉 영화에 대한 생각을 정리했다고 한다.

The Soundtrack album has cover notes by the director George Roy Hill which tell the background story. Hill had become hooked on Ragtime from hearing his son and nephew play rags by Scott Joplin on the piano and at round about the same time as he was putting thoughts together for The Sting movie.

그의 마음속에는 이 누더기가 확실한 유머 감각과 함께 영화에 대한 이상적인 반주일 것이라는 연결이 형성되었다. 처음에 힐은 그 아이디어를 포기하고 마빈 햄리시를 부르기 전에 사운드트랙을 직접 제공할 예정이었다고 한다.

A connection formed in his mind that these rags would be an ideal accompaniment to the movie with their assured sense of humour. Initially Hill was going to provide the soundtrack himself before he abandoned that idea and called in Marvin Hamlisch.

햄리시는 힐의 아이디어를 우리 모두가 알고 사랑하는 사운드트랙으로 발전시킨다. 완성된 영화는 피아노에서 스코트 조플린의 오리지널을 연주하는 햄리시의 간단한 트랙을 보여준다.

래그타임 음악 장르의 상업적 가치를 새삼 인식시켜준 〈스팅〉. © Universal Pictures

Hamlisch took Hill's ideas and developed them into the soundtrack we all know and love.

The finished movie sports a number of straightforward tracks of Hamlisch playing Scott Joplin originals at the piano.

또한 조플린 래그의 오케스트라 편곡, 햄리시 자신의 맞춤 제작 트랙-정말 야한 'Hooker's Hooker' 포함-'Little Girl'이라는 경쾌한 재즈 바이올린 곡 및 일부 회전목마 음악이 있다.

There are also a number of orchestral arrangements of Joplin rags, some custom built tracks by Hamlisch himself including a truly raunchy 'Hooker's Hooker' a jaunty jazz violin piece called 'Little Girl' and some Merry-go-round music.

모두가 기억하는 'Ragtime'은 특히 조플린의 'The Entertainer'를 기반으로 한 타이틀 트랙이다. 이 곡이 영화와 매우 밀접하게 연관되어 음악은 종종 단순히 '스팅'이라고 불리고 있다.

It is the Ragtime which everyone remembers and in particular the title track based on Joplin's The Entertainer. So closely associated has this piece become to the film that the music is often called simply 'The Sting.'

다른 조플린 래그 중에는 'The Easy Winners'-영화의 사기꾼 철학에 적합-'파인애플 래그' 'Gladiolus Rag' 'Rag Time Dance' 등이 있다.

피아노와 오케스트라 버전 모두에서 특징을 이루는 'Solace'에 특별한 언급이 있어야 한다.

Among other Joplin rags featured are The Easy Winners-appropriate to the film's conman philosophy, the Pineapple Rag, Gladiolus Rag, Rag Time Dance and special mention must go to Solace which features in both piano and orchestral versions.

이 잊혀지지 않는 멜로디 분위기는 대공황 동안 존재하는 실제 어려움을 포착하는 것처럼 보이고 있다.
다른 래그의 쾌활한 자신감에 신랄한 균형을 이루고 있다.

The mood of this haunting melody seems to capture the real hardships present during the Depression and acts as a poignant counterbalance to the jaunty confidence of the other rags.

4. 'Ragtime'은 무엇인가?

'Ragtime'은 'rag-time' 또는 'rag time'이라고도 한다.
1895년에서 1919년 사이 최고의 인기를 누렸던 음악 스타일이다.

Ragtime also spelled rag-time or rag time is a musical style that enjoyed its peak popularity between 1895 and 1919.

그것의 기본적인 특성은 그것의 당김음 또는 '래그' 리듬이다.
'래그타임'은 1917년 조플린이 사망한 후 제임스 스코트와 조셉 램이 살아남은 래그타임 작곡가 스코트 조플린과 그의 클래식 '래그타임 학교'에 의해 20세기 초에 대중화 된다.

It's cardinal trait is its syncopated or 'ragged' rhythm.

Ragtime was popularized during the early 20th century by ragtime composer Scott Joplin and his school of classical ragtime which was survived by James Scott and Joseph Lamb after Joplin's death in 1917.

'Maple Leaf Rag' 'The Entertainer' 'Fig Leaf Rag' 'Frog Legs Rag' 및 'Sensation Rag'는 장르의 가장 인기 있는 노래 중 한 곡이다.

'Ragtime'은 재즈의 직접적인 선구자였다.

Maple Leaf Rag, The Entertainer, Fig Leaf Rag, Frog Legs Rag and Sensation Rag among others are among the most popular songs of the genre.

Ragtime was an immediate precursor to jazz.

5. '래그타임 송 Ragtime song'이란?

'래그타임 ragtime'의 보컬 형식이다.

'쿤 송 coon song'보다 주제가 더 일반적이다.

이것은 당시 가장 일반적으로 '래그타임'으로 간주되었던 음악 형식이었다.

the vocal form of ragtime, more generic in theme than the coon song.

Though this was the form of music most commonly considered 'ragtime' in its day.

오늘날 많은 사람들이 '대중음악' 범주에 넣는 것을 선호하고 있다.

many people today prefer to put it in the 'popular music' category.

어빙 버린은 '래그타임' 노래의 상업적으로 가장 성공한 작곡가였다. 그의 'Alexander's Ragtime Band'(1911)는 사실상 래그타임 싱코페이션이 없음에도 불구하고 이러한 종류의 가장 널리 연주되고 녹음된 곡이다.

〈스팅〉. © Universal Pictures

Irving Berlin was the most commercially successful composer of ragtime songs and his 'Alexander's Ragtime Band' (1911) was the single most widely performed and recorded piece of this sort, even though it contains virtually no ragtime syncopation.

진 그린은 이 스타일로 유명한 가수였다.

Gene Greene was a famous singer in this style.

6. 래그 'The Entertainer'는?

'Entertainer'는 스코트 조플린이 쓴 1902년 클래식 피아노 래그이다.
처음에는 악보로 판매되었다.
1910년대에는 연주자 피아노에서 연주되는 피아노 롤로 판매된다.

'The Entertainer' is a 1902 classic piano rag written by Scott Joplin. It was sold first as sheet music and in the 1910s as piano rolls that would play on player pianos.

첫 번째 녹음은 1928년 블루스 및 래그타임 음악가인 블루 보이스가 만돌린과 기타로 연주한 것이다.

The first recording was by blues and ragtime musicians the Blue Boys in 1928 played on mandolin and guitar.

'래그타임' 고전 중 하나인 이 곡은 1973년 오스카상을 수상한 영화 〈스팅 The Sting〉 테마 음악으로 사용되면서 1970년대 래그타임 부흥의 일환으로 국제적 명성을 되찾는다.

As one of the classics of ragtime, it returned to international prominence as part of the ragtime revival in the 1970s when it was used as the theme music for the 1973 Oscar-winning film The Sting.

작곡가이자 피아니스트 마빈 햄리시의 각색은 빌보드 팝 차트에서 3위에 오른다. 1974년에는 이지 리스닝 차트에서 1주 1위를 차지한다.

Composer and pianist Marvin Hamlisch's adaptation reached #3 on the Billboard pop chart and spent a week at #1 on the easy listening chart in 1974.

〈스팅〉은 1930년대를 배경으로, '래그타임'의 주류 인기가 끝난 후 세대여서 당시 '래그타임' 음악이 유행했다는 잘못된 인상을 주게 된다.

The Sting was set in the 1930s, a full generation after the end of ragtime's mainstream popularity thus giving the inaccurate impression that ragtime music was popular at that time.

미국 음반 산업 협회(Recording Industry Association of America)는 '세기의 노래' 목록에서 이 곡을 10위로 선정한다.

The Recording Industry Association of America ranked it #10 on its 'Songs of the

Century' list.

Track listing

1. Solace-Orchestra Version
2. The Entertainer-Orchestra Version
3. Easy Winners
4. Hooker's Hooker
5. Luther
6. Pine Apple Rag-Gladiolus Rag
7. The Entertainer-Piano Version
8. The Glove
9. Little Girl-Violin Solo featuring Bobby Bruce
10. Pine Apple Rag
11. Merry-Go-Round Music, Listen To The Mocking Bird-Darling Nellie Grey -Turkey In The Straw
12. Solace-Piano Version
13. The Entertainer-Rag Time Dance

〈스팅〉 사운드트랙. © MCA Records

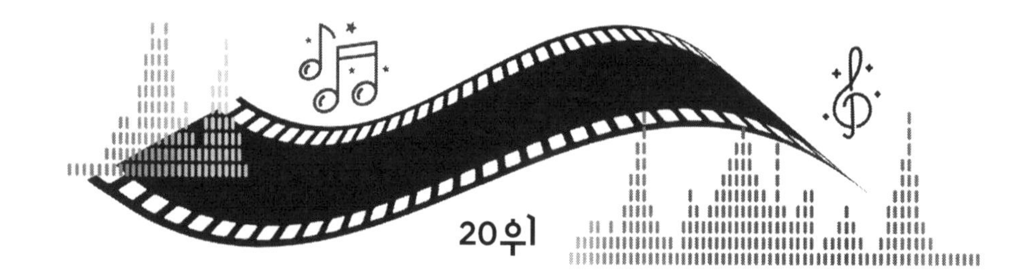

<제3의 사나이 The Third Man>(1949) - 안톤 카라스가 펼쳐주는 신비로운 지터 악기의 세계

작곡: 안톤 카라스 Anton Karas

안톤 카라스의 경쾌한 멜로디 지터 악기 연주를 선보여 청각을 자극시켰던 〈제3의 사나이〉. © Rialto Pictures/ Studiocanal

1. <제3의 사나이> 버라이어티 평

〈제3의 사나이〉는 1949년 캐롤 리드가 감독하고 그래함 그린이 각본을 썼다. 조셉 코튼, 알리다 밸리, 오손 웰즈, 트레버 하워드 등이 출연한 영국 영화 느와르이다. 2차 대전 전후 비엔나를 배경으로 한 영화는 친구 해리 라임(웰스)과 함께 일자리를 수락하기 위해 도시에 도착한 미국인 홀리 마틴(코튼)이 라임이 죽었다는 소식을 듣게 되는 이야기를 묘사해 주고 있다.

The Third Man is a 1949 British film noir directed by Carol Reed written by Graham Greene and starring Joseph Cotten, Alida Valli, Orson Welles and Trevor Howard. Set in postwar Vienna, the film centres on American Holly Martins (Cotten) who arrives in the city to accept a job with his friend Harry Lime (Welles), only to learn that Lime has died.

그의 죽음이 의심스럽다고 생각한 마틴은 비엔나에 남아 그 문제를 조사하기로 결정하게 된다.

Viewing his death as suspicious, Martins elects to stay in Vienna and investigate the matter.

거친 조명과 왜곡된 '사각(斜角) 앵글' 카메라 기법을 사용한 로버트 크라스커(Robert Krasker)의 흑백 표현주의 촬영법의 분위기 있는 사용은 〈제3의 사나이〉의 주요 특징이 되고 있다.

The atmospheric use of black-and-white expressionist cinematography by Robert Krasker with harsh lighting and distorted 'Dutch angle' camera technique, is a major feature of The Third Man.

상징적 테마 음악, 초라한 장소 및 캐스트의 찬사를 받은 공연과 결합된 스타일은 냉전이 시작될 때 지치고 냉소적인 전후 비엔나 분위기를 불러 일으키고 있다.

Combined with the iconic theme music, seedy locations and acclaimed performances from the cast, the style evokes the atmosphere of an exhausted, cynical post-war Vienna at the start of the Cold War.

대중 소설가 홀리 마틴. 어두운 2차 대전 이후 비엔나로 여행을 갔다가 오랜 친구 해리 라임의 미스터리한 죽음을 조사하게 된다.

Pulp novelist Holly Martins travels to shadowy postwar Vienna only to find himself investigating the mysterious death of an old friend, Harry Lime.

실직한 펄프 픽션 소설가 홀리 마틴스.
전쟁이 끝난 후 비엔나에 도착한다. 그곳은 승리한 동맹국에 의해 여러 구역으로 나뉘어서 공급 부족으로 암시장이 번창하고 있었다.

An out of work pulp fiction novelist, Holly Martins, arrives in a post war Vienna divided into sectors by the victorious allies and where a shortage of supplies has led to a flourishing black market.

그는 직업을 제안한 전 학교 친구 해리 라임의 초대를 받고 현지에 도착한다.
하지만 라임이 최근에 이상한 교통사고로 사망했다는 것을 알게 된다.

He arrives at the invitation of an ex-school friend Harry Lime who has offered him a job, only to discover that Lime has recently died in a peculiar traffic accident.

마틴은 라임의 친구 및 동료들과 이야기 하다가 곧 일부 이야기가 일관성이 없다는 것을 알아차린다.

해리 라임에게 실제로 무슨 일이 일어났는지 알아내기로 결심하게 된다.

From talking to Lime's friends and associates Martins soon notices that some of the stories are inconsistent and determines to discover what really happened to Harry Lime.

〈제3의 사나이〉. © Rialto Pictures/ Studiocanal

2. <제3의 사나이> 사운드트랙 리뷰

안톤 카라스는 지터만 포함된 악보를 작곡하고 연주한다.

타이틀 곡 'The Third Man Theme' 1950년에 국제 음악 차트 1위를 차지한다. 이전에 알려지지 않은 연주자에게 국제적인 명성을 가져다주게 된다.

Anton Karas wrote and performed the score which featured only the zither. The title music 'The Third Man Theme' topped the international music charts in 1950, bringing the previously unknown performer international fame.

주제는 또한 〈달콤한 인생 La Dolce Vita〉(1960)에서 니노 로타의 주요 멜로디에 영감을 주게 된다. 〈제3의 사나이〉는 연기, 배경 음악, 분위기 있는 촬영법으로 유명세를 얻으면서 역사상 가장 위대한 영화 중 한 편으로 평가 받는다.

the theme would also inspire Nino Rota's principal melody in La Dolce Vita (1960). The Third Man is considered one of the greatest films of all time, celebrated for its acting, musical score and atmospheric cinematography.

안톤 카라스는 악보를 작곡하고 지터로 연주한다. 비엔나에서 영화가 제작되기 전에 카라스는 지역 후리거 Heurigers에서 알려지지 않은 공연자였다.

Anton Karas composed the musical score and performed it on the zither.

Before the production came to Vienna, Karas was an unknown performer in local Heurigers.

이 영화는 2차 세계 대전 이후 비엔나에 적합한 음악을 요구하게 된다.

리드 감독은 과도하게 편성된 왈츠를 피하기로 결정했다.

The picture demanded music appropriate to post-World War II Vienna but director Reed had made up his mind to avoid schmaltzy, heavily orchestrated waltzes.

어느 날 밤 리드 감독은 비엔나에서 와인 정원 지터 연주자 안톤 카라스의 음악을 듣고 그의 음악의 요란한 우울에 매료됐다고 한다.

In Vienna one night Reed listened to a wine-garden zitherist named Anton Karas and was fascinated by the jangling melancholy of his music.

가이 해밀튼 감독에 따르면 리드 감독은 비엔나 파티장에서 우연히 카라스를 만났고 그곳에서 카라스는 지터를 연주했다고 한다. 리드는 카라스를 런던으로 데려온다. 그곳에서 뮤지션은 리드와 함께 6주 동안 스코어 작업을 하게 된다.

카라스는 그동안 리드의 집에 머물렀다고 한다.

According to Guy Hamilton, Reed met Karas by coincidence at a party in Vienna where he was playing the zither. Reed brought Karas to London where the musician worked with Reed on the score for six weeks.

Karas stayed at Reed's house during that time.

영화 비평가 로저 에버트는 '캐롤 리드의 〈제3의 사나이〉 보다 음악이 액션에 더 잘 어울리는 영화가 있을까?' 라고 썼다.

Film critic Roger Ebert wrote 'Has there ever been a film where the music more perfectly suited the action than in Carol Reed's The Third Man?'

영화의 추가 음악은 오스트레일리아 태생 작곡가 휴버트 클리포드가 마이클 사스필드라는 가명으로 작곡했다고 한다.

1944년부터 1950년까지 클리포드는 런던 필름 프로덕션에서 코르다 감독의 음악 감독으로 일하면서 작곡가를 선택하고 영화 배경 음악을 지휘하는 동시에 자신의 많은 독창적인 스코어를 작곡한다.

Additional music for the film was written by the Australian born composer Hubert Clifford under the pseudonym of Michael Sarsfield.

From 1944 until 1950 Clifford was working as Musical Director for Korda at London Film Productions where he chose the composers and conducted the scores for films as well as composing many original scores of his own.

3. <제3의 사나이> 사운드트랙 해설 - 빌보드

'The Third Man Theme'는 1949/1950년 싱글로 발매되었다. 영국의 Decca, 미국의 런던 레코드. 음반은 베스트셀러가 되었다. 1949년 11월까지 영국에서 300,000장의 음반이 팔렸고 10대 마가렛 공주가 팬으로 보고되었다.

〈제3의 사나이〉. © Rialto Pictures/ Studiocanal

'The Third Man Theme' was released as a single in 1949/50. Decca in the UK, London Records in the US. It became a best-seller; by November 1949, 300,000 records had been sold in Britain, with the teen-aged Princess Margaret a reported fan.

1950년 미국에서 발매된 'The Third Man Theme'는 4월 29일부터 7월 8일까지 빌보드 미국 베스트셀러 차트에서 11주 동안 머문다.

Following its release in the US in 1950 'The Third Man Theme' spent 11 weeks at number one on Billboard's US Best Sellers in Stores chart from 29 April to 8 July.

안톤 카라스가 언론을 통해 알려지면서 국제적인 스타로 만들었다.

영화 예고편에는 '안톤 카라스의 유명한 음악이 관객들을 지터 음악과 함께하게 만들 것'이라고 언급된다.

The exposure made Anton Karas an international star and the trailer for the film stated that 'the famous musical score by Anton Karas would have the audience in a dither with his zither.'

4. 'The Third Man Theme/ The Harry Lime Theme' 작곡 에피소드

'The Third Man Theme/ The Harry Lime Theme'은 1949년 영화 〈제3

의 사나이〉 사운드트랙을 위해 안톤 카라스가 작곡하고 연주한 기악곡이다.

The Third Man Theme also known as The Harry Lime Theme is an instrumental written and performed by Anton Karas for the soundtrack to the 1949 film The Third Man.

비엔나 로케이션에서 〈제3의 사나이〉를 촬영하는 긴 하루를 보낸 후 어느 날 밤 리드 감독과 출연진 조셉 코튼, 알리다 밸리 및 오손 웰즈 등은 저녁 식사를 하고 와인 저장고에서 자리를 뜨게 된다.

One night after a long day of filming The Third Man on location in Vienna, Reed and cast members Joseph Cotten, Alida Valli and Orson Welles had dinner and retired to a wine cellar.

전쟁 전 분위기를 간직하고 있는 비스트로에서는 단지 팁을 위해 연주하고 있던 40세 안톤 카라스(Anton Karas)의 지터 음악을 듣게 된다.

리드는 이것이 영화를 위해 원하는 음악이라는 것을 즉시 깨닫게 된다.

In the bistro which retained the atmosphere of the pre-war days, they heard the zither music of Anton Karas a 40-year-old musician who was playing there just for the tips. Reed immediately realized that this was the music he wanted for his film.

카라스는 독일어만 구사했다. 리드의 일행은 아무도 말하지 않았다.

하지만 동료들은 리드 감독이 〈제3의 사나이〉 사운드트랙을 작곡하고 연주하자며 음악가에게 제안한 내용을 번역하게 된다.

카라스는 영국으로 여행을 가야 해서 꺼려했지만 결국 수락하게 된다.

Karas spoke only German which no one in Reed's party spoke but fellow customers translated Reed's offer to the musician that he compose and perform the soundtrack for The Third Man.

Karas was reluctant since it meant traveling to England but he finally accepted.

카라스는 쉐퍼튼 스튜디오에서 전체 영화를 옮긴 뒤 6주 동안 〈제3의 사나이〉에서 들은 40분 분량 음악을 작곡하고 녹음하게 된다.

Karas wrote and recorded the 40 minutes of music heard in The Third Man over a six-week period, after the entire film was translated for him at Shepperton Studios.

'The Third Man Theme'로 유명해진 작곡은 카라스의 레퍼토리에 오랫동안 포함되었지만 15년 동안 연주하지 않았다.
'카페에서 놀면 아무도 듣지 않는다.'

The composition that became famous as 'The Third Man Theme' had long been in Karas's repertoire but he had not played it in 15 years.
'When you play in a café, nobody stops to listen.'

카라스는 말했다. '이 곡은 손이 많이 가는 곡이다. 나는 밤새도록 소시지를 먹으면서 부를 수 있는 'Wien, Wien'을 더 좋아한다.'

Karas said. 'This tune takes a lot out of your fingers. I prefer playing 'Wien, Wien'. the sort of thing one can play all night while eating sausages at the same time.'

작가이자 비평가 루디 블레시에 따르면, 이 곡은 프랭크 X. 맥파덴이 1899년 미주리 주 캔자스 시티에서 출판한 래그타임 피아노 곡 'Rags to Burn'의 메인 테마와 동일하다고 한다.

According to writer and critic Rudi Blesh, the tune is identical to the main theme of 'Rags to Burn' a ragtime piano piece credited to Frank X. McFadden and published in Kansas City, Missouri, in 1899.

'The Third Man Theme'은 매우 두드러져 진동하는 지터 현(鉉)에서 연주되는 이미지가 영화 메인 타이틀 시퀀스 배경이 되고 있다.

So prominent is 'The Third Man Theme' that the image of its performance on the vibrating strings of the zither provides the background for the film's main title sequence.

〈제3의 사나이〉. © Rialto Pictures/Studiocanal

〈제3의 사나이〉가 개봉됐을 때 전체 사운드트랙 앨범이 발매될 준비가 되었다. 하지만 그다지 관심이 없었다. 대신 음반사는 눈에 띄는 메인 테마에 집중하여 싱글로 출반한다. 'The Third Man Theme' 레코드는 영화 개봉 몇 주 만에 50만 장 이상이 판매된다.

The full soundtrack album was ready for release when The Third Man came out but there was not a lot of interest in it. Instead, labels focused on the catchy main theme and released it as a single. More than half a million copies of 'The Third Man Theme' record were sold within weeks of the film's release.

이 곡은 원래 '해리 라임 테마'로 알려진 영국에서 1949년에 발매된다.

The tune was originally released in the UK in 1949, where it was known as 'The Harry Lime Theme.'

이러한 성공은 영화 주제곡을 싱글로 발매하는 추세로 이어지게 된다. 가이 롬바르도의 기타 버전도 강력하게 판매된다. 1950년 동안 미국 차트에는 4개의 다른 버전이 진입한다.

Its success led to a trend in releasing film theme music as singles. A guitar version by Guy Lombardo also sold strongly. Four other versions charted in the US during 1950.

파버와 파버에 따르면 테마의 다른 버전은 총 4천만장이 팔린 것으로 추정되고 있다.

According to Faber and Faber, the different versions of the theme have collectively sold an estimated forty million copies.

영화 사운드트랙에서 발췌한 지터 기반 안톤 카라스 버전은 1949년 데카 레코드에서 다른 카탈로그 번호로 유럽 전역에 출반된다. A면에 'The Harry Lime theme', B면에 'The Cafe Mozart Waltz'가 있는 10인치 78rpm 싱글이었다. 이것은 유럽 청취자들이 듣는 가장 일반적인 버전이 되었다.

The zither-based Anton Karas version excerpted from the film soundtrack was released by Decca in 1949 across Europe with different catalog numbers. It was a 10-inch 78 rpm single with 'The Harry Lime theme' on the A side and 'The Cafe Mozart Waltz' on the B side. This became the most common version heard by European listeners.

카라스 또한 1951-1952년 신디케이트 라디오 시리즈인 런던에서 제작된 〈제 3의 사나이〉 프리퀄 〈해리 라임의 모험 The Adventures of Harry Lime〉을 위해 'The Third Man Theme' 및 기타 지터 음악을 연주한다.
오손 웰즈는 해리 라임으로 자신의 역할을 되풀이한다.

Karas also performed 'The Third Man Theme' and other zither music for the 1951-1952 syndicated radio series The Adventures of Harry Lime, a Third Man prequel produced in London. Orson Welles reprised his role as Harry Lime.

웰즈의 전기 작가 조셉 맥브라이드는 '그가 그 해에 식당에 들어갈 때마다 밴드는 안톤 카라스의 'Third Man Theme'을 연주했다'고 썼다.

'Whenever he entered a restaurant in those years, the band would strike up Anton Karas's 'Third Man Theme' wrote Welles biographer Joseph McBride.

5. 'The 3rd Man theme'의 다양한 버전과 활용 사례들

- 1949년 12월 9일 가이 롬바로와 그의 로얄 캐나디안 Guy Lombardo and His Royal Canadians이 기타 버전으로 발매, 미국 음악 팬들의 환대를 받아낸다.

- 1955년 재즈 뮤지션 쳇 아트킨 Chet Atkins의 기타 버전이 그의 앨범 'Stringin Along with Chet Atkins'에 수록된다.

- 1955년 코미디언 빅터 보그 Victor Borge가 피아노 버전으로 연주한 곡을 앨범 'Caught in the Act'를 통해 발표한다.

- 1958년 러스 콘웨이 Russ Conway이 홍키 통크 피아노 버전 a honky tonk piano version으로 'The Harry Lime theme'을 발매한다.

- 1965년 허브 알퍼트와 티후아나 브라스 밴드 Herb Alpert & The Tijuana Brass가 라틴 취향의 브라스 버전으로 녹음해서 앨범 'Going Places!'을 통해 발표한다.

이 곡은 1965년 빌보드 핫 100 47위까지 진입한다.

- 1973년 '더 밴드 The Band'가 연주한 곡이 앨범 'Moondog Matinee'에 수록된다.

- 1981년 그룹 '더 섀도우 The Shadows'가 2장 짜리 앨범 'Hits Right Up Your Street'를 통해 수록한다. 1981년 5월 영국 싱글 차트 44위까지 랭크된다.

- 'The Third Man Theme'은 영화 리뷰 프로그램 '에버트 프레즌트: 엣 더 무비 Ebert Presents: At the Movies' 타이틀 음악으로 활용된다.

- 1950년 마이클 카 Michael Carr와 잭 골든 Jack Golden이 노랫말을 추가시켜 싱글 'The Zither Melody: song version of The Harry Lime Theme/ The Third Man'를 발표한다.

- 1950년 미국 작가이자 역사학자 월터 로드 Walter Lord가 노랫말을 붙인 'The Third Man Theme'을 발표한다.

- 1950년 5월 5일 '돈 체리와 빅터 영 오케스트라 Don Cherry and The Victor Young Orchestra 버전의 연주곡이 발표된다.

- 'The Third Man Theme'은 일본 음악 시장에서는 'Ebisu Beer Theme'으로 널리 알려지게 된다. 이것은 '에비수 맥주 광고 음악 Ebisu beer commercials'으로 활용됐기 때문이다.

- 일본 지하철 중 JR 야마노트 선(線) JR Yamanote line 중 에비수 역 Ebisu Station을 비롯해 사이쿄 라인 Saikyo Line, 소난-신주쿠 라인 Shōnan-

Shinjuku Line 등에서는 지하철이 출발하는 신호로 'The Third Man Theme'을 활용하고 있다.

Track listing

1. The Third Man Theme Performed by Anton Karas on a zither
2. Managua, Nicaragua Music by Irving Fields
3. Das Alte Lied Music by Henry Love

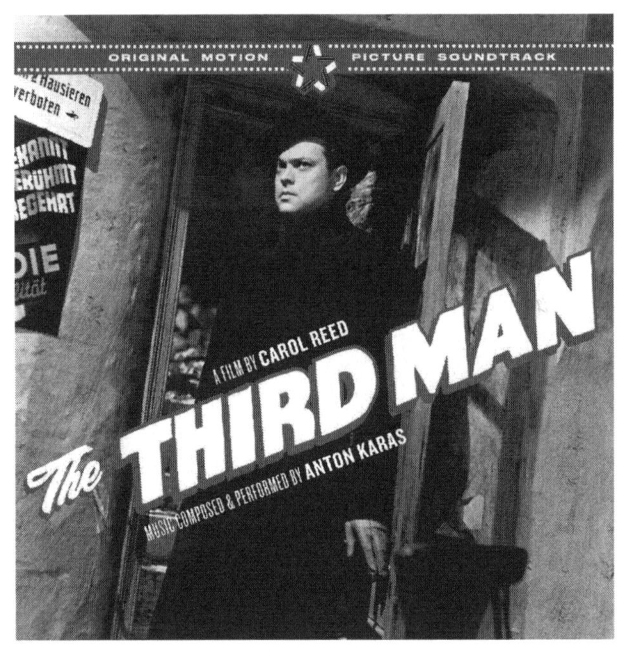

〈제3의 사나이〉 사운드트랙. © Soundtrack Factory

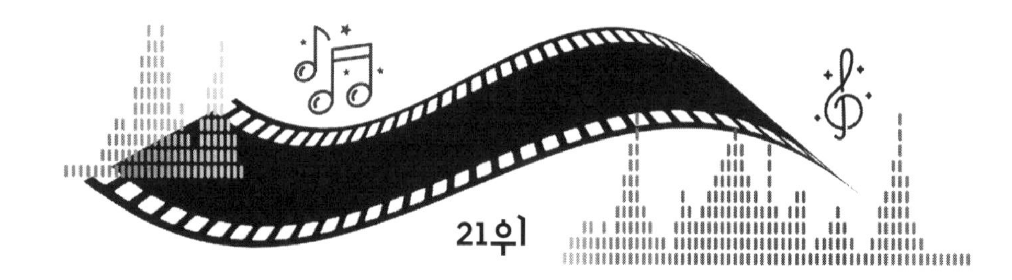

<착한 놈, 나쁜 놈, 추한 놈 The Good, the Bad and the Ugly/ Il buono, il brutto, il cattivo>(1966) - 엔니오 모리코네가 들려주는 마카로니 웨스턴 사운드

작곡: 엔니오 모리코네 Ennio Morricone

엔니오 모리코네의 불멸의 마카로니 웨스턴 주제 음악으로 환대 받고 있는 〈좋은 놈, 나쁜 놈, 추한 놈〉. © United Artists, MGM

1. <좋은 놈, 나쁜 놈, 추한 놈> 버라이어티 평

〈좋은 놈, 나쁜 놈, 추한 놈〉은 세르지오 레오네가 감독하고 클린트 이스트우드가 좋은 놈, 리 반 클리프가 나쁜 놈, 엘리 왈리치가 추한 놈으로 주연을 맡은 1966년 이태리 서사시 스파게티 서부 영화다.

The Good, the Bad and the Ugly is a 1966 Italian epic spaghetti Western film directed by Sergio Leone and starring Clint Eastwood as 'the Good', Lee Van Cleef as 'the Bad' and Eli Wallach as 'the Ugly.'

촬영 감독 토니노 델리 콜리(Tonino Delli Colli)는 이 영화의 전면적인 와이드스크린 촬영을 담당하고 있다. 엔니오 모리코네(Ennio Morricone)는 주요 주제를 포함한 영화의 음악을 작곡했다.

Director of photography Tonino Delli Colli was responsible for the film's sweeping widescreen cinematography and Ennio Morricone composed the film's score including its main theme.

영화는 레오네 감독의 롱 샷과 클로즈 업 촬영법, 그리고 독특한 폭력성, 긴장, 고도로 양식화된 총격전을 사용하는 것으로 유명하다.

The film is known for Leone's use of long shots and close-up cinematography as well as his distinctive use of violence, tension and highly stylised gunfights.

〈좋은 놈, 나쁜 놈, 추한 놈〉은 달러 3부작의 세 번째이자 마지막 작품이다. 〈황야의 무법자 A Fistful of Dollars〉와 〈석양의 건맨 For Fear Dollars More〉에 이어 3번째이자 마지막 작품으로 판매된다.

The Good, the Bad and the Ugly was marketed as the third and final installment in the Dollars Trilogy following A Fistful of Dollars and For a Few Dollars More.

영화는 박스 오피스에서 2,500만 달러 이상을 벌어들인 재정적 성공을 거두었다. 클린트 이스트우드를 스타덤에 올려놓은 공로를 인정받고 있다.

The film was a financial success, grossing over $25 million at the box office and is credited with having catapulted Clint Eastwood into stardom.

현상금 사냥 신용 사기는 두 남자가 불안한 동맹을 맺고 외딴 묘지에 묻힌 금으로 된 재산을 찾기 위해 제 3의 인물과 경쟁하게 된다.

A bounty hunting scam joins two men in an uneasy alliance against a third in a race to find a fortune in gold buried in a remote cemetery.

착한 놈 블론디(클린트 이스트우드)는 몇 달러를 벌기 위해 밖으로 나돌아 다니는 전문 총잡이다. 엔젤 아이즈, 나쁜 놈(리 반 클리프)은 돈을 받는 한 항상 임무에 전념하고 끝을 보게 되는 암살자이다.

Blondie, The Good (Clint Eastwood) is a professional gunslinger who is out trying to earn a few dollars. Angel Eyes, The Bad (Lee Van Cleef) is a hitman who always commits to a task and sees it through as long as he's paid to do so.

그리고 추한 놈 투코(엘리 왈리치)는 자신의 안전만을 생각하는 수배된 무법자다. 투코와 블론디는 투코의 현상금으로 돈을 버는 파트너십을 공유하게 된다. 하지만 블론디가 파트너십을 해제하자 투코는 블론디의 추격에 나서게 된다.

And Tuco, The Ugly (Eli Wallach) is a wanted outlaw trying to take care of his own hide. Tuco and Blondie share a partnership making money off of Tuco's bounty but when Blondie unties the partnership, Tuco tries to hunt down Blondie.

〈좋은 놈, 나쁜 놈, 추한 놈〉. © United Artists, MGM

블론디와 투코는 시체가 실린 마차를 발견하게 된다. 곧 유일한 생존자 빌 카슨(안토니오 카살)로부터 그와 몇 명의 다른 사람들이 공동묘지에 금을 묻었다는 것을 알게 된다.

When Blondie and Tuco come across a horse carriage loaded with dead bodies, they soon learn from the only survivor, Bill Carson (Antonio Casale), that he and a few other men have buried a stash of gold in a cemetery.

불행히도 카슨은 죽고 투코는 묘지의 이름만 알아내고 블론디는 무덤에서 이름을 알아낸다. 이제 두 사람은 금을 찾기 위해 서로를 살려야 한다.

Unfortunately, Carson dies and Tuco only finds out the name of the cemetery while Blondie finds out the name on the grave.

Now the two must keep each other alive in order to find the gold.

빌 카슨을 찾고 있던 엔젤 아이즈는 투코와 블론디가 카슨을 만났고 금괴가 어디에 있는지 알고 있다는 정보를 알아낸다.

Angel Eyes who had been looking for Bill Carson discovers that Tuco and Blondie met with Carson and knows they know where the gold is

이제 그는 그들이 그를 그곳으로 이끌 필요가 있다. 이제 좋은 놈, 나쁜 놈,

추한 놈은 모두 20만 달러 상당의 금을 손에 넣기 위해 싸워야 한다.

now he needs them to lead him to it. Now The Good, the Bad, and the Ugly must all battle it out to get their hands on $200,000 worth of gold.

2. <좋은 놈, 나쁜 놈, 추한 놈> 사운드트랙 리뷰

배경 음악은 레오네 감독의 빈번한 공동 작업자 엔니오 모리코네가 작곡했다. 〈좋은 놈, 나쁜 놈, 추한 놈〉은 이전에 두 사람이 어떻게 협력했는지에 대한 이전 관습을 깨뜨렸다. 후반 작업 단계에서 스코어를 매기는 대신 촬영이 시작되기 전에 함께 주제를 작업하기로 결정한 것이다. 이것은 영화가 음악에 영감을 주기보다 음악이 영화에 영감을 주도록 하기 위함이었다.

The score is composed by frequent Leone collaborator Ennio Morricone.
The Good, the Bad and the Ugly broke previous conventions on how the two had previously collaborated. Instead of scoring the film in the post-production stage, they decided to work on the themes together before shooting had started. this was so that the music helped inspire the film instead of the film inspiring the music.

레오네는 심지어 세트에서 음악을 연주하고 음악에 맞게 카메라 움직임을 조정했다.

Leone even played the music on set and coordinated camera movements to match the music.

에다 델오르소의 독특한 보컬은 'The Ecstasy of Gold' 작곡 전체에 스며드는 소리를 들을 수 있다. 기타리스트 브루노 바티스티 다모리오의 독특한 사운드는 'The Sundown'과 'Padre Ramirez' 배경 음악에서 들을 수 있다.

The distinct vocals of Edda Dell'Orso can be heard permeating throughout the composition 'The Ecstasy of Gold'. The distinct sound of guitarist Bruno Battisti D'Amorio can be heard on the compositions 'The Sundown' and 'Padre Ramirez.'

트럼펫 연주자 미쉘 라세렌자와 프란체스코 카타니아는 'The Trio'를 통해 들을 수 있다.

Trumpet players Michele Lacerenza and Francesco Catania can be heard on 'The Trio.'

가사가 있는 유일한 노래는 토미 코너가 작사한 'The Story of the Soldier' 이다.

The only song to have a lyric is 'The Story of a Soldier', the words of which were written by Tommie Connor.

총성(銃聲), 휘파람(존 오닐), 요들링을 포함하는 모리코네의 독특하고 독창적인 구성이 영화에 스며들고 있다. 메인 테마는 코요테의 울부짖음-오프닝 크레디트 후 첫 장면에서 실제 코요테의 울부짖음과 혼합-을 닮은, 빈번한 모티프이며 3명의 주인공에게 사용되는 2피치 멜로디다.

Morricone's distinctive original compositions, containing gunfire, whistling (by John O'Neill) and yodeling permeate the film. The main theme, resembling the howling of a coyote-which blends in with an actual coyote howl in the first shot after the opening credits-is a two-pitch melody that is a frequent motif and is used for the

〈좋은 놈, 나쁜 놈, 추한 놈〉. © United Artists, MGM

three main characters.

블론디는 플루트, 엔젤 아이즈는 오카리나, 투코는 사람 목소리로 각각 다른 악기를 사용하고 있다.

A different instrument was used for each. flute for Blondie, ocarina for Angel Eyes and human voices for Tuco.

이 배경 음악은 투코가 엔젤 아이즈에게 고문 당하는 동안 죄수들이 부르는 애절한 발라드 'The Story of the Soldier'가 포함된 영화의 미국 남북 전쟁 설정을 보완해주고 있다.

The score complements the film's American Civil War setting containing the mournful ballad 'The Story of a Soldier' which is sung by prisoners as Tuco is being tortured by Angel Eyes.

영화의 클라이맥스는 3방향 멕시코 대치로 'The Ecstasy of Gold 멜로디로 시작해서 'The Trio'-모리코네의 이전 작품 〈석양의 건맨 For Few Dollars More〉에 대한 음악적 암시가 포함-로 이어지고 있다.

The film's climax, a three-way Mexican standoff begins with the melody of 'The Ecstasy of Gold' and is followed by 'The Trio'-which contains a musical allusion to Morricone's previous work on For a Few Dollars More.

'The Ecstasy of Gold'는 〈좋은 놈, 나쁜 놈, 추한 놈〉에 사용된 곡의 제목이다. 모리코네가 작곡한 이 곡은 영화의 배경 음악에서 그의 가장 확고한 작품 중

한 곡이다.

'The Ecstasy of Gold' is the title of a song used within The Good, The Bad and the Ugly. Composed by Morricone, it is one of his most established works within the film's score.

노래는 대중문화에서 오랫동안 사용된다.
이 노래는 이태리 여성 보컬 에다 델오르소의 보컬이 특징이다.
보컬과 함께 피아노, 드럼, 클라리넷과 같은 악기가 노래에 등장하고 있다.

The song has long been used within popular culture. The song features the vocals of Edda Dell'Orso an Italian female vocalist. Alongside vocals, the song features musical instruments such as the piano, drums and clarinets.

영화에서 투코라는 캐릭터가 황홀하게 금을 찾고 있을 때 이 노래가 재생되기 때문에 이 노래의 이름이 'The Ecstasy of Gold'이다.

The song is played in the film when the character Tuco is ecstatically searching for gold, hence the song's name 'The Ecstasy of Gold.'

'The Good, Bad and Ugly'라는 제목의 메인 테마는 1968년에 사운드트랙 앨범으로 1년 이상 차트에서 히트를 쳤다.
빌보드 팝 앨범 차트에서 4위에 올랐다. 블랙 앨범 차트에서는 10위.

The main theme, also titled 'The Good, the Bad and the Ugly' was a hit in 1968 with the soundtrack album on the charts for more than a year, reaching No. 4 on the Billboard pop album chart and No. 10 on the black album chart.

메인 테마는 휴고 몬테네그로 악단의 히트곡이기도 했다.

그의 연주는 1968년 빌보드 팝 싱글 2위에 오른다.

The main theme was also a hit for Hugo Montenegro whose rendition was a No. 2 Billboard pop single in 1968.

3. 'The Ecstasy of Gold'가 음악계에 끼친 사례와 에피소드

- 이 노래는 라이브 쇼를 시작하고 노래를 커버하기까지 노래를 사용했던 록 밴드 메탈리카와 같은 아티스트에 의해 활용되었다.

the song has been utilized by such artists as Metallica who have used the song to open up their live shows and have even covered the song.

- 라모네스와 같은 다른 밴드는 그들의 앨범과 라이브 쇼에서 이 노래를 선보였다. 이 노래는 또한 힙-합 장르 내에서 샘플링 되었다. 특히 '임모탈 테크닉 Immortal Technique' 및 제이-지 Jay-Z와 같은 래퍼가 사용했다.

Other bands such as the Ramones have featured the song in their albums and live shows. The song has also been sampled within the genre of Hip Hop most notably by rappers such as Immortal Technique and Jay-Z.

- 'The Ecstasy of Gold'는 또한 로스 엔젤레스 축구 클럽에서 홈경기를 개최할 때 의식적으로 사용되고 있다.

The Ecstasy of Gold has also been used ceremoniously by the Los Angeles Football Club to open home games.

- 미국의 뉴 웨이브 그룹 월 오브 부두는 이 영화 주제를 포함하여 엔니오 모리코네 영화 주제를 메들리로 연주해 주었다. 라이브 공연 실황을 담은 'The Index Masters'에 유일하게 녹음되어 있다.

〈좋은 놈, 나쁜 놈, 추한 놈〉. © United Artists, MGM

the American new wave group Wall of Voodoo performed a medley of Ennio Morricone's movie themes including the theme for this movie.

The only known recording of it is a live performance on The Index Masters.

- 펑크 록 밴드 더 라몬스는 1996년 해체될 때까지 라이브 앨범 'Loco Live' 오프닝과 콘서트에서 이 곡을 연주했다. 영국 헤비메탈 밴드 모터헤드 Motörhead는 1981년 투어 공연 'No sleep til Hammersmith' 서곡 음악으로 연주했다.

Punk rock band the Ramones played this song as the opening for their live album Loco Live as well as in concerts until their disbandment in 1996.

The British heavy metal band Motörhead played the main theme as the overture music on the 1981 'No sleep til Hammersmith' tour.

- 미국 헤비메탈 밴드 메탈리카는 1985년부터 콘서트 전주곡으로 'The Ecstasy of Gold'를 연주해 주었다. 1996-1998년 제외.

2007년에는 모리코네에 대한 찬사를 위한 기악 버전을 녹음한다.

American heavy metal band Metallica has run 'The Ecstasy of Gold' as prelude music at their concerts since 1985, except 1996-1998 and in 2007 recorded a version of the instrumental for a compilation tribute to Morricone.

- 미국 펑크 록 밴드 더 반달스 The Vandals의 노래 'Urban Struggle'이 메인 테마와 함께 시작되고 있다. 영국 일렉트로니카 배우 밥 베이스 Bomb Bass는 1988년 싱글 'Beat Dis'의 여러 샘플 중 하나로 메인 테마를 사용했다.

1991년 앨범 'Unknown Territory' 오프닝 곡 'Throughout The Entire World'에 매달린 투코의 대화 섹션을 사용했다.

The American punk rock band The Vandals song 'Urban Struggle' begins with the main theme. British electronica act Bomb the Bass used the main theme as one of a number of samples on their 1988 single 'Beat Dis' and used sections of dialogue from Tuco's hanging on 'Throughout The Entire World'. the opening track from their 1991 album Unknown Territory.

- 〈황야의 무법자〉의 노새 대화 중 일부와 함께 이 대화는 빅 오디오 다이나마이트가 1986년 싱글 'Medicine Show'에서 샘플링 한다.

메인 테마는 1993년 싱글 'Ruined in a Day'의 앨범 버전을 위해 영국 밴드 뉴 오더에 의해 샘플링/ 재창조 되었다.

This dialogue along with some of the mule dialogue from Fistful of Dollars was also sampled by Big Audio Dynamite on their 1986 single Medicine Show.

The main theme was also sampled/re-created by British band New Order for the album version of their 1993 single 'Ruined in a Day.'

- 고릴라즈 밴드의 노래 이름은 'Clint Eastwood'이다. 주제가의 반복 샘플과 함께 배우에 대한 언급이 특징이다. 〈좋은 놈, 나쁜 놈, 추한 놈〉 배경 음악에 등장하는 상징적인 외침이 뮤직 비디오 시작 부분에서 들려오고 있다.

A song from the band Gorillaz is named 'Clint Eastwood' and features references to the actor, along with a repeated sample of the theme song.

the iconic yell featured in The Good, the Bad and the Ugly's score is heard at the beginning of the music video.

Track listing

1. The Good, the Bad and the Ugly
2. The Sundown
3. Sentenza
4. Fuga A Cavallo
5. Il Ponte di Corde
6. The Strong
7. Inseguimento
8. The Desert
9. The Carriage of the Spirits
10. La Missione San Antonio
11. Padre Ramirez
12. Marcia
13. The Story of a Soldier
14. Il Treno Militare
15. Fine di Una Spia
16. Il Bandito Monco
17. Due Contro Cinque
18. Marcia without Hope
19. The Death of a Soldier
20. The Ecstasy of Gold
21. The Trio

〈좋은 놈, 나쁜 놈, 추한 놈〉 사운드트랙. © AMS Records

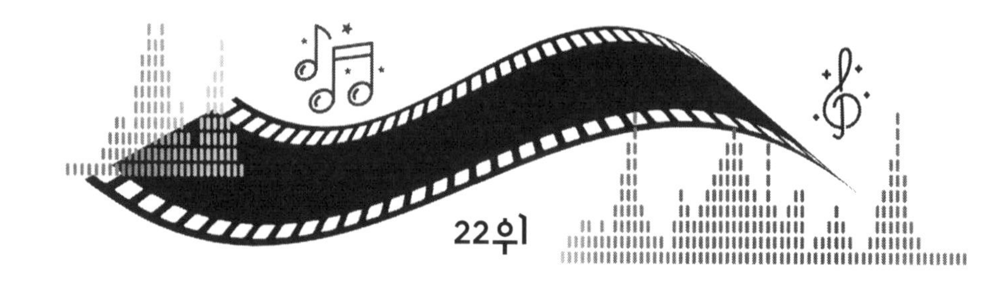

22위

<가프리 The Gadfly/ Ovod>(1956) - 소련 음악인이 위로한 오스트리아 침략군에 저항한 이태리 청년들의 애국 저항 운동

작곡: 디미트리 쇼스타코비치 Dmitri Shostakovich

침략군 오스트리아에 맞서는 이태리 애국 청년들의 일화를 다룬 〈가프리〉. 20세기 러시아 대표적 피아노 연주자 겸 작곡가 디미트리 쇼스타코비치가 배경 음악을 맡았다. © Lenfilm

1. <가프리> 버라이어티 평

〈가프리 Gadfly/ Ovod〉는 에델 릴리안 보이니치 소설을 원작으로 하고 알렉산드르 페인트시머가 감독한 1955년 소비에트 역사 드라마 영화이다.

The Gadfly/ Ovod is a 1955 Soviet historical drama film based on the novel by Ethel Lilian Voynich and directed by Aleksandr Faintsimmer.

1955년 이 영화는 3,916만 장의 티켓 판매를 기록하면서 소련에서 3 번째로 많은 관객들이 관람했다.

In 1955 the film was third in attendance in the Soviet Union collecting 39.16 million ticket sales.

영화는 조국 독립을 위해 오스트리아 침략자들에 대항한 이태리 애국자들의 지하투쟁을 묘사하고 있다.

The motion picture tells a story of the underground struggle of Italian patriots against the Austrian invaders for independence of their homeland.

이러한 사건 배경에는 순수한 마음과 열정적인 청년에서 무자비한 혁명가, 즉 전설적이고 도비적인 가프리로 변모하는 한 남자의 비극적인 이야기가 있다.

Against the background of these events is a tragic story of a man transformed from a pure heart and an enthusiastic young man to an ruthless revolutionary-the legendary and elusive Gadfly.

영화 각색은 보이니치 소설보다 더 이데올로기적이다. 낭만적인 하위 플롯이 크게 감소됐다. 아서와 젬마는 연인이 아닌 당(黨) 동료로 보여진다.

젬마로 인한 아서와 지오반니의 질투는 묘사되지 않고 있다.

The film adaptation is more ideological than the Voynich novel. The romantic subplot was significantly reduced; Arthur and Gemma are shown not as lovers but as party comrades and the jealousy between Arthur and Giovanni due to Gemma is not depicted.

이태리 애국자들이 조국 독립을 위한 투쟁이 배경.
비극적 운명에 의해 멈춘 세 사람. 아서는 혁명 와중에 추기경 몬타넬리와 그의 사랑 젬마 사이에 빠져들게 된다.

Against the background of Italian Patriots struggle for independence of his homeland is three people by the tragic destiny of stops. Arthur who has evolved in the revolutionary, cardinal Montanelli and his love Gemma.

2. <가프리> 사운드트랙 리뷰

영화 음악은 디미트리 쇼스타코비치가 작곡했다. 하지만 작곡가 친구 레본 아토브미안 Levon Atovmyan이 만든 모음곡으로 더 잘 알려져 있다.

The film's score was composed by Dmitri Shostakovich although it is better known in the suite arrangement made by the composer's friend, Levon Atovmyan.

완전한 원본 악보는 지휘자 마크 피츠-제랄드에 의해 재구성되었다.
2016년 DSCH 뉴 콜렉티드 웍스 판(版) 138권으로 출판되었다.
피츠-제랄드와 함께 도이치 스타필하노니 라인랜드-팔츠 지휘로 녹음했다.

2017년 낙소스에서 출반된다.

The complete original score was reconstructed by conductor Mark Fitz-Gerald and published in 2016 as Volume 138 of the DSCH New Collected Works edition. A recording was made with Fitz-Gerald conducting the Deutsche Staatsphilharmonie Rheinland- Pfalz and published in 2017 by Naxos.

〈가프리〉. © Lenfilm

음반은 쇼스타코비치의 평생 영화 음악 작곡에 대한 헌신을 기념하는 참신한 것이다. 그의 오케스트라 콘서트 작품 'The Gadfly Suite, Op 97a'는 1955년 영화 배경 음악에서 동료 소련 작곡가 레본 아토브미안에 의해 조립된다.

This is a real novelty, celebrating Shostakovich's life-long devotion to writing film music. His orchestral concert work The Gadfly Suite, Op 97a from his score of the 1955 film was assembled by fellow Soviet composer Levon Atovmyan.

많은 것이 잘리고 잊혀졌다. 마크 피츠-제랄드의 진지한 학문, 열정 및 실용적인 음악가의 환상적인 전시와 함께 절충주의 전체 사운드트랙이 재구성 된다. 쇼스타코비치 원본 필사본이나 에델 보이니치 소설을 기반으로 영화에서 완전히 제거되었다. 아래에서 가져온 바흐의 'B 단조 미사'를 발췌하여 완성한 29개 섹션 모두 3,900만 이상의 티켓이 팔렸다.

Much was cut and forgotten. The full, eclectic soundtrack has now been reconstructed with a fantastic display of serious scholarship, passion and practical musicianship by Mark Fitz-Gerald.

29개 섹션 모두 쇼스타코비치 원본 원고에서 또는 에델 보이니치 소설을 기반으로 해서 3,900만 이상의 티켓을 판매한 영화에서 발췌한 바흐의 B단조 미사를 완성하게 된다.

all 29 sections, complete with a snatch of Bach's B minor Mass either from Shostakovich's original manuscript or taken down by ear from the film which sold more than 39m tickets and was based on the novel by Ethel Voynich.

'Overture'는 'Young Italy 테마'를 보여주는 강력한 배경 음악 하이라이트를 제공하고 있다. 그것은 풍화 된 교회 벽 구호에 대해 표시되는 오프닝 크레디트 롤을 지원해 주고 있다. 쇼스타코비치 걸작은 혁명의 찬가로 열렬히 표현된 젊은 이태리 테마의 단호한 설명으로 영화의 분위기를 설정해주고 있다.

'Overture' offers a powerful score highlight, which showcases the Young Italy Theme. It supports the roll of the opening credits, which display against a weathered church wall relief. Shostakovich masterful sets the tone of the film with a resolute exposition of the Young Italy Theme rendered fervently as an anthem of revolution.

'현악 브라부라 Strings bravura'는 억제하거나 거부하거나 저항할 수 없는 고의적이고 단호한 종지로 가득 찬 솔직한 멜로디 라인을 추진하고 있다.
'절벽 The Cliffs'은 절벽에 서서 부서지는 파도를 바라보는 젊은 이태리 그룹 멤버들의 모습을 보여줄 때 흘러나오고 있다.

Strings bravura propel the forthright melodic line replete with bell chimes with a willful and determined cadence which cannot be assuaged dismissed or resisted.
'The Cliffs' reveals the members of the Young Italy group standing cliffside looking upon the crashing waves.

'The Austrians'는 군복을 입은 백인 수 만 명의 오스트리아 군인과 정밀한 갈보리가 그들의 압제적인 마르시아 군대의 힘을 받아 북부 이태리의 완만한 언덕을 행진하는 모습을 보여줄 때 흘러나오고 있다. 도시에서 광장에 매달려 있는 이태리 애국자들의 모습은 그들의 잔인성을 드러내 주고 있다.

'The Austrians' reveals tens of thousands of white tunicked Austrian soldiers and calvary precision marching over the rolling hills of northern Italy empowered by their oppressive marcia militare.
In town the sight of Italian patriots hanging in the square reveals their brutality.

'Youth'는 쇼스타코비치의 불후의 명성을 얻은 최고의 영화 구성 중 하나인 숭고한 하이라이트를 제공하고 있다.
아서와 몬타넬리 추기경은 영화 장면을 초월한 바이올린 테네로를 위한 화려한 로맨스로 쇼스타코비치를 지지하는 친밀하고 다정한 아버지와 아들의 순간 -아서는 자신의 아버지라는 것을 모르는 몬타넬리 관점에서-을 공유하고 있다.

'Youth' offers a sublime highlight, one of the finest cinematic compositions ever, which earns Shostakovich immortality. Arthur and Cardinal Montanelli share and intimate and affectionate father-son moment-from Montanelli's perspective as Arthur does not know he is his father-which Shostakovich supports with a gorgeous romance for violin tenero which transcends its film scene.

'Political Meeting'에서 아서와 젬마는 젊은 이태리 모임에 참석하는 또 다른 배경 음악 하이라이트가 되고 있다. 젬마는 아서의 질투를 불러일으키는 볼라의 열렬한 웅변에 매료된다. 그들은 모두 영감 받은 목적의 연대 속에서 해방을 위해 자신의 삶을 서약하고 있다.

In 'Political Meeting' we are graced with another score highlight where Arthur and

Gemma attend a Young Italy meeting. Gemma becomes enraptured by Bolla's rousing oratory which elicits Arthur's jealousy.

They all pledge their lives to the liberation in inspired solidarity of purpose.

이후 아서와 젬마는 질투심 때문에 다투게 된다.

쇼스타코비치는 독주 첼로의 이태리 주제를 낭만적이면서도 곤혹스럽게 표현함으로써 그들을 웅변적으로 지지해 주고 있다.

Afterwards Arthur and Gemma quarrel due to his jealousy.

Shostakovich supports them eloquently with a romantic, yet troubled rendering of the Italy Theme by solo cello.

'Divine Service at the Cathedral'는 아서가 대성당에서 미사에 참석하는 모습을 보여줄 때 흘러나오고 있다. 그 후 그는 어리석게도 그들의 대의에 동정적이라고 믿는 신부에게 자신의 질투와 젊은 이태리 회원 자격을 순진하게 고백한다. 쇼스타코비치는 오르간 솔렌의 전례 작품인 교회 모티브를 제공하는 종교적인 아우라로 장면을 지원해 주고 있다.

'Divine Service at the Cathedral' reveals Arthur attending mass at the cathedral.

Afterwards he naively offers confession of his jealousy and membership in Young Italy to a priest he foolishly believes is sympathetic to their cause.

Shostakovich supports the scene with religioso auras providing the Church Motif a liturgical piece by organ solenne.

'Arrest'에서 사제(司祭)는 고해소의 신성함을 어기고 헌병에 경보를 발령하여 아서, 볼라 및 기타 여러 사람이 체포 당하는 장면에서 사용되고 있다.

군인들이 거리를 질주할 때 아서와 동료 회원들이 체포되면서 공포를 불러일으키는 무서운 북소리가 오스트리아 테마의 위협을 추진하고 있다.

In 'Arrest' the priest violates the sanctity of the confessional and alerts the military police which leads to the arrest of Arthur, Bolla and many others.

Dire drums propel the menace of the Austrian Theme as soldiers ride through the streets evoking terror as they arrest Arthur and fellow members.

〈가프리〉. © Lenfilm

'A Slap in the Face'는 아서가 감옥에서 풀려나고 젬마가 반갑게 맞이하는 모습을 보여준다. 하지만 그가 그녀에게 무슨 일이 일어났는지 설명하자 그녀는 그의 얼굴을 때리고 그를 부인한다.

뺨을 때리는 마음으로 음악이 들어오고 있다.

'A Slap in the Face' reveals Arthur released from prison and greeted happily by Gemma but when he explains to her what happened she slaps his face and disowns him. Music enters with heartache with the slap.

'Laughter'에서 당황한 아서는 삼촌이 몬타넬리 추기경이 그의 아버지라는 사실을 알리자 더욱 황폐해 진다. 음악은 아서의 광적인 웃음과 함께 뿔의 극적인 음악에 이어 영 이태리 테마의 강력한 표현이 이어지고 있다.

In 'Laughter' a distraught Arthur is further devastated when his uncle informs him that Cardinal Montanelli is really his father.

Music enters on horns dramatico with Arthur's manic laugh followed by a forceful statement of the Young Italy Theme.

'The River'은 아서가 자살로 죽음을 각색함으로써 전생에 대한 거부감을 드러낼 때 사용되고 있다. 그는 강둑을 따라 모자에 유서를 남기고 그의 흔적을 덮을 모자 발견을 위해 이태리를 떠난다. 쇼스타코비치는 현악 아파나토가 낳은 절묘한 고통을 제공하고 있다. 이것은 아서가 새로운 삶을 취하기 위해 출발할 때 비로로 변하고 있다. 그의 죽음과 재생에 대한 우화(寓話)이다.

'The River' reveals Arthur rejection of his former life by staging his death by suicide. He leaves a suicide note in his hat along the riverbank and then departs Italy, intending for his hat's discovery to cover his trail. Shostakovich offers exquisite pain borne by strings affanato which transform to a dirge as Arthur departs to assume his new life an allegory of his death and rebirth.

'March-The Church Supports the Austrians'는 오스트리아 장군을 기리고 그의 군대를 축복하는 가톨릭 주교를 보여줄 때 흘러나오고 있다.

쇼스타코비치는 북으로 추진되는 마르시아 사르도니카로 적 점령자를 돕고 선동하는 교회의 공모에 대해 이야기 해주고 있다.

'March-The Church Supports the Austrians' reveals a Catholic Bishop honoring the Austrian general and blessing his troops.

Shostakovich speaks to the Church's complicity in aiding and abetting the enemy occupiers with drum propelled marcia sardonica.

'Folk Dance'에서 젊은 이태리 회원들은 여관에서 만나 오스트리아 군대가 접근한다는 경고를 받았을 때 최신 성명을 읽고 있을 때 흘러나오고 있다.

반군은 오스트리아 군 활동을 방해하기 위해 타렌텔라 춤을 추기 시작한다.

In 'Folk Dance' Young Italy members are meeting in an inn, reading the latest communique when they are alerted of approaching Austrian troops.

The rebels begin dancing a Tarentella in hopes of distracting the Austrians from their activities.

'Barrel Organ'은 쇼스타코비치가 마을 광장의 맥박을 능숙하게 포착하는 멋진 분위기 신호를 제공하는 음악이다.

그것은 디에제틱 배럴 오르간의 음악, 전통 이태리 노래 'Caro mio ben'을 부르는 성악가, 그리고 약간의 먼 전례 노래의 교차로 지원되는 마을 광장을 가로질러 걷고 있는 리바레스를 보여줄 때 흘러 나오고 있다.

'Barrel Organ' offers a wonderful ambiance cue where Shostakovich masterfully captures the pulse of the town square.

It reveals Rivares walking across the town square supported by an intersection of music from a diegetic barrel organ, a minstrel singing the traditional Italian song Caro mio ben and also some distant liturgical singing.

'Divine Service'은 교회 주제의 전례 기관의 확장된 표현에 의해 지원되는 교회 봉사를 수행하는 주교를 보여줄 때 흘러나오고 있다. 광장 밖에서는 젬마가 아서와 리바레스에 대해 이야기하는 동안 음악이 계속되고 있다.

'Divine Service' reveals a Bishop performing church services, supported by an extended rendering of the liturgical organ of the Church Theme. Outside in the square the music is sustained as Gemma discusses Arthur with Rivares.

'Dona Nobis Pacem'에서 몬타넬리 추기경은 마차를 타고 도착할 때 사용되고 있다. 군중 속에서 아서를 알아보는 것 같을 때 불안해한다.

몬타넬리의 매력적인 눈은 사랑을 제공한다.

하지만 아서의 눈은 냉담하고 경멸을 담고 있다.

In 'Dona Nobis Pacem' Cardinal Montanelli arrives by carriage and is unsettled when he seems to recognize Arthur in the crowd.

Montanelli's inviting eyes offer love, yet Arthur's are off-putting and disdainful.

'Ave Maria'라는 선곡은 쇼스타코비치가 프랑스 르네상스 작곡가 앙투와 드 페빈 Antoine de Fevin 음악을 삽입한 장면에 대한 원래 개념이었다.

그것은 요한 세바스티안 바흐의 'B단조 미사'에서 'Dona nobis pacem'으로 대체된다.

The cue 'Ave Maria' was Shostakovich's original conception for the scene where he interpolated music by French Renaissance composer Antoine de Fevin. It was replaced with Johann Sebastian Bach's Dona nobis pacem from his B Minor Mass.

〈가프리〉. © Lenfilm

'Exit from the Cathedral'은 주교가 그에게 오는 것을 보여주고 몬타넬리는 황홀경에서 벗어나 떠나는 것을 보게 될 때 흘러나오고 있다. 쇼스타코비치는 바순과 현악기로 파토스를 뿌려주고 있다.

'Exit From the Cathedral' reveals a bishop coming to him and we see Montanelli snap out of his trance and depart.

Shostakovich sow pathos with a bassoon and strings doloroso.

'The Rescue'는 12명이 넘는 반군, 남성과 여성이 오스트리아 총격대 앞에 줄지어 서 있음을 보여줄 때 흘러나오고 있다.

사령관은 그들의 이름을 하나씩 읽어내지만, 그가 처형 명령을 내리기도 전에 리바레스와 무장한 사람들이 도착한다.
총을 겨누고 있는 사령관에게 강제로 그의 부하들에게 무장 해제를 명령한다.

'The Rescue' reveals over a dozen rebels, men and women lined up before an Austrian firing squad. The Commander reads off their names one by one but before he can order their execution, Rivares and armed men arrive and force the Commander at gun point to order his men to disarm.

'Guitars'는 리바레스가 지역 숲의 반군 진영으로 돌아가는 것을 보여줄 때 흘러나오고 있는 곡이다. 쇼스타코비치는 예브게니 라리체프의 현악 반주가 포함된 '기타' 편곡을 덧붙이고 있다. 음악은 편안하고 사람들이 먹고 마시고 서로 동료와 즐기는 것을 보게 되면서 조용하고 서민적인 분위기를 제공하고 있다.

'Guitars' reveals Rivares returning to the rebel camp in the local forest. Shostakovich interpolates Yevgeni Larichev's arrangement of 'Guitars' which includes accompaniment by strings. The music is restful and provides a calm and folksy ambiance as we see the men eating, drinking and enjoying each other's company.

'Contredanse'에서 리바레스는 지오반니, 젬마 및 지역 부르주아와 함께 파티에서 모두가 춤추는 것을 볼 수 있다.
그는 젬마에게 사적으로 합류해 달라고 부탁한 다음 그녀에게 자신이 이태리인이며 '가프리 The Gadfly'라는 가명으로 혁명을 이끌고 있다고 고백한다.

In 'Contredanse' Rivares joins Giovanni, Gemma and the local bourgeois at a party where we see everyone is dancing.
He asks Gemma to join him in private and then confides to her that he is indeed Italian and that he leads the revolution under the pseudonym 'The Gadfly.'

'Fanfares'에서 젬마는 지휘관이 공식 발표를 받는 동안 감옥을 방문하게 되는 장면에서 흘러나오고 있다. 그는 그것을 읽고 그의 부하들에게 즉각적인 출발을 위해 집합하라고 명령할 때 극적인 팡파르가 울려퍼지고 있다.

In 'Fanfares' Gemma visits the prison, as the Commander is receiving a communique. He reads it and fanfare dramatico resounds as he orders his men to assemble for immediate departure.

'Bazar'는 마에스트로의 뛰어난 구성을 목격하는 놀라운 배경 음악 하이라이트를 제공하고 있다.

리바레스는 다음 공격을 계획하기 위해 바자르에서 동료들을 만난다.

'Bazar' offers an astounding score highlight where we bear witness to the Maestro's compositional brilliance. Rivares meets with comrades at the Bazar to plan his next attack.

마을 광장은 활동으로 분주하다. 쇼스타코비치는 현악 애니마토, 호른, 클라리넷 페스토사의 놀라운 거장 연주로 움직이는 또 다른 놀라운 스케르잔도를 지원해 주고 있다. 리바레스에게 알려지지 않은 민병대가 그를 추적하고 광장을 포위하고 그를 공격할 준비를 하고 있다.

The town square is bustling with activity which Shostakovich supports with another amazing scherzando. this one animated by strings animato, horns and an incredible virtuoso performance by clarinet festosa. Unknown to Rivares the militia has been trailing him surrounded the square and prepare to move against him.

리바레스가 그의 아버지를 죽이기 위해 싸울 준비를 하고 있을 때, 몬타넬리 추기경은 그에게 항복을 명령하고 그는 그렇게 한다.

As Rivares prepares to fight to the death his father, Cardinal Montanelli orders him to surrender which he does.

'Rout'에서 리바레스는 탈출을 위해 필사적이다. 하지만 헛된 시도를 하고 다시 붙잡히게 된다. 그는 막대를 자르고 시트로 만든 밧줄로 지붕에서 내려오지만 다리 부상으로 실패하고 만다. 쇼스타코비치는 요란한 소리를 내는 현악기 지원을 받아 그의 탈출로 슬픔의 기운을 뿌려주고 있다.

In 'Rout' Rivares makes a desperate yet futile attempt to escape and is recaptured. He has managed to cut through the bars and descend from the roof by a rope made of sheets but fails because of his injured leg. Shostakovich sow auras of sadness with his escape grimly supported by portentous strings emoting a threnody.

〈가프리〉. © Lenfilm

'Prison'은 처음에는 그를 알아보지 못하는 아버지 몬타넬리 추기경이 방문하는 낙담한 리바레스를 보여줄 대 흘러나오고 있다.

리바레스가 실제로 아서임을 밝힐 때 롤링 팀파니와 호른 드라마틱 선언이 울려 퍼지고 있다.

몬타넬리 추기경은 천둥을 치며 무릎을 꿇고 진심 어린 사과를 바친다.

'Prison' reveals a dejected Rivares being visited by his father Cardinal Montanelli who at first does not recognize him. Rolling timpani and horns dramatico declarations resound when Rivares discloses that he is indeed Arthur. Cardinal Montanelli is thunderstruck and falls to his knees offering a heartfelt mea culpa.

‘Letter’에서 낯선 사람은 젬마와 지아반니가 마차를 타고 떠날 때 편지를 건네주는 장면에서 흘러나오고 있다. 아서는 13년 전에 계획한 자살에 대해 설명하고 있다. 그녀는 흐느껴 울고, 쇼스타코비치는 이전 ‘Gemma’s Room’ 선곡에서 들려 준 사랑 테마의 반복으로 그 순간을 지지하고 있다.

이것은 짝사랑에 대해 이야기하는 솔로 첼로 돌로로소를 위한 로맨스다.

In ‘Letter’ a stranger hands Gemma a letter as she and Giovanni depart in a carriage. Arthur’s explains his planned suicide thirteen years ago.

She sobs and Shostakovich supports the moment with a reprise of the Love Theme heard in the earlier ‘Gemma’s Room‘ cue, the Romance for solo cello doloroso which as it speaks of unrequited love.

‘Finale’는 리바레스의 희생을 기리기 위해 해안 절벽에 다시 모인 반군을 보여주고 이태리를 해방시키겠다는 그들의 맹세를 새롭게 하는 장면에서 흘러 나오고 있다. ‘젊은 이태리 테마’의 강력한 반복이 장면을 뒷받침해 주고 있다.

‘Finale’ reveals the rebels again assembled on the shoreline cliff honoring Rivares sacrifice and renewing their vow to liberate Italy.

A powerful reprise of the Young Italy Theme supports the scene.

3. <가프리> 사운드트랙 해설 – 빌보드

〈가프리〉(1955)가 적절하고 매력적이라는 점은 때때로 스탈린의 죽음 이후 쇼스타코비치의 개선된 정치적 상황을 반영하는 것으로 간주되었다.

That The Gadfly (1955) is both tuneful and engaging has sometimes been taken to reflect Shostakovich's improved political situation following the death of Stalin.

실제로 그것은 그 구성이 그의 가족생활의 개인적인 위기와 일치했다는 점에서 그의 예술의 자율성에 대한 가장 좋은 증거가 되고 있다.

In reality it is the best evidence for the autonomy of his art in that its composition coincided with a personal crisis in his family life.

알렉산드르 페인시머-이전에는 〈키제 중위〉를 책임짐-가 감독한 이태리 배경의 역사 드라마이다. 영화 배경 음악은 그가 아내와 어머니의 죽음 사이에 1년 간격으로 완료한 유일한 프로젝트였다.

Scoring the film, an Italian-set historical drama directed by Aleksandr Faintsimmer (previously responsible for Lieutenant Kijé) was the only project he managed to complete between the deaths, a year apart, of his wife and his mother.

카차투리안은 음악을 제공하기 위해 줄을 섰다. 쇼스타코비치는 동료가 병이 났을 때만 개입했다. 그의 관습적인 다재다능함과 전문성으로 대응했다.

Khachaturian had been lined up to provide the music. Shostakovich, only stepping in when his colleague fell ill, responded with his customary versatility and professionalism.

레본 아토브미안이 준비한 실질적인 〈가프리〉 모음곡은 1960년대 초 에민 카차투리안의 'Melodiya' 소스 녹음 이후 전체 또는 부분적으로 여러 번 녹음되었다.

The substantial Gadfly Suite prepared by Levon Atovmyan has been recorded several times in whole or in part since Emin Khachaturian's Melodiya-sourced recording of the early 1960s.

더욱이 아주 흔한 '로맨스'는 1980년대 ITV 첩보 드라마 〈레일리, 스파이 에이스〉에서 차용하면서 영국에서 유명해졌다. 쇼스타코비치 원작에서는 초기 형태로만 존재한다. 막심 쇼스타코비치와 함께 다니엘 호프(Daniel Hope)는 이 친숙한 것들에서 잘못된 메모를 처음 수정했을 수 있다.

The yet more ubiquitous 'Romance' a cut-and-paste job made famous in the UK by its appropriation for the 1980s ITV spy drama Reilly, Ace of Spies is only present in embryonic form in Shostakovich's original. Daniel Hope with Maxim Shostakovich may have been the first to correct a wrong note in this familiar nugget.

더 가벼운 쇼스타코비치(Shostakovich) 믹스 앤 매치 편집 중 하나에서 다른 하이라이트를 보았을 것이다. 이 편집에서는 영화 음악에서 발췌한 신호가 영화와 연결되지 않은 재료와 나란히 놓여 있다.

You'll have come across other highlights on one of those mix-and-match compilations of the lighter Shostakovich in which cues culled from movie scores sit alongside material without cinematic connections.

현재 발매된 것은 'The New Babylon' 'Odna(Alone)' 및 'The Girlfriends'를 포함하여 영화 관련 쇼스타코비치에 대한 마크 피츠 제랄드의 이전 낙소스 음반 복구의 계승자로서 더 높은 목표를 겨냥하고 있다.

The present issue has loftier aims as a successor to Mark Fitz Gerald's previous Naxos reclamations of film-related Shostakovich, including The New Babylon, Odna ('Alone') and The Girlfriends.

3가지 보너스 항목은 쇼스타코비치 모든 작품이 아니라 다른 많은 작품에 등장한 유명한 '노래'를 포함하여 〈카운터플랜 Counterplan〉(1932)에서 가져온 것이다. 해롤드 J. 롬이 가사를 쓴 것은 MGM 영화 〈천 번의 응원가 Thousand Cheer〉(1943) 피날레 곡 'United Nations on the March'로 다시 등장하고 있다.

〈가프리〉. © Lenfilm

The three bonus items are from The Counterplan (1932) including the famous 'Song' which made its way into many other works not all of them by Shostakovich.

With lyrics by Harold J Rome it re-emerged as the 'United Nations on the March' finale of MGM's film Thousands Cheer (1943).

친숙하게 재작업 된 〈가프리〉를 원한다면 'Mancunian Shostakovich 영화 음악 시리즈' Vol 2에 포함된 바살리 시나스키의 더 화려하게 녹음 된 순수 오케스트라 42분 모음곡도 있다.

Should you want just the familiar reworked Gadfly there's still a case for Vassily Sinaisky's more opulently recorded purely orchestral 42-minute suite contained within Vol 2 of his Mancunian Shostakovich film music series.

피츠 제랄드는 더 간결하고 즉각적인 사운드로 스타일리시하고 철저하게 세심한 연주를 보장하고 있다. 작은 글꼴과 소책자 메모가 인상적으로 자세히 설명되어 있다. 두 가지 생각이 든다면 자주 재활용되는 'Bazar'에 매료될 것이다.

Fitz Gerald secures stylish, thoroughly attentive playing in blunter, more immediate sound. Get past the small font and the booklet notes are impressively detailed. If you're in two minds, the oft-recycled 'Bazar' will have you hooked.

Track listing

1. Overture
2. Contra Dance
3. Folk-Feast
4. Interlude
5. Barrel Organ Waltz
6. Galop
7. Introduction And Dance
8. Romance
9. Intermezzo
10. Nocturne
11. Scene
12. Finale

〈가프리〉 사운드트랙. © EMI Melodiya

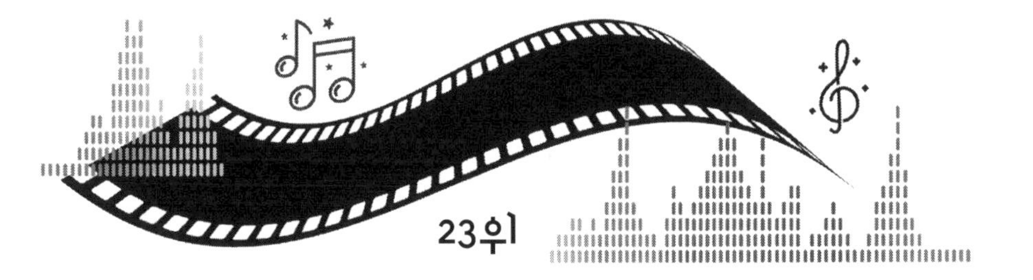

<플래툰 Platoon>(1986) - 적(敵)은 외부가 아닌 내부에 있다고 고발하는 주제 음악 역할 해낸 'Adagio for Strings'

작곡: 사무엘 바버 Samuel Barbe

베트남 전쟁에서 겪는 내부 비리 고발하는데 일조한 사무엘 바버 작곡의 애조된 선율 'Adagio for Strings'. © Orion Pictures, MGM Inc

1. <플래툰> 버라이어티 평

〈플래툰〉은 올리버 스톤이 각본과 감독을 맡은 1986년 미국 전쟁 영화이다.
탐 베린저, 윌렘 대포우, 찰리 쉰, 키스 데이비드, 케빈 딜런, 존 C. 맥긴리, 포레스트 휘태커, 조니 뎁이 출연하고 있다.

Platoon is a 1986 American war film written and directed by Oliver Stone, starring Tom Berenger, Willem Dafoe, Charlie Sheen, Keith David, Kevin Dillon, John C. McGinley, Forest Whitaker and Johnny Depp.

스톤 감독의 베트남 전쟁 3부작 중 첫 번째 영화이다.
〈7월 4일 생〉(1989) 〈하늘과 땅〉(1993)이 그 뒤를 이었다.

It is the first film of a trilogy of Vietnam War films directed by Stone followed by Born on the Fourth of July (1989) and Heaven & Earth (1993).

스톤의 전쟁 경험을 바탕으로 한 영화는 베트남에서 복무 중인 미군 의용병(쉰)과 그의 소대장(베린저와 대포우)이 소대의 도덕성과 전쟁 수행에 대해 논쟁하는 내용을 따라가고 있다.

The film, based on Stone's experience from the war follows a U.S. Army volunteer (Sheen) serving in Vietnam while his Platoon Sergeant and his Squad Leader (Berenger and Dafoe) argue over the morality in the platoon and the conduct of the war.

베트남 전쟁 신입 신병 크리스 테일러.
선(善)한 하사와 악(惡)한 하사. 두 하사 사이의 의지 싸움에 휘말리게 된다.
전쟁의 잔혹함과 갈등 속에서 인간의 이중성에 대한 예리한 고찰.

Chris Taylor, a neophyte recruit in Vietnam War, finds himself caught in a battle of wills between two sergeants one good and the other evil.

A shrewd examination of the brutality of war and the duality of man in conflict.

크리스 테일러는 대학을 포기하고 베트남에서 전투에 자원하는 젊고 순진한 미국인. 도착하자마자 그는 자신의 존재가 매우 중요하지 않으며 다른 병사들에게 중요하지 않은 것으로 간주된다는 것을 빨리 발견하게 된다.

Chris Taylor is a young naive American who gives up college and volunteers for combat in Vietnam. Upon arrival, he quickly discovers that his presence is quite nonessential and is considered insignificant to the other soldiers as he has not fought for as long as the rest of them and felt the effects of combat.

크리스에게는 2명의 부사관이 있다. 성질이 급하고 파괴할 수 없는 참모 상사 로버트 반즈와 더욱 유쾌하고 협조적인 엘리아스 그로딘 상사이다.

Chris has two non-commissioned officers, the ill-tempered and indestructible Staff Sergeant Robert Barnes and the more pleasant and cooperative Sergeant Elias Grodin.

마을 습격 중 불법 살인이 발생하자 두 부사관과 소대원 사이에 선이 그어진다.

A line is drawn between the two NCOs and a number of men in the platoon when an illegal killing occurs during a village raid.

전쟁이 계속되면서 크리스 자신도 심리적 붕괴를 향해 나아간다.

그리고 생존을 위해 고군분투하던 그는 곧 자신이 두 가지 전투, 즉 적과의 갈등과 자신의 소대 내 남자들 간의 갈등을 싸우고 있음을 깨닫게 된다.

올리버 스톤의 '베트남 3부작' 중 첫 번째 작품인 〈플래툰〉.

As the war continues, Chris himself draws towards psychological meltdown.

And as he struggles for survival, he soon realizes he is fighting two battles, the conflict with the enemy and the conflict between the men within his platoon.

2. <플래툰> 사운드트랙 리뷰

영화 음악은 조르주 들르뤼가 맡았다. 영화에 사용된 음악에는 사무엘 바버의 'Adagio for Strings', 제퍼슨 에어플레인의 'White Rabbit', 멀 해가드의 'Okie from Muskogee'가 포함되고 있다. 영화 배경이 1967년이지만 해가드의 노래는 1969년까지 공개되지 않았기 때문에 시대착오적이다.

The film score was by Georges Delerue.

Music used in the film includes Adagio for Strings by Samuel Barber, 'White Rabbit' by Jefferson Airplane, and 'Okie from Muskogee' by Merle Haggard which is an anachronism, as the film is set in 1967 but Haggard's song was not released until 1969.

'Underworld'의 한 장면에서 군인들은 영화 예고편에도 등장한 스모키 로빈슨과 그룹 미러클의 'The Tracks of My Tears'를 따라 부르고 있다.

사운드트랙에는 그룹 라스칼스의 'Groovin'과 오티스 레딩의 '(Sittin On) The Dock of the Bay'가 포함되고 있다.

During a scene in the 'Underworld', the soldiers sing along to 'The Tracks of My Tears' by Smokey Robinson and The Miracles which was also featured in the film's trailer. The soundtrack includes 'Groovin' by The Rascals and '(Sittin On) The Dock of the Bay' by Otis Redding.

3. <플래툰> 사운드트랙 리뷰 - 빌보드

1987년 LP에는 가끔 전쟁 소음이 오버더빙 되고 찰리 쉰의 에필로그 나레이션이 약 20초 더 있다. 알비노니 테마의 2개 테이크 및 오리지널 스코어 음악의 1개 트랙 등 세 곡은 밴쿠버 심포니가 연주해주고 있다.

'Barnes Shoots Elias'는 최소한의 악기로 두려운 기대감을 표현하고 있다.

소총 발사가 사운드 스테이지 오른쪽에서 왼쪽으로 빠르게 이동하기 직전에 불협화음 줄이 들려오고 있다. '현을 위한 아다지오'의 첫 번째 연주에는 비, 총소리, 폭발이 포함되고 있다. 두 번째는 LP의 끝 부분에 Chopper SFX와 전쟁에 대한 쉰의 지친 생각이 포함되어 있다.

This 1987 LP has occasionbal overdubbed war noises, plus about 20 seconds of Charlie Sheen's epilogue narration. two takes of an Albinoni theme and one track of original score music. These three are performed by the Vancouver Symphony.

'Barnes Shoots Elias' expresses dread anticipation with a minimum of instruments.

Dissonant strings enter just before a rifle shot travels quickly from soundstage right to left. The first playing of 'Adagio for Strings' includes rain, gunshots and explosions.

The second, at LP's end has chopper SFX and Sheen's weary thoughts on the war.

작곡가 들르뤼와 〈플래툰〉 음악 코디네이터는 영화의 시그니처 오케스트라 '테마'로 사무엘 바버의 우아한 'Adagio for Strings'를 선택했다.

Delerue and the music coordinator for Platoon chose Samuel Barber's elegaic Adagio for Strings as the film's signature orchestral 'theme.'

영화 전체에서 반복되는 모티브로 들리지만-특히 테일러 일병이 베트남에 도착하는 메인 타이틀 시퀀스에서 그리고 엔딩 크레디트의 강조로-트랙 1 'The Village'는 소대가 현지 베트콩에 의해 GI 중 하나를 살해한 것에 대한 복수로 베트남의 작은 마을을 파괴할 때 들려오고 있다.

While it is heard throughout the film as a recurring motif-particularly during the main title sequence when Pvt. Taylor arrives in Vietnam and as underscore for the end credits-track 1 'The Village' is heard when the platoon destroys a Vietnamese hamlet in revenge for the killing of one of the GI's by the local Viet Cong.

'Adagio'는 완전히 연주되지 않고 있다.
오히려 바버의 아름답고 잊혀 지지 않는 찬송가와 같은 곡의 일부만 밴쿠버 심포니에서 연주하고 있으며 폭발의 붐과 불꽃의 탁탁 소리가 배경에 있다.

The Adagio is not played in its entirety rather only a fragment of Barber's beautiful but haunting hymn-like piece is played by the Vancouver Symphony with the boom of explosions and crackling of flames in the background.

'Adagio'는 마지막 영화에서와 같이 더 나이 많은 크리스 테일러 역을 맡아 베트남에서 자신의 인생을 변화시킨 경험을 반영하는 마틴 쉰의 보이스오버와 함께 앨범 마지막 부분에 다시 등장하고 있다.

The Adagio is reprised at the end of the album with, as in the final film, a Martin Sheen voiceover as the older Chris Taylor reflects on his life-changing experiences in Vietnam.

'Adagio for Strings'는 <플래툰> 덕분에 더욱 애창되는 가장 슬픈 클래식 곡 중 한 곡으로 등극된다. © Orion Pictures, MGM Inc

사운드트랙은 영화 배경을 떠올리게 하기 때문에 대부분의 트랙은 '시대의 노래'이다. 여기에는 잃어버린 사랑에 대한 송가인 스모키 로빈슨의 'Tracks of My Tears', 컨트리 가수 멀 해가드의 보수적인 반 히피족 노래 'Okie From Muskogee', 거의 환각적이지만 시선을 사로잡는 제퍼슨 에어플레인의 'White Rabbit', Aretha Franklin의 고전 'Respect' 등이 포함되고 있다.

Because the soundtrack is supposed to evoke the time period of the movie's setting, most of the tracks are 'songs from the era.' They include Smokey Robinson's 'Tracks of My Tears' an ode to lost love, the conservative anti-hippie 'Okie From Muskogee' by country singer Merle Haggard, the almost hallucigenic but riveting 'White Rabbit' by Jefferson Airplane and Aretha Franklin's classic 'Respect.'

베트남 경험을 가장 실감나게 그린 영화 <플래툰>. 홀로, 어둡고 심장이 두근거리며 보이지 않는 죽음을 기다리고 있다. 찢어진 인간성과 모기와 불을 통해 공포가 인간을 짐승으로 만드는 것처럼 '자기 영혼의 소유'를 유지해야 한다. '현을 위한 아다지오 Adagio for Strings'는 무고한 피와 피를 흘리면서 절망을 전달해 주고 있다. 'Tracks of My Tears'는 혼란을 통해 위로를 제공하고 있다. 그리고 'Okie from Muskokie'는 불이 붙은 관절의 연기를 통해 미소를 깨기 위해 결코 떨어지지 않고 있다. 올리버 스톤(Oliver Stone) 감독은 도덕적

혼돈의 현장에 있었고 지옥에 대한 그의 모습은 우리를 더 나아지게 하고 현세와 다음 생에서 함께 유지하는데 도움이 될 것이다.

'Platoon' the most realistic movie ever made of the Vietnam experience.
Alone, the dark, heart-pounding, waiting for unseen death.
Through the torn humanity, mosquitos and fire, one needs to maintain 'possession of one's soul' as the fear turns men into beasts.
The Adagio for Strings carries the despair as the innocent bleed and shed blood.
'Tracks of My Tears' provides comfort through the confusion.
And 'Okie from Muskokie' never falls to crack a smile through the smoke of a lit joint. Oliver Stone was in that landscape of moral chaos and his glimpse of hell may better us and help us keep it together in this life and the next.

4. 'Adagio for Strings' 작곡 일화

'현을 위한 아다지오 Adagio for Strings'는 틀림없이 가장 잘 알려진 사무엘 바버(Samuel Barber)의 작품이다.
현악 4중주 Op. 2의 2악장에서 현악 오케스트라를 위해 편곡되었다.

Adagio for Strings is a work by Samuel Barber arguably his best known arranged for string orchestra from the second movement of his String Quartet, Op. 11.

바버는 4중주를 작곡한 해인 1936년에 편곡을 마쳤다고 한다.
1938년 11월 5일 NBC Studio 8H 라디오 방송에서 아르투로 토스카니니가 NBC 심포니 오케스트라를 지휘하여 처음으로 연주하게 된다.

Barber finished the arrangement in 1936, the same year that he wrote the quartet. It was performed for the first time on November 5, 1938 by Arturo Toscanini conducting the NBC Symphony Orchestra in a radio broadcast from NBC Studio 8H.

토스카니니는 1940년 NBC 심포니와 함께 남미 투어에서 이 곡을 연주하기도 했다.

Toscanini also played the piece on his South American tour with the NBC Symphony in 1940.

〈플래툰〉. © Orion Pictures, MGM Inc

알렉산더 J. 모린은 'Adagio for Strings'가 '비애(悲哀)와 카타르시스적인 열정으로 가득 차 있고 드물게 안구 건조증(眼球 乾燥症)을 남기고 있다'고 썼다. 'Adagio for Strings'는 많은 TV 쇼와 영화에 등장하고 있다.

It's reception was generally positive, with Alexander J. Morin writing that Adagio for Strings is 'full of pathos and cathartic passion and that it rarely leaves a dry eye.' Adagio for Strings has been featured in many TV shows and movies.

'현을 위한 아다지오 Adagio for Strings'는 특히 애도 기간(哀悼 期間) 동안 많은 공개 행사에서 연주되었다.

The Adagio for Strings has been performed on many public occasions, especially during times of mourning.

- 프랭클린 D. 루즈벨트 대통령 사망 발표 시 라디오를 통해 방송
- 암살 된 존 F. 케네디 대통령 장례식이 끝난 후 전국 라디오 방송에서 내셔널 심포니 오케스트라가 연주
- 알버트 아인슈타인 장례식장에서 연주
- 작곡가 사무엘 바버의 사망 직후 그를 추모하기 위해 4회 연속 뉴욕 필하모닉 콘서트에서 레오나드 번스타인이 지휘 연주했다.
- 모나코 그레이스 왕비 장례식장에서 연주
- 데이비드 린치 감독의 〈엘리펀트 맨 The Elephant Man〉 클라이막스 장면에서 연주
- 2001년 9.11 테러 희생자들을 추모하기 위한 영국 로얄 알버트 홀에서 열린 무도회 마지막 밤에 공연
- 2020년 5월 1일 키릴 페트렌코가 지휘하는 베를린 필하모닉의 베를린 필하모니 디지털 유럽 콘서트에서 코로나바이러스 희생자를 위해 연주
- 'Adagio for Strings'는 2010년 포크 그룹 피터, 폴 앤 메리의 편집 앨범 'Peter Paul and Mary, With Symphony Orchestra'의 마지막 곡으로 수록된다. 메리 트래버스는 그녀의 추도식에서 'Adagio for Strings'가 연주되도록 요청한다.
- 'Adagio for Strings'는 존 F. 케네디(John F. Kennedy)가 가장 좋아하는 음악 중 한 곡이었다.
- 2004년 BBC 투데이 프로그램 청취자들은 'Adagio for Strings'를 '역대 작품 중 가장 슬픈 클래식 The saddest classical work ever'으로 추천했다. 이어서 헨리 퍼셀의 'Dido and Aeneas' 중 'Dido's Lament', 구스타프 말러 교향곡 5번의 'Adagietto', 리하르트 슈트라우스의 'Metamorphosen', 그리고 빌리 할리데이가 불러준 'Gloomy Sunday'를 뽑았다.

Track listing

1. The Village Adagio for Strings by The Vancouver Symphony Orchestra
2. Tracks of My Tears by Smokey Robinson
3. Okie from Muskogee by Merle Haggard
4. Hello, I Love You by The Doors
5. White Rabbitt by Jefferson Airplane
6. Barnes Shoots Elias by The Vancouver Symphony Orchestra
7. Respect by Aretha Franklin
8. (Sittin On) The Dock of the Bay by Otis Redding
9. When a Man Loves a Woman by Percy Sledge
10. Groovin by The Rascals
11. Adagio for Strings by The Vancouver Symphony Orchestra

〈플래툰〉 사운드트랙. © Atlantic Recording Corporation

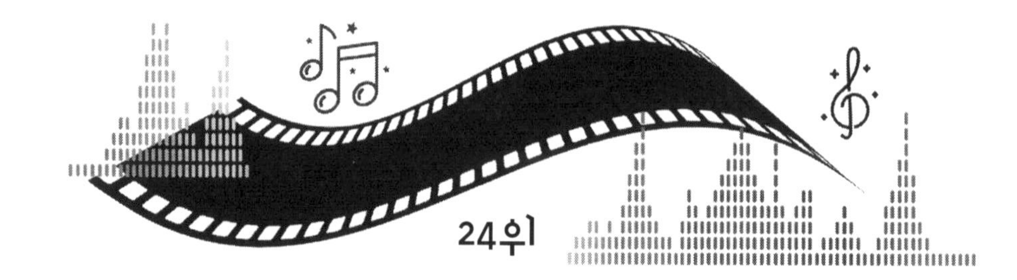

해리 포터와 마법사의 돌

Harry Potter and the Sorcerer's Stone>(2001) -

존 윌리암스, 알렉산드르 데스플랏 등 최상의 영화 음악가들이 펼쳐준 환타지 배경 음악

작곡(공동): 존 윌리암스 John Williams, 윌리암 로스 William Ross, 패트릭 도일 Patrick Doyle, 니콜라스 후퍼 Nicholas Hooper, 알렉산드르 데스플랏 lexandre Desplat

존 윌리암스 등 최상의 영화 음악가들이 집결해 공동 사운드트랙을 만들어낸 〈해리 포터와 마법사의 돌〉. © Warner Bros. Pictures

1. <해리 포터> 버라이어티 평

〈해리 포터〉는 J. K. 롤링의 동명 소설을 원작으로 한 영화 시리즈이다. 시리즈는 〈해리 포터: 마법사의 돌〉(2001)로 시작하여 〈해리 포터와 죽음의 성물 2〉로 절정을 이루는 8 편의 환타지 영화로 구성되어 있다.

Harry Potter is a film series based on the eponymous novels by J. K. Rowling. The series is consists of eight fantasy films, beginning with Harry Potter and the Philosopher's Stone (2001) and culminating with Harry Potter and the Deathly Hallows-Part 2(2011).

고아(孤兒) 소년은 마법 학교에 등록하여 자신과 가족, 그리고 마법의 세계에 도사리고 있는 끔찍한 악에 대한 진실을 알게 된다.

An orphaned boy enrolls in a school of wizardry where he learns the truth about himself, his family and the terrible evil that haunts the magical world.

이것은 그의 숙모와 숙모를 위해 일종의 노예로 봉사하는 평범한 11세 소년 해리 포터(Daniel Radcliffe)가 자신이 실제로 마법사이고 호그와트 마법 학교와 위저드리에 초대 받았다는 것을 알게 되는 이야기다.

This is the tale of Harry Potter (Daniel Radcliffe), an ordinary eleven-year-old boy serving as a sort of slave for his aunt and uncle who learns that he is actually a wizard and has been invited to attend the Hogwarts School for Witchcraft and Wizardry.

해리는 호그와트 관리인 루베우스 해그리드(로비 콜트레인)에 의해 평범한 존재에서 쫓겨나 그와 관객 모두에게 완전히 낯선 세계로 빠르게 던져지게 된다.

Harry is snatched away from his mundane existence by Rubeus Hagrid (Robbie Coltrane), the groundskeeper for Hogwarts and quickly thrown into a world completely foreign to both him and the viewer.

태어날 때 일어난 사건으로 유명한 해리는 새 학교에서 쉽게 친구를 사귄다. 그러나 그는 곧 그가 상상했던 것보다 마법사 세계가 그에게 훨씬 더 위험하다는 것을 깨닫게 된다. 그리고 모든 마법사가 신뢰(信賴) 할 수 있는 것은 아니라는 것을 빠르게 배우게 된다.

Famous for an incident that happened at his birth, Harry makes friends easily at his new school. He soon finds, however that the wizarding world is far more dangerous for him than he would have imagined and he quickly learns that not all wizards are ones to be trusted.

2. <해리 포터> 사운드트랙 리뷰

〈해리 포터와 마법사의 돌〉. © Warner Bros. Pictures

〈해리 포터〉 시리즈에는 4명의 작곡가가 있다. 존 윌리암스는 처음 3편의 영화인 〈마법사의 돌〉 〈비밀의 방〉 〈아즈카반의 죄수〉 등의 영화 음악을 제작한다. 바쁜 2002년 일정으로 인해 윌리암스는 윌리암 로스를 영입하여 〈비밀의 방〉의 배경 음악을 조정하고 지휘한다. 윌리암스는 또한 8편 영화 모두에 등장하는 시리즈 주제인 'Hedwig's Theme'을 만들었다.

The Harry Potter series has had four composers. John Williams scored the first three films: Philosopher's Stone, Chamber of Secrets and Prisoner of Azkaban. Due to a busy 2002 schedule, Williams brought in William Ross to adapt and conduct the score for Chamber of Secrets. Williams also created 'Hedwig's Theme', the series leitmotif which appears in all eight films.

윌리암스가 다른 프로젝트를 추구하기 위해 시리즈를 떠난 후, 패트릭 도일은 이전에 작업했던 마이크 뉴웰이 감독한 4번째 작품은 〈불의 잔〉의 스코어를 담당한다. 2006년 니콜라스 후퍼는 데이비드 예이츠 감독과 재회하면서 〈불사조 기사단〉의 배경 음악 작업을 시작한다.

After Williams left the series to pursue other projects, Patrick Doyle scored the fourth entry, Goblet of Fire which was directed by Mike Newell with whom Doyle had worked previously. In 2006, Nicholas Hooper started work on the score to Order of the Phoenix reuniting with director David Yates.

후퍼는 또한 〈혼혈 왕자〉 사운드트랙을 작곡했지만 최종 영화를 위해 돌아오지 않기로 결정한다.

Hooper also composed the soundtrack to Half-Blood Prince but decided not to return for the final films.

2010년 1월, 알렉산드르 데스플랏(Alexandre Desplat)은 〈해리 포터와 죽음의 성물 1〉 배경 음악 작곡가로 확정된다.

영화의 오케스트레이션은 여름에 데스플랏과 협력하여 해리 포터 첫 3편의 오케스트레이터인 콘래드 포트와 함께 시작하게 된다.

In January 2010, Alexandre Desplat was confirmed to compose the score for Harry Potter and the Deathly Hallows-Part 1.
The film's orchestration started in the summer with Conrad Pope, the orchestrator on the first three Harry Potter films collaborating with Desplat.

포프는 그 음악이 '옛날을 생각나게 한다'고 말했다. 데스플랏은 2011년 〈해리 포터와 죽음의 성물 2〉의 스코어를 위해 돌아오게 된다.

Pope commented that the music 'reminds one of the old days'.
Desplat returned to score Harry Potter and the Deathly Hallows-Part 2 in 2011.

예이츠는 윌리암스가 마지막 편을 위해 시리즈로 복귀하기를 원했다.
하지만 영화의 러프 컷에 대한 긴급한 요구로 인해 일정이 맞지 않았다고 말했다.

Yates stated that he wanted Williams to return to the series for the final instalment but their schedules did not align due to the urgent demand for a rough cut of the film.

〈해리 포터〉 최종 녹음 세션은 2011년 5월 27일 애비 로드 스튜디오에서 런던 심포니 오케스트라, 데슬플랏 및 오케스트라 지휘자 콘래드 포프와 함께 진행된다.

The final recording sessions of Harry Potter took place on 27 May 2011 at Abbey Road Studios with the London Symphony Orchestra, Desplat and orchestrator Conrad Pope.

도일, 후퍼 및 데스플랏은 윌리암스 테마 중 일부를 유지하면서 각자의 사운드트랙에 자신의 개인 테마를 도입하게 된다.

Doyle, Hooper and Desplat introduced their own personal themes to their respective soundtracks while keeping a few of William's themes.

3. <해리 포터> 시리즈 음악 해설 - 빌보드

윌리암스는 처음 3편의 영화에만 배경 음악을 작곡했지만 그가 만든 여러 모티프는 이후의 음악, 특히 8편 영화 모두에서 들을 수 있는 'Hedwig's Theme'로 통합된다.

Though Williams only scored the first three films, several motifs he created were incorporated into later scores, in particular Hedwig's Theme which can be heard in all eight films.

소스 음악을 작곡한 것으로 알려진 다른 음악가로는 자비스 카커, 오디너리 보이즈, 닉 케이브 앤 배드 씨드 등이 있다.

Other musicians credited with writing source music include Jarvis Cocker, The Ordinary Boys and Nick Cave and the Bad Seeds.

제레미 소울과 제임스 해니간은 〈해리 포터 Harry Potter〉 비디오 게임 음악을 작곡한다.

Jeremy Soule and James Hannigan wrote the music for the Harry Potter video games.

각 영화의 전곡은 현재 워너 브라더스와 협력하여 시네콘서트에서 제작한

〈해리 포터와 마법사의 돌〉. © Warner Bros. Pictures

'The Harry Potter Film Concert Series'를 통해 전 세계 공연장에서 현지 오케스트라가 라이브로 공연하고 있다.

Each film's complete score is currently being performed live to picture by local orchestras in venues throughout the world through The Harry Potter Film Concert Series produced by CineConcerts in partnership with Warner Brothers.

48개국에서 1,370회 이상의 공연이 진행됐다. 260만 명이 넘는 팬이 대형 스크린에 전체 영화를 투영하여 라이브로 공연되는 음악을 경험하게 된다.

There have been over 1,370 performances in 48 countries, with over 2.6 million fans experiencing the music performed live with the full movie projected on a giant screen.

4. <해리 포터> 테마 및 모티프 Themes and motifs

시리즈 전반에 걸쳐 각 작곡가는 특정 캐릭터, 항목, 위치 및 아이디어에 대한 테마를 만들었다. 전체 영화 시리즈에서 지속되는 주제는 거의 없지만 후속 영화에서 여러 주제를 들을 수 있다

1. 'Hedwig's Flight (Theme)'

모든 〈해리 포터〉 영화와 밀접하게 동일시되고 사용되는 지배적인 주제곡이다. 제목이 'Hedwig's Theme'이지만 항상 헤드위그를 구체적으로 나타내는 것이 아니라 마법과 마법사 세계에 대한 더 넓은 개념이다.

2. 'Family Portrait'

해리 부모와 호그와트에 있는 그의 새 가족을 나타내는 음악이다.

3. 'Harry's Wondrous World'

해리와 론 및 헤르미온느와의 우정과 관련이 있는 음악이다.

4. 'Nimbus 2000'

비행 flying과 장난 mischief 행동을 보일 때 연주되는 음악이다.

5. 'Voldemort's Theme'

해리 포터의 중요한 적수(敵手)인 볼드모트 경이 등장할 때 들려오는 테마 곡이다.

6. 'Philosopher's Stone'

철학자의 돌 the Philosopher's Stone과 〈비밀의 방〉에서 볼드모트가 등장할 때 사용되는 배경 음악이다.

〈해리 포터와 마법사의 돌〉. © Warner Bros. Pictures

7. 'Hogwarts Forever'

호그와트 마법 학교의 존재감을 드러내 주는 배경 곡이다.

8. 'Quidditch Fanfare'

퀴디치 경기가 시작될 때 신호 배경 음악이다.

9. 'Christmas at Hogwarts'

겨울과 크리스마스 시즌을 보여줄 때 흘러나오는 배경 곡.

10. 'The Flying Keys'

〈해리 포터: 마법사의 돌〉에서는 비행 열쇠 the flying keys, 2부 〈해리 포터와 비밀의 방〉에서는 '코니시 픽스 Cornish Pixies'와 '블러저 bludger'와 같은 비행 마법의 물체와 생물 flying magical objects and creatures이 등장할 때 들려오는 배경 음악이다.

11. 'The Great Hall Fanfare'

해리 포터가 놀라운 마법사 세계를 발견하게 되는 장면에서 사용되고 있는 테마 음악이다.

또한 호그와트 마법 학교 전경과 '거대한 공연장'의 모습을 보여줄 때도 배경 음악으로 흘러나오고 있다.

12. 'Revelation Theme'

체스판의 방 the Chessboard Chamber과 비밀의 방 the Chamber of Secrets을 보여주는 장면에서 흘러나오고 있다. 등장인물 중 필치 Filch와 스네이프 Snape가 1부 〈마법사의 돌〉에서 출입이 제한되고 있는 도서관에서 정체불명의 누군가를 발견하게 되는 장면에서도 배경 곡으로 사용되고 있다.

13. 'The Sneaking Around Theme'

안개 속에서 덤블도어가 첫 등장할 때. 한 밤 중에 해그리드를 방문하는 골든 트리오가 보여질 때. 하늘을 나는 자동차가 접근할 때.

거의 목이 없는 닉과 저스틴 핀치-플레츨리를 발견하게 되는 해리가 잔뜩 겁에 질려 있는 모습 등을 보여줄 때 사용되고 있는 테마 음악이다.

14. 'Invisibility Cloak Theme'

망토와 관련이 있으며 처음 두 영화에서 망토가 사용되는 동안 흘러 나오고 있다. 해리가 일기장에서 톰 리들에게 편지를 쓰고 있을 때, 그리고 톰이 두 번째 영화에서 지니가 비밀의 방을 여는 것에 대해 해리에게 설명하기 시작할 때에도 배경 음악으로 사용되고 있다.

15. 'Fluffy's Harp'

시리즈 1부에서 하프가 연주하는 음악이다.

플러피 Fluffy를 잠들게 하기 위해 사용되는 음악이다.

16. 'Leaving Hogwarts'

해리가 기차에 탑승해서 호그와트 마법학교를 떠나는 장면에서 흘러나오고 있는 배경 곡이다.

Track listing

〈해리 포터: 마법사의 돌〉 사운드트랙. © Atlantic

1. Prologue
2. Harry's Wondrous World
3. The Arrival of Baby Harry
4. Visit to The Zoo and Letters From Hogwarts
5. Diagon Alley and The Gringotts Vault
6. Platform Nine and Three Quarters and The Journey to Hogwarts
7. Entry into The Great Hall and The Banquet
8. Mr. Longbottom Flies
9. Hogwarts Forever! and The Moving Stairs
10. The Norwegian Ridgeback and A Change of Season
11. The Quidditch Match
12. Christmas at Hogwarts
13. The Invisibility Cloak and The Library Scene
14. Fluffy's Harp
15. In The Devil's Snare and The Flying Keys
16. The Chess Game
17. The Face of Voldemort
18. Leaving Hogwarts
19. Hedwig's Theme

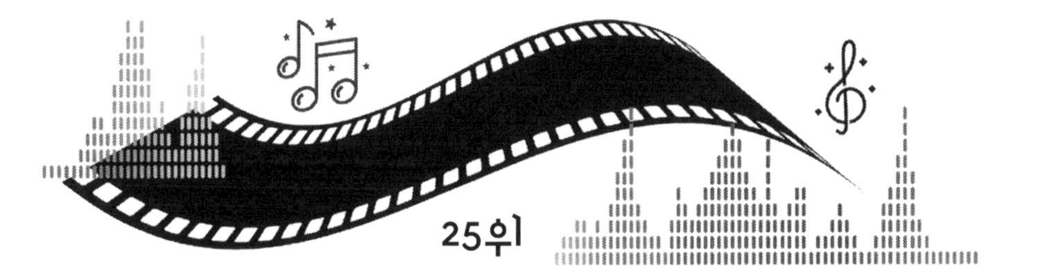

<캐리비안의 해적 Pirates of the Caribbean>(2003) - 한스 짐머가 들려주는 흥미진진 해적 모험담

작곡(공동): 한스 짐머 Hans Zimmer, 클라우스 바델트 Klaus Badelt

대서양을 무대로 펼쳐지는 해적들의 모험담 〈캐리비안의 해적〉. 한스 짐머가 웅장한 전자 음악으로 해적 액션극을 펼쳐주고 있다. © Walt Disney Studios Motion Pictures

1. <캐리비안의 해적> 버라이어티 평

〈캐리비안의 해적〉은 제리 브룩하이머가 제작하고 월트 디즈니의 동명 테마 파크 명소를 기반으로 한 환타지 영화 시리즈이다.

Pirates of the Caribbean is a series of fantasy swashbuckler films produced by Jerry Bruckheimer and based on Walt Disney's theme park attraction of the same name.

이야기는 잭 스패로우 선장(조니 뎁), 윌 터너(올랜도 블룸), 엘리자베스 스완(키이라 나이틀리)의 모험을 따라가고 있다.

The stories follow the adventures of Captain Jack Sparrow (Johnny Depp), Will Turner (Orlando Bloom) and Elizabeth Swann (Keira Knightley).

영화는 불법 복제 황금 시대의 가상 버전에서 진행되고 있다.
주로 카리브 해를 배경으로 하고 있다.

The films take place in a fictionalized version of the Golden Age of Piracy and are set primarily in the Caribbean.

대장장이 윌 터너는 괴짜 해적 '선장' 잭 스패로우와 손을 잡고 지금은 완전히 죽지 않은 사람들이 된 잭의 전 해적 동맹국으로부터 주지사 딸인 그의 사랑을 구해 주게 된다.

Blacksmith Will Turner teams up with eccentric pirate 'Captain' Jack Sparrow to save his love, the governor's daughter from Jack's former pirate allies who are now undead.

이 스워시 버클링 이야기는 현명한 해적 잭 스패로우 선장과 지혜로운 대장장이 윌 터너가 엘리자베스 스완을 찾는 여정을 따라가고 있다. 총독 딸이자 윌의 일생을 사랑한 엘리자베스는 두려워하는 바르보사 대위에게 납치된다.

그들이 아는 것은 거의 없지만 사나우며 영리한 바르보사는 저주를 받았다.

This swash-buckling tale follows the quest of Captain Jack Sparrow, a savvy pirate and Will Turner, a resourceful blacksmith as they search for Elizabeth Swann.

Elizabeth the daughter of the governor and the love of Will's life has been kidnapped by the feared Captain Barbossa.

Little do they know but the fierce and clever Barbossa has been cursed.

그와 그의 대원들은 고대 저주 아래 즉, 피를 바치지 않는 한 영원히 살지도 죽지도 않을 운명에 처해 있게 된다.

He, along with his large crew are under an ancient curse doomed for eternity to neither live nor die. That is unless a blood sacrifice is made.

2. <캐리비안의 해적> 사운드트랙 리뷰

〈캐리비안의 해적: 블랙 펄의 저주〉는 같은 이름의 영화 공식 사운드트랙 앨범이다. 앨범은 2003년 7월 22일 월트 디즈니 레코드에 의해 출반되었다. 영화 음악에서 선택한 음악이 포함되어 있다. 영화와 앨범의 음악은 작곡가 클라우스 바델트와 프로듀서 한스 짐머가 맡고 있다.

Pirates of the Caribbean: The Curse of the Black Pearl is the official soundtrack album from the film of the same name. The album was released on July 22, 2003, by

Walt Disney Records, and contains selections of music from the film score. The music of the film and this album are credited to composer Klaus Badelt and producer Hans Zimmer.

〈캐리비안의 해적〉. © Walt Disney Studios Motion Pictures

1. 'Fog Bound'

트랙은 가벼운 첼로 지그로 시작하고 있다. 나중에 'Black Pearl'과 그 저주받은 선원을 표시하는 데 사용되는 목관악기를 통합하는 느리고 긴장감 넘치는 테마로 내려간다. 주제는 서스펜스적인 클라이맥스에 도달한 후 트랙이 끝날 때까지 계속되는 영화의 사랑 주제인 'The Medallion Calls'로 직접 이어지고 있다.

the track begins with a light cello jig before descending into a plodding, suspenseful theme that incorporates woodwinds later used to denote the Black Pearl and its cursed crew. The theme reaches a suspenseful climax before leading into the film's love theme that continues until the end of the track, segueing directly into 'The Medallion Calls.'

2. 'The Medallion Calls'

트랙은 영화의 사랑 테마를 이어가며 'Fog Bound'로 부드럽게 시작된다. 이것은 잭 스패로우 도입부 주제로 넘어간다.

이 주제는 캐릭터 주제로 영화 시리즈 전체에서 반복되고 있다.
애절한 선율에 잠기고 영웅적으로 떠오르고 왈츠 선율로 트랙을 끝내고 있다.

The track begins as a segue from 'Fog Bound' continuing the film's love theme. This gives way to Jack Sparrow's introductory theme which is repeated throughout the film series as the character's leitmotif. It dips into a mournful tune before rising heroically and ending the track with a waltzing melody.

3. 'Black Pearl'

선곡은 불길한 선율로 시작하여 주목할 만한 호른 연주와 함께 흥미진진한 배경 음악으로 전환되고 있다. 제목에도 불구하고 이 신호는 포트 로열에서 제임스 노링턴의 해병대로부터 잭 스패로우의 탈출을 강조해 주고 있다.
주요 주제는 스코어의 다른 곳, 특히 'Will and Elizabeth'에서 두드러지게 나타나고 있다.

The cue starts with a sinister tune and then transfers into an exciting score with notable horns playing. Despite its title, the cue underscores Jack Sparrow's escape from James Norrington's marines in Port Royal. The main theme appears elsewhere in the score, notably during 'Will and Elizabeth.'

4. 'Will & Elizabeth'

이 트랙은 'The Black Pearl'에서 드라마틱한 노트로 이어지며 영화의 주요 'swashbuckling' 테마로 이어지고 있다. 이것은 빠른 속도로 계속되어 클라이맥스까지 구축되어 'Swords Crossed'로 계속된다. 이름에도 불구하고 이 트랙은 대장간에서 잭 스패로우와 윌리암 터너의 결투를 강조해 주는 배경 음악이다.

The track segues in from 'The Black Pearl' with a dramatic note before rising into the film's main 'swashbuckling theme'. This continues at a fast pace building until the climax where it drops off into 'Swords Crossed.' Despite the name, this track underscores the duel between Jack Sparrow and William Turner in the Blacksmith shop.

5. 'Swords Crossed'

이 트랙은 엘리자베스가 바르보사와 저녁 식사를 하는 동안 처음으로 저주받은 해적을 발견했을 때 연주되고 있다.

This track plays during Elizabeth's dinner with Barbossa when she discovers the cursed pirates for the first time.

6. 'Walk the Plank'

이 트랙은 'Swords Crossed'로 부드럽게 이어지면서 시작한다.
이어 인터셉터 사령관을 준비하는 잭과 윌로 전환되고 있다.

This track opens with a segue from 'Swords Crossed' then it transitions to Jack and Will preparing to commandeer Interceptor.

7. 'Barbossa is Hungry'

이 트랙은 HMS 인터셉터와 블랙 펄 사이의 추격을 위한 액션 선곡으로 사용되고 있다.

This track is used as the action cue for the chase between HMS Interceptor and Black Pearl.

8. 'Blood Ritual'

첫 번째 부분은 핀텔과 라게티가 부트트랩 이야기를 공개할 때 흘러나오고 있다. 트랙 후반 부분은 포트 로얄의 잭 스패로우와 윌리암 터너 사령관 인터셉터에서 흘러나오고 있다.

the first part is played when Pintel & Ragetti reveal Bootstrap's story while the track's latter part is played as Jack Sparrow and William Turner commandeer Interceptor from Port Royal.

9. 'Moonlight Serenade'

잭과 엘리자베스가 고립되었을 때 시작이 재생되고 있다.
트랙은 클라이맥스 전투의 맨 처음을 강조하는 액션 부분으로 끝난다.

The beginning is played when Jack and Elizabeth are marooned. The track ends with an action piece highlighting the very beginning of the climactic battle.

10. 'To the Pirates Cave!'

이 트랙은 영화 클라이맥스 전투에서 엘리자베스가 블랙 펄 선원을 구출할

〈캐리비안의 해적〉. © Walt Disney Studios Motion Pictures

때 재생되고 있다. 영화 초반에 인터셉터에서 윌과 엘리자베스가 대화하는 동안에도 흘러나오고 있다.

This track is played when Elizabeth rescues the crew of the Black Pearl in the climactic battles of the film and earlier in the film during Will and Elizabeth's conversation aboard Interceptor

11. 'Skull and Crossbones'

선곡은 잭 스패로우와 헥토르 바르보사 사이의 결투와 인터셉터 파괴 여파 동안 재생되고 있다. 이 트랙의 액션 부분은 영화에서 다소 다르게 들리고 있다.

The cue is played during the duel between Jack Sparrow and Hector Barbossa and the aftermath of the destruction of Interceptor.
The action part of this track sounds rather different in the film.

12. 'Bootstrap's Bootstraps'

이 트랙은 'He's Pirate' 메인 테마로 이어지는 저주받은 크루 테마의 위협적인 버전으로 시작되고 있다.

The track opens with a menacing version of the cursed crew theme which leads to the main theme heard in 'He's a Pirate.'

그 이름은 윌리암 부트트랩 빌 터너가 그의 부트스트랩으로 대포에 묶여 있다는 핀텔의 라인에서 따왔다. 그럼에도 불구하고, 이 선곡은 노링턴 제독과 그의 왕립 해군 병사들이 승무원, 잭 스패로우와 헥터 바르보사의 대결과 저주 받은 자들에 맞서 싸우는 무에르타 섬 전투 중에 재생되고 있다.

Despite its name taken from Pintel's line concerning William Bootstrap Bill Turner being tied to a cannon by his bootstraps. this cue is played during the battle of the Isla de Muerta between the Commodore Norrington and his soldiers of the Royal Navy against the Cursed crew, and the duel between Jack Sparrow and Hector Barbossa.

13. 'Underwater March

트랙의 시작 부분은 저주가 풀리고 해적들이 구타당할 때 재생되고 있다.
끝 부분은 수중 행군 중에 흘러나오고 있다.

The beginning of the track plays when the curse is lifted and the pirates are beaten and the end plays during their underwater march.

14. 'One Last Shot'

이 트랙은 영화 마지막 장면에서 흘러나오고 있다.

This track is played in the final scenes of the film.

15. 'He's a Pirate'

이 트랙은 크레디트 시작 부분에서 재생되고 있다.
배경 음악의 주요 액션 테마로 시작된 후 'The Black Pearl'에 설정된 화려한 테마로 계속되고 있다. 위협적인 트레몰로로 끝나고 있다.

This track is played at the beginning of the credits. It opens with the score's main action theme then continues into the swashbuckling theme established in 'The Black Pearl'. It closes with a threatening tremolo.

3. <캐비비안의 해적> 사운드트랙 작곡 일화

작곡가 알란 실베스티리는 〈블랙 펄의 저주〉 스코어를 위해 고용되었다.
그러나 프로듀서 제리 브룩하이머와 작곡가의 창의적인 차이로 인해 실버스트리는 프로젝트를 떠나게 된다. 고어 버빈스키 감독은 〈링〉에서 함께 작업했던 한스 짐머에게 참여를 요청한다.

Composer Alan Silvestri was originally hired to write the score for The Curse of the Black Pearl. However, due to creative differences between the producer Jerry Bruckheimer and him. Silvestri left the project and Gore Verbinski asked Hans Zimmer with whom he had worked on The Ring to step in.

짐머는 다른 임무를 수행하지 않겠다고 약속한 프로젝트인 〈라스트 사무라이〉 배경 음악 작곡에 바빴기 때문에 대부분의 작곡을 하는 것을 거부하게 된다.
결과적으로 그는 3년 동안 리모트 콘트롤 프로덕션의 일원이었으며 비교적 새로운 작곡가 클라우스 바델트를 버빈스키에게 추천한다.

Zimmer declined to do the bulk of the composing, as he was busy scoring The Last

Samurai, a project during which he claimed he had promised not to take any other assignments. As a result, he referred Verbinski to Klaus Badelt a relatively new composer who had been a part of Remote Control Productions for three years.

〈캐리비안의 해적〉. © Walt Disney Studios Motion Pictures

그러나 짐머는 결국 바델트와 협력하여 악보의 주요 주제 대부분을 작성하게 된다. 짐머는 자신이 하룻밤 사이에 대부분의 곡을 작곡한 다음 자신이 인정한 전체 합성 데모로 녹음했다고 말했다. 이 데모는 최종 선곡과 다른 초기 버전의 'He's A Pirate'로 끝맺는 악보 테마와 주제 중 3가지를 제시하며 짐머가 〈드롭 존 Drop Zone〉 스코어를 위해 작곡한 멜로디 개발을 포함시킨다.

Zimmer however ended up collaborating with Badelt to write most of the score's primary themes. Zimmer said he wrote most of the tunes in the space of one night and then recorded them in an all-synthesized demo credited to him.

This demo presents three of the score's themes and motifs concluding with an early version of 'He's A Pirate' which differs from the final cue and includes a development of a melody Zimmer wrote for the score to Drop Zone.

일정이 매우 빡빡하고 3주 안에 영화에 사용할 음악이 필요했기 때문에 라미 다와디, 제임스 둘리, 닉 글레니-스미스, 스티브 자브론스키, 블레이크 닐리, 제임스 맥키 스미스, 지오프 자넬리 등 음악을 편성하고 추가 선곡을 작성하는 데 도움이 될 7명의 작곡가를 초빙한다.

Since the schedule was very tight and the music was needed for the film in three weeks, seven other composers Ramin Djawadi, James Dooley, Nick Glennie-Smith, Steve Jablonsky, Blake Neely, James McKee Smith and Geoff Zanelli were called upon to help orchestrate the music and write additional cues.

이러한 결과 배경 음악은 4일 동안 할리우드 스튜디오 심포니로 인정받는 음악가 그룹과 함께 녹음된다. 짧은 시간 프레임으로 각 세션마다 다른 녹음 스튜디오를 사용해야 했다. 남성 합창단 메트로 보이스는 런던에서 녹음되어 완성된 녹음에 추가시키게 된다.

The resulting score was recorded with a group of musicians credited as the Hollywood Studio Symphony over the course of four days. The short time frame demanded the use of a different recording studio for each session. The Metro Voices a male choir was recorded in London and added to the finished recordings.

43분으로 구성된 사운드트랙 앨범은 작곡가 클라우스 바델트와 함께 발매된다. 선곡은 길이에 맞게 편집되었으며 믹스도 약간 변경되었다. 알 수 없는 이유로 여러 선곡의 믹싱이 너무 높은 게인 레벨로 실행되어 왜곡이 발생하고 있다.

The soundtrack album consisting of 43 minutes of the film's score was released with Klaus Badelt credited as the composer. The cues were edited for length, and minor changes to the mix were also made. For unknown reasons, the mixing of several cues are executed with gain levels so high that it causes distortion.

이것은 특히 트랙 14 'One Last Shot'에서 사랑 테마의 액션 선곡과 반복에서 두드러지고 있다.

또한 첫 번째 선곡 외에 트랙의 일반 이름은 내용과 관련이 없었다.

작곡가 게프리 자넬리 공식 웹사이트에 따르면 '스케줄이 너무 짧아서 악보가 작성되기도 전에 앨범 패키징의 트랙 이름을 결정해야 했기 때문이다'고 말했다.

This is noticeable particularly during the action cues and the reprise of the love theme in track 14 'One Last Shot.'

It is also noted that besides the first cue, the track's generic names were unrelated to their contents. According to the official website of composer Geoff Zanelli, this was because the production 'schedule was so short that they had to decide on the track names for the album packaging before the score was even written!'

〈캐리비안의 해적〉. © Walt Disney Studios Motion Pictures

바델트는 초기 디스크 배치의 지휘자로 인정받았지만 실제로는 블레이크 닐리가 지휘했다.

Badelt was credited as the conductor on early batches of the disc but it was actually conducted by Blake Neely.

대부분의 경우 〈블랙 펄의 저주〉는 단순한 오케스트레이션을 특징으로 하고 있다.

대위법은 드물다. 더 큰 음악의 대부분은 멜로디, 단순한 하모니, 낮은 금관악기와 낮은 현의 리드미컬한 수치로 구성되고 있다.

For the most part, The Curse of the Black Pearl features simple orchestration. Counterpoint is rare. most of the louder music consists of melody, simple harmony and rhythmic figures in the low brass and low strings.

손으로 두드리는, 좁고 아래 위가 기다란 북 톰-톰과 다양한 심벌즈를 포함한 샘플링 된 드럼 비트는 이러한 섹션에서 도처에서 사용되고 있다. 첼로와 더블 베이스를 강화하기 위해 매우 낮고 덜거덕거리는 베이스 라인도 믹스에 도입되었다. 조용한 섹션은 스트링 섹션이나 음향 효과에 의존하는 경향이 있다.

Sampled drum beats including tom-toms and various cymbals are used ubiquitously in such sections. A very low, rumbling bass line was also introduced into the mix to reinforce the cello and double basses. Quieter sections tend to rely either on the string section or on sound effects.

신세사이저 또는 샘플링 된 팬 플루트와 클라베는 섬뜩한 신호에서 반복적으로 들릴 수 있다. 이 배경 음악의 사운드를 정의하는 특징 중 하나는 멜로디에 호른을 사용한다는 것이다. 스코어의 거의 모든 더 큰 부분은 다양한 현악기로 자주 두 배로 늘어나는 멜로디의 호른을 특징으로 하고 있다.

Pan flute, possibly synthesized or sampled and claves can be heard repeatedly in the eerier cues. One of the defining characteristics of this score's sound is the use of horn for melody. Nearly all of the score's louder sections feature the horns on the melody, frequently doubled by various string instruments.

Track listing

Disc/ Cassette 1

1. Fog Bound
2. The Medallion Calls
3. The Black Pearl
4. Will and Elizabeth
5. Swords Crossed
6. Walk the Plank

7. Barbossa is Hungry
8. Blood Ritual
9. Moonlight Serenade
10. To the Pirates Cave!
11. Skull and Crossbones
12. Bootstrap's Bootstraps
13. Underwater March
14. One Last Shot
15. He's a Pirate

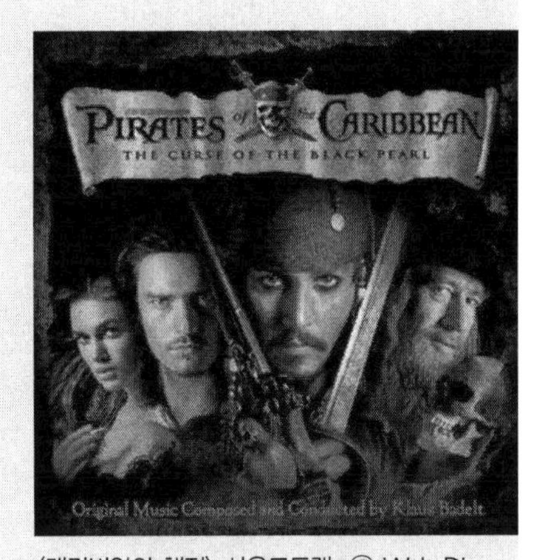

〈캐리비안의 해적〉 사운드트랙. © Walt Disney Records

Disc/ Cassette 2

1. Jack Sparrow
2. The Kraken
3. Davy Jones
4. I've Got My Eye on You
5. Dinner is Served
6. Tia Dalma
7. Two Hornpipes (Tortuga)
8. A Family Affair
9. Wheel of Fortune
10. You Look Good Jack
11. Hello Beastie
12. He's a Pirate-Tiësto Remix

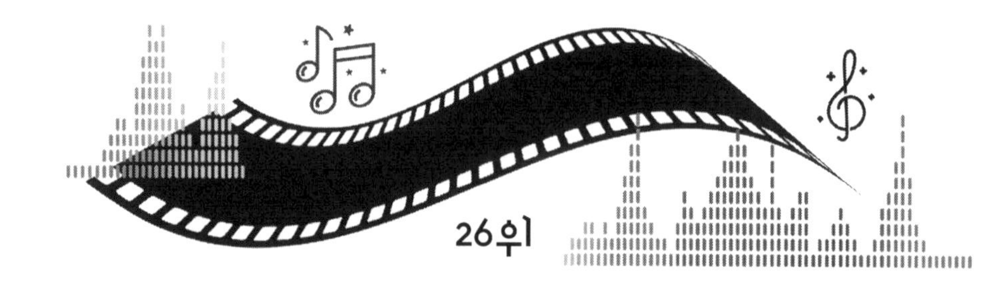

<지옥의 묵시록 Apocalypse Now>(1979) - 전쟁 광기(狂氣) 리듬으로 차용된 바그너의 'Ride of the Valkyries'

작곡: 리하르트 바그너 Richard Wagner

〈지옥의 묵시록〉 배경 음악으로 바그너의 'Ride of the Valkyries'가 선곡돼 깊은 인상을 남긴다.
ⓒ United Artists

1. <지옥의 묵시록> 버라이어티 평

〈지옥의 묵시록〉은 프란시스 포드 코폴라가 감독하고 제작한 1979년 미국 서사 심리 전쟁 영화이다.

Apocalypse Now is a 1979 American epic psychological war film directed and produced by Francis Ford Coppola.

코폴라와 존 밀리어스가 공동 집필하고 마이클 허가 내레이션을 쓴 시나리오는 조셉 콘라드의 1899년 소설 〈어둠의 심연〉을 대략적으로 기초했다.
설정은 19세기 말 콩고에서 베트남 전쟁으로 변경되었다.

The screenplay, co-written by Coppola and John Milius with narration written by Michael Herr is loosely based on the 1899 novella Heart of Darkness by Joseph Conrad with the setting changed from late 19th-century Congo to the Vietnam War.

영화는 살인 혐의를 받고 미친 것으로 추정되는 변절한 육군 특수 부대 장교인 커츠 대령(브란도)을 암살하기 위한 비밀 임무를 맡은 벤자민 L. 윌라드 대위(쉰)가 남베트남에서 캄보디아로 강 여행을 떠나는 과정을 따라가고 있다.

The film follows a river journey from South Vietnam into Cambodia undertaken by Captain Benjamin L. Willard (Sheen) who is on a secret mission to assassinate Colonel Kurtz (Brando), a renegade Army Special Forces officer accused of murder and who is presumed insane.

베트남에서 복무 중인 미군 장교는 자신을 신으로 여기는 배신자 특수부대 대령을 암살하라는 임무를 부여 받는다.

A U.S. Army officer serving in Vietnam is tasked with assassinating a renegade Special Forces Colonel who sees himself as a god.

베트남 전쟁 절정기. 루카스 대령과 장군은 공식적으로 '존재하지도 않고 존재하지도 않을' 임무를 수행하기 위해 미 육군 대위 윌라드를 파견한다.

임무는 군대가 캄보디아 국경을 넘어 베트콩과 NVA에 뺑소니 임무를 수행하고 있는 미스터리한 그린 베레 대령 월터 커츠를 찾는 것.

It is the height of the war in Vietnam and U.S. Army Captain Willard is sent by Colonel Lucas and a General to carry out a mission that, officially 'does not exist-nor will it ever exist'. The mission To seek out a mysterious Green Beret Colonel, Walter Kurtz whose army has crossed the border into Cambodia and is conducting hit-and-run missions against the Viet Cong and NVA.

군대는 커츠가 완전히 미쳤다고 믿고 있다. 윌라드 임무는 그를 제거하는 것이다. 미 해군 순찰선을 타고 눙 강을 거슬러 올라간 윌라드는 그의 목표물이 미 육군에서 가장 훈장을 많이 받은 장교 중 한 명이라는 사실을 알게 된다.

The army believes Kurtz has gone completely insane and Willard's job is to eliminate him. Willard, sent up the Nung River on a U.S. Navy patrol boat discovers that his target is one of the most decorated officers in the U.S. Army.

그의 부대원들은 눙 Nung 강으로 진입 지점을 제공하기 위해 베트콩 전초기지를 제거하는 미 육군 헬리콥터 기병 그룹의 수장인 파도타기 유형의 킬고어 중령을 만나게 된다.

His crew meets up with surfer-type Lt-Colonel Kilgore head of a U.S Army helicopter cavalry group which eliminates a Viet Cong outpost to provide an entry point into the Nung River.

〈지옥의 묵시록〉. © United Artists

그의 부대원 중 일부가 장발을 하고 있는 이들로부터 피살 당한 뒤 윌라드, 랜스 및 세프는 두 룽 다리 너머에 있는 커츠 대령의 전초 기지에 도착하게 된다.

이제 커츠의 포로가 된 후 윌라드 일행은 임무를 완수할 수 있을까?

After some hair-raising encounters, in which some of his crew are killed, Willard, Lance and Chef reach Colonel Kurtz's outpost, beyond the Do Lung Bridge. Now, after becoming prisoners of Kurtz will Willard & the others be able to fulfill their mission?

2. <지옥의 묵시록> 사운드트랙 리뷰

〈지옥의 묵시록〉에서 음악은 주로 사이키델릭 하고 환각적인 톤을 설정하고 있다. 영화를 역사적 시기-1960년대 후반의 미국-에 두고 화면에 묘사된 초현실적 사건을 반영하고 있다. 오프닝 시퀀스는 베트남 정글처럼 이국적으로 들리는 그룹 고어즈의 분위기 있는 노래 'End'로 페이드 인 되고 있다.

In Apocalypse Now, music primarily sets a psychedelic, hallucinatory tone that both places the film in its historical period—America in the late 1960s and mirrors the surreal events depicted onscreen.

The opening sequence fades in to 'The End' an atmospheric song by the Doors that sounds as exotic as the Vietnamese jungle looks.

으스스하고 변덕스러운 노래를 배경으로 윌라드 대위는 영화 내내 계속되는 내리막길로 빠져 들고 있다. 즉시 음악은 이미지를 장소 및 시간과 연결하고 있다. 광란의 리듬으로 노래는 곧 시작될 오디세이를 준비하고 있다.

With this eerie, moody song as his backdrop, Captain Willard tumbles into a downward spiral that continues throughout the film. Immediately, the music links image to place and time with its frenzied rhythms, the song prepares us for the odyssey that is about to begin.

윌라드가 강에서 나오고 커츠의 도살 장면이 순록 도살 장면과 겹칠 때 그룹 도어즈의 음악이 다시 들려오고 있다.

살인 장면은 도어즈의 록, 촬영 감독 스토라로의 초현실적인 조명 구성, 커츠와 순록 사이의 앞 뒤 컷의 조합 덕분에 영화에서 가장 환각적이다.

Music from the Doors appears again near the end of the film, when Willard emerges from the river and shots of Kurtz's slaughter are interwoven with shots of the caribou slaughter. The murder scene is the most hallucinatory of the film, thanks to the combination of the Doors rock, cinematographer Storaro's surreal lighting scheme and the back-and-forth cuts between Kurtz and the caribou.

다른 경우에는 사운드트랙이 전쟁의 부조리라는 개념을 강화하는 데 사용되고 있다. 가장 명백한 예는 킬고어가 바그너의 'Ride of the Valkyries'를 틀어놓고 무의미하고 불필요한 공습을 선언하는 것이다.

그런 과격한 구성과 아래에서 펼쳐지는 잔학 행위를 결합하는 것은 거의 코미디에 가까운 터무니없는 일이다.

other instances, the soundtrack is used to reinforce the notion of war's absurdity.
The most obvious example occurs as Kilgore blasts Wagner's 'Ride of the Valkyries' to announce a senseless, unnecessary air strike. To pair such a bombastic composition with the atrocities that unfold below is absurd nearly to the point of comedy.

그러나 이 희극은 군인들이 부상 당하고 베트남 여성이 헬리콥터에 수류탄을 던져 탑승자 전원이 사망하면서 사라지게 된다.
곧 의기양양한 음악과 치명적인 전투가 결합되어 킬고어의 틀에 얽매이지 않는 '서핑 또는 싸움' 방식으로 강화 된 광기의 감각이 만들어지게 된다.

But the comedy dissipates as soldiers are wounded and a Vietnamese woman throws a grenade into a helicopter, killing all on board. Soon, the combination of triumphant music and deadly combat creates a sense of madness that is reinforced by Kilgore's unconventional 'surf or fight' methods.

다른 곳에서 사운드트랙은 집을 상징하고 있다. 킬고어는 미국 해변 파티와 유사한 모임에서 그의 군대가 노래를 따라 부르면서 캠프 파이어 주위에서 기타를 치고 있다.
클린(로렌스 피시본)은 낯선 나라와 기후 속에서 미국 록을 위로하는 라디오를 자주 듣고 있다.

Elsewhere, the soundtrack symbolizes home. Kilgore strums a guitar around the campfire as his troops sing along during a gathering akin to an American beach party.
Clean frequently listens to the radio which blasts comforting American rock in the midst of a strange country and climate.

〈지옥의 묵시록〉. © United Artists

미군위문공연단 USO 쇼에는 밴드 CCR이 대중화시킨 노래인 플래시 캐딜락의 'Suzie Q'가 있다.

플레이메이트 Playmates 장면에서 미국 여성과 미국 팝 음악의 조합은 일부 군인이 감당하기에는 너무 많고 일부는 스스로를 제어할 수 없게 된다.

The USO show features Flash Cadillac's 'Suzie Q' a song popularized by the band Creedence Clearwater Revival. In the Playmates scene, the pairing of American women and American pop music becomes too much for some of the soldiers to bear and several cannot control themselves.

플레이메이트의 헬리콥터가 올라갈 때 몇 몇 병사들은 그 헬리콥터에 매달리기까지 한다. 결국 이 사람들은 놓아주고 강물에 빠진다. 미국이 여전히 그들을 돌보고 있다는 애국심을 일깨워 주려던 것이 슬픈 현실 점검으로 바뀌게 된다.

노래는 군인들에게 고향을 떠올리게 하듯이 영화가 단순한 픽션이 아니라 역사 픽션임을 상기시키는 역할도 하고 있다.

A few soldiers even cling to the Playmate's helicopter as it ascends. Eventually, these men let go and fall into the river. What was meant to be a patriotic reminder that America still cares about them turns into a sad reality check. As the songs remind the soldiers of home, they also serve to remind us that the film is not just fiction but historical fiction.

코폴라는 영화를 특정 사회적 맥락에 고정시키기 위해 음악을 사용하고 있다.
노래 인지도는 특히 베트남 전쟁을 겪은 사람들에게 영화에 또 다른 진정성을 부여하고 있다.
등장인물과 마찬가지로 미국 문화사의 이 시대를 특징짓는 소리와 즉각적으로 관련될 수 있다.

Coppola used music to anchor the film to its specific social context.
The song's recognizability lends the film another layer of authenticity, particularly to those who lived through the Vietnam War and like the characters can instantly relate to the sounds that characterized this era of American cultural history.

3. 데이비드 샤이어, 독자적 <지옥의 묵시록> 사운드트랙 출반

데이비드 샤이어는 〈지옥의 묵시록〉 사운드트랙을 작곡하기 위해 고용되었다.
하지만 영화감독 프란시스 포드 코폴라와의 사이가 나빠졌다.
이제 샤이어의 독창적인 전자식 올 신세사이저 스코어가 처음으로 출반된다.

David Shire was hired to compose the soundtrack for Apocalypse Now but had a fall-

2018년 데이비드 샤이어는 〈지옥의 묵시록: 미사용 음악〉에 대한 사운드트랙을 발매한다. © Jim Titus

ing out with the film's director Francis Ford Coppola. Now, Shire's original electronic, all-synthesizer score is being released for the first time.

샤이어는 자신이 〈지옥의 묵시록〉을 위해 작곡한 음악을 거의 잊었다고 말하고 있다.

그는 4년 조금 더 전에 서랍에 먼지를 모으고 있던 카세트에서 재생하면서 처음으로 그것을 다시 들었다고 한다.

Shire says he'd mostly forgotten about the music he wrote for Apocalypse Now. He heard it again for the first time a little over four years ago playing back from a cassette that'd been gathering dust in a drawer.

샤이어는 '나는 그것을 듣고 이 모든 것이 어디서 왔을까? 라고 생각했다'고 말했다.

'I listened to it and thought, Where did all of that stuff come from?' Shire tells.

〈지옥의 묵시록〉의 경우 코폴라는 원래 완전히 아날로그 신세사이저에서 연주되는 완전히 편곡된 악보를 원했다고 한다.

For Apocalypse Now, Coppola originally wanted a fully-orchestrated score played entirely on analog synthesizers.

프란시스가 오케스트라가 아닌 종합적인 스코어를 원했던 이유는 정확히 그것이 약간의 고유한 냉정함을 갖고 있기 때문이었다'라고 샤이어는 말한다.

'The reason Francis wanted an all-synthesized score instead of an orchestra was precisely because it had a little inherent coldness to it' he says.

1976년, 코폴라가 영화를 촬영하기 위해 필리핀으로 떠나는 동안 샤이어는 로스 엔젤레스 스튜디오에서 악보에 대한 아이디어 초안을 작성하기 시작했다.
그는 신세사이저가 단순히 현악기, 금관 악기 및 목관 악기를 모방하는 것을 원하지 않았다. 그는 참신한 음색을 가진 가상의 악기를 듣고 싶었다.

In 1976, while Coppola decamped to The Philippines to shoot the film, Shire began drafting ideas for the score in a Los Angeles studio. He didn't want the synthesizers to simply emulate strings, brass and woodwinds.
He wanted to hear imaginary instruments with novel tones.

그는 '징 소리가 나는 셀레스티' 혹은 그가 '스컴본'이라고 이름 붙인 악기와 같이 그가 원하는 소리에 대한 대략적인 설명을 적었다. 더럽고 거대한 트롬본 같은 것이다.

He wrote down rough descriptions of sounds he wanted like 'celeste with gong ring-off' or an instrument he dubbed the 'scumbone' something of a dirty, huge trombone.

그러나 샤이어는 수 년 동안 신세사이저를 작곡해 왔지만 신디를 프로그래밍하는 방법을 배운 적이 없었다. 전체 앙상블은 더욱 그랬다.
이를 위해 그는 대부분의 사람들이 신세사이저를 듣는 방식을 바꾸고 싶어하는 음악가 댄 와이만에게 의지하게 된다.

But although Shire had been writing for synths for years, he had never learned how to program one, much less a whole ensemble of them. For that he turned to Dan Wyman, a musician itching to change the way most people heard synthesizers.

와이만 임무는 거대한 신세사이저가 샤이어가 그의 머리에서 들리는 소리를 생성하도록 하는 방법을 알아내는 것이었다.

Wyman's job was to figure out how to make the massive synthesizers generate the sounds Shire heard in his head.

'신세사이저는 훨씬 더 많은 것을 할 수 있었다. 데이비드는 그것을 알고 있었다. 프란시스 코폴라도 확실히 알고 있었다.

우리는 악기가 인간 연주자만큼 인간적이지만 더 훌륭할 수 있다는 것을 스스로 증명해야 했다'고 와이만은 말하고 있다.

'Synthesizers were capable of so much more' Wyman says. 'David knew that, Francis Coppola certainly knew that. We needed, in our own minds to prove that the instrument could be as human as human players but more wonderful.'

몇 분의 음악을 녹음하는 데 며칠이 걸릴 수 있다.

그러나 그들에게는 시간이 있었다. 필리핀에서 코폴라의 영화 촬영은 허리케인과 캐스팅 문제로 인해 지연되었다.

Recording a couple minutes of music could take days. But they had the time. Coppola's film shoot in The Philippines dragged on thanks to a hurricane and casting issues.

〈지옥의 묵시록〉은 멈춘 것 같았다. 샤이어는 다른 영화의 스코어 작업을 제안 받는다. 이것은 코폴라와 잘 어울리지 않았다.

Apocalypse Now seemed to be stalled, so Shire took an offer to work on the score of another film. This did not sit well with Coppola.

'나는 다른 직업을 가져야만 했다'고 말했다. 그는 '글쎄, 나는 그것을 감당할 수 없다'고 말했고 나는 아주 짧은 전화로 해고당했다'고 샤이어는 말하고 있다.

〈지옥의 묵시록〉. © United Artists

'I had to take another job' I said. He said, 'Well, I can't deal with that and I was fired with a very short phone call' Shire says.

샤이어는 또한 당시 코폴라 여동생과 이혼을 겪고 있었다.

감독은 대신 처음부터 악보를 시작한 그의 아버지 카민을 고용한다.

샤이어는 자신이 황폐해졌던 것을 기억하지만 코폴라가 영화를 만들기 위해 어떤 일을 겪었는지 이해한다고 말하고 있다.

Shire also happened to be going through a divorce with Coppola's sister at the time. The director hired his father, Carmine, instead who started from scratch on the score.

Shire remembers he was devastated but says he understands what Coppola was going through to make the film.

샤이어는 '우리는 매우 위생적이고 조용하며 안전한 환경에서 작업하고 있었다'고 말했다.

'We were working in a very sanitized, quiet, safe environment' Shire says.

데이비드 샤이어와 마찬가지로 프란시스 포드 코폴라는 버려진 스코어를 잊어 버렸다. 거의 40년이 지난 지금, 전 처남은 화해했다. CD 라이너 노트 사진에는 샤이어의 아들이자 코폴라 조카의 결혼식에서 나란히 웃고 있는 두 사람의 모습이 담겨 있다.

Like David Shire, Francis Ford Coppola had forgotten about the abandoned score. Now, nearly 40 years later, the ex brothers-in-law have reconciled.

A picture in the CD liner notes shows the two grinning, side by side, at the wedding of Shire's son, Coppola's nephew.

데이비드 샤이어의 〈지옥의 묵시록: 사용하지 않은 스코어 Apocalypse Now-The Unused Score〉는 지금 구매할 수 있다.

David Shire's Apocalypse Now-The Unused Score is available now.

Track listing

1. Opening: The End by Doors
2. The Delta
3. Dossier
4. Orange Light
5. Ride Of The Valkyries from Die Walkure by Richard Wagner. Conducted by Sir George Solti, The Vienna Philharmonica Orchestra
6. Suzie Q Performed by Flash Cadillac
7. Nung River
8. Do Lung
9. Letters From Home
10. Clean's Death
11. Chief's Death
12. Voyage
13. Chef's Head
14. Kurtz Chorale
15. Finale

〈지옥의 묵시록〉 사운드트랙. © East West/ Warner Music

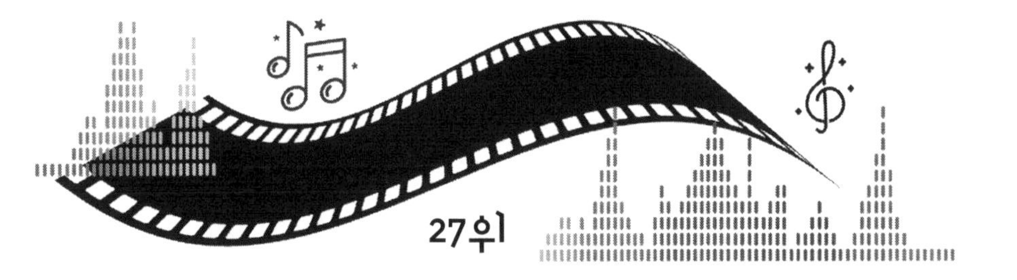

<로컬 히어로 Local Hero>(1983) -
석유 회사 직원이 겪는 애환,
마크 노플러 현란한 기타 독주로 묘사

작곡 마크 노플러 Mark Knopfler

그룹 다이어 스트레이트 리드 기타리스트 겸 보컬 마크 노플러가 사운드트랙을 맡아 음악 팬들의 관심을 얻어낸 〈로컬 히어로〉. © 20th Century Fox

1. <로컬 히어로> 버라이어티 평

〈로컬 히어로〉는 빌 포사이스가 각본과 감독을 맡았다.
피터 리게트, 데니스 로슨, 풀튼 맥케이, 버트 랭카스터 등이 출연하고 있는 1983년 스코틀랜드 코미디 드라마 영화이다.

Local Hero is a 1983 Scottish comedy-drama film written and directed by Bill Forsyth and starring Peter Riegert, Denis Lawson, Fulton Mackay and Burt Lancaster.

데이비드 푸트남이 제작한 영화는 미국 석유 회사 대표가 자신의 회사를 위해 마을과 주변 부동산을 구입하기 위해 스코틀랜드 서부 해안에 있는 가상 마을 퍼니스로 파견된다는 이야기다.

Produced by David Puttnam, the film is about an American oil company representative who is sent to the fictional village of Ferness on the west coast of Scotland to purchase the town and surrounding property for his company.

포사이스는 1984년 BAFTA 감독상을 수여 받는다.
무대 뮤지컬 각색은 2019년에 세계 초연으로 공연된다.

Forsyth won the 1984 BAFTA Award for Best Direction.
A stage musical adaptation received its world premiere in 2019.

미국의 한 석유 회사는 새로운 정유소를 건설할 계획을 갖고 있다. 스코틀랜드에 사람을 보내 마을 전체를 사들이지만 일이 뜻대로 되지 않는다.

An American oil company has plans for a new refinery and sends someone to Scotland to buy up an entire village but things don't go as expected.

석유 억만장자 하퍼는 건설하려는 정유 공장 재산권을 확보하기 위해 맥을 스코틀랜드 외딴 마을로 보낸다. 맥은 대니와 팀을 이뤄 협상을 시작한다.
지역 주민들은 '1 달러 은화'를 손에 넣고 싶어 한다.
하지만 그들의 행운을 믿을 수 없다.

Oil billionaire Happer sends Mac to a remote Scottish village to secure the property rights for an oil refinery they want to build. Mac teams up with Danny and starts the negotiations, the locals are keen to get their hands on the 'Silver Dollar' and can't believe their luck.

그러나 지역 은둔자이자 해변 청소부 벤 크녹스는 자신도 소유한 중요한 해변의 판잣집에 살고 있다. 하퍼는 오로라에 더 관심이 있고 대니는 물갈퀴가 있는 발을 가진 초현실적 소녀 마리나이다.

However, a local hermit and beach scavenger, Ben Knox, lives in a shack on the crucial beach which he also owns. Happer is more interested in the Northern Lights and Danny in a surreal girl with webbed feet, Marina.

맥은 팩스 기가 있는 휴스턴 사무실에 익숙하다.
하지만 벤의 조건으로 협상해야 한다.

Mac is used to a Houston office with fax machines but is forced to negotiate on Bens terms.

〈로컬 히어로〉. © 20th Century Fox

2. <로컬 히어로> 사운드트랙 리뷰

영화 사운드트랙은 다이어 스트레이트의 리더 마크 노플러가 작성하고 제작했다. 이것은 밴드 팬들과 함께 영화의 인기로 이어진다.

그 이후로 노플러는 자신의 여러 콘서트에서 앵콜로 'Going Home Theme of the Local Hero' 편곡을 연주해 주었다.

The film's soundtrack was written and produced by Mark Knopfler of Dire Straits. This has led to the popularity of the film with fans of the band. Knopfler has since performed an arrangement of 'Going Home Theme of the Local Hero' as an encore at many of his concerts.

이 곡은 전통적인 노래에서 일부 선율적인 리프를 차용하고 있다.

올뮤직의 앨범에 대한 리뷰에서 윌리암 럴맨은 다음과 같이 썼다.

This tune borrows some melodic riffs from traditional songs. In his review of the album for AllMusic, William Ruhlmann wrote.

'다이어 스트레이트 리더 마크 노플러의 복잡하고 내성적인 핑거픽 기타 스타일은 빌 포사이스 감독의 코미디 영화 〈로컬 히어로〉의 애절한 음색에 완벽한 음악적 보완을 제공하고 있다. 낮은 키 음악은 스코틀랜드 음악의 흔적을 선택하고 있다. 하지만 대부분은 다이어 스트레이트 특히 노플러의 가장 기억에 남는 멜로디 중 하나인 반복되는 주제를 연주해 주고 있다.'

'Dire Straits leader Mark Knopfler's intricate, introspective fingerpicked guitar stylings make a perfect musical complement to the wistful tone of Bill Forsyth's comedy film, Local Hero The low-key music picks up traces of Scottish music but most of it just sounds like Dire Straits doing instrumentals, especially the recurring theme, one of Knopfler's more memorable melodies'.

게리 라퍼티는 사운드트랙에 'Way It Always Starts'의 보컬을 제공하고 있다. 이 앨범은 BPI 실버 레코드 인증을 받았다.

Gerry Rafferty provided the vocals for 'The Way It Always Starts' on the soundtrack. The album was certified a BPI silver record.

3. <로컬 히어로> 사운드트랙 해설 - 빌보드

〈로컬 히어로〉는 영국 싱어 송 라이터이자 기타리스트 마크 노플러의 사운드트랙 데뷔 앨범이다. 1983년 3월 버티고 레코드가 국제적으로, 워너 브라더스가 미국에서 발매했다.
여기에는 데이비드 푸트남이 제작하고 빌 포사이스가 각본과 감독을 맡은 1983년 영화 〈로칼 히어로〉를 위해 작곡된 음악이 포함되어 있다.

Local Hero is the debut soundtrack album by British singer-songwriter and guitarist Mark Knopfler, released in March 1983 by Vertigo Records internationally and by Warner Bros Records in the United States.
It contains music composed for the 1983 film Local Hero, produced by David Puttnam and both written and directed by Bill Forsyth.

1984년 이 앨범은 BAFTA 어워드 영화상 후보로 지명 되었다. 앨범 마지막 트랙 'Going Home'은 노플러의 로컬 팀인 뉴캐슬 유나이티드 F.C의 모든 홈 경기 전에 흘러 나오고 있다. 노플러는 그의 고향에서 2014년 그레이트 노스런 Great North Run을 위한 자선 싱글로 이 노래를 다시 녹음한다.

In 1984, the album received a BAFTA award nomination for Best Score for a Film. The final track of the album 'Going Home' is played before every home game of Newcastle United F.C., Knopfler's local team. Knopfler re-recorded the song as a charity single for the 2014 Great North Run in his home city.

4. 올뮤직 Allmusic 사운드트랙 리뷰

이것은 또한 노플러의 영화 작곡 세계로의 첫 번째 진출이었다. 그가 〈로컬 히어로〉 이후 몇 편 이상의 사운드트랙 작업을 했기 때문에 유망한 시작임이 입증 되었다. 여기에는 'The Rocks and Water' 'The Rocks and Thunder' 'The Ceilidh and Northern Lights' 'The Mist Covered Mountains' 'Stargazer' 등과 같이 분위기 있는 오프너와 같이 섬세하고 조용하며 반사적인 여러 연주곡이 있다.

This was also Knopfler's first foray into the world of film composing and it proved to be a promising start since he's worked on more than a few soundtracks since Local Hero. There are a number of instrumental pieces here that are delicate, quiet, and reflective such as the atmospheric opener 'The Rocks and the Water' 'The Rocks and the Thunder' 'The Ceilidh and the Northern Lights' 'The Mist Covered Mountains' and 'Stargazer.'

이 꿈결 같이 낮고 거의 주변 환경과 같은 사운드스케이프는 그 어떤 것보다 배경 음악으로 더 많이 기능하고 있다. 하지만 정서적으로 효과적이며-영화가 설정하는-스코틀랜드 고원의 멋진 풍경의 풍부한 이미지를 적절하게 연상시켜 주고 있다. 그들은 영화의 애절한 톤에 어울린다.

〈로컬 히어로〉. © 20th Century Fox

These dreamy, low-key, almost ambient-like soundscapes function more as background music than anything else but they are emotionally effective, appropriately conjure up rich images of the stunning landscapes of the Scottish Highlands-where the film is set-and most importantly they suit the wistful tone of the film.

기억에 남는 'Wild Theme'는 풍부하고 낭만적이다.
따뜻한 음색을 지닌 노플러의 세련된 기타 연주가 특징이다.
흥미롭고 감동적이며 숭고한 노래 'Going Home: Theme of the Local Hero'-'Wild Theme'의 변형-는 의심할 여지없이 저항의 배경 음악이다.

The memorable 'Wild Theme' features some tasteful guitar playing by Knopfler that's rich, romantic and warm in tone.
The catchy, stirring, and sublime anthem 'Going Home: Theme of the Local Hero'-a variation on 'Wild Theme'-is unquestionably the scores pièce de résistance.

세련되고 부드러운 팻 매스니/ 라일 메이즈와 같은 재즈 곡'Smooching' 및 'Boomtown-Variation Louis Favourite'-도 있다. 바이브에 대한 유명한 색소폰 연주자 마이클 브렉커와 마이크 메이니에리의 훌륭한 연주가 특징이다.

There's also a couple of sophisticated and smooth Pat Metheny/ Lyle Mays-like jazz numbers-'Smooching' and 'Boomtown Variation Louis Favourite' that feature some fine performances from renowned saxophonist Michael Brecker and Mike Mainieri on vibes.

주목할 만한 또 다른 음악적 하이라이트는 게리 라퍼티-'Baker Street' 및 'Right Down Line'으로 유명-가 매력적이고 유쾌한 노래 'Way It Always Starts'에서 리드 보컬로 노래를 불러 주는 것이다.

Another musical highlight worthy of note sees Gerry Rafferty-of 'Baker Street' and 'Right Down the Line' fame-sing lead vocals on the attractive and pleasant song 'The Way It Always Starts.'

전반적으로 비평가들의 찬사를 받은 이 BAFTA 후보 스코어는 의심할 여지없이 노플러의 혁신적이고 재능 있으며 다재다능한 기타리스트가 독창적이고 뉘앙스/ 풍부한 질감의 배경 음악을 만들 수 있음을 증명하고 있다. 포사이스 영화의 부드러운 분위기를 포착할 뿐만 아니라 그 자체로도 똑같이 잘 작동하고 있다.

Overall, this critically acclaimed, BAFTA-nominated score undoubtedly proves that Knopfler's an innovative, talented and versatile guitarist capable of creating an authentic, one-of-a-kind, nuanced/ richly textured score that not only captures the gentle mood of Forsyth's film but also functions equally well on its own.

노플러의 사운드트랙 작업이 처음이고 특정 배경 음악에 집착하고 싶지 않다면 〈로컬 히어로〉와 그가 수년 동안 작업한 다른 영화의 다양한 주제를 훌륭하게 편집한 영화 대본을 찾는 것도 좋다.

If you're new to Knopfler's soundtrack work and don't want to commit to one particular score.

We recommend you seek out Screenplaying, a wonderful compilation of various themes from Local Hero and other films he's worked on over the years.

5. <로컬 히어로> 사운드트랙 제작 에피소드

'Dire Straits'(1978) 'Communiqué'(1979) 'Making Movies'(1980) 등은 다이어 스트레이트와 함께 일련의 멀티 플래티넘 앨범에 이어 그룹의 리드 싱어, 기타리스트, 작곡가 및 프로듀서 노플러는 음악적 도전과 기회를 위해 새로운 앨범을 찾기 시작한다. 1982년 초 매니저는 여러 영화감독들에게 편지를 보내 노플러가 영화 음악 작곡에 관심이 있다는 내용의 편지를 보낸다.

Following a string of three multi-platinum albums with Dire Straits-Dire Straits (1978) Communiqué (1979) and Making Movies (1980)-Knopfler, the group's lead singer, guitarist, songwriter and producer began to look for new musical challenges and opportunities. In early 1982, his manager wrote to several film directors indicating that Knopfler was interested in writing film music.

프로듀서 데이비드 푸트남이 응답한다.
〈로컬 히어로〉 프로젝트를 검토한 후 노플러가 작업을 수락한다.
1982년 3월 8일부터 6월 11일까지 녹음된 다이어 스트레이트의 4번째 앨범 'Love Over Gold'가 완성된 후 노플러는 이 영화의 음악 작업을 시작한다.

Producer David Puttnam responded and after reviewing the Local Hero project, Knopfler accepted the job.
Following the completion of Dire Strait's fourth album Love Over Gold recorded from

〈로컬 히어로〉. © 20th Century Fox

8 March to 11 June 1982. Knopfler began work on the film's music.

그는 게리 라퍼티를 'Way It Always Starts'라는 노래의 리드 보컬로 초대한다.

2000년 라퍼티는 노플러에게 그의 마지막 스튜디오 앨범 'Another World'에 리듬 기타와 리드 필을 제공하도록 초빙한다.

He invited Gerry Rafferty to be the lead vocalist on the song 'The Way It Always Starts'. In 2000, Rafferty invited Knopfler to provide rhythm guitar and lead fills on what would be his final studio album, Another World.

'올뮤직 AllMusic'에 대한 회고적 리뷰에서 윌리암 럴맨은 이 앨범에 별 5개 중 4개 반을 주었다.

In his retrospective review for AllMusic, William Ruhlmann gave the album four and a half out of five stars

럴맨은 계속해서 '낮은 키 음악은 스코틀랜드 음악의 흔적을 포착하고 있다. 하지만 대부분은 다이어 스트레이트가 기악을 연주하는 것처럼 들린다.

특히 노플러의 더 기억에 남는 멜로디 중 하나인 반복되는 주제이다'라고 말했다.

Ruhlmann continued 'The low-key music picks up traces of Scottish music, but most of it just sounds like Dire Straits doing instrumentals, especially the recurring theme, one of Knopfler's more memorable melodies.'

'롤링 스톤' 잡지의 동시대 리뷰에서는 노플러 영화 음악 데뷔를 '매력적이고 국제적인 사운드트랙 음악의 암시적인 LP-당신의 마음에 영화를 만들 수 있는 레코드'라고 호칭했다.

Rolling Stone magazine's contemporary review called Knopfler's film music debut an 'insinuating LP of charming, cosmopolitan soundtrack music a record that can make movies in your mind.'

Track listing

1. The Rocks and the Water
2. Wild Theme
3. Freeway Flyer
4. Boomtown variation Louis Favourite
5. The Way It Always Starts Featuring Gerry Rafferty
7. The Ceilidh and the Northern Lights
8. The Mist Covered Mountains(Traditional, arrangement by Mark Knopfler)
9. The Ceilidh: Louis Favourite, Billy's Tune
10. Whistle Theme
11. Smooching
12. Stargazer
13. The Rocks and the Thunder
14. Going Home: Theme of the Local Hero

〈로컬 히어로〉 사운드트랙. © Vertigo, Warner Bros

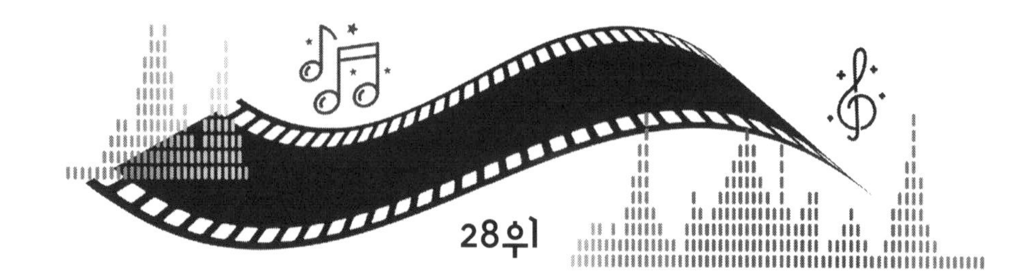

<늑대와 춤을 Dances with Wolves>(1990) - 존 배리가 칭송해주고 있는 백인 북부 중위의 인디언 화해 행적

작곡 존 배리 John Barry

광활한 서부 풍경을 관현악 리듬으로 묘사해 준 존 배리 작곡의 〈늑대와의 춤을〉. © Orion Pictures

1. <늑대와 춤을> 버라이어티 평

〈늑대와의 춤을〉은 케빈 코스트너의 장편 데뷔작.

주연, 감독, 제작을 맡은 1990년 미국 서사(敍事) 서부 영화이다.

마이클 블레이크의 1988년 동명 책을 영화화한 작품.

남북 전쟁 당시 북군 중위 존 J. 던바(코스트너)가 군 기지를 찾기 위해 미국 국경으로 여행을 떠나는 과정과 라코타 인디언 그룹과의 교류를 다루고 있다.

Dances with Wolves is a 1990 American epic Western film starring, directed, and produced by Kevin Costner in his feature directorial debut.

It is a film adaptation of the 1988 book of the same name by Michael Blake that tells the story of Union Army Lieutenant John J. Dunbar (Costner) who travels to the American frontier to find a military post and of his dealings with a group of Lakota.

대화 대부분은 라코타어로 이루어졌으며 영어 자막이 병기된다.

1989년 7월부터 11월까지 사우스 다코타와 와이오밍에서 촬영되었다.

신트 글레스카 대학의 라코다 연구 부서 도리스 리더 차지가 번역을 맡았다.

Much of the dialogue is spoken in Lakota with English subtitles. It was shot from July to November 1989 in South Dakota and Wyoming and translated by Doris Leader Charge of the Lakota Studies department at Sinte Gleska University.

영화는 할리우드에서 서부 영화 제작 장르의 활성화에 주도적인 영향을 미쳤다는 평가를 받게 된다.

The film is credited as a leading influence for the revitalization of the Western genre of filmmaking in Hollywood

아카데미 작품상을 수상한 3 편의 서부극 중 한 편이다.
나머지 두 작품은 〈시마론〉(1931)과 〈용서 받지 못한 자〉(1992)이다.

It is one of only three Westerns to win the Oscar for Best Picture, the other two being Cimarron (1931) and Unforgiven (1992)

존 던바 중위는 남북 전쟁 중 우연히 연합군을 승리로 이끈 후 영웅이라는 별명을 얻게 된다. 그는 서쪽 국경에 위치를 요청하지만 그것이 버려진 것을 발견하게 된다. 그는 곧 자신이 혼자가 아니라는 것을 알게 되지만 '양말 두 켤레'라고 부르는 늑대와 호기심 많은 인디언 부족을 만나게 된다.

Lt. John Dunbar is dubbed a hero after he accidentally leads Union troops to a victory during the Civil War. He requests a position on the western frontier but finds it deserted. He soon finds out he is not alone, but meets a wolf he dubs 'Two-socks' and a curious Indian tribe.

던바는 재빨리 부족과 친구가 되고 인디언들에 의해 길러진 백인 여성을 발견하게 된다. 그는 점차 이 원주민들의 존경을 받고 백인의 방식을 벗어나게 된다.

Dunbar quickly makes friends with the tribe and discovers a white woman who was raised by the Indians. He gradually earns the respect of these native people and sheds his white-man's ways.

2. <늑대와의 춤을> 사운드트랙 리뷰

〈늑대와 춤을〉은 케빈 코스트너가 제작, 감독 및 주연한 1990년 아카데미상과 골든 글로브 수상작인 〈늑대와의 춤을〉의 오리지널 사운드트랙이다.
원곡과 노래는 존 배리가 작곡하고 지휘했다.

Dances with Wolves is the original soundtrack of the 1990 Academy Award and Golden Globe winning film Dances with Wolves produced, directed and starring Kevin Costner. The original score and songs were composed and conducted by John Barry.

바실 폴레도우리스는 원래 〈론썸 도브 Lonesome Dove〉에 대한 그의 작업을 기반으로 작곡가로 계약 되었다. 하지만 정규 공동 작업자 존 밀리어스와 함께 〈침략자의 비행 Flight of the Intruder〉을 작곡하게 되었다.
그를 대체하기 위해 배리가 영입된다.

Basil Poledouris was originally signed on as composer based on his work for Lonesome Dove but left to compose Flight of the Intruder with regular collaborator John Milius. Barry was brought in to replace him.

식도 파열로 휴식을 취한 지 2년 만의 첫 스코어였다. 이 배경 음악에는 인디안 테마가 어떤 것인지에 대한 그의 해석이 담겨 있다.
아메리칸 인디언 음악을 들으며 준비했다. 하지만 주인공의 눈으로 봐야 한다고 믿고 악보에 넣지 않았다고 한다.

〈늑대와의 춤을〉. © Orion Pictures

it was his first score in two years since taking a break due to rupturing his esophagus. The score has what he considered his interpretation of what Indian themes would be like.

He prepared by listening to American Indian music but didn't incorporate it into score believing it should be seen through the protagonist's eyes.

배리와 코스트너는 영화에서 '공간의 느낌'으로 인해 크고 낭만적인 배경 음악을 상상했다고 한다.

Barry and Costner both envisioned a large and romantic score due to the 'feeling of space' in the film.

존 배리는 1991년 아카데미 작곡상을 수상한다.
1992년 그래미상 영화 또는 텔레비전을 위한 최우수 연주 작곡상도 수상한다.

John Barry won the 1991 Academy Award for Best Original Score and the 1992 Grammy Award for Best Instrumental Composition Written for a Motion Picture or for Television.

3. <늑대와의 춤을> 사운드트랙 해설 - 빌보드

전성기 막바지였던 영국의 베테랑 존 배리. 1980년대 후반, 작곡가는 이미 1990년대가 진행됨에 따라 그를 크게 부적절하게 만들 일련의 긴 질병을 경험하기 시작했다. 〈아웃 오브 아프리카〉로 아카데미상을 수상한 후 식도 파열로 고통을 겪었다. 나중에 〈늑대와의 춤을〉이라는 음악을 자신의 생명을 구한 의사들에게 헌정하게 된다.

British veteran John Barry, who was in the latter stages of the prime of his career. In the late 1980's, the composer had already begun to experience a lengthy series of illnesses that would largely sideline him as the 1990's progressed. After winning an Academy Award for Out of Africa, he suffered a ruptured esophagus and later dedicated his score for Dances With Wolves to the doctors who saved his life.

예술적으로 배리의 뻔뻔한 자기 반복 스타일은 그의 경력에 큰 타격을 주기 시작했다. 궁극적으로 1990년대에 여러 배경 음악 작곡을 거부하게 된다.
〈썸훼어 인 타임 Somewhere in Time〉에서 〈아웃 오브 아프리카 Out of the Africa〉까지 모두 구조와 악기 소리가 매우 비슷해지기 시작한다.

Artistically, Barry's shameless self-repetition in style was beginning to take a toll on his career, ultimately leading to several rejected scores in the 1990's.
With everything from Somewhere in Time to Out of Africa all beginning to sound very alike in structure and instrumentation,

〈늑대와 춤을〉은 당시에 알았든 몰랐든 배리의 넓은 현과 단순한 멜로디 스타일을 최대한 활용하려는 마지막 시도를 대변하고 있다.
1980년대 배리의 트레이드 마크였던 교향적 낭만주의에 완벽한 영화적 매치가 있었다면 〈늑대와의 춤을〉이 바로 그 영화인 것이다.

Dances With Wolves really represented Barry's last attempt whether he knew it at the time or not, to parade his broad string and simple melodic style at its best.
If ever there was a perfect cinematic match for Barry's trademark symphonic romanticism of the 1980's, Dances With Wolves is that film.

그것은 음악 평론가들이 두뇌의 지적인 부분을 꺼야 하는 소리와 시각의 조화였다. 왜냐하면 영화에 대한 배리의 매우 단순한 접근 방식에는 작곡을 공부하는 학생을 좌절시킬 수 있는 많은 부분이 있기 때문이다.

It's a blend of sound and sight that requires music critics to turn off the intellectual sides of their brains because there is much in Barry's very simplistic approach to the movie that will frustrate any student of composition.

테마의 각 구절을 두 번 반복하고 있다. 거의 모든 상황에서 정적, 느린 템포 및 동일한 역할의 악기를 사용하는 그의 주장. 그리고 멜로디 아이디어를 기술적 예민함과 함께 거의 조작하거나 레이어링 하는 것은 거의 모두가 〈늑대와 춤을〉과 같은 배경 음악을 냉소주의자들에게 눈을 돌리게 만들어 버린다.

His insistence upon repeating each phrase of a theme twice, utilizing static, slow tempos and instruments in the same roles in almost every circumstance and rarely manipulating or layering his melodic ideas with any technical acuity all cause a score like Dances With Wolves to make cynics roll their eyes.

배리가 이 과제에 대해 다른 작품에 대해 평소보다 더 많은 주제-전체적으로 가장 순수한 양-를 썼다는 사실에도 불구하고 이것은 놀랍도록 복잡한 스코어가 아니다. 각 주제는 교향곡의 작은 악장처럼 적용되고 있다.

다른 아이디어와 만족스럽게 상호 작용하거나 단독으로 또는 전체적으로 진화하여 설득력 있는 내러티브를 형성하는 경우는 거의 없다

this is not a spectacularly complex score, despite the fact that Barry wrote more themes-and the most sheer quantity overall-for this assignment than he usually did for other productions. Each theme is applied like a mini-movement in a symphony, rarely interacting satisfactorily with other ideas or evolving in such a way, singularly or as a whole to form a convincing narrative arc.

이러한 주제의 예측 가능한 진행은 배리의 이전 배경 음악-나중의 제임스 본

드 작품 중 일부 포함-과 1990년대 후반에 나올 예정인 몇 곡을 상기시켜 주고 있다.

The predictable progressions in those themes will remind you of half a dozen prior scores from Barry-including some of his later James Bond work no less-and a few still set to come later in the 1990's.

그러나 방금 설명한 논란의 여지가 있는 문제가 있는 상황을 한탄하고 있다면 〈늑대와 춤을〉의 요점을 놓치고 있는 것이다.

But if you're stuck lamenting the arguably problematic circumstances just described then you're missing the point of Dances With Wolves.

〈늑대와의 춤을〉. © Orion Pictures

영화 맥락에서 완벽하게 맞춤화 된 감정적 호소력과 앨범의 조화로운 공명 때문에 거의 모든 정의에 의해 클래식 배경 음악으로 남아 있다.

It remains a classic score by nearly all definitions because of its perfectly tailored emotional appeal in the context of the film and its harmonic resonance on album precisely the characteristics you hoped for when Barry was able to take this assignment.

배경 음악은 불안한 순간에 약간의 불협화음 음영을 위해 95명의 관현악 연주자와 12명의 합창단을 포함시키고 있다.

배리는 리드(존 던바)의 관점에서 영화의 배경 음악을 작성하기로 선택했다.

정통 인디언 수우 족 음악을 녹음하려는 생각을 일축하고 대신 대규모 규모에서 편안하게 교향곡적인 접근 방식을 고수한다.

The instrumentation of the score included 95 orchestral players and a 12-member chorus for slight dissonant shades during moments of anxious nerves. Barry chose to score the film from the lead's-John Dunbar's-point of view, dismissing any idea of recording authentic Sioux music and instead sticking to his comfortably symphonic approach on a massive scale.

작곡가가 아메리카 원주민 음악에 대한 유일한 초기 시도인 'White Buffalo'는 결코 성공하지 못했다. 사실 많은 사람들이 그것을 그의 경력에서 기념비적인 실패로 간주할 것이다. 진실은 배리가 아마도 그가 쓴 배경 음악 보다 다른 어떤 스타일도 시도할 수 없었을 것이라는 사실이다.

The composer's only earlier attempt at Native American music White Buffalo was by no means a success-in fact, many would consider it a monumental failure in his career-and the truth remains that Barry probably would have been incapable of attempting any other style of score than the one he wrote.

배경 음악의 가장 큰 주제의 완전한 관현악의 위엄에 부여된 악명에도 불구하고 시대의 많은 배리 스코어와 마찬가지로 〈늑대와 춤을〉은 앙상블을 현과 하프에 대한 단순한 목관 악기 선율로 되돌릴 때 가장 잘 조절되고 있다.

Despite the notoriety afforded to the full-blooded orchestral majesty of the score's largest themes Dances With Wolves, like many Barry scores of the era is best tempered when toning back the ensemble to simple woodwind melodies over strings and harp.

이 배경 음악에 있는 하위 테마의 사랑스러운 독주 플루트 연주를 실제로 반영하는 가장 매혹적인 순간은 나머지 앙상블과 메아리치는 거리에서 믹스되어 던바에게 서양의 다소 다른 세계 성을 전달하는 것이다.

the most intoxicating moments actually reflecting lovely solo flute performances of subthemes in this score mixed at an echoing distance from the rest of the ensemble to convey the somewhat otherworldliness of the West for Dunbar.

〈늑대와 춤을〉 배경 음악의 많은 주제는 적절하게 섞이거나 크게 발전할 수 없음에도 불구하고 가장 큰 장점이다. 주요 정체성인 'John Dunbar theme'는 엘리베이터나 백화점 아트리움에서 안정적으로 들을 수 있다.

텔레비전으로 미식 축구를 본 사람이라면 누구든지 10년 넘게 방영된 유나이티드 웨이 광고에서 즉시 인식했을 것이다.

The many themes of the Dances With Wolves score are its greatest strength, regardless of their inability to mingle appropriately or evolve significantly.

The primary identity the John Dunbar theme can reliably be heard in elevators or department store atriums and anyone who watches American football on television will have immediately recognized it during the prolific United Way commercials in which it was featured for over ten years.

교황 요한 바오로 2세도 즐겨 불렀던 곡이다.

스코어는 이 주제의 섬뜩한 트럼펫 연주로 시작되고 있다.

전쟁에 대한 캐릭터의 불만스러운 관계와 즉시 연결되고 있다.

It was even a favorite tune of Pope John Paul II.

The score opens with an eerie trumpet performance of this theme immediately associating with the character's disaffected relationship to the war.

바이올린이 아닌 하모니카를 위한 고독한 편곡은 서구 장르의 일반적인 음색에 대한 고개를 끄덕이게 한다.

'The Buffalo Hunt'의 앨범 버전은 이전의 트럼펫 연주에 가볍게 두드리는 스네어 리듬에 대담하고 승리적인 음색을 제공하고 있다.

A lonely arrangement for harmonica rather than violins is a nod to the Western genre's usual tones and the album version of 'The Buffalo Hunt' gives the prior trumpet performance a bold and victorious tone over lightly tapped snare rhythms.

아마도 'John Dunbar theme'의 가장 흥미로운 측면은 각 주요 문구를 두 번 반복하지 않음으로써 배리의 일반적인 작동 방식을 무시한다는 사실일 것이다.

대신 더 긴 서정적 흐름을 따르지만 흥미롭게도 2차 막간이나 브리지 시퀀스가 없다.

Perhaps the most interesting aspect of the John Dunbar theme is the fact that it defies Barry's usual method of operation by not repeating each of its main phrases twice. Instead, it follows a longer lyrical flow but features, curiously, no secondary interlude or bridge sequence.

〈늑대와의 춤을〉. © Orion Pictures

10년 동안의 끝없는 연주와 〈늑대와 춤을〉의 이 기본 테마를 재사용한 후, 많은 청취자들은 자신의 즐거움을 위해 악보의 보다 모호한 테마를 찾을 가능성이 높다. 예를 들어, '사랑 테마'는 이전 배리 배경 음악에서 유사하게 확장되지만 나머지 악보와 동일한 웅장한 선율적 우아함을 보다 친밀하고 접근 가능한 톤으로 포착해 주고 있다.

After a decade of endless performances and re-uses of this primary theme from Dances With Wolves, many listeners are likely to seek out the more obscure themes of the score for their enjoyment. The love theme, for instance, similarly extends from previous Barry scores as well but manages to capture the same grand melodic grace of the rest of the score in more intimate and accessible tones.

'Falling in Love' 'The Love Theme' 'Return to Winter Camp' 및 최종 타이틀 모음에서 들은 이 자료는 길이가 10분 미만에 불과하다.

하지만 보다 근육질인 성향 배경 음악에서 만족스러운 전환이다.

Heard in 'Falling in Love' 'The Love Theme' 'The Return to Winter Camp' and the end title suite, this material only amounts to under ten minutes in length but it is a satisfying diversion from the score's more muscular inclinations.

또한 던바에게 입양된 늑대 '양말 두 켤레 Two Socks'에 대한 배리의 아이디어가 부드러운 막간 역할을 해주고 있다. 'Two Socks/ The Wolf Theme'와 'Two Socks at Play'에서 그는 아이러니하게도 각각 〈뷰 투어 킬 A View to a Kill〉과 〈문레이커 Moonraker〉에 대한 사랑 테마의 매혹적인 솔로 플루트 연주와 기본 코드 진행을 결합한 목관 악기 서정성을 전달하고 있다.

'수우 족 주제'는 개발하는 데 꽤 오랜 시간이 걸리지만 초기에는 강렬한 금관 멜로디 아래 두드리는 타악기로 쉽게 식별할 수 있다.

Also serving as a tender interlude is Barry's idea for Dunbar's adopted wolf, Two Socks. In 'Two Socks/ The Wolf Theme' and 'Two Socks at Play'. he conveys woodwind lyricism that combines, ironically, the alluring solo flute performances and underlying chord progressions of his love themes for A View to a Kill and Moonraker, respectively.

A theme for the Sioux takes quite some time to develop though it is initially easily identifiable by the slapping percussion underneath its stark brass melody.

이 선곡의 드럼 믹스는 놀랍게도 배리가 〈주홍 글씨〉에서 거의 그대로 재현했다.

여기의 실제 주제는 'The Loss of the Journal'과 'Farewell'에서 타악기가 없는 'Rescue of Dances With Wolves'를 강조하는 늦은 신호에서 유지되고 있다.

The mix of the drums in this cue was reprised not surprisingly by Barry almost verbatim in The Scarlet Letter.

The actual theme here takes hold in the late cues, highlighting 'Rescue of Dances With Wolves' and without the percussion in 'The Loss of the Journal' and 'Farewell.'

이 아이덴티티는 배리의 1980년대 초반 모험 테마의 특성을 채택하고 있다.

그의 수집가들을 기쁘게 할 것이다.

〈늑대와 춤을〉의 가장 지속적으로 실망스러운 측면 중 하나는 거의 언급되지 않는 하위 테마 중 하나가 실제로 최고의 아이디어라는 것이다.

This identity adopts the characteristics of Barry's early 1980's adventure themes and will likely please his collectors.

One of the most enduringly frustrating aspects of Dances With Wolves is that one of its seldom referenced subthemes is actually its finest idea.

여행 테마 자체는 부분적으로 놀라운 경적 대위법으로 인해 존 던바 테마와 함께 공공장소에서 재사용되면서 다작이 되었다.

The journeying theme itself became prolific in its re-use in the public arena along with the John Dunbar theme in part because of its remarkable horn counterpoint.

'Journey to Fort Sedgewick' 전반에 걸친 그의 공연 역시 영화에서 명백한 위치를 차지하여 인지도를 높인다. 반복되는 프레이즈와 파생된 기악 응용이라는 면에서 더 일반적인 배리 테마이다.

하지만 작곡가의 일부 애호가는 이 곡이 'John Dunbar theme'와 악보의 단일 하이라이트보다 우수하다고 생각하고 있다.

It's performances throughout 'Journey to Fort Sedgewick' also occupied obvious placements in the movie increasing its profile as well.

It's a more generic Barry theme in terms of its repeating phrases and derivative instrumental applications but some enthusiasts of the composer consider it to be superior to the John Dunbar theme and the singular highlight of the score.

몇 가지 더 작은 모티브는 〈늑대와 춤을〉에서 더 작은 개념을 나타내기 위한 것이다. 아마도 'Journey to the Buffalo Killing Ground' 및 'The Buffalo Hunt'의 버팔로 모티브는 줄루 족의 대담한 황동 조화를 닮은 대담한 표현에서 이러한 아이디어 중 가장 매력적일 것이다.

그 선곡의 영화 버전에는 주제가 있는 이상하게 독특한 중간 구절이 포함되어 있다. 이것은 젊은 작곡가를 위한 주요 휴식 시간에 마크 맥켄지가 편곡한 엘머 번스타인 스타일의 오래된 서부극에 대한 이 배경 음악의 유일한 후퇴이다.

Several smaller motifs are meant to represent lesser concepts in Dances With Wolves. Perhaps the buffalo motif in 'Journey to the Buffalo Killing Ground' and 'The Buffalo Hunt' is the most engaging of these ideas in its bold expressions resembling the ballsy brass unison of Zulu.

The film version of that cue contains an oddly unique middle passage with a theme that is the score's only throwback to the Elmer Bernstein style of old Westerns orchestrated by Mark McKenzie in a major break for the young composer.

〈늑대와의 춤을〉. © Orion Pictures

마찬가지로 'Ride to Fort Hays'에서 'Dunbar theme'의 파생물은 유명한 테마와 동일한 악기를 사용하고 있다. 하지만 공통 베이스 진행 세트에 대해 다른 멜로디를 가진 장난감을 사용하는 유쾌한 전환이다.

Likewise, a spinoff of the Dunbar theme in 'Ride to Fort Hays' is a pleasant diversion that utilizes the same instrumentation as the famous theme but toys with different melodies over a common set of bass progressions.

반면 서스펜스 장면에 대한 배리의 합창과 현악의 부조화는 다소 약하고 기억에 남지 않고 있다. 〈늑대와 춤을〉에서 멜로디 아이디어의 전체적인 태피스트리는 잘 짜여져 있지 않을 수 있다.

하지만 각각의 경우에 적절한 감정적 음표를 던지고 있다.

On the other hand, Barry's choral and string dissonance for scenes of suspense is rather weak and unmemorable. The overall tapestry of melodic ideas in Dances With Wolves may not be well woven but it hits the right emotional notes in each case.

제리 맥쿨리가 이전에 매우 정확하게 공개한 바와 같이 바그너풍 구조를 활용하여 배리의 주요 주제는 권위 있는 심포니 형식으로 되풀이 되고 있다.

그들은 현대 생활의 거의 무의식적인 부분이 되었다. 식당 혹은 공항 등에서 배경 음악처럼 내보내는 녹음된 음악인 무자크로 활용되고 크고 작은 공개 행사를 강조해 주고 있다. 배리의 편곡자로서의 기술은 미묘하게 변화하는 오케스트라 색조로 주제를 채색하여 가장 반복되는 멜로디 구절에도 새로운 감정적 무게를 부여하고 있다.

As previously published by Jerry McCulley with great accuracy. Utilizing Wagnerian structure, Barry's main themes recur in magisterial symphonic form.

They have become an almost subconscious part of modern life, utilized as Muzak and underscore for public events great and small.

Barry's skills as an arranger color his themes in subtly shifting orchestral hues giving even the most repeated melodic passages new emotional weight.

배리는 'End Credits' 모음에서 존 던바 테마, 사랑 테마 및 수 우 족의 정체성을 요약해 주고 있다. 스코어의 진정한 애호가는 존 던바의 팝적 변형과 여행 테마가 당시 라디오 방송에서 흔했음을 기억할 것이다.

또한. 이후 수십 년 동안 특히 '던바 및 버팔로 사냥 테마'는 다른 레이블의 다양한 공연 그룹에 의해 재녹음 되었다.

Barry summarizes the John Dunbar theme, love theme and identity for the Sioux in the 'End Credits' suite and true enthusiasts of the score will recall that pop variations of the John Dunbar and journey themes were commonplace on the radio airwaves at the time as well. In the decades since the Dunbar and buffalo hunt themes in particular have been re-recorded by various performing groups for other labels.

특히 주목할 만한 것은 실바 스크린 음반사에서 사용할 수 있는 프라하 필하모닉의 녹음으로, 원래 공연이 상업적으로 이용 가능하기 전에 놀라운 서라운드 사운드로 부활한 'Buffalo Hunt' 장면의 영화 버전이다.

Of particular note is a recording by the City of Prague Philharmonic available on the Silva Screen label, the film version of the 'Buffalo Hunt' sequence resurrected in stunning surround sound before the original performance was available commercially.

불행하게도, 강력한 '여행 테마'는 수년에 걸쳐 대부분 재녹음에서 이상하게도 무시되었다. 배리가 지휘한 〈늑대와의 춤을〉의 원래 녹음은 앨범에서 자신의 긴 이야기를 견뎌냈다.

Unfortunately, the powerful journeying theme has remained strangely neglected in the majority of the re-recordings through the years. The original recording of Dances With Wolves conducted by Barry has endured its own long story on album.

1990년 영화의 폭발적인 인기를 동반한 오리지널 음반 발매는 초보 청취자에게 필요한 모든 음악이 포함되어 있다. 수 년 후에도 항상 쉽게 접할 수 있다. 〈브레이브하트〉 및 〈글라디에이터〉 처 럼 이후 디지털 시대의 인기 제품과 동등한 놀라운 판매 통계를 달성하게 된다.

The original release that accompanied the film's explosive popularity in 1990 contains all the necessary music for novice listeners and has always remained readily available many years later. It achieved astounding sales statistics on par with later Digital Age favorites like Braveheart and Gladiator.

1995년 〈늑대와의 춤을〉-Definitive Collector's Edition'으로 알려짐-의 '골드 음반 발매'는 그 시대의 가장 인기 있고 가장 많이 팔린 악보에 사용할 수 있는 일련의 금색 릴리스 중 하나였다. 결국에는 〈쉰들러 리스트〉와 〈아폴로 13〉이 포함 되었다. 이 한정판 앨범에는 이전에 공개되지 않은 음악 3개가 추가로 포함되었다. 그 중 어느 것도 영화에 직접 등장하지 않고 있다.

The 'Gold' release of Dances With Wolves in 1995 -otherwise known as the Definitive Collector's Edition-was one of a string of gold-colored releases made available for highly popular best-selling scores of the era a series that eventually included Schindler's List and Apollo 13.

This supposedly limited album featured three additional tracks of previously unreleased music none of which appears directly in the film.

〈늑대와의 춤을〉. © Orion Pictures

마지막 두 곡은 앞서 언급한 바와 같이 1991년 배리에 의해 재 편곡 된 테마의 팝 버전이다. 존 던바와 여행 테마를 아우르는 첫 번째 것은 귀에 유쾌하지만 두 번째 것은 제임스 본드 스타일과 드라마틱한 던바 소재를 엮어서 다소 어색한 조합이 되고 있다.

The last two are the pop versions of the themes as mentioned before re-orchestrated by Barry in 1991. The first one encompassing the John Dunbar and journeying themes is pleasant to the ears but the second one is a rather awkward combination of James Bond style and dramatic Dunbar substance.

이 두 트랙은 대중의 관심을 끌기 위해 이전 몇 년 동안 라디오 방송국에 배포된 프로모션 CD에 포함된 것과 동일한 트랙이다.

이전에 〈늑대와의 춤을〉 앨범에서 공개되지 않은 3번째 트랙은 나라다 Narada 앨범인 'Last Frontier'에서 선택한 'Fire Dance'이다.

These two tracks are the same ones contained on a promotional CD circulated to radio stations in prior years for mass appeal. The third track previously unreleased on a Dances With Wolves album is the 'Fire Dance' selection from the Narada album 'Last Frontier.'

2004년. 배리의 70번째 생일 축하 일환으로 소니 레코드는 고맙게도 팝 트랙을 제거하고 원래 형식으로는 사용할 수 없었던 유명한 선곡의 대체 버전과 이전에 출시되지 않은 자료의 약 20분을 특징으로 하는 〈늑대와의 춤을〉을 다시 한 번 출시한다.

In 2004. as part of a celebration of Barry's 70th birthday, Sony released Dances With Wolves once again thankfully removing the pop tracks and featuring about twenty minutes of previously unreleased material and alternate versions of famous cues that had also been unavailable in original form.

Track listing(1990 original release)

1. "Main Title – Looks Like a Suicide

2. The John Dunbar Theme
3. Journey to Fort Sedgewick
4. Ride to Fort Hays
4. The Death of Timmons
5. Two Socks - The Wolf Theme
6. Pawnee Attack
7. Kicking Bird's Gift
8. Journey to the Buffalo Killing Ground
9. The Buffalo Hunt
10. Stands with a Fist Remembers
11. The Love Theme
12. The John Dunbar Theme
13. Two Socks at Play
14. The Death of Cisco
15. Rescue of Dances with Wolves
16. The Loss of the Journal and the Return to Winter Camp
17. Farewell and End Title

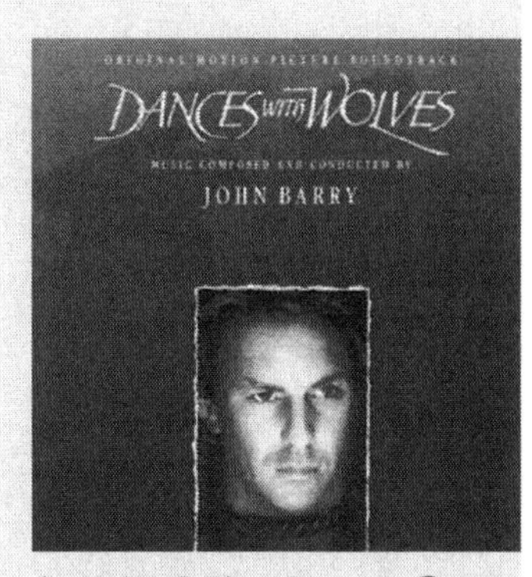

〈늑대와의 춤을〉 사운드트랙. © Epic, La-La Land Records

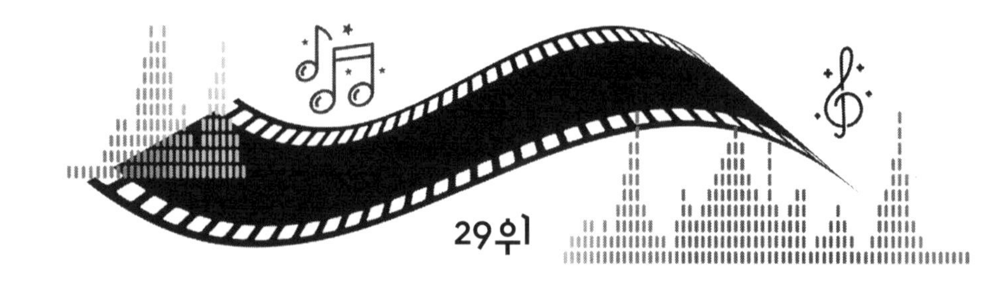

<시계 태엽 오렌지 A Clockwork Orange>(1971) - 베토벤 '교향곡 9번', 패륜적 10대 행각을 응원해주는 곡으로 차용돼 논란

작곡: 루드비그 판 베토벤 Ludwig van Beethoven

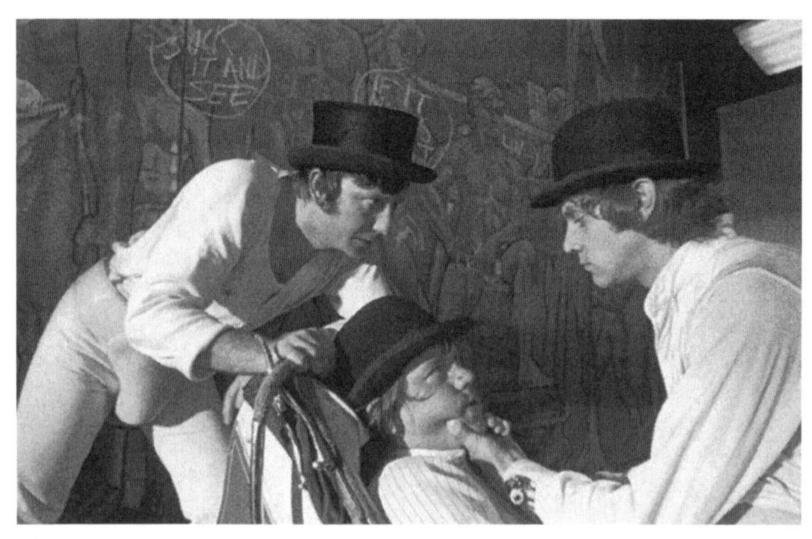

스탠리 큐브릭 감독의 디스토피아 범죄극 <시계 태엽 오렌지>. © Warner Bros, Columbia-Warner Distributors

1. <시계 태엽 오렌지> 버라이어티 평

〈시계 태엽 오렌지〉는 안소니 버제스의 1962년 동명 소설을 바탕으로 스탠리 큐브릭이 각색, 제작 및 감독한 1971년 디스토피아 범죄 영화다.

A Clockwork Orange is a 1971 dystopian crime film adapted, produced and directed by Stanley Kubrick based on Anthony Burgess's 1962 novel of the same name.

그것은 정신 의학, 청소년 비행, 청소년 갱단, 그리고 디스토피아적인 근대 미래 영국의 기타 사회적, 정치적, 경제적 주제를 논평하기 위해 불안하고 폭력적인 이미지를 사용하고 있다.

It employs disturbing, violent images to comment on psychiatry, juvenile delinquency, youth gangs and other social, political and economic subjects in a dystopian near-future Britain.

중심인물 알렉(말콤 맥도웰)은 카리스마 있고 반사회적인 비행청소년으로 클래식 음악-특히 베토벤-, 강간, 절도 및 '초폭력'에 관심이 있다.
그는 작은 갱단 피트(마이클 탄), 조르지(제임스 마커스), 딤(워렌 클라크) 그가 그의 갱단 일원이라고 부르는 사람-러시아어 '친구' '동료'-등을 이끌고 있다.

Alex (Malcolm McDowell) the central character is a charismatic, antisocial delinquent whose interests include classical music-especially Beethoven- committing rape, theft and what is termed 'ultra-violence'.
He leads a small gang of thugs, Pete (Michael Tarn), Georgie (James Marcus) and Dim (Warren Clarke), whom he calls his droogs from the Russian word 'friend' 'buddy'.

영화는 내무부 장관(안소니 샤프)이 추진한 실험적 심리 조절 기법-루도비코

기법-을 통해 그의 무리들의 끔찍한 범죄, 체포, 재활 시도를 기록하고 있다.

The film chronicles the horrific crime spree of his gang, his capture and attempted rehabilitation via an experimental psychological conditioning technique-the Ludovico Technique-promoted by the Minister of the Interior (Anthony Sharp).

알렉은 슬라브어-특히 러시아어-영어, 런던 사투리 운율 속어로 구성된 분열된 청소년 속어인 나닷 Nadsat에서 대부분의 영화 나레이션을 설명하고 있다.

Alex narrates most of the film in Nadsat a fractured adolescent slang composed of Slavic languages-especially Russian-English and Cockney rhyming slang.

영화는 1971년 12월 19일 뉴욕에서 초연되었다.
1972년 1월 13일 영국에서 개봉되었다. 영화는 비평가들의 양극화된 평가를 받았다. 노골적인 폭력 묘사로 인해 논란이 되었다

The film premiered in New York City on 19 December 1971 and was released in the United Kingdom on 13 January 1972. The film was met with polarized reviews from critics and was controversial due to its depictions of graphic violence.

영화는 모방(模倣) 폭력 행위에 영감을 주었다고 인용된 후 큐브릭의 명령에 따라 영국 영화관에서 철수되었다. 다른 여러 국가에서도 상영 금지되었다.

After it was cited as having inspired copycat acts of violence, the film was later withdrawn from British cinemas at Kubrick's behest and it was also banned in several other countries.

그 후 몇 년 동안 이 영화는 비판적인 재평가를 받았고 컬트 추종자를 얻게 된다. 제 44회 아카데미 시상식에서 4개 부문에 노미네이트 되는 등 여러 상과

후보에 오른다.

In the years following, the film underwent a critical re-evaluation and gained a cult following. It received several awards and nominations including four nominations at the 44th Academy Awards.

〈시계 태엽 오렌지〉. © Warner Bros, Columbia-Warner Distributors

미래에 가학적(加虐的)인 갱 단장이 투옥된다.
행동 혐오 실험에 자원하지만 계획대로 진행되지 않는다.

In the future, a sadistic gang leader is imprisoned and volunteers for a conduct-aversion experiment but it doesn't go as planned.

주인공 알렉 드라지는 미래 영국의 '극단적인' 청소년. 모든 운이 그렇듯이, 그의 최후는 쫓겨나고 그는 체포되어 살인 혐의로 유죄 판결을 받는다.

Protagonist Alex DeLarge is an 'ultraviolent' youth in futuristic Britain.
As with all luck, his eventually runs out and he's arrested and convicted of murder.

감옥에 있는 동안 알렉은 수감자들이 폭력을 혐오하도록 프로그램 된 실험적인 프로그램에 대해 알게 된다.
프로그램을 통과하면 형이 줄어들고 예상보다 빨리 거리로 돌아 올 수 있다.

While in prison, Alex learns of an experimental program in which convicts are programmed to detest violence. If he goes through the program, his sentence will be reduced and he will be back on the streets sooner than expected.

그러나 알렉의 시련(試鍊)은 그가 영국 거리에 부딪히면 완전히 끝났다고 보기는 어렵다

But Alex's ordeals are far from over once he hits the streets of Britain.

2. <시계 태엽 오렌지> 사운드트랙 리뷰

메인 테마는 헨리 퍼셀의 'Music for the Funeral of Queen Mary'를 전자 편곡한 것이다. 에드워드 엘가의 'Pomp and Circumstance Marches' 중 두 곡도 들려오고 있다.

The main theme is an electronic arrangement of Henry Purcell's Music for the Funeral of Queen Mary and also heard are two of Edward Elgar's Pomp and Circumstance Marches.

알렉은 일반적으로 루드위그 판 베토벤 특히 '9번 교향곡'에 집착하고 있다. 사운드트랙에는 세르조의 웬디 카를로스가 특별히 작곡한 전자 버전과 교향곡의 다른 부분이 포함되어 있다.

Alex is obsessed with Ludwig van Beethoven in general and his Ninth Symphony in particular and the soundtrack includes an electronic version specially written by Wendy Carlos of the Scherzo and other parts of the Symphony.

그러나 이러한 집착에도 불구하고 사운드트랙에는 베토벤보다 롯시니 음악이 더 많이 포함되어 있다. 두 소녀의 패스트 모션 섹스 장면, 알렉과 그의 드루

지 Droogs 사이의 슬로우 모션 싸움, 빌리 보이의 갱단과의 싸움, 작가의 집으로의 드라이브-'hogs of the road' 흘러나옴-침략 고양이 부인의 집, 알렉이 강을 바라보며 거지에게 접근하기 전에 자살을 생각하는 장면 등에서 모두 롯시니 음악을 동반하고 있다.

However despite this obsession, the soundtrack contains more music by Rossini than by Beethoven. The fast-motion sex scene with the two girls, the slow-motion fight between Alex and his Droogs, the fight with Billy Boy's gang, the drive to the writer's home-'playing hogs of the road-the invasion of the Cat Lady's home and the scene where Alex looks into the river and contemplates suicide before being approached by the beggar are all accompanied by Rossini's music.

3. <시계 태엽 오렌지> 사운드트랙 해설 - 빌보드

스탠리 큐브릭 감독의 〈시계 태엽 오렌지〉는 1972년 워너 브라더스 레코드에서 발매한 사운드트랙 앨범이다.

Stanley Kubrick's A Clockwork Orange is a soundtrack album released in 1972 by Warner Bros.

여기에는 큐브릭이 영화 원곡을 쓰기 위해 고용한 미국 작곡가이자 음악가 웬디 카를로스의 클래식 음악과 전자 음악이 포함되어 있다. 완전한 트랙을 포함하여 미공개로 남아 있는 영화를 위해 카를로스가 녹음한 음악은 3개월 후 그녀의 앨범 'Walter Carlo's Clockwork Orange'로 발매 된다.

It includes pieces of classical music and electronic music by American composer and musician Wendy Carlos whom Kubrick hired to write the film's original score. Music that Carlos recorded for the film that remained unreleased including complete tracks was released three months later on her album Walter Carlo's Clockwork Orange.

일부 음악은 발췌로만 들리고 있다. 에드워드 엘가의 'Pomp and Circumstance March No. 1'-일명 '희망과 영광의 땅'-은 감옥에서 정치인이 등장하는 장면을 예고해 주는 음악으로 쓰이고 있다.

Some of the music is heard only as excerpts e.g. Edward Elgar's Pomp and Circumstance March No. 1-a.k.a. Land of Hope and Glory-heralding a politician's appearance at the prison.

메인 테마는 1695년에 작곡된 헨리 퍼셀의 'Music for the Funeral of Queen Mary'의 일렉트릭 기호로 편곡된 곡이다. 이 곡은 웨스트 민스터 사원으로 가는 도중에 런던을 통과하는 메리 여왕의 행진을 위해 작곡한 것이다.

The main theme is an electronic transcription of Henry Purcell's Music for the Funeral of Queen Mary, composed in 1695 for the procession of Queen Mary's cortège through London en route to Westminster Abbey.

'March from A Clockwork Orange'-베토벤 '교향곡 9번 합창' 악장에 기초-는 노래를 위한 보코더가 등장하는 최초의 녹음된 노래였다.

신세사이저 팝 밴드는 종종 그것을 영감으로 인용하고 있다.

엔딩 크레디트나 사운드트랙 앨범에는 '교향곡 9번' 발췌 부분을 오케스트라가 연주하는 부분은 수록되지 않고 있다.

'March from A Clockwork Orange' based on the choral movement of the Ninth

Symphony by Beethoven-was the first recorded song featuring a vocoder for the singing. synthpop bands often cite it as their inspiration. Neither the end credits nor the soundtrack album identify the orchestra playing the Ninth Symphony excerpts.

〈시계 태엽 오렌지〉. © Warner Bros, Columbia-Warner Distributors

알렉의 침실에는 베를린 필하모닉이 연주하는 베토벤 9번 교향곡이 수록된 마이크로카세트 테이프가 클로즈-업으로 보여지고 있다.

in Alex's bedroom, there is a close-up of a microcassette tape labeled, Deutsche Grammophon-Ludwig van Beethoven Symphonie Nr. 9 d-moll, op. 125 Berliner Philharmoniker.

소설에서 알렉은 우연히 모든 클래식 음악이 영향을 미치고 있다.

하지만 영화에서는 알렉스가 노출되는 폭력적인 루도비코 테크닉 영화 사운드트랙인 루트비그 판 베토벤의 교향곡 9번에만 적용되고 있다.

In the novel, Alex is accidentally conditioned against all classical music but in the film only against Ludwig van Beethoven's Ninth Symphony, the soundtrack of a violent Ludovico Technique film that Alex is exposed to.

관객은 알렉이 루도비코를 조절하는 동안 강제로 보아야 하는 모든 폭력적인 영화를 보지는 못한다. 하지만 교향곡 4악장은 들려오고 있다.

나중에, 교향곡 2악장 'Mr Alexander'와 동료 음모자들을 사용하여 알렉이

자살을 시도하도록 촉구하고 있다.

The audience does not see every violent film Alex is forced to view during his Ludovico conditioning, yet the symphony's fourth movement is heard. Later, using the symphony's second movement, Mr Alexander and fellow plotters, impel Alex to attempt suicide.

4. <시계 태엽 오렌지> 사운드트랙 선곡 에피소드

니콜라이 림스키-코르사코프의 'Scheherazade'에서 발췌한 두 부분은 알렉이 감옥에서 성경을 읽는 동안 성경적 백일몽을 하는 동안 들려오고 있다. 하지만 이 작품은 사운드트랙 앨범에 나타나지 않고 있으며 클로징 크레디트에서도 나열되지 않고 있다.

Although two excerpts from Nikolai Rimsky-Korsakov's Scheherazade are heard during Alex's Biblical daydreams while reading the Bible in prison. this piece does not appear on the soundtrack album nor is it listed in the closing credits.

그러나 영화에서의 존재는 비평가 미셸 시몽이 저술한 책 '큐브릭' 뒷 부분에 있는 필모그래피에서 인정 되었다. 최소한 작곡가 이름은 큐브릭 또는 영화에 대한 다른 3권의 책자에서 사운드트랙에 사용된 것으로 언급되고 있다.

However, its presence in the film is acknowledged by critic Michel Ciment in the filmography in the back of his book Kubrick and at least the composer's name is mentioned as used in the soundtrack in three other books on either Kubrick or the film.

크리스토퍼 스펜서의 영화 스코어에 관한 책에 따르면 림스키-코르사코프의

'Scheherazade'와 테리 터커의 'Overture to the Sun'은 모두 큐브릭이 원래 영화의 임시 트랙으로 사용했다. 하지만 궁극적으로 그는 카를로스가 작곡한 섹션 곡보다 이 곡을 고수하기로 결정했다고 한다.

〈시계 태엽 오렌지〉. © Warner Bros, Columbia-Warner Distributors

According to Kristopher Spencer's book on film scores. both Rimsky-Korsakov's Scheherazade and Terry Tucker's Overture to the Sun were used by Kubrick originally as temp tracks for the film but he ultimately chose to stick to these rather than the pieces Carlos composed for those sections.

5. <시계 태엽 오렌지> 세컨드 버전 Second version

공식 사운드트랙이 출시되고 3개월 후, 작곡가 카를로스는 'Wendy Carlo's Clockwork Orange'(1972)를 출반한다. 이 사운드트랙에는 영화에서 들어보지 못한 미사용 선곡과 음악적 요소가 포함된 두 번째 버전이다.

Three months after the official soundtrack's release, composer Carlos released Wendy Carlo's Clockwork Orange (1972) a second version of the soundtrack containing unused cues and musical elements unheard in the film.

예를 들어 큐브릭은 'Timesteps'의 일부와 9번 교향곡 'Scherzo'의 신세사이저 녹음의 짧은 버전만 사용했다. 두 번째 사운드트랙 앨범에는 롯시니의 'La Gazza Ladra/ The Thieving Magpie' 신세사이저 버전이 포함되어 있다.

영화에는 오케스트라 버전이 포함되어 있다. 1998년에는 신세사이저 트랙이 포함된 디지털 리마스터링 앨범이 출반된다.

For example, Kubrick used only part of 'Timesteps' and a short version of the synthesiser transcription of the Ninth Symphony's Scherzo. The second soundtrack album contains a synthesiser version of Rossini's 'La Gazza Ladra-The Thieving Magpie'. The film contains an orchestral version. In 1998, a digitally-remastered album edition with tracks of the synthesiser music was released.

여기에는 영화에서 사용되지 않은 것을 포함하여 카를로스의 작곡과 1972년판에서 제외된 'Biblical Daydreams' 및 'Orange Minuet' 등의 선곡이 포함되어 있다.

It contains Carlo's compositions including those unused in the film and the 'Biblical Daydreams' and 'Orange Minuet' cues excluded from the 1972 edition.

카를로스는 소설 〈시계 태엽 오렌지〉를 읽기 전에 'Timesteps' 처음 3분을 작곡한다. 원래 교향곡 9번 합창 악장의 보코더 연주에 대한 소개로 의도했다고 한다. 이 곡은 큐브릭이 화보집 'Timesteps'과 거의 동시에 완료된다.

Carlos composed the first three minutes of 'Timesteps' before reading the novel A Clockwork Orange. Originally intending it as the introduction to a vocoder rendition of the Ninth Symphony's Choral movement. it was completed approximately when Kubrick completed the photography 'Timesteps'.

그리고 '보코더 교향곡 9번'은 카를로스-큐브릭 협업의 기반이 된다.

and the vocoder Ninth Symphony were the foundation for the Carlos-Kubrick collaboration.

또한 스탠리 큐브릭은 핑크 플로이드 베이시스트 로저 워터스에게 'Atom Heart Mother suite' 요소를 사용할 수 있도록 요청한다. 워터스는 큐브릭이 영화에 맞게 악보를 자를 수 있는 자유를 원한다는 것을 알았을 때 이를 거부한다.

Moreover, Stanley Kubrick asked Pink Floyd bassist Roger Waters to use elements of the Atom Heart Mother suite. Waters refused when he found that Kubrick wanted the freedom to cut up the piece to fit the film.

나중에 워터스는 큐브릭에게 〈2001 스페이스 오딧세이〉 사운드를 사용할 수 있는지 물었다. 큐브릭은 정식으로 거절한다.
그 앨범은 영화 속 레코드 가게에서 장면에서 볼 수 있다.

Later, Waters asked Kubrick if he could use sounds from 2001: A Space Odyssey.
Kubrick duly refused.
That album can be seen in the film during the scene in the record store.

Track listing

1. Title Music from A Clockwork Orange by Henry Purcell, arranged by Walter Carlos and Rachel Elkind
2. The Thieving (Abridged) by Gioacchino Rossini
3. A Clockwork Orange Theme by Ludwig Van Beethoven, arranged by Walter Carlos and Rachel Elkind
4. Ninth Symphony, Second Movement (Abridged) by Ludwig Van Beethoven, arranged by Walter Carlos

5. March by Ludwig Van Beethoven
6. William Tell Overture (Abridged) by Gioacchino Rossini
7. Pomp And Circumstance, March No. I by Sir Edward Elgar
8. Pomp And Circumstance, March No. IV (Abridged) by Sir Edward Elgar
9. Timesteps (Excerpt) by Walter Carlos
10. Overture To The Sun by Terry Tucker
11. I Want To Marry A Lighthouse Keeper by Erika Eigen
12. William Tell Overture (Abridged) by Gioacchino Rossini
13. Suicide Scherzo: Ninth Symphony, Second Movement (Abridged) by Ludwig Van Beethoven, arranged by Walter Carlos
14. Ninth Symphony, Second Movement (Abridged) by Ludwig Van Beethoven, arranged by Walter Carlos
15. Singin In The Rain by Arthur Freed, Nacio Herb Brown and performed by Gene Kelly

〈시계 태엽 오렌지〉 사운드트랙. © CBS Records

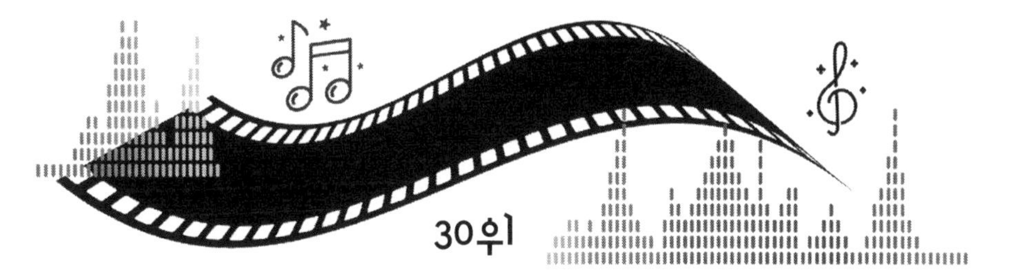

30위

〈갈리폴리 Gallipoli〉(1981) - 전쟁의 상흔 위로해주고 있는 비제의 '진주 조개잡이 듀엣'

작곡: 조르쥬 비제 Georges Bizet

피터 위어 감독의 1차 세계 대전 일화 〈갈리폴리〉. © Roadshow Film Distributors, Paramount Pictures

1. <갈리폴리> 버라이어티 평

〈갈리폴리〉는 피터 위어가 감독한 1981년 호주 전쟁 드라마 영화이다.

Gallipoli is a 1981 Australian war drama film directed by Peter Weir.

영화는 1차 세계 대전 중 오스트레일리아 군대에 입대하는 서호주 출신 여러 젊은이들을 중심으로 전개되고 있다.

그들은 오스만 제국-오늘날 터키-의 갈리폴리 반도로 보내져 갈리폴리 전역에 참여하게 된다. 영화가 진행되는 동안 젊은이들은 서서히 전쟁의 목적에 대한 순수함을 잃게 된다.

The film revolves around several young men from Western Australia who enlist in the Australian Army during the First World War. They are sent to the peninsula of Gallipoli in the Ottoman Empire-in modern-day Turkey-where they take part in the Gallipoli Campaign. During the course of the film, the young men slowly lose their innocence about the purpose of war.

영화 클라이막스는 1915년 8월 7일의 네크 전투(Battle of the Nek)에서의 무의미한 공격을 묘사하는 갈리폴리의 안작(Anzac) 전장에서 발생하게 된다.

영화는 극적인 목적을 위해 사건을 수정하고 많은 중요한 역사적 부정확성을 포함하고 있다.

The climax of the film occurs on the Anzac battlefield at Gallipoli, depicting the futile attack at the Battle of the Nek on 7 August 1915. It modifies events for dramatic purpose and contains a number of significant historical inaccuracies.

〈갈리폴리〉는 위어 감독의 1900년을 배경으로 한 1975년 영화 〈행잉 록에서의 피크닉 Picnic at Hanging Rock〉을 연상시키는 1910년대 호주의 삶을 충실하게 묘사하고 있다.

전투에 합류한 오스트레일리아인의 이상과 성격, 그리고 그들이 견디어 낸 조건을 포착하고 있다.

비록 영국군에 대한 묘사가 부정확하다는 비판을 받았지만.

Gallipoli provides a faithful portrayal of life in Australia in the 1910s reminiscent of Weir's 1975 film Picnic at Hanging Rock set in 1900 and captures the ideals and character of the Australians who joined up to fight as well as the conditions they endured on the battlefield although its portrayal of British forces has been criticised as inaccurate.

〈갈리폴리〉는 호주 뉴웨이브 전쟁 영화 〈브레이커 모란트 Breaker Morant〉(1980)를 따랐다. 5부작 TV 시리즈 〈안작 ANZACs〉(1985)과 〈라이트호스맨 The Lighthorsemen〉(1987) 등의 전례가 된다.

영화에서 되풀이 되는 주제에는 교제와 라리키니즘, 전쟁에서 순수함의 상실, 호주 국가와 군인-나중에 안작 ANZAC 정신으로 불림-의 지속적인 성년과 같은 오스트레일리아 정체성이 포함되고 있다.

It followed the Australian New Wave war film Breaker Morant (1980) and preceded the 5-part TV series ANZACs (1985) and The Lighthorsemen (1987).

Recurring themes of these films include the Australian identity such as mateship and larrikinism, the loss of innocence in war and the continued coming of age of the Australian nation and its soldiers-later called the ANZAC spirit.

2. <갈리폴리> 사운드트랙 리뷰

영화는 최종 공격전에 바톤 소령의 축음기로 연주되는 조르쥬 비제의 'Pearl Fishers Duet'을 특색으로 하고 있다. 영화의 불운한 군인들과 비제의 오페라에서 어부들이 공유하는 유대 사이의 평행선을 그리고 있다.

The film also features the Pearl Fisher's Duet by Georges Bizet playing on Major Barton's gramophone before the final attack drawing a parallel between the bond shared by the ill-fated soldiers of the film and the fishermen in Bizet's opera.

〈갈리폴리〉. © Roadshow Film Distributors, Paramount Pictures

3. 'The Pearl Fisher's Duet' 해설

'Au fond du Temple Saint'-'거룩한 사원 뒤에서'-는 조르쥬 비제의 1863년 오페라 〈진주 조개 잡이 Les pêcheurs de perles〉의 듀엣곡이다.

대본은 유진 코몽 Eugène Cormon과 미쉘 카레 Michel Carré가 작성한다.

일반적으로 '진주 조개잡이의 듀엣'으로 알려진 이 곡은 서양 오페라에서 가장 인기 있는 곡 중 하나로 ABC Classic FM에서 진행한 클래식 100 카운트다운 Classic 100 Countdown' 중 7위에 등장했다.

나디르(테너)와 주르가(바리톤)가 극중에서 불러주고 있다.

'Au fond du temple saint'-'At the back of the holy temple'-is a duet from Georges Bizet's 1863 opera Les pêcheurs de perles.

The libretto was written by Eugène Cormon and Michel Carré.

Generally known as 'The Pearl Fishers Duet'.

it is one of the most popular numbers in Western opera.

it appeared on seven of the Classic 100 Countdowns conducted by ABC Classic FM. It is sung by Nadir (tenor) and Zurga (baritone) in act

4. 오페라 <진주 조개 잡이>의 주요 내용

자발적인 부재 후 나디르는 세이론 해안으로 돌아가게 된다.

그곳에서 친구 자르가는 지역 진주 어부들에 의해 어부 왕으로 선출된다.

After a self-imposed absence, Nadir returns to the shores of Ceylon where his friend Zurga has just been elected Fisher King by the local pearl fishermen.

두 사람은 한 때 같은 여성과 사랑에 빠지게 된다. 하지만 그 사랑을 포기하고 서로에게 충실하기로 맹세한다. 다시 만났을 때, 그들은 이 듀엣을 부르게 된다.

그들이 숭배하는 군중 사이를 지나는 것을 본 베일을 쓴 브라흐마 여사제와 처음 사랑에 빠졌던 방법을 기억한다.

The two had once fallen in love with the same woman, but then pledged to each other to renounce that love and remain true to each other. On meeting again, they sing this duet, remembering how they first fell in love/ were fascinated with a veiled priestess of Brahma whom they saw passing through the adoring crowd.

오페라의 중요한 순간인 이 듀엣 곡은 주인공들의 3각 관계를 가장 선명하게 묘사하고 있다. 이 시점에서 명백한 상황은 남성이 이성애 관계보다 우정을 더 중요하게 생각한다는 것이다.

A key moment in the opera, this duet is the clearest depiction of the triangular relationships between the protagonists. The obvious situation at this point is that males will value their friendship higher than a heterosexual relationship.

피터 위어는 이성애적 측면이 없는 1981년 영화 〈갈리폴리〉에서 이 듀엣을 사용하여 순전히 한 쌍의 운명의 군인 사이의 남성 동료와 충성심을 표현해 주고 있다.

Peter Weir uses this duet in his 1981 film Gallipoli without the heterosexual aspect, purely to express male mateship and loyalty between a pair of doomed soldiers.

듀엣을 '한 쌍의 평행 독백'으로 읽음으로써 남성 간의 경쟁과 속임수를 강조함으로써 다른 견해가 가능하도록 한다.

A different view is possible by a reading of the duet as a 'pair of parallel monologues' emphasizing the rivalry and deceit between the men.

이 듀엣은 오페라 말미에 다시 등장하고 있다. 그러나 소프라노 레일라와 테너 나디르가 그들의 모든 시련을 초월할 그들의 사랑에 노래할 때 함께 불리워지고 있다. 주르가는 그들의 사랑을 알고 자신을 희생하여 그들이 안전한 곳으로 도망하도록 내버려두게 된다.

This duet reappears at the end of the opera but is sung in unison as the soprano Leila and the tenor Nadir sing together of their love which will transcend all their trials while Zurga sacrifices himself, knowing of their love as he lets them flee to safety.

* 〈갈리폴리〉 사운드트랙 리스트는 11위 항목 참조.

'진주 조개 잡이'로 유명세를 얻은 조르쥬 비제. © Roadshow Film Distributors, Paramount Pictures, wikipedia.org

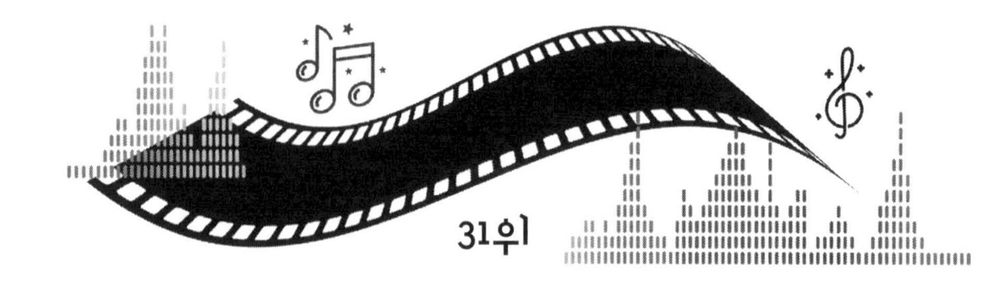

<엘비라 마디간 Elvira Madigan>(1967) - 곡마단 여성의 비극적 사랑 위로해준 모차르트 '피아노 협주곡 21'

작곡: 울프강 아마데우스 모차르트 Wolfgang Amadeus Mozart

스웨덴 보 비더베르그 감독의 〈엘비라 마디간〉은 모차르트 '피아노 협주곡 21'을 테마 곡으로 선곡해 폭발적 성원을 받아낸다. © Europa Film

1. <엘비라 마디간> 버라이어티 평

엘비라 마디간은 보 비더베르그가 감독한 1967년 스웨덴 영화이다. 덴마크 슬래그로프 댄서 헤드윅 젠센(1867년 출생)이 엘비라 마디간이라는 예명으로 계부의 여행 서커스 단원으로 일하다 스웨덴 귀족 식스텐 스파레(1854년 출생) 중위와 함께 도주해서 겪는 비극을 바탕으로 하고 있다.

Elvira Madigan is a 1967 Swedish film directed by Bo Widerberg based on the tragedy of the Danish slackrope dancer Hedvig Jensen (born 1867) working under the stage name of Elvira Madigan at her stepfather's travelling circus who runs away with the Swedish nobleman lieutenant Sixten Sparre (born 1854).

덴마크 출신 줄타기 댄서 엘비라 마디간. 결혼하여 두 자녀를 둔 스웨덴 장교 식스틴 스파레 중위를 만난다. 두 사람은 도망치기로 결심한다.

The Danish tightrope dancer Elvira Madigan meets Lieutenant Sixten Sparre a Swedish officer who is married and has two children. They both decide to run away.

헤드비그 젠센은 유명한 줄타기 곡예사. 대중에게 엘비라 마디간으로 알려져 있다. 그녀는 기혼으로 두 자녀가 있는 스웨덴 장교 식스텐 스파레 중위를 만나게 된다. 두 사람은 가출을 결심하지만 식스틴은 제대를 하고 직장을 구하지 못하고 많은 어려움을 겪게 된다.

Hedvig Jensen is a famous ropewalker and is known to her public as Elvira Madigan. She meets Lieutenant Sixten Sparre, a Swedish officer who is married and has two children. They both decide to run away, but since Sixten deserted the army, he cannot find any job and the couple encounters many hardships.

더욱이 도망치던 중 식스틴은 친구를 만나 고향과 가족으로 돌아오라고 설득 당한다.

Moreover, while on the run, Sixten meets a friend who tries to convince him to come back to his country and family.

2. <엘비라 마디간> 사운드트랙 리뷰

〈엘비라 마디간〉 일명 볼프강 아마데우스 모차르트의 '피아노 협주곡 21번 C장조, K 467' '피아노와 관현악을 위한 3악장 협주곡'.

모차르트의 많은 피아노 협주곡 중에서 가장 잘 알려져 있다.

이 곡의 폭넓은 인지도는 스웨덴 영화 〈엘비라 마디간〉(1967)으로 인해 상당 부분 이 곡의 서정적인 2악장이 등장하고 그 이름을 따오게 된다.

Elvira Madigan, byname of Piano Concerto No. 21 in C Major, K 467, three-movement concerto for piano and orchestra by Wolfgang Amadeus Mozart, the best known of his many piano concerti. It was completed on March 9, 1785. It's wide recognition is in large part due to the Swedish film Elvira Madigan (1967) in which its lyrical second movement was featured and from which it derives its byname.

모차르트는 11세에 그의 많은 피아노 협주곡 중 첫 번째 피아노 협주곡을 작곡했다. 35세에 사망하기 불과 몇 달 전에 마지막 협주곡을 작곡한다.

이러한 상황은 피아노 협주곡을 모차르트 양식 발전에 대한 연구에 완벽하게 적합하게 만들고 고전 양식 전체가 생겨나게 된다.

Mozart wrote the first of his many piano concerti at age 11 and the last one mere months before his death at age 35. This circumstance makes the piano concerto perfectly suited to the study of the development of Mozart's style and demonstrates how the Classical style as a whole came into being.

그의 초기 피아노 협주곡은 바로크 소나타를 가깝게 각색한 반면, 장르의 마지막 몇 작품은 낭만주의 시대에 대중화 될 열정과 힘을 암시하고 있다.

His earliest piano concerti are close adaptations of Baroque sonatas whereas his final few works in the genre hint at the passion and power that would become popular in the Romantic era.

〈엘비라 마디간〉. © Europa Film

모차르트는 이전 협주곡 이후 한 달 만에 협주곡 21번을 완성했다고 한다. 그는 앞으로 21개월 동안 4편을 더 쓰게 된다.

모차르트는 비엔나에서 자신의 콘서트 공연을 위해 작곡했기 때문에 공연 중 즉흥적으로 만든 솔로 카덴자를 기록하지 않았다.

그 결과 현대 콘서트 피아니스트는 자신의 카덴자를 만들거나 다른 사람들이 만든 카덴자를 사용해야 했다.

Mozart completed his Concerto No. 21 only a month after his previous concerto. He would write four more in the next 21 months. Because Mozart wrote them for his own concert performances in Vienna. he did not write down the solo cadenzas that he improvised during performance and as a result, modern concert pianists have had to either create their own cadenzas or use those created by others.

'피아노 협주곡 21번'은 모든 모차르트 협주곡 중에서 가장 기술적으로 까다로운 곡이다. 작곡가 아버지 레오폴드 모차르트(Leopold Mozart)는 그것을 '놀라울 정도로 어렵다'고 묘사하고 있다. 어려움은 많은 음표를 매끄럽고 우아하게 연주하는 것보다 페이지에 있는 음표의 복잡성에 있다.

Piano Concerto No. 21 is among the most technically demanding of all Mozart's concerti. The composer's own father Leopold Mozart described it as 'astonishingly difficult.' The difficulty lies less in the intricacy of the notes on the page than in playing those many notes smoothly and elegantly.

모차르트는 당대의 신문이 증명하듯이 도전을 쉽게 만들었다.
비록 그의 편지가 그 공연 뒤에 숨은 노력을 드러냈지만.

Mozart made the challenge look easy as newspapers of his time attest though his letters reveal the hard work behind those performances.

작품의 첫 번째 악장인 'Allegro maestoso'는 내부의 조용하고 만족스러운 2악장 'Andante'에 대한 활기차고 외향적인 도입부이다.
3번째 악장인 'Allegro vivace assai'는 의욕이 넘치고 억누를 수 없는 모차르트의 모습을 드러내고 있다.

The piece's first movement 'Allegro maestoso' is an exuberant, extroverted lead-in to an internal, quietly satisfying second movement 'Andante'. The third movement 'Allegro vivace assai' reveals Mozart at his high-spirited, irrepressible best.

사운드트랙은 게자 안다가 모차르트의 '피아노 협주곡 21번 C in C'에서 'Andante'를 연주하는 것을 특징으로 하고 있다.

The soundtrack features Géza Anda playing the Andante from Piano Concerto No. 21 in C by Mozart

3. <엘비라 마디간> 위대한 명장면

기억에 남는 '모차르트 피아노 협주곡 21번 C장조' 사운드트랙

엘비라는 식스텐에게 그들이 포인트 블랭크 범위에서 그녀에게 방아쇠를 당길 수 없었지만 함께 자살해야한다고 말한 마지막 피크닉 장면.

영화는 엘비라가 나비를 잡고 있는 정지 프레임 이미지로 끝나고 있다.

그녀의 연인이 그녀를 쏘아 죽일 때 한 장면이 화면 밖에서 들린다.

그 다음 그가 그녀와 합류하기 위해 자살했을 때 두 번째 장면이 나오고 있다.

the memorable soundtrack of Mozart's Piano Concerto No. 21 in C.

the final picnic scene in which Elvira told Sixten that they must commit suicide together although he was unable to pull the trigger on her at point-blank range

the film's ending with the freeze-frame image of Elvira grasping a butterfly with a shot heard off-screen as her lover shot her to death and then a second shot when he committed suicide to join her.

4. 'Piano Concerto No. 21' 해설

'피아노 협주곡 21번 C장조 K. 467'은 이전 'D 단조 협주곡 K. 466'을 완성

한 지 4주 후인 1785년 3월 9일 볼프강 아마데우스 모차르트에 의해 완성된다.

The Piano Concerto No. 21 in C major, K. 467 was completed on 9 March 1785 by Wolfgang Amadeus Mozart, four weeks after the completion of the previous D minor concerto, K. 466.

애조 띈 피아노 선율이 일품인 '피아노 협주곡 21번' 작곡가인 모차르트. © wikipedia

협주곡은 피아노 독주, 플루트, 오보에 2개, 바순 2개, 호른 2개 C, 트럼펫 2개 C, 팀파니 및 현악기로 작곡된다.

The concerto is scored for solo piano, flute, two oboes, two bassoons, two horns in C, two trumpets in C, timpani and strings.

5. 'Piano Concerto No. 21' 활용한 사례

- '두 번째 악장'은 1967년 스웨덴 영화 〈엘비라 마디간〉에서 게자 안다가 솔로로 연주해주고 있다.

결과적으로 이 작품은 '엘비라 마디간 협주곡'으로 널리 알려지게 된다.

The second movement was featured in the 1967 Swedish film Elvira Madigan with Géza Anda as soloist.

As a result, the piece has become widely known as the Elvira Madigan concerto.

- 팝 가수 닐 다이아몬드의 1972년 히트 곡 'Song Sung Blue'는 '협주곡의 안단테 악장 주제'를 기반으로 했다.

Neil Diamond's 1972 song 'Song Sung Blue' was based on a theme from the andante movement of the concerto.

- '두 번째 악장'은 칠레 텔레비전 방송국-TVN으로 약칭-채널의 'TV 티엠포' 메인 테마로 사용된다.

The second movement was used as the 'TV Tiempo' main theme of the channel Televisión Nacional de Chile-abbreviated as TVN.

Track listing

1. Piano Concerto No. 21 in C major, K. 467 (second movement: Andante) Performed by Géza Anda (piano)
2. Main theme Lyrics by Israel Kolmodin and Johan Olof Wallin
3. Concerto for Violin and Strings in E major, RV 271 (L'Amoroso, first movement) Music by Antonio Vivaldi
4. The Four Seasons-Summer (first movement: Allegro) Music by Antonio Vivaldi

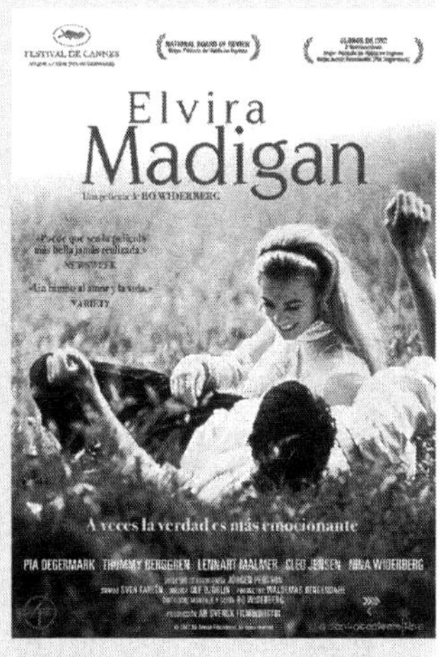

〈엘비라 마디간〉 사운드트랙. © CBS/ Sony

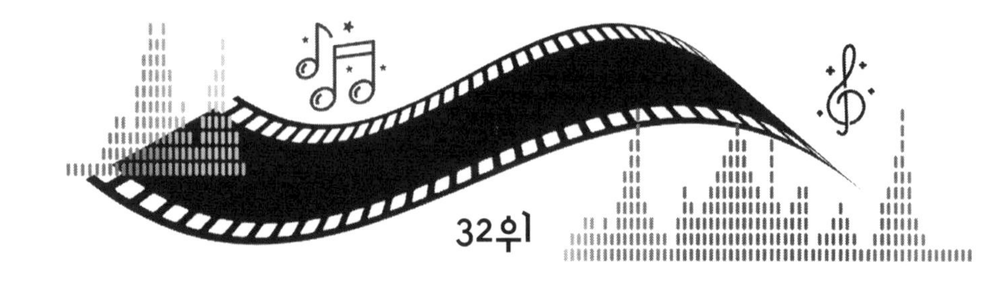

32위

<제임스 본드 영화 James Bond films>(1962) - 몬티 노만이 경쾌한 리듬으로 펼쳐준 자유 세계 첩보원의 맹활약

작곡: 몬티 노만 Monty Norman

1962년 숀 코넬리 주연의 〈살인 번호 Dr No〉(사진)로 화려하게 펼쳐진 제임스 본드 시리즈. 2021년 25부작 〈노 타임 투 다이〉까지 장수 인기를 누리고 있다. Ⓒ Universal Pictures, MGM

1. <제임스 본드> 버라이어티 평

제임스 본드 영화 시리즈는 원래 이안 플레밍의 책 시리즈에 등장한 MI6 요원 제임스 본드 007이라는 가상 인물을 기반으로 한 영국의 첩보 영화 시리즈이다.
1962년부터 현재까지-1989년에서 1995년 사이에 6년 동안 중단-계속 제작된 역사상 가장 긴 연속 상영 영화 시리즈 중 하나이다.

The James Bond film series is a British series of spy films based on the fictional character of MI6 agent James Bond 007 who originally appeared in a series of books by Ian Fleming. It is one of the longest continually running film series in history, having been in ongoing production from 1962 to the present-with a six-year hiatus between 1989 and 1995.

그 동안 이온 프러덕션이 2021년 기준으로 25편의 영화를 제작했다. 대부분은 파인우드 스튜디오에서 제작 되었다. 지금까지 70억 달러 이상의 총수익을 올린 이온이 제작한 영화는 5번째로 높은 수익을 올린 시리즈 영화이다.
여섯 명의 배우가 이온 시리즈에서 007을 연기했다.
가장 최근은 다니엘 크레이그이다.

In that time, Eon Productions has produced 25 films as of 2021, most of them at Pinewood Studios. With a combined gross of over $7 billion to date, the films produced by Eon constitute the fifth-highest-grossing film series.
Six actors have portrayed 007 in the Eon series. the latest being Daniel Craig.

1954년 미국 CBS 텔레비전 네트워크는 이안 플레밍에게 그의 첫 소설 〈카지노 로얄 Casino Royale〉을 1시간 짜리 텔레비전 모험극으로 각색할 수 있는 권리를 위해 1,000달러-2020년 기준 9,637달러-를 지불한다.

드라마 연대기 시리즈는 '클라이막스 미스테리 씨어터 Climax Mystery Theatre'로 1954년 10월부터 1958년 6월까지 방영된다.

안소니 엘리스와 찰스 베네트가 화면에 맞게 각색한다. 베네트는 〈39 계단〉〈사보타지〉 등을 통해 알프레드 히치콕 감독과 협력으로 잘 알려져 있습니다.[13] 1시간의 연극 제한으로 인해 각색하여 잘 알려진 인물이다.

1시간의 공연 제한으로 인해 각색된 버전은 특히 3막에서 폭력성을 유지했지만 책에서 찾을 수 있는 많은 세부 사항을 잃게 된다. 미국 배우 배리 넬슨이 본드 역으로, 피터 로레가 악당 르 치르레 역으로 출연한 1 시간 분량의 〈카지노 로얄〉 에피소드는 1954년 10월 21일 라이브 프로덕션으로 방영된다.

In 1954 the American CBS television network paid Ian Fleming $1,000-$9,637 in 2020 dollars-for the rights to turn his first novel, Casino Royale, into a one-hour television adventure as part of the dramatic anthology series Climax Mystery Theater which ran between October 1954 and June 1958. It was adapted for the screen by Anthony Ellis and Charles Bennett; Bennett was well known for his collaborations with Alfred Hitchcock, including The 39 Steps and Sabotage. Due to the restriction of a one-hour play, the adapted version lost many of the details found in the book, although it retained its violence, particularly in Act III. The hour-long 'Casino Royale' episode which starred American actor Barry Nelson as Bond and Peter Lorre as the villain Le Chiffre aired on 21 October 1954 as a live production.

2. <제임스 본드> 사운드트랙 리뷰

'제임스 본드 테마'는 제임스 본드 영화의 주요 시그니처 테마 음악이다.

1962년에 개봉된 〈살인 면허〉 이후로 모든 이온 프로덕션 본드 영화에 등장한다. 이 곡은 2006년 리부트 된 〈카지노 로얄〉을 제외한 모든 이온 제작 본드 영화에서 총신 시퀀스에 수반되는 팡파르로 사용되었다.

The 'James Bond Theme' is the main signature theme music of the James Bond films and has featured in every Eon Productions Bond film since Dr. No released in 1962.

The piece has been used as an accompanying fanfare to the gun barrel sequence in every Eon Bond film besides the 2006 reboot Casino Royale.

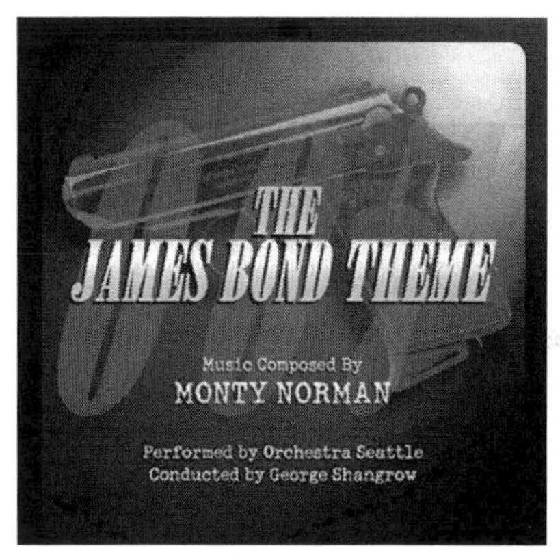

007 제임스 본드 테마곡의 원곡 저작자로 알려진 몬티 노만의 '제임스 본드' 주제가 모음 앨범집. © Universal Pictures, MGM, amazon.com

'James Bond Theme'는 〈살인 번호〉의 개막을 알리는 메들리의 일부로 오프닝 타이틀을 두 번 사용된다. 〈위기일발〉(1963) 오프닝 크레디트에서 다시 한 번 더 등장한다.

이 음악은 〈살인 번호〉(1962) 〈썬더볼〉(1965) 〈여왕 폐하 대작전〉(1969) 〈007 언리미티드〉(1999) 〈카지노 로얄〉(2006) 〈퀀텀 오브 솔러스〉(2008) 〈스카이폴〉(2012) 및 〈스펙터〉(2015) 엔딩 크레디트 음악으로 사용된다.

The 'James Bond Theme' has accompanied the opening titles twice, as part of the medley that opens Dr. No and then again in the opening credits of From Russia with Love (1963).

It has been used as music over the end credits for Dr. No(1962) Thunderball (1965), On Her Majesty's Secret Service (1969), The World Is Not Enough (1999), Casino Royale (2006), Quantum of Solace (2008), Skyfall (2012), and Spectre (2015).

3. 제임스 본드 테마곡이 남긴 여러 에피소드

몬티 노만은 'James Bond Theme'를 썼다. 1962년부터 로열티를 받는다. 노만은 1976년과 1999년 사이에 약 485,000파운드의 로열티를 거둬들인다. 〈살인 번호 Dr. No〉의 경우 노만이 영화 음악을 작곡한다. 주제는 존 배리가 편곡했으며 나중에 11개의 제임스 본드 영화의 사운드트랙을 작곡하게 된다.

Monty Norman wrote the 'James Bond Theme' and has received royalties since 1962. Norman collected around £485,000 in royalties between 1976 and 1999. For Dr. No, Norman scored the film and the theme was arranged by John Barry, who would later go on to compose the soundtracks for eleven James Bond films.

법원은 배리가 실제로 주제가를 썼다는 주장과 증언에도 불구하고 몬티 노만이 주제곡을 썼다고 두 번 승소 판결한다.

Courts have ruled twice that the theme was written by Monty Norman, despite claims and testimony by Barry that he had actually written the theme.

결과적으로 노만은 배리가 주제가를 썼다고 주장한 출판사를 상대로 2건의 명예훼손 소송에서 승소했으며, 가장 최근에는 2001년 '썬데이 타임즈 The Sunday Times'를 상대로 했다.

Norman has consequently won two libel actions against publishers for claiming that Barry wrote the theme, most recently against The Sunday Times in 2001.

노만은 '제임스 본드 테마 James Bond Theme'의 처음 몇 마디에서 기타의 독특한 리듬을 '덤 디-디-덤 덤 Dum di-di-dum dum'으로 설명하고 있다.

Norman describes the distinctive rhythm of the guitar in the first few bars of the 'James Bond Theme' as 'Dum di-di dum dum'.

노만은 V. S 나이폴 소설 '하우스 포 미스터 비스워즈'를 음악적으로 각색하기 위해 작곡한 노래 'Good Sign, Bad Sign'에서 영감을 얻었다고 말했다.
노만은 촬영 된 인터뷰를 통해 '하우스 포 미스터 비스워즈'의 필사본 음악을 보여주고 가사를 불렀다.

He said that it was inspired by 'Good Sign, Bad Sign', a song he composed for a musical adaptation of V. S. Naipaul's novel A House for Mr Biswas set in the Indian community in Trinidad. Norman showed his manuscript music from A House for Mr Biswas in a filmed interview and sang its lyrics.

2005년 노만은 'Good Sign Bad Sign' 'James Bond Theme' 및 'Dum Di-Di Dum Dum'이라는 비슷한 사운드 노래가 포함된 앨범 'Completing Circle'을 발매한다. 이들 노래를 통해 노만은 'James Bond Theme' 기원과 역사를 설명하는 가사를 추가한다.

In 2005, Norman released an album called Completing the Circle that features 'Good Sign Bad Sign', the 'James Bond Theme' and a similar-sounding song titled 'Dum Di-Di Dum Dum.' For these songs Norman added lyrics that explain the origin and history of the 'James Bond Theme.'

'James Bond Theme'는 존 배리의 재즈 편곡과 동일시되고 있다.
하지만 그 일부가 몬티 노먼(Monty Norman)의 〈살인 번호〉를 위한 악보 전체에서 재즈가 아닌 모습으로 들려오고 있다.
배리의 배치는 첫 번째 본드 영화의 다양한 장면에서 반복되고 있다.

이것은 〈닥터 노: 배리 Dr. No: Barry〉의 DVD 출시에 대한 보충 자료에 포함된 배리와 일부 영화 제작자가 제공한 설명과 일치하고 있다. 노만이 악보를 완성한 후 배리는 노만의 모티브를 편곡하기 위해 호출된다. 배리가 도입한 독특한 오스티나티, 반멜로디, 브릿지에 대한 정보는 없고 배리의 편곡을 구체화하기 위해 노만의 모티브와 병치된다. 이렇게 추가된 음악적 인물들은 듣는 이들에게 노먼의 모티프로 인지될 수 있게 되었다. 이것을 듣는 이들이 알게 되면서 '제임스 본드 테마' 저자에 대한 논란의 원인이 된다.

Though the 'James Bond Theme' is identified with John Barry's jazz arrangement, parts of it are heard throughout Monty Norman's score for Dr. No in non-jazzy guises.

Barry's arrangement is repeated in various scenes of the first Bond film.

This is consistent with the account given by Barry and some of the film-makers contained in supplementary material on the DVD release of Dr. No: Barry was called in to make an arrangement of Norman's motif after Norman had completed the score.

There is no information about the distinctive ostinati, countermelodies and bridges introduced by Barry that are juxtaposed with Norman's motif in order to flesh out the arrangement. These added musical figures have become as recognizable to listeners as Norman's motif which is probably responsible for the controversy over the authorship of the 'James Bond Theme' as listeners have come to know it.

'James Bond Theme'는 5개의 색소폰, 9개의 금관 악기, 솔로 기타 및 리듬 섹션을 사용하여 1962년 6월 21일에 녹음된다. 테마의 원래 녹음에서 들리는 기타 모티프는 펜더 바이브로룩스 앰프에 연결된 1939 잉글리시 클리포드 엑세스 파라곤 디럭스 기타로 빅 플릭이 연주했다. 프릭은 유명한 'James Bond 테마' 주제를 녹음하기 위해 £6의 일회성 비용을 지불한다.

존 스코트는 색소폰을 연주했다.

작품 대가로 £250를 받은 배리는 자신의 주제가 〈살인 번호〉에 너무 자주 등장한 것에 놀랐다고 한다.

존 배리가 1962년 발매한 '제임스 본드 테마' 앨범. © Universal Pictures, MGM, amazon.com

The 'James Bond Theme' was recorded on 21 June 1962, using five saxophones, nine brass instruments, a solo guitar and a rhythm section.

The guitar motif heard in the original recording of the theme was played by Vic Flick on a 1939 English Clifford Essex Paragon Deluxe guitar plugged into a Fender Vibrolux amplifier.

Flick was paid a one-off fee of £6 for recording the famous James Bond Theme motif. John Scott played the saxophone. Barry who was paid £250 for his work was surprised that his theme appeared so often in Dr. No.

4. 제임스 본드 테마가 역대 시리즈 영화에서 사용된 사례들 Examples of James Bond Theme Used in Successive Movies

본드 영화 자체 내에서 주제의 다양한 배열이 사용되어 종종 특정 시대의 음악적 취향을 반영해 주고 있다. 테마의 일렉트릭 기타 버전은 일부 로저 무어 시리즈 영화, 티모시 탈튼의 최종 출연작 〈살인 면허〉 및 데이비드 아놀드가 편곡한 피어스 브로스난과 다니엘 크레이그 주연의 본드 영화에도 사용되었지만 숀 코넬리 시대와 가장 관련이 있다. 존 배리가 작곡한 모든 본드 영화에 대해 총신(銃身) 장면에서 들을 수 있는 것처럼 본드 테마의 약간 다른 버전을 편성했다.

이 특수화 된 본드 테마는 종종 영화에 등장하는 스타일과 위치, 본드를 연기하는 배우를 반영해 주고 있다.

Within the Bond films themselves, many different arrangements of the theme have been used often reflecting the musical tastes of the specific times.

The electric guitar version of the theme is most associated with the Sean Connery era although it was also used in some Roger Moore films, in Timothy Dalton's final film Licence to Kill and in the Bond films starring Pierce Brosnan and daniel Craig with the arrangement by David Arnold. For every Bond movie which John Barry scored, he orchestrated a slightly different version of the Bond theme, as can be heard during the gun barrel sequence. These specialized Bond themes often reflected the style and locations featured in the movie and the actor playing Bond.

영화에서 볼 수 있는 '제임스 본드 테마'와 그 변형은 다양한 유형의 장면에서 흘러나오고 있다. 시리즈 초기 테마는 코넬리 입구에 배경 음악을 제공한다.

〈골드핑거〉에 이르러서야 존 배리가 테마를 액션 선곡으로 사용하기 시작한다. 그 이후로 '제임스 본드 테마'의 주요 용도는 액션 장면이 된다.

The 'James Bond Theme' and its variations found in the movies are played during many different types of scenes. Early in the series, the theme provided background music to Connery's entrances. It was not until Goldfinger that John Barry began to use the theme as an action cue. Since then, the primary use of the 'James Bond Theme' has been with action scenes.

1. 숀 코넬리 Sean Connery (1962-1967)

'제임스 본드 테마'의 첫 등장은 〈살인 번호〉이다.

거기에서 실제 총신과 메인 타이틀 장면의 일부로 사용된다.

The first appearance of the 'James Bond Theme' was in Dr. No.
There it was used as part of the actual gun barrel and main title sequence.

〈위기일발〉에서 'James Bond Theme'는 총신을 먼저 노출시키는 프리 타이틀 장면뿐만 아니라 메인타이틀 테마 일부로 그리고 'James Bond with Bongos' 트랙에도 등장하고 있다. 원래 오케스트레이션 보다 느리고 재즈적이며 다소 펀치감 있는 연주이다. 본드 방에서 청취 장치를 확인하는 동안 〈살인면허〉의 원래 배리 편곡이 들려오고 있다.

In From Russia with Love, the 'James Bond Theme' appears not only in the gun barrel pre-title sequence but as part of the main title theme and in the track 'James Bond with Bongos'. It is a slower, jazzier, somewhat punchier rendition than the original orchestration. The original Barry arrangement from Dr. No is heard during a check of Bond's room for listening devices.

〈골드핑거〉에서는 'Bond Back in Action Again'의 사운드트랙에서 'James Bond Theme'를 들을 수 있다.-총신 및 프리타이틀 시퀀스.
이 영화에서 '제임스 본드 테마'는 셜리 배시가 불러준 쇳소리가 나고 재즈적인 주제가 영향을 많이 받게 된다.

In Goldfinger, the 'James Bond Theme' can be heard on the soundtrack in 'Bond Back in Action Again'-gun barrel and pre-title sequence.
The 'James Bond Theme' for this movie is heavily influenced by the brassy, jazzy theme song sung by Shirley Bassey.

〈썬더볼〉은 'Chateau Flight' 트랙에서 테마의 전체 오케스트라 버전을 선보인다.

007 제임스 본드 1호작 〈살인 번호〉 사운드트랙 앨범. © Universal Pictures, MGM, amazon.com

〈두번 산다〉는 홍콩 항구 바다 장면에서 본드의 '매장(埋葬)'과 함께 장례(葬禮) 오케스트라를 선보이고 있다.

'리틀 넬리 오토기로' 싸움 장면에서는 테마의 전체 오케스트라 버전이 사용되고 있다.

Thunderball featured a full orchestral version of the theme in the track 'Chateau Flight'.

You Only Live Twice featured a funereal orchestration with Bond's 'burial' at sea sequence in Hong Kong harbour. A full orchestral version of the theme was used in the Little Nellie autogyro fight scene.

2. 조지 라젠비 George Lazenby (1969)

조지 라젠비가 출연한 영화 〈여왕 폐하 대작전〉은 무그 Moog 신세사이저에서 연주되는 멜로디와 독특한 고음 편곡을 사용하고 있다.

선곡은 'This Never Happened to the Other Feller'라고 호칭된다.

비슷한 녹음이 영화의 엔딩 크레디트에도 사용되고 있다. 영화는 낙천적인 결말을 갖고 있다. 영화 마지막 부분에 터지는 '제임스 본드 테마'의 폭발적인 폭발은 본드가 이 영화의 클라이맥스에 처한 상황에도 불구하고 본드가 돌아올 것임을 암시해주고 있다.

The George Lazenby film On Her Majesty's Secret Service used a unique high-pitched arrangement with the melody played on a Moog synthesizer.

The cue is called 'This Never Happened to the Other Feller' and a similar recording was used over the film's end credits.

The film has a downbeat ending and the explosive burst of the 'James Bond Theme' at the film's very end suggests Bond will return in spite of the situation he finds himself in at the climax of this movie.

3. 숀 코넬리 Sean Connery (1971)

〈다이아몬드는 영원히〉에서 숀 코넬리가 돌아오면서 기타는 호버크라프트 장면에서 전체 오케스트라 버전과 함께 컴백하게 된다. 사운드트랙에서 이 트랙 이름은 'Mr. Wint and Mr. Kidd/ Bond to Holland'이다.

With the return of Sean Connery in Diamonds Are Forever, the guitar made a comeback along with a full orchestral version during a hovercraft sequence.
On the soundtrack, this track is named 'Mr. Wint and Mr. Kidd/ Bond to Holland.'

4. 로저 무어 Roger Moore (1973-1985)

로저 무어가 007 본드 역할을 맡았을 때 'James Bond Theme'는 현악 오케스트라가 주도하는 작품이 된다. 8부 〈죽느냐 사느냐〉에서 제임스 본드 테마는 당시 유행했던 블랙플로이테이션-영화에서 흑인을 현실과 다르게 정형화 된 모습으로 그린 일련의 작품들-영화 음악을 반영한 펑크에서 영감을 받은 버전곡이 등장하게 된다.

그 후, 1974년에 존 배리가 주제와 노래를 작곡했고 주제가는 룰루가 불러주었다. 〈나를 사랑한 스파이〉의 프리 크레디트 음악인 '본드 77'의 주제에 대한 간략한 인용은 당시 매우 유행했던 음악 스타일을 반영하는 디스코 사운드를 특징으로 하고 있다.

〈나를 사랑한 스파이〉는 초기부터 테마와 관련된 서프 록 기타를 사용하여 잠시 돌아왔다. 〈옥토퍼시〉에서는 뱀 마술사로 변장한 본드의 연락이 제임스 본드를 위한 몇 음을 연주할 때 한 가지 특이한 사례가 발생하게 된다.

그것은 곡이 디에제틱 음악으로 사용된 사례가 된다. 무어의 마지막 출연 본드 영화 〈뷰 투 어 킬〉에서는 테마 멜로디가 현으로 연주되고 있다.

When Roger Moore came to the role, the 'James Bond Theme' became a string orchestra driven piece. In Live and Let Die, the James Bond theme was featured in a Funk-inspired version of the tune reflecting the music of Blaxploitation films popular at the time. After that, in 1974, John Barry composed the theme and song but sung by Lulu. The brief quote of the theme in the pre-credits music of The Spy Who Loved Me titled 'Bond 77' featured a disco sound reflecting a style of music which was very popular at the time. The Spy Who Loved Me returned briefly to using the surf-rock guitar associated with the theme from the early days. One unusual instance occurred in Octopussy when Bond's contact who is disguised as a snake charmer plays a few notes of the tune for Roger Moore's James Bond presumably as a pre-arranged identification signal. This is an example of the tune being used as diegetic music. In Moore's last Bond film, A View to a Kill, the melody of the theme was played on strings.

5. 티모시 달튼 Timothy Dalton (1987-1989)

티모시 달튼의 첫 번째 본드 출연 영화 〈리빙 데이라이트〉는 배리가 마지막으로 작곡한 본드 영화이다. 현악기에서 멜로디가 연주되는 교향곡 버전을 사용하고 있다. 본드 테마의 이 버전은 오케스트라와 오버 더빙된 시퀀스 전자 리듬 트랙의 도입으로 유명하다. 당시에는 비교적 새로운 혁신이었다.

〈살인 면허〉에서 본드 테마는 마이클 케이먼이 더 단단하고 폭력적인 본드를 상징하는 록 드럼을 사용하여 편곡한다.

이 총신은 〈살인 번호〉 이후 처음으로 본드 테마로 시작하지 않았다. 곧 서프 기타가 돌아오면서 오케스트라 히트곡이 나오게 된다.

The first Bond film of Timothy Dalton, The Living Daylights, which was the last Bond film scored by Barry used a symphonic version with the melody played on strings.

This version of the Bond theme is notable for its introduction of sequenced electronic rhythm tracks overdubbed with the orchestra at the time, a relatively new innovation. In Licence to Kill, the Bond theme was arranged by Michael Kamen using rock drums to symbolise a harder and more violent Bond.

This gun barrel is the first one since Dr. No not starting with the Bond theme but orchestral hits though the surf guitar makes returns soon after.

6. 피어스 브로스난 Pierce Brosnan (1995 -2002)

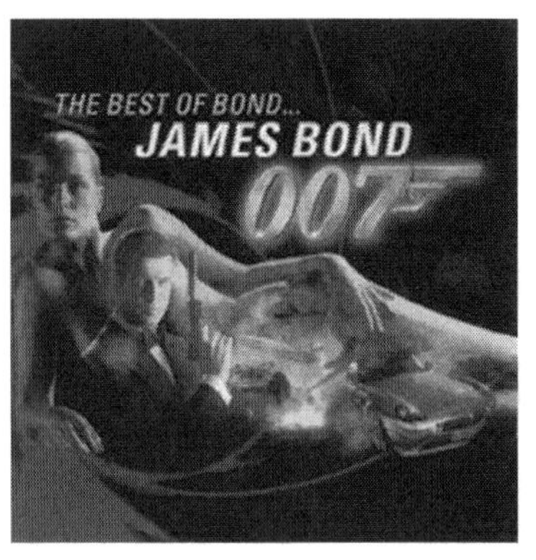

2008년 6월 발매된 역대 제임스 본드 히트 주제곡 모음 앨범. © Universal Pictures, MGM, amazon.com

피어스 브로스난 영화 〈골든아이〉 총신은-거의 불명확한-케틀 드럼에서 기타 리프를 연주하는 에릭 세라의 합성 편곡으로 시작된다.

존 알트마의 보다 전통적인 표현은 세인트 피터버그에서 탱크 추격전 동안 영화에서 들려오고 있다. 'James Bond Theme'의 이 버전은 〈골든아이〉 사운드트랙에 포함되어 있지 않다.

또한 스타 파로디는 1995년 예고편 제임스 본드 테마 버전을 작곡한다.

〈네버 다이〉와 〈언리미티드〉에서 데이비드 아놀드의 총신 편곡은 기타 멜로디 라인을 떨어뜨리고 곡의 시작 부분에서 바로 끝나는 부분까지 점프하고 있다.

〈언리미티드〉의 총신에 전자 리듬이 추가되었다.

일부 액션 장면에서 전형적인 본드 기타 라인을 들을 수 있다.

〈어나더 데이〉 총신은 〈위기일발〉 버전을 떠올려 주고 있다.

하지만 한층 테크노 영향을 받은 리듬을 갖고 있다.

또한 'James Bond Theme'의 기타 리프가 포함되어 있다.

The gun barrel of the Pierce Brosnan film GoldenEye opened with a synthesised arrangement by Éric Serra which plays the guitar riff on-almost indistinct-kettle drums. A more traditional rendition by John Altman is heard in the film during the tank chase in St. Petersburg. This version of the 'James Bond Theme' is not included in the GoldenEye soundtrack. Additionally, Starr Parodi composed a version of the James Bond Theme for the 1995 trailer.

David Arnold's gun barrel arrangements in Tomorrow Never Dies and The World Is Not Enough dropped the guitar melody line, jumping straight from the tune's opening to its concluding bars. An electronic rhythm was added to the gun barrel of The World is Not Enough. The typical Bond guitar line can be heard during some action scenes.

The Die Another Day gun barrel recalls the version of From Russia with Love but with a more techno-influenced rhythm.

It also contains the guitar riff of the 'James Bond Theme.'

7. 다니엘 크레이그 Daniel Craig (2006-2021)

다니엘 크레이그의 첫 제임스 본드 영화 〈카지노 로얄〉은 클라이막스 장면에서 영화가 끝날 때까지 '제임스 본드 테마' 전체를 다루지 않고 있다.

〈카지노 로얄〉에서 'You Know My Name'의 메인 노트는 'James Bond Theme' 대신에 영화 전체에 걸쳐 재생되고 있다.

'The Name's Bond...James Bond'라는 제목의 클래식 테마의 새로운 녹음은 21세기 버전의 제임스 본드로서 캐릭터의 새로운 출범의 시작을 알리는 엔딩 크레디트 동안에만 흘러나오고 있다.

Daniel Craig's first James Bond film, Casino Royale, does not feature the 'James Bond Theme' in its entirety until the very end of the movie during a climactic scene. In Casino Royale, the main notes of the song 'You Know My Name' are played throughout the film as a substitute for the 'James Bond Theme'.

A new recording of the classic theme titled 'The Name's Bond...James Bond' only plays during the end credits to signal the beginning of the character's new arc as the 21st century version of James Bond.

테마 전체가 연주되는 것은 이번이 처음이다. 하지만 영화 전반에 걸쳐 7분 동안 느린 배경 음악으로 노래의 첫 마디-코드 진행-가 나타나고 있다.

애스턴 마틴에서 우승했을 때, 턱시도를 입고 처음으로 등장했을 때-다리의 몇 개 막대와 함께, 독이 든 마티니에서 살아남은 후, 카지노 로얄에서 결승전에서 승리 했을 때, 본드가 베스퍼 린드를 따라 갈 때, 그리고 본드가 M과 통화할 때 배경 음악으로 흘러나오고 있다.

Although that is the first time the theme is played in its entirety, the first bars of the song-the chord progression-appeared as a slow background music in seven moments throughout the movie.

after Bond's conversation with M during his flight, after winning the Aston Martin, when he makes his first appearance in a tuxedo-accompanied by a few bars of the bridge-after he has survived the poisoned martini, when he wins the final match at Casino Royale, when Bond is following Vesper Lynd and when Bond speaks with M on the phone.

〈퀀텀 오브 솔러스〉 마지막 부분에서 크레이그의 새로운 공식 총신 시퀀스와 함께 테마가 나타나고 있다.

여기의 테마는 〈카지노 로얄〉의 고전적인 스타일과 매우 유사하다.

그것은 악보 전체에 걸쳐 드물게 나타나며 즉시 인식할 수 있는 변화는 없다.

데이비드 아놀드는 〈네버 다이〉의 DVD 부록 편에서 진행된 인터뷰를 통해 '제임스 본드 테마'는 액션 장면에서 관객으로서 들을 수 있을 것으로 기대하지만 〈카지노 로얄〉과 〈퀀텀 오브 솔러스〉에 대한 그의 배경 음악은 엔딩 크레디트 동안에만 사용했다고 말했다.

At the end of Quantum of Solace, the theme appears with Craig's new official gun barrel sequence unusually shown at the end of the film.

The theme here is very similar to the classic style in Casino Royale.

It appears sparingly throughout the score itself, never in an immediately recognisable variation. David Arnold said in an interview on the DVD extras for Tomorrow Never Dies that the 'James Bond Theme' is what he expects to hear as an audience member in action scenes, yet his scores for Casino Royale and Quantum of Solace only use it during the end credits.

다음 영화인 〈스카이폴〉은 영국 팝 가수 아델의 보컬에 대한 하모니 일부로 테마를 포함하고 희미한 서핑 기타 리프를 포함하여 코드 진행으로 사용되고 있다. 또한 〈퀀텀 오브 솔러스〉와 유사한 방식으로 총신 시퀀스가 영화의 끝 부분에 표시되고 있다. 시퀀스와 함께 그리고 엔딩 크레디트까지 재생되는 테마는 데이비드 아놀드 작곡의 〈카지노 로얄〉 트랙 'The Name's Bond...James Bond'이다. 그럼에도 불구하고 영화 음악은 영화 전체에 '제임스 본드 테마'를 포함시킨 토마스 뉴먼이 작곡한다.

The next film, Skyfall, includes the theme as part of the harmony to Adele's vocals and is used as the chord progression including a faint surf guitar riff. Also in a similar way to Quantum of Solace, the gun barrel sequence is shown at the end of the film.

The theme that plays along with the sequence and into the end credits is David Arnold's Casino Royale track 'The Name's Bond...James Bond.'

Despite this, the film's score was composed by Thomas Newman who also incorporated the 'James Bond Theme' throughout the entire film.

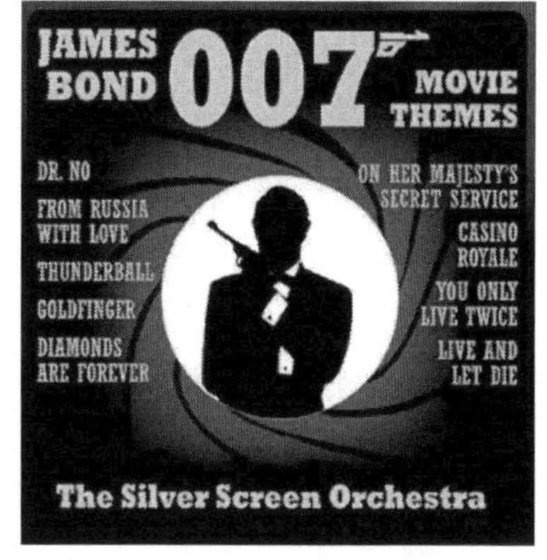

1974년 5월 실바 스크린 오케스트라가 발매한 007 제임스 본드 연주곡 앨범. © Universal Pictures, MGM, amazon. com

〈스펙터〉에서 주제는 영화 시작 부분에 오프닝 총신 시퀀스의 일부로 나타나면서 1962년에서 2002년 사이 프랜차이즈 고전 시대로의 복귀를 드러내 주고 있다.

In Spectre, the theme appears at the beginning of the film as part of the opening gun barrel sequence indicating a return to the franchise's classic era of 1962 to 2002.

이 테마는 'Gun Barrel'과 'Back to MI6'이라는 트랙의 〈노 타임 투 다이〉에서 다시 사용되고 있다. 재작업된 살사 버전은 'Cuba Chase'에서 사용되었다.

이것은 크레이그 시대의 유일한 영화로서 크레디트에서 본드 테마를 사용하지 않고 대신 〈여왕 폐하 대작전〉의 'We Have All Time in the World'를 사용하고 있다. 이것은 영화가 끝날 때 본드의 죽음 때문이다. 또한 빌리 에이리시가 불러 주는 영화 타이틀 트랙에는 테마를 삽입한 단일 트럼펫 솔로가 있다.

The theme is used again in No Time To Die, in the tracks named 'Gun Barrel' and 'Back to MI6.' A reworked, salsa-like version was used in 'Cuba Chase.' This is the only film in the Craig era that doesn't use the Bond theme in the credits instead using 'We Have All the Time in the World' from On Her Majesty's Secret Service. This is because of Bond's death at the end of the film. Additionally, the film's title track performed by Billie Eilish features a single trumpet solo interpolating the theme.

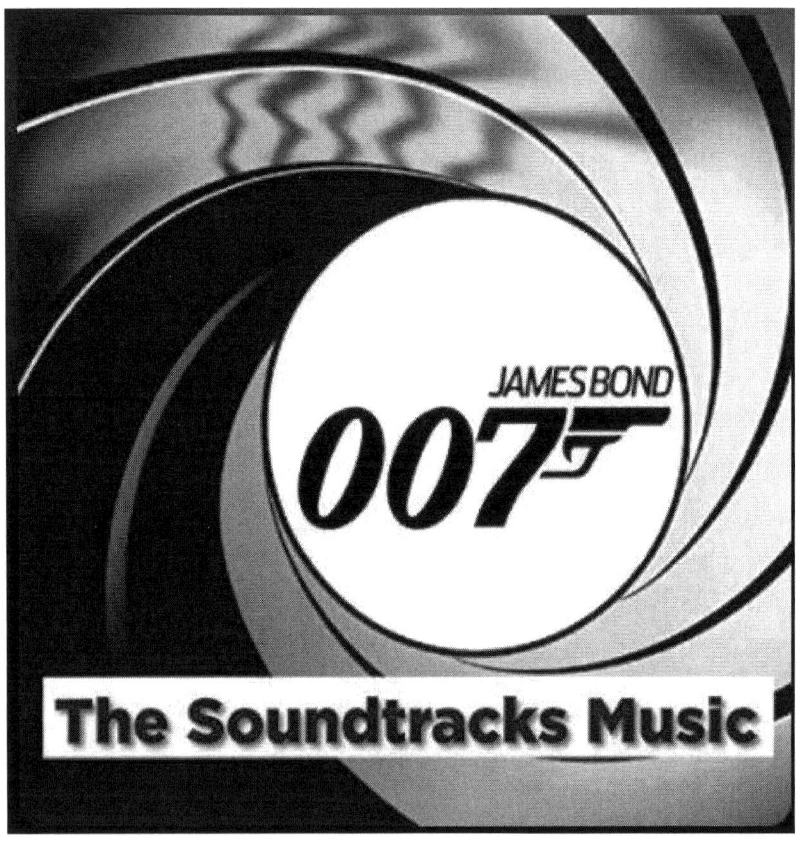

2020년 8월 출반된 007 제임스 본드 역대 히트 사운드트랙 편집 앨범. © Universal Pictures, MGM, amazon.com

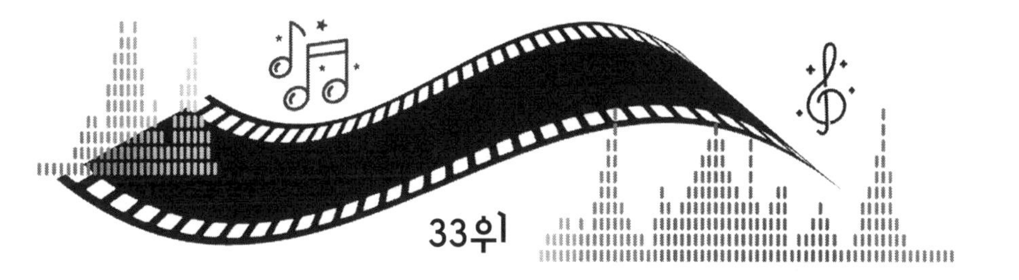

<위험한 달빛 Dangerous Moonlight/ Suicide Squadron> (1941) - 리차드 아딘셀의 음악 재능을 알려준 'Warsaw Concerto'

작곡: 리차드 아딘셀 Richard Addinsell

1940년대 영국 로맨스 영화의 진가를 떨쳐준 〈위험한 달빛〉. © RKO Radio British Productions

1. <위험한 달빛> 버라이어티 평

〈위험한 달빛 Suicide Squadron, 영국 원제목 위험한 달빛 Dangerous Moonlight〉은 브라이언 데스몬드 허스트가 감독하고 안톤 월브룩이 주연을 맡은 1941년 영국 영화이다.

영화는 바르샤바 협주곡이 포함된 로이 더글라스(Roy Douglas)가 편곡한 리차드 애딘셀(Richard Addinsell)의 배경 음악으로 가장 잘 알려져 있다.

Dangerous Moonlight (US: Suicide Squadron) is a 1941 British film, directed by Brian Desmond Hurst and starring Anton Walbrook.

The film is best known for its score written by Richard Addinsell orchestrated by Roy Douglas which includes the Warsaw Concerto.

주로 플래시백으로 이야기되는 〈위험한 달빛, 위험한 달빛〉의 러브 스토리 플롯은 가상 작곡가인 바르샤바 협주곡 작곡가이자 피아노 거장이자 '충격을 받은' 전투 조종사가 바르샤바에서 미국인 종군 기자를 만나고 나중에 미국에서 합류하는 내용을 다루고 있다.

Dangerous Moonlight's love-story plot told mainly in flashbacks revolves around the fictional composer of the Warsaw Concerto, a piano virtuoso and 'shell-shocked' combat pilot who meets an American war correspondent in Warsaw and later returns from America to join.

제2차 세계 대전 중, 미국 여성 신문 기자는 귀향해서 전투하고자 하는 폴란드 피아노 거장에게 사랑에 빠진다.

During World War II, an American newswoman falls for a Polish piano virtuoso who wants to go back and fight

1940년, 포탄 충격을 받은 한 남자가 과거를 회상하기 위해 싸우게 된다.
나치가 폴란드를 침공하는 동안 미국 여기자 캐롤 피터스는 폴란드 공군 조종사이자 피아노 대가 스테판 라데츠키를 만나게 된다.
스테판은 바르샤바에서 마지막으로 탈출한 사람 중 한 명.
몇 달 후 뉴욕에서 그와 캐롤은 다시 만나 결혼하게 된다.

in 1940, a shellshocked man fights to recall his past. During the Nazi invasion of Poland, American reporter Carole Peters meets Polish airman Stefan Radetzky, also a piano virtuoso. Stefan is among the last to escape Warsaw months later, in New York. he and Carole meet again and marry.

하지만 그가 다시 전투에 복귀한다는 생각은 캐롤에게는 개인적으로 끔찍하다.
뿐만 아니라 그의 음악적 재능을 크게 낭비하는 것 같다는 생각을 하게 된다.

But the thought of his going back to fight is not only personally terrifying to Carole but seems a great waste of his musical talent.

2. <위험한 달빛> 사운드트랙으로 널리 알려진 'Warsaw Concerto'

'바르샤바 협주곡'은 1941년 영국 영화 〈위험한 달빛 Dangerous Moonlight〉을 위해 작곡된 리차드 아덴셀의 피아노와 오케스트라를 위한 짧은 작품이다. 나치 독일의 1939년 침공에 대한 폴란드의 투쟁 내용을 담고 있다.
공연에서는 일반적으로 10분미만으로 지속되고 있다.
협주곡은 바르샤바를 위한 투쟁과 영화 속 주인공들의 로맨스를 모두 나타내는 프로그램 음악의 한 사례이다. 제2차 세계 대전 중에 영국에서 매우 인기를 얻었다. 협주곡은 세르게이 라흐마니노프 스타일을 모방하여 작성되었다.

그것은 '타블로이드 협주곡' 또는 '덴햄 협주곡'-스티브 레이스가 만든 후자의 용어-이라고 불리는 낭만주의 스타일의 유사한 짧은 피아노 협주곡에 대한 경향을 일으킨다.

The Warsaw Concerto is a short work for piano and orchestra by Richard Addinsell written for the 1941 British film Dangerous Moonlight which is about the Polish struggle against the 1939 invasion by Nazi Germany. In performance it normally lasts just under ten minutes. The concerto is an example of programme music representing both the struggle for Warsaw and the romance of the leading characters in the film.

It became very popular in Britain during World War II.

The concerto is written in imitation of the style of Sergei Rachmaninoff. It initiated a trend for similar short piano concertos in the Romantic style which have been dubbed 'tabloid concertos' or 'Denham concertos'-the latter term coined by Steve Race.

〈위험한 달빛〉. © RKO Radio British Productions

작곡가 리차드 아딘셀은 런던에서 태어나 처음에는 법학을 공부한 후 음악으로 진로를 바꿨다. 로얄 칼리지 오브 뮤직에서의 시간은 짧았다.

곧 뮤지컬 극장에 끌렸고 라디오에도 글을 썼지만 가장 기억에 남는 공헌은 1936년부터 시작되는 일련의 영화 배경 음악 작곡에 있다.

그는 1939년 공개된 영화 〈굿바이 미스터 칩스〉, 오리지널 〈가스라이트〉-1940년 개봉, 할리우드 버전과 혼동하지 말 것-〈스크루지〉 〈위험한 달빛〉(1941, 미국 시장에서는 자살 특공대로 개봉) 등의 배경 음악을 잇달아 작곡한다.

영화에서 공연하기 위해 작곡된 클래식 스타일의 작곡인 '타블로이드 협주곡' 추세를 시작한 것은 마지막 영화-〈위험한 달빛〉-다.

존 헌트리는 이 주제 뒤에 숨은 이유를 다음과 같이 설명하고 있다.

The composer, Richard Addinsell was born in London and initially studied law before turning to a career in music. His time at the Royal College of Music was brief as he was soon drawn to musical theatre and he also wrote for radio but his most memorable contributions are to a series of film scores beginning in 1936.

He wrote the music for the 1939 film Goodbye, Mr. Chips, the original Gaslight-released in 1940, not to be confused with the later Hollywood version-Scrooge and Dangerous Moonlight-1941, also released in the US as Suicide Squadron.

It is this last picture that began the trend of 'tabloid concertos' classical-style compositions written for performance in movies.

John Huntley explores the reason behind this concept.

'관객의 개별 구성원이 잘 알려진 특정 음악과 관련하여 가질 수 있는 연상은 해당 음악이 사용된 영화감독의 통제 범위를 훨씬 벗어나고 있다.

그래서 〈위험한 달빛 Dangerous Moonlight〉에서는 관객의 마음속에 폴란드, 바르샤바 공습 및 감독이 제안하고자 하는 모든 것을 연관시키는 데 사용할 수 있는 특별히 작곡된 음악을 만들기로 결정하게 된다.'

The associations which individual members of the audience may have in relation to a certain piece of well-known music are quite beyond the control of the director of a film in which it is used.

And so with Dangerous Moonlight it was rightly decided to have a piece of music specially written that could be used to become associated in the mind of the audience with Poland, air raids in Warsaw and whatever the director wanted to suggest.

'협주곡'은 원래 계획의 일부가 아니었다. 당시 아딘셀의 모든 악보를 편곡한 로이 더글라스에 따르면 '영화감독은 원래 세르게이 라흐마니노프의 피아노 협주곡 2번을 사용하고 싶었다. 하지만 이 아이디어는 저작권 소유자가 금지했거나 너무 비쌌다. 따라서 아딘셀은 이 작품이 가능한 한 라흐마니노프처럼 들리기를 원했다. 더글라스는 바르샤바 협주곡을 편곡하는 동안 주변에 피아노 협주곡 2번과 파가니니 주제를 위한 랩소디와 미니어처 악보 등을 연주했다.

The concerto was not part of the original plan. According to Roy Douglas at that time orchestrator for all of Addinsell's scores. The film's director had originally wanted to use Sergei Rachmaninoff's Second Piano Concerto but this idea was either forbidden by the copyright owners or was far too expensive. Thus Addinsell wanted the piece to sound as much like Rachmaninoff as possible and Douglas remembers while I was orchestrating the Warsaw Concerto I had around me the miniature scores of the Second and Third Piano Concertos as well as the Rhapsody on a Theme of Paganini.

그리고 〈위험한 달빛〉의 핵심이지만 협주곡은 완전하게 연주되는 것이 아니라 부분적으로 드러나게 된다. 두 주인공이 만나면 작품의 오프닝이 들리고 신혼여행을 가면 한층 더 전개된다.

And although it is at the heart of Dangerous Moonlight, the Concerto is never performed complete but rather revealed piecemeal.

The opening of the work is heard when the two protagonists meet and it is further developed when they are on their honeymoon.

마지막으로 유일하게 확장된 콘서트 장면에서 마지막 섹션이 제공되고 있다. 그러나 그 사용은 피아노에서 '작곡가'가 있는 장면에만 국한되지 않고 있다. 주제는 영화 전체에 걸쳐 강조되어 발견된다. 이러한 방식으로 짧은 콘서트 작품은 작은 규모라고는 할 수 없는 극적인 공명을 얻게 된다.

Finally, in the only extended concert sequence, we are given the closing section. But its use is not restricted to scenes with the 'composer' at the piano.
The themes are found as underscoring throughout the film and in this way a brief concert piece gains a dramatic resonance that belies its small scale.

3. <위험한 달빛>에서 음악의 역할 Role in the film

현재 작업 중인 '바르샤바 협주곡'의 오프닝. 그가 그녀에게 첫 번째로 하는 말은 '달이 이렇게 밝을 때 혼자 외출하는 것은 안전하지 않다.'
캐롤을 유심히 바라보며 '네가 내게 준 사랑스러운 것'을 공개하며 협주곡의 서정적인 두 번째 주제를 소개하고 있다.
그리고 실제로 이 멜로디는 항상 캐롤과 관련이 있다.
라흐마니노프와 마찬가지로 아딘셀은 이를 거의 '야상곡'으로 소개하고 있다.

It is the opening of his Warsaw Concerto, at this point a work in progress and the first line he says to her is 'It is not safe to be out alone when the moon is so bright.'
Gazing intently at Carol and disclosing 'something lovely you've just given me'.
he introduces the lyrical second theme of the Concerto. And indeed this melody is always associated with Carol.
Like Rachmaninoff, Addinsell introduces it almost as a nocturne.

스테판은 영화 후반부에 이 곡에 대해 다음과 같이 말하고 있다. '이 음악은 당신과 나이다. 바르샤바에 있는 우리 둘, 미국에 있는 우리, 끝내지 마.'

미국 영화 시장에서는 〈자살 특공대〉로 공개된 영국 영화 〈위험한 달빛〉. © RKO Radio British Productions

라흐마니노프가 피아노 협주곡 2번에서 두 번째 주제로 돌아오는 방식과 유사하게 '캐롤' 멜로디는 드라마의 감정적 가닥을 하나로 묶을 뿐만 아니라 협주곡을 승리의 결말로 이끄는데 사용되고 있다.

Stefan speaks of the piece later in the film. 'This music is you and me. It's the story of the two of us in Warsaw of us in America, of us in where else I don't know. That's why I can't finish it.' Similar to the way that Rachmaninoff returns to his second theme in his Second Piano Concerto, the 'Carol' melody is used not only to bind together the emotional strands of the drama but to bring the Concerto to a triumphant conclusion.

영화 전체에서 미완성 작품은 폴란드 애국심을 상징하는 프레데릭 쇼팽의 'Military' 폴로네즈와의 관계로 정의된다. 낭만주의와 애국적 사랑의 융합을 암시하는 낭만주의 주제에 폴로네즈 요소가 결합되면 '완성'되는 것이다.

Throughout the film, the unfinished piece is defined in a relationship with Frédéric Chopin's 'Military' Polonaise, symbolising Polish patriotism.
It is 'completed' when the Polonaise elements are integrated with the Romantic theme implying the fusion of romantic and patriotic love.

이야기 맥락에서 〈위험한 달빛〉은 영화의 가상(假想) 작곡가이자 피아니스트가 작곡하고 연주한 더 큰 작품의 인상을 주는 데에도 효과적이다.
협주곡을 잡아채려는 리듬이 처음 연주될 때 한 캐릭터가 다른 캐릭터에게

'나는 레코드를 갖고 있다'고 말한다. '초연'이 표시되면 3개의 악장으로 된 프로그램 '바르샤바 협주곡'의 클로즈업으로 들려오고 있다.

단 하나의 악장만 실제로 아딘셀이 작성한다.

Within the context of its story, Dangerous Moonlight is also effective in creating the impression of a larger work written and performed by the film's fictional composer and pianist. When snatches of the Concerto are first played one character tells another. 'I've got the records' and when the 'premiere' is shown. we are provided with a close-up of the program Warsaw Concerto with three movements listed.

Only one movement was actually written by Addinsell.

4. <위험한 달빛>과 주제 음악이 남긴 여파 Aftermath of <Dangerous Moonlight> and the theme music

영화 성공은 작품에 대한 즉각적인 수요로 이어진다. 배경 음악과 함께 영화 사운드트랙-9분에 78rpm으로 재생되는 12인치 디스크의 양면에 완벽하게 들어맞음-에서 피아노 솔로 버전용 악보가 충실히 제공된다.

이러한 예상치 못한 성공은 또 다른 결과를 낳게 된다.

화면 밖의 피아노 부분은 프란츠 리스트 연주로 유명한 영국의 훌륭한 음악가 루이스 켄트너가 연주한다. 하지만 대중 연예에 참여하는 것이 그의 클래식 평판에 피해를 끼칠까 두려워 화면 크레디트에는 없다고 주장한다.

The success of the film led to an immediate demand for the work and a recording was dutifully supplied from the film's soundtrack-at nine minutes, it fit perfectly on two sides of a 12-inch disk playing at 78 rpm-along with sheet music for a piano solo version. Such unexpected success had another consequence. The off-screen piano part was played by Louis Kentner a fine British musician known for his performances of Franz Liszt but he had insisted that there be no on-screen credit for fear that his participation in a popular entertainment would harm his classical reputation.

궁극적으로 '바르샤바 협주곡'은 영화 스크린에서 콘서트홀까지 그 당시에는 이례적인 여정을 만들 정도로 큰 인기를 얻는다.

Ultimately the Warsaw Concerto was such a hit that it made the then unusual journey from movie screen to concert hall.

5. 'Warsaw Concerto'를 편곡하거나 인용한 곡들

- 퍼시 그레인저 Percy Grainger는 1940년대에 두 대의 피아노를 위한 작품을 필사하고 작곡한다.

- '협주곡 주제'는 1958년 그룹 포 코인스 The Four Coins가 녹음한 '바깥 세상은 결코 알 수 없는...The world outside will never know...'이 포함된 대중음악 사랑 노래에서 차용된다. 협주곡 주제는 영국에서 매우 인기 있는 가수 로니 힐튼이 'The World Outside'로 발표해, 1959년 1월 영국 싱글 차트18위에 진입시킨다. 팝 그룹 포 에이스 Four Aces도 이 곡을 녹음했다.

- 피아니스트 리버레이스 Liberace는 정기적으로 무대와 그의 1952년 앨범 'Liberace, Super Hits'를 통해 '바르샤바 협주곡'을 수록한다.

- 1999년 미국 래퍼 DMX는 자신의 미국 음반 시장 데뷔 앨범 'And then There Was X'에 수록된 첫 번째 싱글 'What's my name'에서 협주곡을 샘플링 한다.

- 세계 3대 테너로 명성을 얻은 호세 카레라스 José Carreras는 1999년 앨범 'Pure Passion' 오프닝 트랙으로 '협주곡'을 녹음한다.

클래식 선율을 가미시켜 영국 로맨스 영화의 진수를 선사한 〈위험한 달빛〉. © RKO Radio British Productions

- 그래미상 수상 경력의 쿠바 재즈 피아니스트 겸 작곡가 곤잘레스 루발카바 Gonzalo Rubalcaba는 2005년 '바르샤바 협주곡'의 라틴 편곡을 녹음한다.

- 리차드 카펜터가 피아노를 치는 협주곡의 라이브 버전은 오누이 듀엣 카펜터스 Carpenters 앨범 'Live at Palladium'에 수록된다.

- 국내 음악 팬들에게도 많은 갈채를 받고 있는 리차드 클레이더만 Richard Clayderman은 1985년에 발매된 앨범 'The Classic Touch'를 위해 로열 필하모닉 오케스트라와 함께 '바르샤바 콘서트' 편곡을 녹음한다.

- 아딘셀의 테마를 로이 버드 Roy Budd가 편곡한 곡은 영화 〈씨 울프 The Sea Wolves〉(1980)에 사용된다. 영화를 위해 버드는 레슬리 브리커스 Leslie Bricusse의 가사를 자신의 음악 편곡에 추가한다. 노래는 맷 몬로 Matt Monro가 'The Precious Moments'라는 제목을 붙여 발표한다.

- 뉴 올리안즈 New Orleans 출신 리듬 앤 블루스 피아니스트 제임스 부커 James Booker는 2013년 앨범 'Classified: Remixed and Expanded'을 통해 그만의 커버 버전을 수록한다.

- 영국 작곡가 클라이브 리차드슨은 1944년에 '바르샤바 협주곡' 속편이라는 명분을 내걸고 'London Fantasia'를 작곡한다. 이 곡은 '영국 전투의 음악적 그림 A musical picture of The Battle of Britain'이라는 설명과 함께 피아노 오케스트라와 피아노 독주 버전 등 2가지로 취입된다.

- 스파이크 밀리건 Spike Milligan은 자서전 '아돌프 히틀러: 그의 몰락에서 나의 역할 Adolf Hitler: My Part in His Downfall'(1971)을 통해 '피로 물든 끔찍한 바르샤바 협주곡 the bloody awful Warsaw Concerto'이라고 언급하고 있다.

Track listing

1. Warsaw Concerto(1941) Written by Richard Addinsell, Played on piano by Anton Walbrook
2. Hummed by Sally Gray
3. Polonaise in A major Op. 40 No. 1 Written by Frédéric Chopin
4. Bridal Chorus (Here Comes the Bride) (1850) from Lohengrin Written by Richard Wagner, Played on piano by Anton Walbrook
5. Liebestraum No. 3 (A Dream of Love) Written by Franz Liszt, Played on piano by Anton Walbrook
6. Hummed by Sally Gray
7. The Rose of Tralee Music by Charles W. Glover, Played on piano by Anton Walbrook

〈위험한 달빛〉 사운드트랙. © RKO Radio Pictures

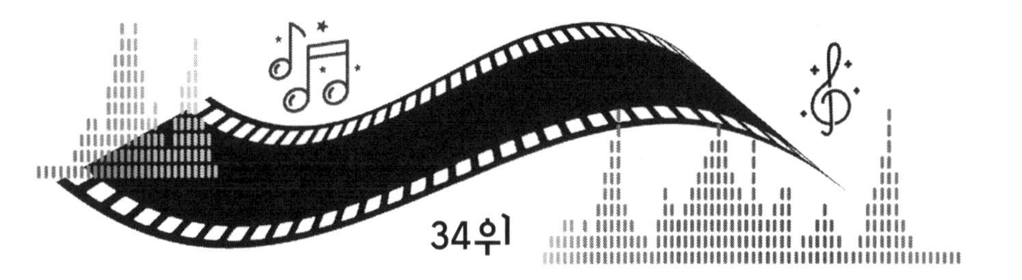

<핑크 팬더 The Pink Panther>(1964) - 헨리 맨시니가 경쾌한 리듬으로 격려해주고 있는 자크 형사의 모험담

작곡: 헨리 맨시니 Henry Mancini

1960년대 영화 음악 장르를 주도한 헨리 맨시니의 대표 히트작 중 하나인 〈핑크 팬더〉. © United Artists

1. <핑크 팬더> 버라이어티 평

〈핑크 팬더〉는 블레이크 에드워즈(Blake Edwards)가 감독하고 유나이티드 아티스트(United Artists)가 배급한 1963년 미국 코미디 영화다.

모리스 리치린과 블레이크 에드워즈가 시나리오를 작성한다.

'핑크 팬더' 시리즈 첫 번째 작품이다. 이야기는 수사관 자크 클로주가 로마에서 코르티나 담페조로 여행하면서 '팬텀'으로 알려진 악명 높은 보석 도둑이 '핑크 팬더'로 알려진 귀중한 다이아몬드를 훔치기 전의 행적을 추격하고 있다.

The Pink Panther is a 1963 American comedy film directed by Blake Edwards and distributed by United Artists.

It was written by Maurice Richlin and Blake Edwards. It is the first installment in The Pink Panther franchise. Its story follows inspector Jacques Clouseau as he travels from Rome to Cortina d'Ampezzo to catch a notorious jewel thief known as 'The Phantom' before he is able to steal a priceless diamond known as 'The Pink Panther.'

유명 보석 도둑 '팬텀'의 트레이드마크는 범행 현장에 남겨진 장갑이다.

팬텀의 공격에 대한 전문가인 탐정 클로주는 팬텀이 다음에 공격할 위치를 알고 있다고 확신하고 파리를 떠나 유명한 루가시의 보석 '핑크 팬더'가 있을 스위스로 향한다. 그러나 그는 팬텀의 정체가 누구인지, 그 외에 다른 사람이 누구인지 알지 못하고 있다.

The trademark of The Phantom, a renowned jewel thief is a glove left at the scene of the crime. Inspector Clouseau an expert on The Phantom's exploits feels sure that he knows where The Phantom will strike next and leaves Paris for Switzerland where the famous Lugashi jewel 'The Pink Panther' is going to be. However, he does not know who The Phantom really is or for that matter who anyone else really is.

애니메이션 오프닝 크레디트에 등장하는 만화는 '핑크 팬더'이다.
그는 'The End'라고 적힌 카드를 긁으면서 경찰차에서 나오는 충돌 소리를 듣고 다시 일어나고 있다.

the cartoon Pink Panther from the animated opening credits.
He gets back up as we hear the crash that was coming out from the police car, holding a card that reads 'The End' and swipes the letters to read 'The End.'

영화는 매력적이고 도시적인 보석 도둑 찰스 린튼 경(卿)에 대한 세련된 코미디로 구상되었다. 피터 유스티노프는 원래 린튼과 동맹을 맺은 충실하지 못한 아내로 에바 가드너와 함께 클로주 역으로 캐스팅 되었다.
하지만 제작사 미리시 컴퍼니가 개인 스탭에 대한 그녀의 요구를 충족시키지 못하자 가드너가 물러난 후 유스티노프도 프로젝트를 떠나게 된다. 블레이크 에드워즈는 유스티노프를 대신해 피터 셀러즈를 선택하게 된다. 자넷 리는 너무 오랫동안 미국을 떠나 있어야 한다는 이유로 여주인공 역할을 거절한다.

The film was conceived as a sophisticated comedy about a charming, urbane jewel thief, Sir Charles Lytton. Peter Ustinov was originally cast as Clouseau with Ava Gardner as his faithless wife in league with Lytton.
After Gardner backed out because The Mirisch Company would not meet her demands for a personal staff, Ustinov also left the project and Blake Edwards then chose Sellers to replace Ustinov. Janet Leigh turned down the lead female role as it meant being away from the United States for too long.

〈핑크 팬더〉. © United Artists

2. <핑크 팬더> 사운드트랙 리뷰

〈핑크 팬더: 뮤직 프럼 더 필름 스코어 헨리 맨시니 The Pink Panther: Music from the Film Score Composed and Conducted by Henry Mancini〉는 데이비드 니븐과 피터 셀러즈가 주연한 1963년 영화 〈핑크 팬더〉의 사운드트랙 앨범이다. 음악은 헨리 맨시니가 작곡하고 지휘했다.

The Pink Panther: Music from the Film Score Composed and Conducted by Henry Mancini is a soundtrack album from the 1963 movie The Pink Panther starring David Niven and Peter Sellers. The music was composed and conducted by Henry Mancini.

앨범은 1964년 4월 25일 빌보드 매거진 팝 앨범 차트에 진입하여 8위에 올랐으며 41주 동안 차트에 머물렀다.

The album entered Billboard magazine's pop album chart on April 25, 1964, peaked at No. 8 and remained on the chart for 41 weeks.

타이틀곡 'The Pink Panther Theme'은 싱글로 발매되었다. 미국 빌보드 어덜트 컨템포러리 차트 10위권에 진입했다. 메인 타이틀 테마 음악에는 플라스 존슨의 독특한 테너 색소폰이 들려오고 있다.

The title song 'The Pink Panther Theme' was released as a single.
It reached the Top 10 on the U.S. Billboard adult contemporary chart. The distinctive tenor saxophone of Plas Johnson is heard on the main title theme music.

앨범과 타이틀 곡은 그래미 어워드에서 베스트 앨범 또는 오리지널 스코어와 베스트 팝 기악 퍼포먼스 부문 후보에 오른다. 그것은 또한 〈메리 포핀스〉에서 수상의 영예는 넘겨주었지만 아카데미 작곡상 후보에 지명 받는다.

The album and title song were nominated for the Grammy Awards for Best Album or Original Score and Best Pop Instrumental Performance. It was also nominated for an Academy Award for best score losing out to Mary Poppins.

평론가 스테판 쿡은 훌륭한 사운드트랙이라고 불렀고 다음과 같이 결론 내렸다. '이 음반은 맨시니의 라운지/ 사운드트랙 음반의 팬을 위한 훌륭한 타이틀이다. 하지만 그의 재즈 자료에 더 관심이 있는 사람들은 그의 〈피터 건〉 또는 〈콤보〉 사운드트랙을 고려해야 한다.'

Reviewer Stephen Cook called it a fine soundtrack and concluded. 'This is a great title for fans of Mancini's lounge/ soundtrack material but those more into his jazz material should consider either his Peter Gunn or Combo soundtracks.'

2001년 사운드트랙 앨범은 그래미 명예의 전당 상을 수상한다.
2005년에는 AFI 영화 스코어 100년 20위에 지명 받는다.

In 2001, the soundtrack album was awarded a Grammy Hall of Fame Award. In 2005, the score was listed at #20 on AFI's 100 Years of Film Scores.

프란 제프리스는 스키 오두막의 벽난로 주변을 배경으로 한 장면에서 'Meglio stasera/ It Had Better Be Tonight'라는 노래를 불렀다.
이 노래는 자니 머서의 영어 가사와 프란코 미그리아찌의 이태리 가사로 헨리 맨시니가 작곡했다.

Fran Jeffries sang the song 'Meglio stasera (It Had Better Be Tonight)' in a scene set around the fireplace of a ski lodge.
The song was composed by Henry Mancini with English lyrics by Johnny Mercer and Italian lyrics by Franco Migliacci.

3. <핑크 팬더> 사운드트랙 해설 - 빌보드

〈핑크 팬더〉는 헨리 맨시니의 또 다른 훌륭한 1960년대 초반 사운드트랙이다. 타이틀곡은 그의 가장 유명한 테마 중 하나가 되었다.

몽환적인 라운지 컷과 라틴풍의 넘버로 유쾌한 프로그램을 시작하고 있다.

그가 다른 많은 영화/ TV 앨범-〈터치 오브 이블〉 〈피터 건〉 등-에서 했던 것처럼 맨시니는 'The Tiber Twist'와 같은 일부 느와르, 빅 밴드 넘버와 메인 타이틀도 포함되어 있다.

The Pink Panther is another fine, early 60s soundtrack from Henry Mancini. The title track became one of his most recognizable themes and kicks off a pleasant program of dreamy lounge cuts and Latin-tinged numbers. As he did on many other movie/TV albums (Touch of Evil, Peter Gunn, etc.). Mancini also includes some noirish, big band numbers, like 'The Tiber Twist' and the main title.

이러한 업 템포 노래와 함께 그는 확고하게 흔들리는 맘보 'The Village Inn' 'Something for Sellers'-영화 주인공 피터 셀러즈와 같이-및 'It Had Better Be Tonight'과 함께 대부분 가벼운 음원으로 균형을 유지하고 있다. 빈번한 파트너인 자니 머서가 공동 작곡했으며 발매 당시 약간의 보컬 히트곡이 있다.

Along with these up-tempo songs, he balances out the mostly light material with the solidly swinging mambos 'The Village Inn' 'Something for Sellers'-as in Peter Sellers, the movie's star-and 'It Had Better Be Tonight' -co-written by frequent partner Johnny Mercer and something of a minor vocal hit upon its release.

그러나 프로그램의 하이라이트는 그가 일반적으로 자신의 사운드트랙에 포함시킨 일종의 숭고한-일부는 치즈 같은-발라드에서 나오고 있다.

특히 심야 재즈곡 'Royal Blue'는 감각적인 스트링 편곡과 빛나는 트럼펫 솔로가 돋보이고 있다.

The program's highlights, though, come from the kind of sublime-some might say cheesy-ballads he usually included on his soundtracks. the after-hours jazz tune 'Royal Blue' stands out in particular with its tasteful string arrangement and glowing trumpet solo.

〈핑크 팬더〉. © United Artists

2011년 부다 레코드에서 재발매된 음반에는 'Return of the Pink Panther' 'The Greatest Gift (Instrumental)' 'Here's Looking at You Kid' 및 'Dreamy' 등과 같은 몇 곡의 보너스 트랙이 포함되어 있다.

The 2001 reissue by Buddha includes several bonus tracks. 'Return of the Pink Panther' 'The Greatest Gift (Instrumental)' 'Here's Looking at You Kid' and 'Dreamy.'

4. 'The Pink Panther Theme' 해설

'The Pink Panther Theme'은 1963년 영화 〈핑크 팬더 The Pink Panther〉 주제로 작곡된 헨리 맨시니의 연주곡이다.

The Pink Panther Theme is an instrumental composition by Henry Mancini written as the theme for the 1963 film The Pink Panther.

데이비드 드파티와 프리츠 프리렁이 영화 오프닝 크레디트를 위해 만든 동명의 만화 캐릭터가 곡에 맞추어 애니메이션으로 움직이고 있다.
테너 색소폰 솔로는 플라스 존슨이 연주해주고 있다.

The eponymous cartoon character created for the film's opening credits by David DePatie and Friz Freleng was animated in time to the tune.
The tenor saxophone solo was played by Plas Johnson.

〈핑크 팬더 The Pink Panther〉의 모든 영화 오프닝 크레디트에는 'A Shot in the Dark'와 'Inspector Clouseau'를 제외하고 작곡에 대한 다양한 녹음이 등장하고 있다. 또한 애니메이션 핑크 팬더가 등장하는 연극 단편, 텔레비전 만화, 광고 및 기타 작품에도 사용 되었다.

Various recordings of the composition appeared in the opening credits of all The Pink Panther films except A Shot in the Dark and Inspector Clouseau.
It has also been used in theatrical shorts, television cartoons, commercials and other works in which the animated Pink Panther appears.

E 단조로 작곡된 'Pink Panther Theme'는 맨시니가 반음계를 광범위하게 사용했다는 점에서 이례적이다.

'The Pink Panther Theme' composed in the key of E minor is unusual for Mancini's extensive use of chromaticism.

맨시니 자서전에서 그들은 음악을 언급했을까?
맨시니는 테마 음악을 작곡한 방법에 대해 다음과 같이 말했다

In his autobiography Did They Mention the Music? Mancini talked about how he composed the theme music.

'나는 애니메이터들에게 그들이 움직일 수 있는 템포를 주겠다고 말했다. 그래야 눈에 띄는 동작이 있거나 누군가가 맞을 때마다 배경 음악을 작곡할 수 있다. 애니메이터들이 시퀀스를 끝내고 나는 그것을 보았다. 음악의 모든 악센트는 화면의 동작에 맞추어져 있다.'

'I told the animators that I would give them a tempo they could animate to, so that any time there were striking motions, someone getting hit, I could score to it.

The animators finished the sequence and I looked at it. All the accents in the music were timed to actions on the screen.'

'나는 특정한 색소폰 연주자를 염두에 두고 있었다. 바로 플라스 존슨이다. 나는 거의 항상 내 플레이어를 미리 배정해서 그들을 위해 작사를 했다. 플라스는 내가 원하는 사운드와 스타일을 갖고 있었다.'

I had a specific saxophone player in mind-Plas Johnson. I nearly always precast my players and write for them and around them and Plas had the sound and the style I wanted.

5. 다양하게 활용되고 있는 '핑크 팬더' 테마곡

- 1976년 부터 1991년까지 '핑크 팬더 테마'는 미국 게임 쇼 '프라이스 이즈 라이트 The Price is Right'에 등장한 가격 책정 게임인 '세이프 크래커스 Safe Crackers'의 생각 음악으로도 사용 되었다.

From 1976 to 1991, the theme also served as the think music for Safe Crackers, a pricing game featured on the American game show The Price Is Right.

- 1978년 영화 〈핑크 팬서의 복수〉에서 시리즈 주제와 사운드트랙 대부분은 1970년대 후반의 디스코 사운드에서 크게 영감을 받았다. 테마 자체는 더 멋진 베이스라인, 전자 피아노 및 기타 솔로를 포함하도록 재작업 되었다.

1983년 'Curse of the Pink Panther'에도 유사한 처리가 주어졌는데, 더 많은 합성 악기가 포함되었다.

In the 1978 film Revenge of the Pink Panther, the theme and much of the soundtrack from this entry in the series draw heavily from the disco sound of the late 1970s. The theme itself was reworked to include a more dancy bassline, electric piano and guitar solo. A similar treatment was given to 1983's Curse of the Pink Panther where it had more synthesized instruments.

- 1994년 출시된 비디오 게임 '파이널 환타지 4 Final Fantasy VI'에서 '조조타운 Zozo town'을 위한 음악은 '핑크 팬더 테마'를 기반으로 했다.

In the 1994 video game Final Fantasy VI, the music for Zozo town is based on the theme.

- 1993년 영화 〈핑크 팬더의 아들 Son of the Pink Panther〉오프닝 타이틀에서 바비 맥퍼린이 테마를 재배열하고 연주했다. 이 버전은 아카펠라를 연주한 유일한 버전이라는 점에서 독특했다. 크레디트에는 전자 키보드 베이스라인과 함께 〈핑크 팬더의 귀환 Return of the Pink Panther〉의 모습과 유사한 전통적인 스타일의 테마를 사용하고 있다.

In the 1993 film Son of the Pink Panther, the theme was rearranged and performed by Bobby McFerrin in the opening titles. This version was unique in being the only one to be performed a cappella. The credits featured the theme in the traditional style similar to its appearance in Return of the Pink Panther with an electric keyboard bassline.

- 〈미녀 삼총사: 맥시멈 스피드〉(2003)에서는 푸시캣 돌즈가 불러 주는 핑크 팬더 테마 곡에 맞추어 드류 배리모어, 루시 리우, 카메론 디아즈 등이 그룹 댄스를 추는 장면이 보여지고 있다.

Actresses Drew Barrymore, Lucy Liu and Cameron Diaz and dance troupe and music group The Pussycat Dolls danced to the theme in the film Charlie's Angels: Full Throttle.

〈핑크 팬더〉. © United Artists

- 크리스토프 벡이 2006년 리부트를 위해 재 편곡했으며 또한 〈핑크 팬더 2 The Pink Panther 2〉를 위해 폴 오켄폴드가 영화 주제곡을 리믹스 한다.

Christophe Beck rearranged the music for the 2006 reboot as well as its sequel, The Pink Panther 2-Paul Oakenfold remixed the theme song for the 2006 film.

- 2007년 색소폰 연주자 데이브 코즈는 앨범 'At The Movies'를 통해 섹소폰 버전을 취입한다.

In 2007, saxophonist Dave Koz recorded a version for his album At the Movies.

-'핑크 팬더 테마'는 영화 〈피터 셀러스의 삶과 죽음〉에도 등장하고 있다.

The theme was featured in the film The Life and Death of Peter Sellers

- 데이비드 리카드가 헨리 맨시니의 〈핑크 팬더〉 테마를 기타 버전으로 재편곡한 음원은 단명으로 끝난 〈핑크 팬더〉와 〈팔즈〉 시리즈에서 사용된다.

The rearranged guitar version of Henry Mancini's Pink Panther theme were used from the short-lived Pink Panther and Pals series in 2010, composed by David Ricard.

Track listing

1. The Pink Panther Theme
2. I Had Better Be Tonight (Instrumental)
3. Royal Blue
4. Champagne and Quail
5. The Village Inn
6. The Tiber Twist
7. I Had Better be Tonight Vocal-Henri Mancini and his Orchestra and Chorus
8. Cortina
9. The Lonely Princess
10. Something for Sellers
11. Piano and Strings
12. Shades of Sennett

〈핑크 팬더〉 사운드트랙. © BMG

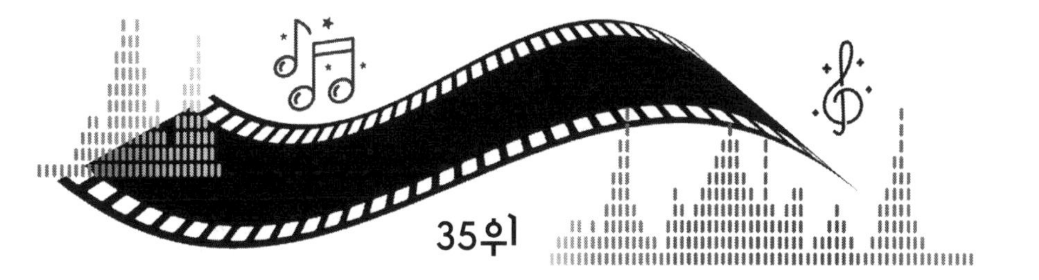

35위

<황야의 7인 The Magnificent Seven>(1960) - 엘머 번스타인이 펼쳐주는 거친 서부 사나이들의 무용담(武勇談)

작곡: 엘머 번스타인 Elmer Bernstein

1954년 구로자와 아끼라 감독의 〈7인의 사무라이〉를 서양 버전으로 각색한 존 스터지스 감독의 〈황야의 7인〉.

1. <황야의 7인> 버라이어티 평

산적(山賊)은 매년 작은 멕시코 농촌 마을을 위협하고 있다. 마을 장로(長老) 몇 명이 3명의 농부를 미국으로 보내 그들을 방어할 총잡이를 찾는다.

그들은 각각 다른 이유로 오는 7명으로 종결된다.

그들은 식량을 구하러올 30명의 도적단을 물리 칠 수 있도록 마을을 방어할 준비를 해야 한다.

A bandit terrorizes a small Mexican farming village each year. Several of the village elders send three of the farmers into the United States to search for gunmen to defend them. They end up with seven, each of whom comes for a different reason.

They must prepare the town to repulse an army of thirty bandits who will arrive wanting food.

〈황야의 7인〉은 존 스터지스가 감독한 1960년 미국 서부 영화이다.

윌리암 로버츠 각본은 구로자와 아끼라 감독의 1954년 일본 영화 〈7인의 사무라이〉를 올드 웨스트 스타일로 리메이크한 것이다.

앙상블 캐스트에는 율 브린너, 스티브 맥퀸, 찰스 브론슨, 로버트 본, 브래드 덱스터, 제임스 코번 및 호스트 버치홀츠 등 7명의 총잡이로 구성된 그룹으로 포함 되고 있다. 엘리 왈리치가 주요 적수이다.

The Magnificent Seven is a 1960 American Western film directed by John Sturges.

The screenplay by William Roberts is a remake in an Old West style of Akira Kurosawa's 1954 Japanese film Seven Samurai.

The ensemble cast includes Yul Brynner, Steve McQueen, Charles Bronson, Robert Vaughn, Brad Dexter, James Coburn and Horst Buchholz as a group of seven gunfighters and Eli Wallach as their main antagonist.

7명의 타이틀 캐릭터는 왈리치가 이끄는 약탈 강도 그룹으로부터 멕시코의 작은 마을을 보호하기 위해 고용된다.

The seven title characters are hired to protect a small village in Mexico from a group of marauding bandits led by Wallach.

영화는 1960년 10월 12일 United Artists를 통해 개봉된다. 이 영화는 비평적으로나 상업적으로나 성공을 거두었다. 누구에게나 서부 영화 장르의 가장 위대한 영화 중 한 편으로 평가 받는다. 1998년부터 2000년까지 방영된 텔레비전 시리즈와 2016년 영화 리메이크 등 3편의 속편이 탄생했다.

The film was released by United Artists on October 12, 1960. It was both a critical and commercial success and has been appraised by whom as one of the greatest films of the Western genre. It spawned three sequels, a television series that aired from 1998 to 2000 and a 2016 film remake.

2. <황야의 7인> 사운드트랙 리뷰

쉽게 인식되는 메인 테마와 스토리 라인의 효과적인 지원과 함께 배경 음악은 총격전 직전의 긴장된 조용한 장면에서 바르톡의 '오케스트라를 위한 협주곡 2악장'에 대한 언급과 '20세기 교향곡' 작품에 대한 암시도 포함되어 있다.

오리지날 사운드트랙은 〈7인의 귀환 Return of the Seven〉 사운드트랙을 위해 번스타인이 재사용하고 재녹음할 때까지 그 당시에는 출반되지 않았다.

미국의 알 카이올라와 영국의 존 배리의 일렉트릭 기타 커버 버전은 인기 차트에서 성공을 거둔다.

예고편에는 번스타인이 쓰지 않은 보컬 테마가 사용되었다. 1994년 제임스 세다레스는 '피닉스 심포니 오케스트라'가 연주한 악보를 재녹음한다.

여기에는 코치 레코드에서 발행한 'Hallelujah Trail'에서는 번스타인 작곡의 모음곡도 포함되어 있다. 번스타인은 1997년 RCA에서 발표한 공연을 위해 로얄 스코틀랜드 국립 오케스트라를 지휘한다.

바레세 사라방드 레코드에서는 2004년 앨범을 재발매한다.

Along with the readily recognized main theme and effective support of the story line, the score also contains allusions to twentieth-century symphonic works, such as the reference to Bartok's Concerto for Orchestra, second movement, in the tense quiet scene just before the shoot out. The original soundtrack was not released at the time until reused and rerecorded by Bernstein for the soundtrack of Return of the Seven. Electric guitar cover versions by Al Caiola in the U.S. and John Barry in the U.K were successful on the popular charts. A vocal theme not written by Bernstein was used in a trailer. In 1994, James Sedares conducted a re-recording of the score performed by The Phoenix Symphony Orchestra which also included a suite from Bernstein's score for The Hallelujah Trail, issued by Koch Records.

Bernstein himself conducted the Royal Scottish National Orchestra for a performance released by RCA in 1997. Varèse Sarabande reissued this album in 2004.

제33회 아카데미 시상식에서 이 배경 음악은 드라마 또는 코미디 작품 최고 작곡 부문에 노미네이트된다. 하지만 〈엑소더스〉의 어니스트 골드에게 패배한다.

수십 년 후 〈황야의 7인 The Magnificent Seven〉 배경 음악은 미국 영화 연구소 American Film Institute가 선정한 '미국 영화 스코어' 상위 25 편 중 8위로 지명 받는다.

At the 33rd Academy Awards, the score was nominated for Best Score of a Dramatic or Comedy Picture, losing to Ernest Gold's score for Exodus. Many decades later, however, the score for The Magnificent Seven was listed at No. 8 on the American Film Institute's list of the top 25 American film scores.

〈황야의 7인〉. © United Artists, Metro-Goldwyn-Mayer Studios Inc

3. <황야의 7인> 사운드트랙 해설 - 빌보드

율 브린너는 구로자와 아끼라 감독의 1954년 서사시 일본 영화 〈7인의 사무라이〉를 미국에서 재구성하는 아이디어를 오랫동안 탐구해 온다.

브리너는 이와 관련해서 '나는 그것이 일본 관용구에서 일본인에 의해 만들어진 모든 시간의 위대한 서부 중 하나라고 느꼈다. 하지만 그 형태, 전체적인 디자인은 이상적인 서부극 이었다.'라고 언급했다.

Yul Brynner had long explored the idea of an American retelling of Akira Kurosawa's epic 1954 Japanese film The Seven Samurai. Brynner related 'I felt it was one of the great westerns of all time, only it was made by the Japanese in the Japanese idiom. But the form, the whole design of it was the ideal western.'

'Main Title'은 남서부의 덤불 같은 풍경 위로 오프닝 크레디트 롤을 지원해 주고 있다. 우리는 이 상징적인 주제를 영웅적이고 열광적인 영광으로 강력하게 표현하는 것을 목격하게 된다. 목관악기와 기타로 주제를 보다 친밀하게 표현하면서 다운 시프트하고 있다. 스트링 애니마토의 코플란드 작곡 스타일 에너지를 배경으로 오프닝 크레디트를 멋지게 마무리 하고 있다.

영화는 'Calvera'로 이어진다. 멕시코 마을 사람들이 옥수수 수확을 하는 것을 볼 수 있다. 멀리서 우리는 'Calvera'와 그의 도적들이 그의 주제에 대한 웅장하고 위협적인 완전한 표현을 듣고 마을로 이동하고 있는 것을 보게 된다.

'Main Title' supports the roll of the opening credits over chaparral vistas of the southwest. We conclude the roll of the opening credits wonderfully atop the Coplanesque energy of strings animato! The film commences a segue into 'Calvera' where we see Mexican villagers shucking their corn harvest.

In the distance we see Calvera and his bandits riding into town, carried by a grand and menacing full rendering of his theme.

'Council'은 번스타인이 강력한 감정의 교차점에 대해 말해야 하는 훌륭하고 복잡한 다중 장면의 선곡을 제공하고 있다. 칼베라의 도적들이 마을에서 식량과 식량을 훔치는 일을 마친다. 말에 올라타면서 그는 이 마을을 사랑한다고 과감하게 선언하고 남은 음식을 먹기 위해 돌아올 것이라고 경고한다.

그의 위협과 야만성은 그의 주제를 공격적으로 표현함으로써 드러나고 있다.

'Murderers'를 외치는 화난 주민이 칼베라를 향해 돌진하는 동안 열정적인 뿔이 이끄는 크레센도가 구축되고 있다. 그는 칼레라 총에 맞는다. 우리는 그의 시체를 포옹하면서 슬픔에 빠져 있는 아내의 비통함은 번스타인이 음이 소거된 프렌치 호른의 고상하고 애통한 현으로 솔직하게 표현해 주고 있다. 칼베라와 그의 부하들이 떠나면서 그의 어두운 테마는 진행 상황을 전달해 주고 있다.

마을 사람들이 과부(寡婦)를 위로하면서 슬픔의 비통함이 돌아오게 된다.

이때 연주되는 기타는 처음에는 솔로 오보에, 그 다음에는 첼로가 큰 효과를 내는 애절한 문장으로 안내하고 있다. 마을 사람들이 모일 때 친족의 쏘는 소리와 목관악기가 우리를 슬픔으로 가득 채워주고 있다. 그들은 마을 장로에게 조언을 구하기 전에 도망갈지 아니면 운명을 묵인할지 토론한다.

장로의 오두막으로 장면이 전환되어 그가 남자들에게 총을 구입하라고 조언한 다음 서서 싸우라고 조언한다. 우리는 장차 일어날 일에 대한 암시인 장엄한 일곱 주제에 대한 미묘하고 무형의 언급을 듣게 된다.

'Council' offers an excellent and complex multi-scenic cue where Bernstein is forced to speak to the intersection of powerful emotions. Calvera's bandits have finished stealing food and provisions from the village. As he mounts his horse he has the audacity to announce that he loves this village and then issues a warning that he will return to take the rest of their food. His menace and barbarity is voiced by an aggressive rendering of his theme. an impassioned horn led crescendo builds as an angry villager yelling 'Murderers' rushes towards Calvera with a machete.

He is gunned down by Calvera and we bear witness to the pathos of his grieving wife hugging his corpse which Bernstein supports forthrightly with muted French horns nobile and plaintive strings. As Calvera and his men depart, his dark theme carries their progress. the pathos of grief returns as villagers comfort the widow.

A strummed guitar ushers in a plaintive statement carried first by solo oboe and then cello with great effect. Kindred stings and woodwinds fill us with sadness as the villagers assemble. They debate whether to flee or acquiesce to their fate before seeking the counsel of the village elder. we have a scene change to the Elder's hut where he counsels the men to buy guns and then stand and fight. We hear subtle, intangible references to the Magnificent Seven Theme, an allusion to what is to come.

'Quest'는 3명의 마을 사람들이 총을 판매할 상인을 찾아 미국 국경 마을로 들어가는 장면에서 흘러나오고 있다.

번스타인은 기타를 기반으로 하는 고전적인 멕시코 아우라를 보여주고 슬로우 댄스의 감성으로 감동을 주는 멕시코 테마로 진행을 이어가고 있다.

'Strange Funeral'과 다음 선곡은 번스타인의 가장 영감을 받은 가사와 함께

〈황야의 7인〉. © United Artists, Metro-Goldwyn-Mayer Studios Inc

악보 하이라이트를 제공하고 있다.

장의사는 마을 공동묘지에 인디언을 매장하는 것을 마을이 용인하지 않기 때문에 후원자가 지불한 매장 절차를 거부하게 된다.

크리스는 빈이 산탄총을 탄 채로 관 마차를 운전하기 위해 자원한다.

어두운 팀파니는 크리스를 마차에 태우고 활기찬 코플란스 작곡 스타일의 스트링 라인을 안내하여 임무를 시작하고 있다. 드럼 카운터가 달린 단호한 혼 오스티나토가 그들을 묘지로 옮기고 점차 종지와 같은 행진으로 전환한다. 자유로운 형태의 목관악기가 결합하여 종지를 장식하고 우리는 크레센도를 만든다. 이것은 그들이 묘지에 도달할 때 침묵으로 절정에 이르고 무장한 사람들이 그들을 멈추게 한다.

어두운 암시의 팀파니와 클라리넷은 남자 중 한 명이 크리스에게 소총을 쏘기 전까지 불안을 가중시키고 있다. 크리스는 팔에 있는 남자를 쏘고 친구의 총으로 쏜다. 잔혹한 목관악기는 우리가 남자들이 길을 잃는 것을 보는 여파를 가져오게 한다. 크리스가 관(棺)을 내리기 위해 6명의 남성을 요구할 때 베이스 카운터가 있는 정력적인 현악 오스티나티는 그의 승리를 축하 하면서 'Magnificent Seven Theme'의 한 구절로 마무리해주고 있다.

이어 열광적인 카우보이 테마를 소개하는 'After The Brawl'로 이어진다.

마을로 돌아온 후원자는 크리스에게 감사를 표시한다. 그와 빈에게 음료수를 제안한다. 그가 떠난 후, 크리스와 빈은 이름을 교환하고 길을 떠난다. 빈은 기타를 치며 떠나면서 'Magnificent Seven Theme'을 연주해 주고 있다. 우리는 번스타인이 독주 클라리넷, 같은 부류의 목관 악기, 현악기, 현악기를 연주하는 것을 지원하는 크리스의 호텔 방 장면 변경으로 선곡을 마무리하고 있다.
여기에서 음악과 영화 내러티브의 결합은 최고 수준이다.

In 'Quest' three villagers ride into an American border town in search of a vendor to sell them guns. Bernstein carries their progress with the Mexican Theme, which displays classic Mexican auras underpinned by guitar and emoted with the sensibility of a slow dance. 'Strange Funeral' and the following cue offer a score highlight with some of Bernstein's most inspired writing. The undertaker refuses to proceed with a burial paid for by a patron because the town will not countenance the burial of an Indian in the town cemetery. Chris volunteers to drive the casket wagon with Vin riding shotgun. Dark timpani carry Chris on the carriage and usher an energetic Coplanesque strings line, which commences their task. A determined horn ostinato with drum counters carries them towards the cemetery and gradually shifts to a march like cadence. Freeform woodwinds join and embellish the cadence and we build on a crescendo which culminates in silence as they reach the cemetery where armed men stop them. Dark portentous timpani and clarinet sow unease until one of the men fires his rifle at Chris. Chris shoots the man in the arm and the gun out of his friend's.

Grim woodwinds carry the aftermath where we see the men give way. As Chris calls for six men to unload the casket energetic shifting string ostinati with bass counters celebrate his triumph closing on a phrase of the Magnificent Seven Theme. we segue into 'After The Brawl' where Bernstein introduces the rousing Cowboy Theme.

Back in town the patron thanks Chris and offers him and Vin a drink. After he departs, Chris and Vin exchange names and part ways with Vin's departure carried by the strummed guitar traveling rendering of the Magnificent Seven Theme. We close the cue with a scene change to Chris's hotel room where he is preparing to turn in which Bernstein supports with a solo clarinet, kindred woodwinds strings and plucked harp. The marriage of music and film narrative here is of the highest order.

'The Journey'는 화려한 배경 음악의 하이라이트를 선사하고 있다.
6명의 남자와 3명의 마을 사람들은 여전히 합류할 의사가 있는 치코를 따라 멕시코 남쪽으로 여행한다. 대화를 위한 목관악기 및 기타 연주를 포함하는 웅장한 7가지 주제의 대담한 선언은 진행 상황을 전달해주고 있다.

'The Journey' offers a splendid score highlight. The six men and three villagers travel southward into Mexico with Chico following behind still intent on joining.
A bold declaration of the Magnificent Seven Theme with woodwind and strummed guitar interludes for dialogue carries their progress.

그들은 그날 밤 늦게 모닥불 주위에 앉아 기타와 하모니카를 연주하여 조용하고 편안한 분위기를 조성해 주고 있다.

they sit around the campfire later that night strummed guitar and harmonica create a calm and restful ambiance.

다음 날. 치코는 크리스가 합류하도록 하기 위해 나무에서 물고기 몇 마리를 내민다. 코플란드 작곡 스타일의 호른 팡파르와 함께 활기찬 현악 오스티나토는 치코 그룹 합류를 축하하기 위해 'Magnificent Seven Theme'의 고무적인 진술을 시작하고 있다.

it is the next day and Chico has hung out some fish from a tree in an effort to entice Chris into letting him join.
An energetic string ostinato with Coplanesque horn fare launches a rousing statement of the Magnificent Seven Theme to celebrate Chico's joining the group.

테마는 아름다운 멕시코 시골 풍경과 완벽한 시너지 효과를 제공하고 있다.
그들이 마을에 도착할 때 기타를 주제로 한 디미누엔도와 함께 문을 닫고 있다.

마을에 들어서자 어두운 드럼과 기타 소리가 마치 황량한 마을을 연상케 하는 불길한 분위기를 자아내고 있다.

〈황야의 7인〉. © United Artists, Metro-Goldwyn-Mayer Studios Inc

The theme offers a perfect synergy with the beautiful Mexican country vistas. We close with a diminuendo of the theme on guitar as they arrive at the village. As they enter, dark drums and strummed guitar create a foreboding ambiance as the village seems deserted.

'Fiesta'는 마을 창립 기념일이며, 마을은 이를 축하하는 곡으로 흘러나오고 있다. 번스타인은 원주민 플루트와 축제 분위기의 타악기 기반 토착 민속 음악으로 분위기를 지원해주고 있다.

In 'Fiesta' it is the anniversary of the village founding, and the town turns out to celebrate. Bernstein supports the ambiance with nativist flute and festive percussive driven indigenous folk music.

'Finale'에서 멕시코 테마의 애절한 표현은 크리스, 빈, 치코가 떠날 준비를 하고 있고, 언덕에서 리, 브리트, 해리 및 버나르도 등 4개의 십자가를 볼 때 새로운 날을 지원해주고 있다. 징계를 받은 크리스는 마을 사람들만 이겼고 그들이 떠날 때 우리는 항상 진다고 말한다. 솔로 플루트와 기타가 메인 테마를 연주하는데 치코의 눈에는 망설임이 보인다. 솔로 플루트는 행복으로 가득찬 멕시코 테마의 낭만적인 렌더링과 결합하여 그를 페트라와 새로운 삶으로 데려가고 있다.

크리스와 빈은 화려한 현악기를 떠나며 'Magnificent Seven Theme'의 마지막 문장을 표현하면서 코플란드 작곡 스타일 팡파르가 절정에 달하고 있다.

In 'Finale' a wistful rendering of the Mexican Theme supports a new day as Chris, Vin and Chico prepare to leave as we see the four crosses of Lee, Britt, Harry and Bernardo on the hillside. A chastened Chris remarks that only the villagers have won and we always lose as they depart. solo flute and guitar carry the Main Theme and we see hesitation in Chico's eyes. A solo flute joins with a romantic rendering of the Mexican Theme, brimming with happiness to carry him back to Petra and a new life. As Chris and Vin depart refulgent strings emote a final statement of the Magnificent Seven Theme which culminates in a flourish atop the Coplanesque fanfare.

4. 'The Magnificent Seven' 배경 음악이 활용된 사례들

- 번스타인의 배경 음악은 언론과 대중문화에서 자주 인용되었다. 1963년부터 말보로 담배의 미국 광고에서 수년간 테마로 사용된다.
  비슷한 소리의-그러나 다른-선율이 호주의 빅토리아 비터 맥주에 사용되었다.
  테마는 제임스 본드 영화 〈문레이커〉 한 장면에도 포함되었다.

- 2004년 다큐멘터리 영화 〈화씨 9/11 Fahrenheit 9/11〉, 2005년 영화 〈링거 The Ringer〉, 2015년 영화 〈하드코어 헨리에서 Hardcore Henry〉에서 각각 배경 음악으로 차용된다.

- 〈심슨 가족 The Simpsons〉 에피소드 〈내 목장은 어디에? Dude, Where's My Ranch?〉에서 사용되고 있다.

- 아서 콘리 Arthur Conley의 1967년 히트곡 'Sweet Soul Music' 오프닝 호른 리프에서 인용되고 있다.

- 캐나다 밴드 콘 칸 Kon Kan은 싱글 'I Beg Your Pardon'에서 주제 오프닝 소절로 사용했다.

- 스코틀랜드 글라스고우의 셀틱 풋볼 클럽 Celtic Football Club (Glasgow, Scotland)은 헨릭 라슨 Henrik Larsson이 골을 넣을 때마다 테마 음악으로 사용했다.

- 'Main Title'은 록 가수 브루스 스프링스틴 Bruce Springsteen이 2012년 순회공연 'Wrecking Ball Tour'의 오프닝 곡으로 활용했다.
  공연 중 찬조 밴드 'E Street Band'가 무대에 오르면 '테마'가 연주되어 공연장의 극적인 분위기를 만들어내곤 했다.

Track listing

1. Main Title and Calvera
2. Council
3. Quest
4. Strange Funeral/ After The Brawl
5. Vin's Luck
6. And Then There Were Two
7. Fiesta
8. Stalking
9. Worst Shot
10. The Journey
11. Toro

12. Training
13. Calvera's Return
14. Calvera Routed
15. Ambush
16. Petra's Declaration
17. Bernardo
18. Surprise
19. Defeat
20. Crossroads
21. Harry's Mistake
22. Calvera Killed
23. Finale

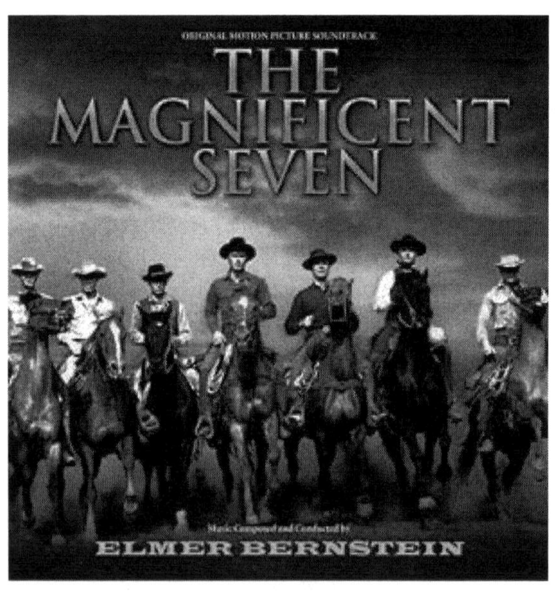

〈황야의 무법자〉 사운드트랙. © Colosseum Records

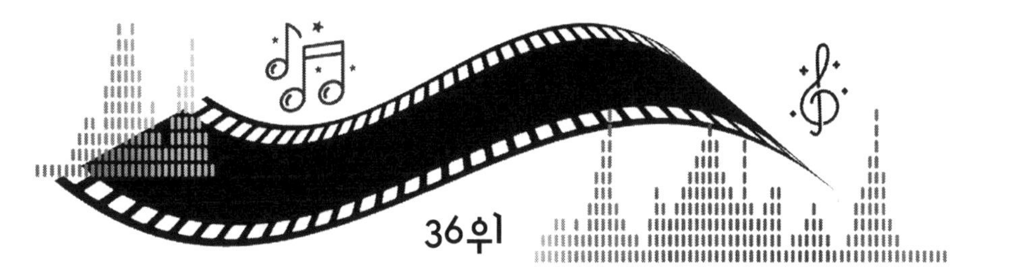

36위

<맨하탄 Manhattan>(1979) - '랩소디 인 블루', 중년 코미디 작가가 벌이는 연예 편력 배경곡으로 차용

작곡: 조지 거신 George Gershwin

우디 알렌이 펼쳐주는 비이성적 애정 행각 〈맨하탄〉. © United Artists

1. <맨하탄> 버라이어티 평

42세 아이작 데이비스. 맨하탄에 기반을 둔 자신의 삶이 비극에 가까운데도 불구하고 그가 집필하는 첫 번째 책의 주인공을 통해 자신의 고향인 뉴욕, 특히 맨하탄을 낭만적으로 바라보고 있다.

Forty-two year old Isaac Davis has a romanticized view of his hometown, New York City, most specifically Manhattan as channeled through the lead character in the first book he is writing, despite his own Manhattan-based life being more of a tragicomedy.

그는 나쁜 텔레비전 코미디를 위해 해킹 작가 일을 그만둔다.

그는 실제 그만두는 동안 10초 동안 엔돌핀이 분출하는 것을 넘어서 지금 결정을 후회하고 있다. 특히 그는 자신의 글쓰기 경력으로 살아 갈 수 있을지 확신이 서지 않기 때문이다.

He has just quit his job as a hack writer for a bad television comedy, he, beyond the ten second rush of endorphins during the actual act of quitting now regretting the decision especially as he isn't sure he can live off his book writing career.

그는 두 번째 위자료를 지불하고 있다. 2번째 전처인 레즈비언 질 데이비스는 그들의 극악한 이별에 대한 모든 책을 쓰고 있다. 그의 삶의 다소 긍정적인 측면 중 하나는 트레이시라는 젊은 여성과 데이트하고 있다는 것.

그녀는 아직 17세이고 아직 고등학생이다.

He is paying two alimonies, his second ex-wife, Jill Davis a lesbian who is writing her own tell-all book of their acrimonious split.

The one somewhat positive aspect of his life is that he is dating a young woman named Tracy although she is only seventeen and still in high school.

큰 부분은 나이 차이가 있기 때문에 그는 그녀의 장기적인 미래를 보지 못하고 있다. 그의 가장 친한 친구이자 대학 교수 예일 폴락의 정부(情婦) 저널리스트 메리 윌키를 만나면서 그의 삶은 더욱 비극적일 가능성이 있게 된다.

Largely because of their differences a big part of which is due to their ages.
he does not see a long term future with her.
His life has the potential to be even more tragicomical when he meets journalist Mary Wilkie, the mistress of his best friend, college professor Yale Pollack.

메리에 대한 이삭의 첫 인상은 그녀가 허세를 부리는 지식인이라는 것이었다.
하지만 그는 그녀에게 반한다. 그들은 예일의 삶에서 '다른 여성'이 되는 것이 그녀가 원하는 장기적인 역할이 아니라는 것을 알고 있기 때문에 단순한 친구 이상의 관계가 될 가능성이 있는 친구가 된다. 아이작/ 메리 커플링은 예일이 그들의 삶에 상호 작용하기 때문에 문제를 훨씬 더 복잡하게 만들 수 있다.

Although Isaac's first impression of Mary is that she is a pretentious intellectual, he falls for her. They do become friends with the potential of becoming more than just friends as she knows that being the 'other woman' in Yale's life is not a long term role that she wants. An Isaac/ Mary coupling may complicate matters even more with Yale being mutually in their lives.

그럼에도 불구하고, 이삭은 그 사건이 무엇이든 간에 일어난 후에 사건을 합리화 할 수 있다.

Regardless, Isaac may be able to rationalize events after they happen, no matter what those events are.

〈맨하탄〉은 우디 알렌이 감독하고 찰스 H. 조프가 제작한 1979년 미국 로맨틱 코미디 드라마 영화이다. 각본은 알렌과 마샬 브릭맨이 썼다.

알렌은 2번 이혼한 42세 코미디 작가, 17세 소녀(마리엘 헤밍웨이)와 데이트를 하지만 가장 친한 친구(마이클 머피)의 정부(情婦, 다이앤 키튼)와 사랑에 빠진다. 메릴 스트립과 앤 번도 출연하고 있다.

Manhattan is a 1979 American romantic comedy-drama film directed by Woody Allen and produced by Charles H. Joffe. The screenplay was written by Allen and Marshall Brickman. Allen co-stars as a twice-divorced 42-year-old comedy writer who dates a 17-year-old girl (Mariel Hemingway) but falls in love with his best friend's(Michael Murphy) mistress (Diane Keaton). Meryl Streep and Anne Byrne also star.

우디 알렌의 첫 번째 흑백 영화 〈맨하탄〉. 뉴욕 정취가 블루스 음악을 배경으로 잔잔하게 펼쳐지고 있다. © United Artists

〈맨하탄〉은 흑-백으로 촬영된 알렌의 첫 번째 영화이며 2.35:1 와이드스크린으로 촬영 되었다.

영화에 영감을 준 'Rhapsody in Blue'를 비롯한 조지 거신의 음악을 활용하고 있다.

알렌은 이 영화에 대해 〈애니 홀〉과 〈인테리어〉의 조합이라고 설명해 주고 있다.

Manhattan was Allen's first movie filmed in black-and-white, and was shot in 2.35:1 widescreen.

It features music by George Gershwin including Rhapsody in Blue, which inspired the film.

Allen described the film as a combination of Annie Hall and Interiors.

2. <맨하탄> 사운드트랙 리뷰

영화는 조지 거신의 '랩소디 인 블루'와 함께 맨하탄과 기타 뉴욕 시 이미지를 몽타주하는 것으로 시작하고 있다. 아이작 데이비스(우디 알렌)는 도시를 사랑하는 남자에 대한 책 소개 초안을 내레이션 해주고 있다.

이 영화는 '도시에 보내는 영화 같은 러브 레터이다'

The film opens with a montage of images of Manhattan and other parts of New York City accompanied by George Gershwin's Rhapsody in Blue with Isaac Davis (Woody Allen) narrating drafts of an introduction to a book about a man who loves the city.

The film serves as 'a cinematic love letter to the city'

결별에서 아이작은 소파에 누워 '인생을 살 가치가 있는' 것으로 만드는 것들에 대해 녹음기를 들으며 곰곰이 생각한다. 그는 '트레이시의 얼굴'이라고 말하는 자신을 발견하고 마이크를 내려놓는다. 그녀에게 전화로 연락할 수 없는 그는 도보로 트레이시를 찾아 나선다. 그는 그녀가 런던으로 떠날 때 그녀의 가족이 사는 아파트 건물에 도착하게 된다. 그는 그녀에게 가지 말라고 요청한다.

'그가 좋아하는 그녀에 관한 것'이 바뀌기를 원하지 않는다고 말한다.

In the dénouement, Isaac lies on his sofa, musing into a tape recorder about the things that make 'life worth living'. When he finds himself saying 'Tracy's face'.

he sets down the microphone. Unable to reach her by phone, he sets out for Tracy's on foot. He arrives at her family's apartment building just as she is leaving for London.

He asks her not to go and says he does not want 'that thing about her that he likes' to change.

그녀는 이미 계획이 세워졌다고 대답한다. '사람을 조금 믿어야 한다'고 말하기 전에 '모든 사람이 타락하는 것은 아니다'라고 그를 안심시킨다. 그는 그녀에게 살짝 미소를 지으며 마지막으로 카메라를 응시한 다음 'Rhapsody in Blue'의 몇 마디가 다시 재생되는 스카이라인의 마지막 장면으로 이어진다.

'Embraceable You'의 연주 곡 버전이 엔딩 크레디트 위에서 흘러나오고 있다.

She replies that the plans have already been made and reassures him that 'not everybody gets corrupted' before saying 'you have to have a little faith in people'.

He gives her a slight smile, with a final look to the camera then segueing into final shots of the skyline with some bars of Rhapsody in Blue playing again.

An instrumental version of 'Embraceable You' plays over the credits.

모차르트 '교향곡 40번 1악장' 일부가 콘서트 장면에서 들려오고 있다.

A part of the first movement of Mozart's Symphony No. 40 is heard in a concert scene.

3. <맨하탄> 사운드트랙 해설 - 빌보드

〈맨하탄〉은 조지 거신의 음악과 함께 우디 알렌의 1979년 영화 〈맨하탄〉의 오리지널 영화 사운드트랙이다.

주빈 메타(Zubin Mehta)의 뉴욕 필하모닉과 마이클 틸슨 토마스(Michael Tilson Thomas)의 버팔로 필하모닉 오케스트라가 연주해주고 있다.

사운드트랙은 영화와 매우 잘 어울리며 영화 없이도 똑같이 효과적이다.

제33회 영국 아카데미 영화상 최우수 사운드트랙 후보에 오른다.

Manhattan is the original motion picture soundtrack to Woody Allen's 1979 film Manhattan with music by George Gershwin. It was performed by the New York Philharmonic under Zubin Mehta and the Buffalo Philharmonic Orchestra under Michael Tilson Thomas. The soundtrack works supremely well with the film and is equally effective without the film.

It was nominated for Best Soundtrack in the 33rd British Academy Film Awards.

일반적으로 알렌이 영화에 음악을 찾고 추가하는 작업은 편집 과정에서 이루어지고 있다. 그러나 이 사운드트랙의 경우 알렌은 자신이 원하는 것이 무엇인지 미리 알고 있었다. '때로는 미리 알고 있다. 예를 들어 〈맨하튼〉을 만들 때 이 거신의 음악을 사용할 줄 알았다.'

Normally, Allen's finding and adding music to a film would be done during the editing process. However, in the case of this soundtrack, Allen knew beforehand exactly what he wanted. 'Sometimes I know in advance. When I made Manhattan for example, I knew I was going to use this Gershwin music'

동료 브룩클린 사람 거신의 1924년 작곡인 'Rhapsody in Blue'는 영화 오프닝 뮤지컬 넘버. 이 노래에 대한 아이디어는 보스턴 행 기차 여행 중 거신이 떠올랐기 때문에 영화에 완벽하게 적합한 것 같다.

거신은 '미국의 음악적 만화경, 우리의 광대한 용광로, 중복 되지 않는 국가적 활력, 우리의 블루스, 대도시 광기'라고 묘사해 주고 있다.

Fellow Brooklynite Gershwin's 1924 composition Rhapsody in Blue, the opening musical number of the film, does seem perfectly apt for the film, as the idea for the song came to Gershwin on a train journey to Boston. Gershwin describes as 'a musical kaleidoscope of America, of our vast melting pot, our unduplicated national pep, our blues, our metropolitan madness'.

〈맨하탄〉. © United Artists

우디 알렌의 〈맨하탄〉에서 이 영화가 잘 작동하게 만든 것은 바로 그 메트로폴리탄 광기 때문이다.

확장된 오프닝 오마주에 사용된 이 곡은 항상 뉴욕에 대한 완벽한 사운드트랙이 되고 있다.

It is that Metropolitan Madness that makes it work so well in Woody Allen's Manhattan. Used in the extended opening homage.

it is the perfect soundtrack to New York at all hours.

사운드트랙에 대한 영감(靈感)은 알렌이 1976년 마이클 틸슨 토마스와 BPO(버팔로 필하모닉 오케스트라)가 연주해 주고 있는 〈브로드웨이의 거신〉 중 'Gershwin overtures'를 CBS 마스터웍 LP로 듣고 있을 때라고 한다.

The inspiration behind the soundtrack came to Allen when he was listening to the CBS Masterworks LP of Gershwin overtures titled Gershwin on Broadway, in arrangements by Don Rose recorded in 1976 by Michael Tilson Thomas and the Buffalo Philharmonic Orchestra (BPO).

이 LP에는 'Girl Crazy' 'Of Thee I Sing' 'Let Em Eat Cake' 'Oh, Kay!' 'Funny Face' 및 'Strike Up Band' 등 6 곡의 거신 '서곡'이 포함되어 있다.

법적 권리를 확보하기 위해 알렌의 프로듀서는 각 BPO 뮤지션에게 절대 발생하지 않을 추가 녹음 세션에 대한 확인서를 보냈다고 한다.

This LP included six Gershwin overtures.

Girl Crazy, Of Thee I Sing, Let 'Em Eat Cake, Oh, Kay! Funny Face and Strike Up the

Band. In order to secure the legal rights, Allen's producers sent each BPO musician a check for an extra recording session that would never take place.

알렌의 거신 사용은 도시의 삶의 본질을 완벽하게 포착해 주고 있다.

거신은 미국인, 특히 뉴요커를 문화적으로 정의하는 과장된 음악이 없는 전형적인 미국 작곡가이다.

Allen's use of Gershwin perfectly captures the life essence of the city.

Gershwin is a quintessential American composer whose music is without hyperbole culturally defining for Americans especially New Yorkers.

사운드트랙에는 거신의 더 유명한 작곡-'Rhapsody in Blue' 'Someone to Watch Over Me' 및 'Embraceable You'과 덜 알려진 작곡이 혼합되어 있다.

전체 오케스트라를 위한 악기와 소규모 앙상블-'Mine' 및 'Love Is Here to Stay'-을 위한 연주곡도 있다.

The soundtrack contains a mix of Gershwin's more famous compositions-'Rhapsody in Blue' 'Someone to Watch Over Me' and 'Embraceable You' and some lesser known ones. There is also variety in the instrumentation with some scored for the full orchestra and some for smaller ensembles-'Mine' and 'Love is Here to Stay'

4. <맨하탄>이 널리 유행시킨 'Rhapsody in Blue' 해설

'Rhapsody in Blue'는 1924년 조지 거신이 솔로 피아노와 재즈 밴드를 위해 작곡한 음악이다. 클래식 음악의 요소와 재즈의 영향을 받은 효과를 결합했다.

밴드 리더 폴 화이트만이 의뢰를 받아 작곡된 이 작품은 1924년 2월 12일

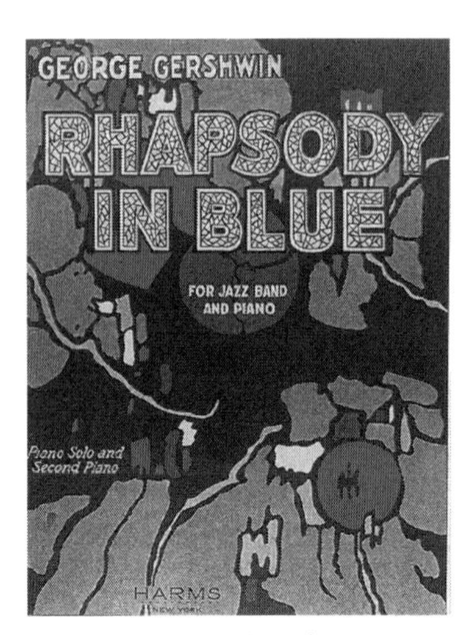

조지 거신의 대표적 히트곡 'Rhapsody in Blue'. © riverwalkjazz.stanford.edu

뉴욕시 아에로리안 홀에서 'An Experiment in Modern Music'이라는 제목의 콘서트에서 초연된다. 화이트맨 밴드는 거신이 피아노를 연주하는 랩소디를 연주한다.

화이트맨의 편곡자 퍼르드 그로페는 1924년 원곡, 1926년 피트 오케스트라, 1942년 교향곡을 포함하여 여러 번 랩소디를 편곡시킨다.

Rhapsody in Blue is a 1924 musical composition written by George Gershwin for solo piano and jazz band which combines elements of classical music with jazz-influenced effects. Commissioned by bandleader Paul Whiteman, the work premiered in a concert titled 'An Experiment in Modern Music' on February 12, 1924, in Aeolian Hall, New York City. Whiteman's band performed the rhapsody with Gershwin playing the piano. Whiteman's arranger Ferde Grofé orchestrated the rhapsody several times including the 1924 original scoring, the 1926 pit orchestra scoring and the 1942 symphonic scoring.

'랩소디'는 거신의 가장 잘 알려진 작품 중 한 곡이다. 재즈 시대를 정의한 핵심 구성이다. 거신의 작품은 미국 음악 역사의 새 시대를 열게 된다. 저명한 작곡가로서 거신의 명성을 확립하게 된다. 결국 모든 콘서트 작품 중에서 가장 인기 있는 작품 중 한 곡이 된다. '아메리칸 헤리티지 American Heritage' 잡지는 그 유명한 오프닝 클라리넷 글리산도 glissando가 베토벤의 5번처럼 콘서트 청중들에게 즉시 알아볼 수 있게 되었다고 인식하고 있다.

The rhapsody is one of Gershwin's most recognizable creations and a key composition that defined the Jazz Age. Gershwin's piece inaugurated a new era in America's musical history established Gershwin's reputation as an eminent composer and eventually became one of the most popular of all concert works.

The American Heritage magazine posits that the famous opening clarinet glissando has become as instantly recognizable to concert audiences as Beethoven's Fifth.

5. '랩소디'가 작곡가들에게 미친 영향 rhapsody Influence on composers

거신의 '랩소디'는 많은 작곡가들에게 영향을 미쳤다. 1955년 'Rhapsody in Blue'는 저명한 아코디언 연주자이자 작곡가 존 세리 시니어 작곡에 영감을 주었다. 이후 1957년 'American Rhapsody'로 출판된다.

중창 팝 그룹 비치 보이스의 리더 브라이언 윌슨은 여러 차례에 걸쳐 'Rhapsody in Blue'를 자신이 가장 좋아하는 작품 중 하나라고 말해왔다.

그는 두 살 때 처음 들었고 '사랑'했다고 회상해주고 있다. 전기 작가 피터 아메스 카린에 따르면 이것은 윌슨의 앨범 'Smile'에 영향을 미쳤다고 한다.

'Rhapsody in Blue'는 또한 2011년 런던 사우스 뱅크 센터에서 초연된 'Blue'라는 새로운 협주곡에서 시각 장애인 영국 피아니스트 데렉 파라비신니와 작곡가 매튜 킹의 협연에 영감을 주게 된다.

Gershwin's rhapsody has influenced a number of composers. In 1955, Rhapsody in Blue served as the inspiration for a composition by the noted accordionist/ composer John Serry Sr which was subsequently published in 1957 as American Rhapsody.

Brian Wilson, leader of The Beach Boys stated on several occasions that Rhapsody

〈맨하탄〉 사운드트랙. © CBS Records

in Blue is one of his favorite pieces.

He first heard it when he was two years old and recalls that he 'loved' it.

According to biographer Peter Ames Carlin. it was an influence on his Smile album.

Rhapsody in Blue also inspired a collaboration between blind savant British pianist Derek Paravicini and composer Matthew King on a new concerto called Blue premiered at the South Bank Centre in London in 2011.

Track listing

1. Rhapsody in Blue by Zubin Mehta conducting the New York Philharmonic, Piano: Gary Graffman
2. Land of the Gay Caballero–Someone to Watch Over Me
3. I've Got a Crush on You–Do, Do, Do
4. Mine
5. He Loves and She Loves–Bronco Busters
6. Oh Lady Be Good–S'Wonderful
7. Love is Here to Stay
8. Sweet and Low Down–Blue Blue Blue–Embraceable You
9. He Loves and She Loves–Love is Sweeping the Country–Land of the Gay Caballero–Strike Up the Band–But Not for Me

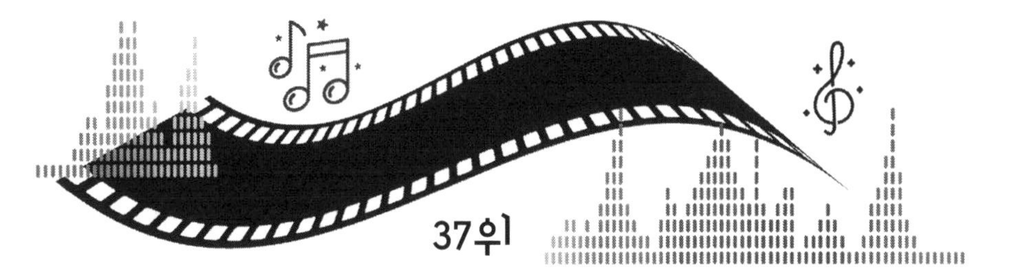

<환타지아 Fantasia>(1940) - 현란한 애니메이션과 기품 있는 클래식과의 환상적 조우(遭遇)

작곡: 폴 두카스 Paul Dukas

1940년 월트 디즈니가 공개한 〈환타지아〉. 애니메이션 배경 곡으로 주옥같은 클래식 명곡을 선곡해 흥행가에 신선한 반응을 불러일으킨다. © Walt Disney Productions

1. <환타지아> 버라이어티 평

선사 시대, 초자연적, 신성한 것을 포함한 배경과 신화와 환상의 추상화에서 묘사에 이르기까지 서양 고전 음악의 위대한 작품에 대한 애니메이션 해석 모음이다.

A collection of animated interpretations of great works of Western classical music, ranging from the abstract to depictions of mythology and fantasy and settings including the prehistoric, supernatural and sacred.

〈환타지아〉는 월트 디즈니 프로덕션이 제작 및 출시한 1940년 미국 애니메이션 뮤지컬 선집 영화이다. 스토리 감독은 조 그랜트와 딕 휴머, 제작 감독은 월트 디즈니와 벤 샤프스틴이 맡았다.

3번째 디즈니 애니메이션 장편인 이 영화는 레오폴드 스토코프스키가 지휘하는 클래식 음악으로 설정된 8부 애니메이션 섹션으로 구성되어 있다.

그 중 7 파트는 필라델피아 오케스트라가 연주해 주고 있다.

Fantasia is a 1940 American animated musical anthology film produced and released by Walt Disney Productions with story direction by Joe Grant and Dick Huemer and production supervision by Walt Disney and Ben Sharpsteen.

The third Disney animated feature film.

it consists of eight animated segments set to pieces of classical music conducted by Leopold Stokowski, seven of which are performed by the Philadelphia Orchestra.

음악 평론가이자 작곡가 딤스 테일러는 영화에서 각 부분을 라이브 액션으로 소개하는 세레모니 마스터 역할을 하고 있다.

Music critic and composer Deems Taylor acts as the film's Master of Ceremonies who introduces each segment in live action.

디즈니는 원래 인기가 떨어졌던 미키 마우스의 복귀 역할로 디자인 된 정교한 실리 심포니 만화 〈마법사의 견습생〉에 대한 작업이 거의 완료됨에 따라 1938년에 영화 개념에 정착하게 됐다고 한다.

Disney settled on the film's concept in 1938 as work neared completion on The Sorcerer's Apprentice, originally an elaborate Silly Symphony cartoon designed as a comeback role for Mickey Mouse who had declined in popularity.

제작비용이 단편 영화로 벌어들일 수 있는 금액을 초과함에 따라 디즈니는 스토코프스키와 테일러가 공동 작업한 고전 부분으로 설정된 여러 섹션을 장편 영화에 포함시키기로 결정했다고 한다.

As production costs surpassed what the short could earn, Disney decided to include it in a feature-length film of multiple segments set to classical pieces with Stokowski and Taylor as collaborators.

〈환타지아〉는 1940년에서 1941년 사이 미국 전역의 13개 도시에서 열린 로드쇼를 통해 처음 공개된다.
1940년 11월 13일 뉴욕 브로드웨이 극장에서 초연된다.

Fantasia was first released as a theatrical roadshow that was held in 13 cities across the U.S. between 1940 and 1941.
the first began at the Broadway Theatre in New York City on November 13, 1940.

비평가들로부터 극찬을 받았지만 제 2차 세계대전으로 인해 유럽 시장 배급 중단, 높은 제작비, 로드쇼 프레젠테이션을 위한 환타 사운드 장비 구축 및 극장

임대비용으로 인해 수익을 내지 못한다. 1942년부터 이 영화는 RKO Radio Pictures와 Buena Vista Distribution에 의해 여러 번 재공개된다. 각 버전에서 원본 영상과 오디오가 삭제, 수정 또는 복원된다.

While acclaimed by critics. it failed to make a profit owing to World War II's cutting off distribution to the European market, the film's high production costs and the expense of building Fantasound equipment and leasing theatres for the roadshow presentations. Since 1942, the film has been reissued multiple times by RKO Radio Pictures and Buena Vista Distribution with its original footage and audio being deleted, modified or restored in each version.

〈환타지아〉. © Walt Disney Productions

인플레이션을 감안할 때 〈환타지아〉는 미국에서 역대 23번째로 높은 수익을 올린 영화이다. 〈환타지아〉 프랜차이즈는 비디오 게임, 디즈니랜드 명소 및 라이브 콘서트 시리즈를 포함하도록 성장하게 된다.

When adjusted for inflation, Fantasia is the 23rd highest-grossing film of all time in the U.S. The Fantasia franchise has grown to include video games, Disneyland attractions and a live concert series.

월트의 조카 로이 E. 디즈니(Roy E. Disney)가 공동 제작한 속편 〈환타지아 2000〉이 1999년에 공개된다. 〈환타지아〉는 수년에 걸쳐 명성을 얻었으며 현재 널리 인정받고 있다. 1998년 미국 영화 연구소(American Film Institute)는 이 영화를 100년...100 영화에서 58번째로 위대한 미국 영화로, 상위 10개

목록에서 5번째로 위대한 애니메이션 영화로 선정한다.

A sequel, Fantasia 2000, co-produced by Walt's nephew Roy E. Disney was released in 1999. Fantasia has grown in reputation over the years and is now widely acclaimed. in 1998, the American Film Institute ranked it as the 58th greatest American film in their 100 Years...100 Movies and the fifth greatest animated film in their 10 Top 10 list.

2. <환타지아> 사운드트랙 리뷰

사운드트랙은 여러 오디오 채널을 사용하여 녹음되었다. 〈환타지아〉는 스테레오로 상영된 최초의 상업 영화이자 서라운드 사운드 선구자로 만든 RCA가 개발한 선구적인 사운드 시스템인 환타사운드로 재생되고 있다.

The soundtrack was recorded using multiple audio channels and reproduced with Fantasound, a pioneering sound system developed by Disney and RCA that made Fantasia the first commercial film shown in stereo and a precursor to surround sound.

레오폴드 스토코프스키(Leopold Stokowski)와 필라델피아 오케스트라(Philadelphia Orchestra)가 함께 선보인 월트 디즈니의 혁신적이고 혁신적인 애니메이션 고전이다. 서양 클래식 음악의 걸작과 상상력이 풍부한 영상을 결합시키고 있다. 8편의 애니메이션 시퀀스는 다채롭고 인상적이며 자유분방하고 추상적이며 종종 초현실적인 작품이다. 여기에는 가장 유명한 폴 두카스의 'The Sorcerer's Apprentice'와 미키 마우스가 끝없는 물 양동이를 들고 빗자루와 싸우는 타이틀 캐릭터가 포함되고 있다. 바흐의 '토카타와 푸가 D 단조', 차이코프스키의 '호두까기 인형 모음곡', 공룡과 화산이 등장하는 스트라빈스키의 '봄의 제전', 춤추는 하마, 악어, 타조, 코끼리가 등장하는 폰키엘리의 유쾌한 '시간의 춤', 무소르그스키의 암울한 묵시록 '민둥산의 밤' 등.

An innovative and revolutionary animated classic from Walt Disney, combining Western classical music masterpieces with imaginative visuals, presented with Leopold Stokowski and the Philadelphia Orchestra. The eight animation sequences are colorful, impressive, free-flowing, abstract and often surrealistic pieces. They include the most famous of all, Paul Dukas's 'The Sorcerer's Apprentice' with Mickey Mouse as the title character battling brooms carrying endless buckets of water.
Also included are J.S. Bach's 'Toccata and Fugue in D Minor', Tchaikovsky's 'Nutcracker Suite', dinosaurs and volcanoes in Stravinsky's 'Rite of Spring', the delightful 'Dance of the Hours' by Ponchielli with dancing hippos, crocodiles, ostriches and elephants and Mussorgsky's darkly apocalyptic 'Night on Bald Mountain'

'아베 마리아'는 새로운 날의 도래로 악마의 향연이 방해를 받으며 어둠과 빛의 세력을 서로 대립시키고 있다.

'Ave Maria' set the forces of darkness and light against each other as a devilish revel is interrupted by the coming of a new day

3. <환타지아>에 등장하는 주요 클래식 명곡 리스트

〈환타지아〉는 파란 배경에 모여서 반은 빛, 반은 그림자로 악기를 조율하는 오케스트라 단원의 라이브 액션 장면으로 시작되고 있다.
세레머니 마스터는 테일러가 무대에 입장해서 프로그램을 소개하고 있다.

Fantasia opens with live action scenes of members of an orchestra gathering against a blue background and tuning their instruments in half-light, half-shadow. Master of ceremonies Deems Taylor enters the stage and introduces the program.

1. 'Toccata and Fugue in D Minor' - 요한 세바스찬 바흐 Johann Sebastian Bach

중첩(重疊)된 그림자로 뒷받침되는 파란색과 금색으로 조명된 오케스트라 라이브 액션 장면은 추상적인 패턴으로 희미해지고 있다.

애니메이션 선, 모양 및 구름 형성은 음악의 소리와 리듬을 반영하고 있다.

Live-action shots of the orchestra illuminated in blue and gold, backed by superimposed shadows, fade into abstract patterns. Animated lines, shapes and cloud formations reflect the sound and rhythms of the music.

2. 'The Nutcracker Suite' - 표트르 일리치 차이코프스키 Pyotr Ilyich Tchaikovsky

1892년 발레 모음곡 선택은 요정, 물고기, 꽃, 버섯, 잎사귀 등과 '설탕 요정의 춤' '중국 무용' '아라비아 춤' '러시아 춤' '피리의 춤' 및 '꽃의 왈츠' 등 다양한 춤곡을 통해 여름에서 가을, 겨울로 계절의 변화를 묘사하는 장면을 강조해 주고 있다.

〈환타지아〉. © Walt Disney Productions

Selections from the 1892 ballet suite underscore scenes depicting the changing of the seasons from summer to autumn to winter. A variety of dances are presented with fairies, fish, flowers, mushrooms, and leaves including 'Dance of the Sugar Plum Fairy' 'Chinese Dance' 'Arabian Dance' 'Russian Dance' 'Dance of the Flutes' and 'Waltz of the Flowers'

3. 'The Sorcerer's Apprentice' - 폴 두카스 Paul Dukas

괴테의 1797년 시 'Der Zauberlehrling'을 기반으로 작성된 곡이다.

마법사 옌 시드의 젊은 견습생 미키 마우스는 주인의 마술을 시도하지만 그것을 제어하는 방법을 모른다.

Based on Goethe's 1797 poem 'Der Zauberlehrling'. Mickey Mouse, the young apprentice of the sorcerer Yen Sid, attempts some of his master's magic tricks but does not know how to control them.

4. 'Rite of Spring' - 이고르 스트라빈스키 Igor Stravinsky

지구 시작에 대한 시각적 역사는 발레 악보의 선택된 부분에 묘사되어 있다. 순서는 행성의 형성에서 최초의 생물로 진행되며, 그 다음에는 공룡의 통치와 멸종이 이어지고 있다.

A visual history of the Earth's beginnings is depicted to selected sections of the ballet score. The sequence progresses from the planet's formation to the first living creatures, followed by the reign and extinction of the dinosaurs.

5. 'Intermission/ Meet the Soundtrack'

오케스트라 연주자들이 떠나고 환타지아 타이틀 카드가 공개된다.

인터미션 후에는 오케스트라 단원들이 돌아올 때 클라리넷 연주자가 이끄는 재즈 음악의 간단한 잼 세션이 있다. 그런 다음 영화에서 사운드가 렌더링 되는 방식에 대한 유머러스한 양식의 데모가 표시되고 있다.

애니메이션 사운드 트랙 '캐릭터'는 처음에는 흰색 직선으로 재생되는 사운드에 따라 다양한 모양과 색상으로 바뀌고 있다.

The orchestra musicians depart and the Fantasia title card is revealed. After the intermission there is a brief jam session of jazz music led by a clarinettist as the orchestra members return. Then a humorously stylized demonstration of how sound is rendered on film is shown. An animated sound track 'character' initially a straight white line, changes into different shapes and colors based on the sounds played.

6. 'The Pastoral Symphony' - 루드위그 판 베토벤 Ludwig van Beethoven

다채로운 켄타우로스와 '켄타우레트', 큐피드, 목신 및 기타 고전 신화의 인물로 구성된 신화적인 그리스-로마 세계가 베토벤의 음악을 통해 묘사되고 있다.

술의 신 바카스를 기리기 위한 축제 모임이 제우스에 의해 방해를 받게 된다.

제우스는 폭풍을 일으켜 벌칸에게 번개를 만들어 참석자들에게 던질 수 있도록 지시한다.

A mythical Greco-Roman world of colorful centaurs and 'centaurettes', cupids, fauns and other figures from classical mythology is portrayed to Beethoven's music. A gathering for a festival to honor Bacchus, the god of wine is interrupted by Zeus who creates a storm and directs Vulcan to forge lightning bolts for him to throw at the attendees.

7. 'Dance of the Hours' - 아밀케어 폰칠리 Amilcare Ponchielli

4섹션으로 구성된 코믹 발레. 마담 유파노바와 그녀의 타조(아침); 히아신스 하마와 그녀의 하인 (오후), 엘리판친과 그녀의 거품을 부는 코끼리 극단 (저녁) 그리고 벤 알리 가터와 악어의 그의 부대 (밤). 피날레에서는 궁전이 무너질 때까지 모든 캐릭터가 함께 춤을 추는 것을 발견하게 된다.

A comic ballet in four sections. Madame Upanova and her ostriches (Morning), Hyacinth Hippo and her servants (Afternoon), Elephanchine and her bubble-blowing elephant troupe (Evening) and Ben Ali Gator and his troop of alligators (Night).
The finale finds all of the characters dancing together until their palace collapses.

8. 'Night on Bald Mountain' - 모데스트 무소르그스키 Modest Mussorgsky, 'Ave Maria'-프란츠 슈베르트 Franz Schubert

자정에 악마 체르나보그가 깨어나 악령과 불안한 영혼을 무덤에서 '민 둥 산'으로 소환한다. 영혼은 밤이 새벽으로 사라지면서 안젤러스 종의 소리에 의해 뒤로 밀려날 때까지 공중을 날고 춤을 추고 있다.
합창단이 'Ave Maria'를 노래하는 소리가 들려오고 있다.
옷을 입은 승려들이 횃불을 들고 숲을 지나 폐허가 된 대성당(大聖堂)으로 걸어가는 모습이 묘사되고 있다.

At midnight the devil Chernabog awakes and summons evil spirits and restless souls from their graves to Bald Mountain. The spirits dance and fly through the air until driven back by the sound of an Angelus bell as night fades into dawn.
A chorus is heard singing Ave Maria as a line of robed monks is depicted walking with lighted torches through a forest and into the ruins of a cathedral.

4. <환타지아> 주요 장면이 라이브-액션으로 각색된 사례들

1. 'Sorcerer's Apprentice' 부분은 제리 브룩하이머 Jerry Bruckheimer 감독에 의해 장편 영화 〈마법사의 견습생 The Sorcerer's Apprentice〉(2010)으로 각색된다.

The Sorcerer's Apprentice segment was adapted by Jerry Bruckheimer into the feature-length movie, The Sorcerer's Apprentice (2010).

2. '호두까기 인형 모음곡'은 장편 영화인 〈호두까기 인형과 4개의 왕국〉(2018)에 대한 부분적 영감으로 작용하고 있다.

이 영화에는 〈환타지아〉에 대한 여러 참조가 포함되어 있다.

The Nutcracker Suite segment serves as a partial inspiration for the feature-length movie, The Nutcracker and the Four Realms (2018) which itself contains several references to Fantasia.

3. 'The Night on Bald Mountain'은 2015년 디즈니 프로덕션에서 맷 자자마와 버크 샤프리스가 각본을 쓴 장편 실사 영화를 위해 개발 중인 것으로 보고되었다. 2021년에는 프로젝트가 중단된 것으로 알려졌다.

The Night on Bald Mountain segment was reported in 2015 as being in development by Disney Productions for a feature-length live-action film with a treatment written by Matt Sazama and Burk Sharpless.

In 2021, it was reported that the project had been scrapped.

5. <환타지아> 패러디 및 스핀 오프 Parodies and spin-offs

1. 〈환타지아〉는 밥 클램펫이 감독한 〈메리 멜로디 Merrie Melodies〉 시리즈 만화 〈코니 콘서토 A Corny Concerto〉에서 패러디 되었다.

단편은 스타일이 적용된 안경을 쓴 테일러 역할의 엘머 퍼드에서 요한 스트라우스-'비엔나 숲의 이야기'와 '푸른 도나우 왈츠이야기', 전자는 포키와 벅스가, 후자는 대피-가 섹션을 설정한 두 부분을 소개하고 있다.

1976년 이태리 애니메이터 브루노 보제토는 〈환타지아〉 장편 패러디 〈알레그로 논 트로포〉를 제작한다.

Fantasia is parodied in A Corny Concerto. cartoon from 1943 of the Merrie Melodies series directed by Bob Clampett. The short features Elmer Fudd in the role of Taylor wearing his styled glasses who introduces two segments set to pieces by Johann Strauss-Tales from the Vienna Woods and the Blue Danube Waltz, the former featuring Porky and Bugs and the latter featuring Daffy-. In 1976, Italian animator Bruno Bozzetto produced Allegro Non Troppo, a feature-length parody of Fantasia.

〈환타지아〉. © Walt Disney Productions

2. 애니메이션 TV 시리즈 〈심슨 가족〉은 몇 편의 에피소드에서 〈환타지아〉를 언급하고 있다. 시리즈 제작자 맷 그로에닝은 '심스타시아 Simpstasia'라는 패러디 영화를 만들고 싶다고 말했다. 한 번도 제작되지 않았는데, 부분적으로는 장편 대본을 작성하는 것이 너무 어려웠기 때문이라고 한다. 'Treehouse of Horror IV'를 감독한 데이비드 실버맨은 'Night on Bald Mountain' 애니메이션에

감탄했다. 데빌 플랜더스의 첫 등장은 체르나보그와 닮았다.

'Itchy & Scratchy Land' 에피소드는 '스크라치타시아 Scratchtasia'라는 제목의 스니펫에서 'The Sorcerer's Apprentice'를 언급하고 있다. 음악과 이를 정확히 패러디하는 여러 장면이 특징이다.

The animated television series The Simpsons references Fantasia in a few episodes. Matt Groening, the creator of the series expressed a wish to make a parody film named Simpstasia. it was never produced, partly because it would have been too difficult to write a feature-length script. In 'Treehouse of Horror IV' director David Silverman had admired the animation in Night on Bald Mountain and made the first appearance of Devil Flanders resemble Chernabog. The episode 'Itchy & Scratchy Land' references The Sorcerer's Apprentice in a snippet titled 'Scratchtasia' which features the music and several shots parodying it exactly.

3. 2014년에 BBC 뮤직은 어린이들에게 클래식 음악을 소개하기 위해 '텐 피시스 Ten Pieces'라는 〈환타지아〉와 유사한 음악 교육 계획을 만들었다. 제작된 두 편의 영화-2014년과 2015년-에는 〈환타지아〉 영화에 등장한 여러 작품이 포함되고 있다.

In 2014, BBC Music created a music education scheme similar to Fantasia called Ten Pieces, intended to introduce children to classical music. Spanning two films-in 2014 and 2015-several pieces featured in the Fantasia films are also included.

Track listing

Disc/ Cassette 1

1. Toccata and Fogue In D Minor, BWV 565 by The Philadelphia Orchestra,

Leopold Stokowski, Johann Sebastian Bach

2. The Nutcracker Suite, Op. 71A: Dance of The Sugar Plum Fairy by The Philadelphia Orchestra, Leopold Stokowski, Peter I. Tchaikovsky
3. The Nutcracker Suite, Op. 71A: Chinese Dance by The Philadelphia Orchestra, Leopold Stokowski, Peter I. Tchaikovsky
4. The Nutcracker Suite, Op. 71A: Dance of the Reed Flutes by The Philadelphia Orchestra, Leopold Stokowski, Peter I. Tchaikovsky
5. The Nutcracker Suite, Op. 71A: Arabian Dance by The Philadelphia Orchestra, Leopold Stokowski, Peter I. Tchaikovsky
6. The Nutcracker Suite, Op. 71A: Russian Dance by The Philadelphia Orchestra, Leopold Stokowski, Peter I. Tchaikovsky
7. The Nutcracker Suite, Op. 71A: Waltz of The Flowers by The Philadelphia Orchestra, Leopold Stokowski, Peter I. Tchaikovsky
8. The Sorcerer's Apprentice by The Philadelphia Orchestra, Leopold Stokowski, Paul Dukas
9. Rite of Spring by The Philadelphia Orchestra, Leopold Stokowski, Igor Stravinsky

Disc/ Cassette 2

1. Symphony No. 6 (Pastoral), Op. 68: Movement I, 'Allegro Ma Non Troppo' by The Philadelphia Orchestra, Leopold Stokowski, Ludwig Van Beethoven
2. Symphony No. 6 (Pastoral), Op. 68: Movement II, 'Andante Molto Mosso' by The Philadelphia Orchestra, Leopold Stokowski, Ludwig Van Beethoven
3. Symphony No. 6 (Pastoral), Op. 68: Movement III-V 'Allegro/Allegro/Allegretto' by The Philadelphia Orchestra, Leopold Stokowski, Ludwig Van Beethoven
4. La Gioconda: Dance of The Hours by The Philadelphia Orchestra, Leopold Stokowski, milcare Ponchielli
5. A Night on Bald Mountain by The Philadelphia Orchestra, Leopold Stoko-

wski, Modest Mussorgsky

6. Ave Maria, Op. 52 No. 6 by The Philadelphia Orchestra, Leopold Stokowski, Franz Schubert

아동 장르로 알려졌던 애니메이션에 주옥같은 클래식 배경 음악을 선곡시켜 흥행가에 신선한 충격을 안겨주었던 〈환타지아〉. © Walt Disney

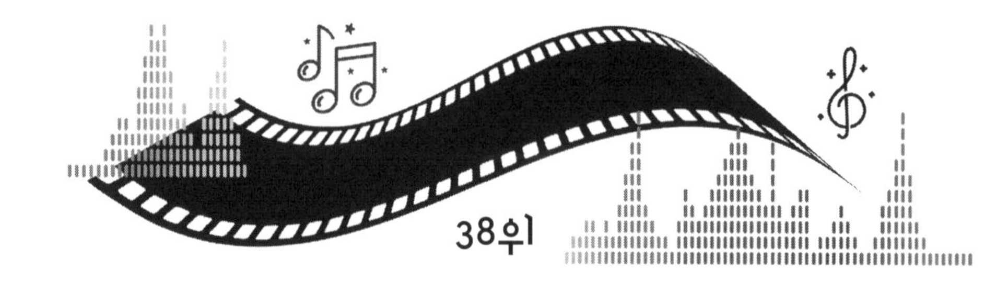

〈바람과 함께 사라지다〉(1939) - 막스 스타이너의 관현악 리듬이 응원해준 남부 여성의 불굴의 의지(意志)

작곡: 막스 스타이너 Max Steiner

마가렛 미첼 여사의 남북 전쟁 애환을 묘사한 〈바람과 함께 사라지다〉. 막스 스타이너가 들려주는 웅장한 관현악 리듬이 흥행 명작이 되는데 일조한다. © Selznick International Pictures, Metro-Goldwyn-Mayer

1. <바람과 함께 사라지다> 버라이어티 평

스칼렛은 아름답다. 그녀는 활력이 있다. 그러나 그녀가 그토록 원했던 남자 애슐리는 온화한 사촌 멜라니와 결혼할 예정이다. 남북 전쟁이 시작되는 그날, 그곳에 새로운 남자가 있다. 레트 버틀러. 스칼렛은 애슐리가 멜라니 대신 자신을 선택해 달라고 애원할 때 그가 방에 있다는 것을 알지 못한다.

Scarlett is beautiful. She has vitality. But Ashley, the man she has wanted for so long is going to marry his placid cousin, Melanie. There is a new man there that day, the day the Civil War begins. Rhett Butler. Scarlett does not know he is in the room when she pleads with Ashley to choose her instead of Melanie.

〈바람과 함께 사라지다〉는 마가렛 미첼(Margaret Mitchell)의 1936년 소설을 각색한 1939년 미국 서사적 역사 로맨스 영화이다. 빅터 플레밍이 감독했다.

미국 남북 전쟁과 재건 시대를 배경으로 미국 남부를 배경으로 했다.

영화는 조지아 플랜테이션 소유주 강한 딸 스칼렛 오하라(비비안 리 분)가 낭만적인 추구를 따라가는 이야기를 묘사해 주고 있다. 연정을 품었던 애슐리 윌크스(레슬리 하워드)가 사촌 멜라니 해밀턴(올리비아 드 하빌랜드)과 결혼하자 그녀는 이후 레트 버틀러(클라크 게이블)와 결혼한다.

Gone with the Wind is a 1939 American epic historical romance film adapted from the 1936 novel by Margaret Mitchell. The film was directed by Victor Fleming.

Set in the American South against the backdrop of the American Civil War and the Reconstruction era, the film tells the story of Scarlett O'Hara (portrayed by Vivien Leigh), the strong-willed daughter of a Georgia plantation owner, following her romantic pursuit of Ashley Wilkes (Leslie Howard) who is married to his cousin, Melanie Hamilton (Olivia de Havilland) and her subsequent marriage to Rhett Butler (Clark Gable).

영화는 제작에 어려움을 겪는다. 셀즈닉이 레트 역할에 게이블을 확보하기로 결정하기 까지 촬영 시작이 1939년 1월까지 2년 동안 지연된다.

The film had a troubled production. The start of filming was delayed for two years until January 1939 because of Selznick's determination to secure Gable for the role of Rhett.

스칼렛 역할은 캐스팅이 어려웠다. 1,400명의 무명의 여성이 그 역할을 위해 인터뷰 한다. 시드니 하워드의 원래 각본은 적절한 길이로 줄이기 위해 여러 작가들에 의해 많은 수정을 거치게 된다. 원래 감독이었던 조지 쿠커는 촬영이 시작된 지 얼마 되지 않아 해고 된다. 플레밍이 그 자리를 꿰찼고, 잠시 지쳐 휴식을 취하던 중 샘 우드가 그 자리를 대신한다.

후반 작업은 개봉 한 달 전인 1939년 11월에 가서야 종료된다.

The role of Scarlett was difficult to cast and 1,400 unknown women were interviewed for the part. The original screenplay by Sidney Howard underwent many revisions by several writers to reduce it to a suitable length. The original director, George Cukor was fired shortly after filming began and was replaced by Fleming who in turn was briefly replaced by Sam Wood while taking some time off due to exhaustion. Post-production concluded in November 1939 just a month before its release.

〈바람과 함께 사라지다〉가 처음 개봉됐을 때 엄청난 인기를 얻는다.

그것은 그 시점까지 만들어진 가장 높은 수익을 올린 영화가 된다.

25년이 넘는 기간 동안 그 기록을 유지한다.

Gone with the Wind was immensely popular when first released.

It became the highest-earning film made up to that point and held the record for over a quarter of a century.

통화 인플레이션을 감안할 때 이 영화는 여전히 역사상 가장 높은 수익을 올린 영화이다.

〈바람과 함께 사라지다〉. © Selznick International Pictures, Metro-Goldwyn-Mayer

그것은 20세기 내내 주기적으로 재공개되었고 대중문화에 뿌리 내린다.

영화는 역사적 부정주의, 노예제 미화, 남부 연합 신화의 상실이라는 비판을 받았다.

하지만 아프리카계 미국인이 영화적으로 묘사되는 방식에 변화를 촉발한 것으로 평가받고 있다.

When adjusted for monetary inflation. it is still the highest-grossing film in history.

It was re-released periodically throughout the 20th century and became ingrained in popular culture. Although the film has been criticized as historical negationism, glorifying slavery and the Lost Cause of the Confederacy myth.

it has been credited with triggering changes in the way in which African Americans were depicted cinematically.

영화는 역사상 가장 위대한 영화 중 한 편으로 여겨지고 있다. 1989년에 미국 국립 영화 등기소(National Film Registry)의 보존 대상으로 선정된다.

the film is regarded as one of the greatest films of all time and in 1989 it was selected for preservation in the United States National Film Registry.

2. <바람과 함께 사라지다> 사운드트랙 리뷰

배경 음악을 작곡하기 위해 셀즈닉은 1930년대 초 RKO Pictures에서 함께 일했던 막스 스타이너를 선택한다. 1936년에 스타이너와 계약한 워너 브라더스는 그를 셀즈닉에게 빌려주기로 동의한다.

스타이너는 악보 작업에 12주를 보낸다.

이것은 그가 작곡한 것 중 가장 긴 시간이었다. 2시간 36분이라는 길이는 또한 그가 지금까지 작곡한 것 중 가장 긴 시간이었다.

휴고 프리드호퍼, 모리스 드 팩, 버나드 카운, 아돌프 더치 및 레지날드 바셋 등 5명의 오케스트레이터가 고용된다.

To compose the score, Selznick chose Max Steiner, with whom he had worked at RKO Pictures in the early 1930s. Warner Bros who had contracted Steiner in 1936 agreed to lend him to Selznick. Steiner spent twelve weeks working on the score, the longest period that he had ever spent writing one and at two hours and thirty six minutes long it was also the longest that he had ever written. Five orchestrators were hired Hugo Friedhofer, Maurice de Packh, Bernard Kaun, Adolph Deutsch and Reginald Bassett.

배경 음악은 2가지 사랑 테마로 특징되고 있다. 하나는 애쉴리와 멜라니의 달콤한 사랑에 대한 것이다. 다른 하나는 애쉴리에 대한 스카렛의 열정을 불러일으킨다. 하지만 스칼렛과 레트의 사랑 테마는 없다.

스타이너는 'Louisiana Belle' 'Dolly Day' 'Ringo De Banjo' 'Beautiful Dreamer' 'Old Folks at Home' 'Katie Belle' 등과 같은 스티븐 포스터 곡을 포함한 민속음악과 애국 음악을 많이 사용하고 있다.

이것은 '스카렛의 테마' 기초를 형성하게 된다.

눈에 띄는 다른 곡으로는 헨리 클레이 워크의 'Marching through Georgia' 'Dixie' 'Garryowen' 'The Bonnie Blue Flag' 등이 있다. 오늘날 영화와 가장 관련이 있는 주제는 오하라 농장인 타라를 따라가는 멜로디다.

1940년대 초 'Tara's Theme'는 맥 데이비드의 'My Own True Love' 노래의 음악적 기초를 제공하게 된다.

총 99개의 개별 음악이 악보에 등장하고 있다.

The score is characterized by two love themes.

one for Ashley's and Melanie's sweet love and another that evokes Scarlett's passion for Ashley, though notably there is no Scarlett and Rhett love theme. Steiner drew considerably on folk and patriotic music which included Stephen Foster tunes such as 'Louisiana Belle' 'Dolly Day' 'Ringo De Banjo' 'Beautiful Dreamer' 'Old Folks at Home' and 'Katie Belle' which formed the basis of Scarlett's theme.

other tunes that feature prominently are 'Marching through Georgia' by Henry Clay Work, 'Dixie' 'Garryowen' and 'The Bonnie Blue Flag'.

The theme that is most associated with the film today is the melody that accompanies Tara, the O'Hara plantation in the early 1940s 'Tara's Theme' formed the musical basis of the song 'My Own True Love' by Mack David.

In all, there are ninety-nine separate pieces of music featured in the score.

제 시간에 완성해야 한다는 압박감 때문에 스타이너는 프리드호퍼, 더치 및 하인즈 로엠헬드로 부터 작곡에 대한 약간의 도움을 받는다.

또한 MGM 라이브러리 악보에서 프란츠 왁스만과 윌리암 엑트의 2개의 짧은 선곡을 가져왔다고 한다.

Due to the pressure of completing on time, Steiner received some assistance in composing from Friedhofer, Deutsch and Heinz Roemheld and in addition two short cues—by Franz Waxman and William Axt were taken from scores in the MGM library.

3. <바람과 함께 사라지다> 사운드트랙 해설 – 빌보드

스타이너는 그가 옹호한 유럽 낭만주의 전통 방법과 일치하는 13 곡의 기본 주제를 제공하고 있다. 스칼렛에게는 두 가지 ID가 제공되고 있다.

스타이너는 그녀의 첫 번째 주제로 스티븐 포스터의 장난스럽고 평온한 노래 'Katie Belle'(1863)을 삽입하고 있다.

Steiner provided thirteen primary leitmotifs, which was consistent with the methods of the European romantic traditions that he championed. Scarlett is provided two identities. Steiner interpolates the playful and carefree song Katie Belle (1863) by Stephen Foster as her first theme.

그 멜로디는 그녀가 찰스 해밀튼과 충동적으로 결혼할 때 여성이 되기 전의 젊은 스카렛을 지원해 주고 있다. 이후 성인이 된 '스칼렛 테마'는 그녀의 정체성을 전적으로 뒷받침해주고 있다.

그녀의 성인 테마는 변덕스럽고 격렬하며 더 열정적이다. 그녀는 전혀 가책이나 부끄러움이 없고 자신의 목표를 달성하기 위해 필요한 것은 무엇이든 할 수 있는 계획적인 여성이기 때문이다. '레트의 테마'는 유쾌함과 남부 사나이의 매력으로 가득 찬 자신감 있고 남성적인 아이덴티티를 제공하고 있다.

그의 페르소나를 완벽하게 포착해 주고 있다. 주목 할만한 것은 스타이너가 결혼 생활이 악화됨에 따라 관점을 변경하는 방법이다.

우리는 스칼렛이 그의 정신에 상처를 입힌 것을 보았을 때 음표에서 슬픔과 취약함, 자신감이 떨어지는 것을 듣게 된다.

It's melody supports the young Scarlett prior to her ascent to womanhood when she impulsively marries Charles Hamilton. Afterwards as an adult, Scarlet's Theme solely supports her identity. Her adult theme is mercurial, tempestuous and more passionate as she is a scheming woman totally without scruples or shame fully capable of doing whatever is necessary to achieve her goal. Rhett's Theme offers a confident, masculine identity full of pleasantry and southern charm which perfectly captures his persona. Notable is how Steiner alters its articulation as his marriage deteriorates. We hear sadness and vulnerability in the notes less confidence as we see that Scarlett has wounded his psyche.

'애쉴리 테마'는 그의 기사도적인 성격을 완벽하게 포착하려는 듯이 이방인의 스트링에 의한 내림차순 라인을 제공하고 있다.

그러나 우리는 그의 마음의 갈등과 그의 삶의 방식의 상실과 화해 할 수 없는 무능력에 대해 말하는 메모에서 슬픔을 식별하게 된다.

〈바람과 함께 사라지다〉. © Selznick International Pictures, Metro-Goldwyn-Mayer

스타이너는 평화를 찾고자 하는 갈망과 갈망을 가사에 담고 있는 익명의 아프리카계 미국인 찬송가 'Deep River'를 그에게 연결하여 후기를 강화해주고 있다. '멜라니 테마'는 그녀의 순수함, 부드러움, 부드러움 및 본질적인 선함을 완벽하게 포착해 주고 있다. 스타이너는 첼레스트 장식이 있는 이방인 현에서 탄생한 솔직한 A 프레이즈가 있는 고전적인 ABA 구조를 제공하고 있다.반면 보다 서정적인 B 프레이즈는 이방인과 셀레스트 현의 동일한 결합을 사용하여 멜로디 흐름을 유지해 주고 있다.

Ashley's Theme offers a descending line by strings gentile which perfectly captures his chivalrous nature. Yet we discern sadness in the notes which speak to the conflicts of his heart and incapacity to reconcile with the loss of his way of life.

Steiner reinforces the later by linking to him the song 'Deep River' an anonymous African-American hymn whose lyrics speak of longing and the yearning to find peace.
Melanie's Theme perfectly captures her purity, tenderness, gentleness and essential goodness. Steiner provides a classic ABA construct with its forthright A Phrase born by strings gentile with celeste adornment while its more lyrical B Phrase sustains the melodic flow using the same joining of strings gentile and celeste.

'Mammy's Theme'은 반복되는 문구에서 엄격하지만 어머니 같은 하인을 위한 쾌활하고 경쾌한 정체성을 제공하고 있다. 경쾌하고 단호하며 항상 활기찬 이 테마는 유모의 페르소나를 완벽하게 포착해 주고 있다.
'제랄드의 테마'는 그의 용기, 결단력 및 탐욕을 완벽하게 포착하는 아일랜드 민족의 분위기를 제공하는 고전적인 ABA 구조를 갖고 있다.

Mammy's Theme offers in its repeating phrases a cheerful and lilting identity for the stern but motherly house servant. Upbeat, determined and ever buoyant, this theme perfectly captures Mammy's persona.
Gerald's Theme has a classic ABA construct that offers ethnic Irish auras which perfectly capture his courage, determination and gumption.

'보니의 테마'는 스트링 테네로 전달되며 부드러움을 자아내고 있다.
우리는 어린 아이의 주제와 관련된 일반적인 젊음의 장난기를 찾지 않고 있다.
대신 음표에서 잠재된 슬픔을 식별하고, 그녀의 가족 상황과 비극적 결말의 투쟁에 대한 스타이너의 미묘한 암시를 식별하게 된다.
'벨의 테마'는 붉은 머리가 타오르는 매춘부의 정체성을 나타내고 있다.
매춘부, 무미한 사치품을 입고 있지만 황금의 마음을 품고 있다.
스타이너는 첼레스트와 비브라폰 장식과 함께 따뜻한 현악 테네로 그녀의 '내면의 아름다움'에 대해 이야기하고 있다. '쌍둥이 테마'는 스칼렛의 구혼자인 타레튼 쌍둥이 브렌트와 스투어트의 아이덴티티 역할을 하고 있다.
현악 이방인은 세련되고 기사도적인 예의로 우아한 멜로디를 전달해주고 있다.

Bonnie's Theme is carried by strings tenero and exudes gentleness.
We do not find the usual youthful playfulness associated with a child's theme instead discerning a latent sadness in the notes a subtle allusion by Steiner to the strife of her family circumstances and tragic end. Belle's Theme serves as the identity of a prostitute with flaming red hair who dresses with tasteless extravagance, yet bears a heart of gold. Steiner speaks to her 'inner beauty' with warm strings tenero, attended by celeste and vibraphone adornment. The Twins Theme serves as the identity of the Tarleton twins Brent and Stuart suitors of Scarlett.
Strings gentile carry their elegant melody with a refined and chivalrous decorum.

스타이너는 연방과 남부를 모두 대표하기 위해 다수의 국가와 노래를 삽입한다. 북군과 남부 연합을 위해 스타이너는 다음을 포함하여 남부 전전 문화를 구현한 여러 대중적인 국가를 삽입했다고 한다. 다니엘 디카터 엠메트의 'Dixie'(1859). 이 노래는 애국적인 열정을 표현하며 사실상 남부 연합의 국가로 사용되고 있다.

Steiner interpolated a multiplicity of anthems and songs to represent both the Union and Confederacy. For the Confederacy Steiner interpolated several popular anthems which embodied Southern antebellum culture including. Dixie (1859) by Daniel Decatur Emmett. The song emotes with patriotic fervor and served as the de facto national anthem of the Confederacy.

남부가 전쟁에서 지기 시작함에 따라 스타이너가 조음(調音) 방식을 메이저에서 마이너로 조정하는 방법이 유익하다. 찰스 테일러와 헨리 터커의 'When The Cruel War is Over'(1863)도 애국심을 구현하고 있다. 하지만 전쟁의 참화, 종전을 향한 갈망, 남부의 남편과 아들의 귀향을 반영하기도 한다.

Instructive is how Steiner modulates its articulation from major to minor modal as the South begins to lose the war. When The Cruel War is Over (1863) by Charles Taylor and Henry Tucker also embodies patriotism yet it also reflects the ravages of war the longing for its end and the return home of the South's husbands and sons.

〈바람과 함께 사라지다〉. © Selznick International Pictures, Metro-Goldwyn-Mayer

해리 맥카시의 'Bonnie Blue Flag'(1861)는 애국적인 행진곡으로 남부의 자부심과 독립을 노래하고 있다.

제임스 라이더 랜달의 'Maryland, My Maryland'(1861)는 에이브라함 링컨과 양키의 침략을 비난하는 가혹하게 비판적인 가사를 제공하고 있다.

가장 흥미로운 점은 독일 크리스마스 송 'O Tannenbaum'과 같은 멜로디 'Lauriger Horatius' 등으로 감정을 표현한다는 점이다.

Bonnie Blue Flag (1861) by Harry McCarthy is a patriotic marching song which speaks of Southern pride and independence. Maryland, My Maryland (1861) by James Ryder Randall offers harshly critical lyrics which condemn Abraham Lincoln and Yankee aggression. Most interesting is that it emotes with the same melody 'Lauriger Horatius' as the German Christmas song 'O Tannenbaum'

패트릭 길모어(Patrick Gilmore)의 상징적인 'When Johnny Comes Marching Home'(1863)은 승리를 거두고 집으로 돌아오는 남부 연합의 자부심에 대한 열망과 열망으로 가득 차 있다. 스타이너는 또한 남부 연합이 게티즈버그 패배에서 벗어나면서 작품의 양식을 메이저에서 마이너로 변경하고 있다.

벤자민 포터의 'Cavaliers of Dixie'(1861)라는 노래는 남부의 기사도, 품위, 문화적 감수성을 구현해 주고 있다.

The iconic When Johnny Comes Marching Home (1863) by Patrick Gilmore is aspirational and full of longing for the pride of the Confederacy to return home victorious.
Steiner would also alter the modality of the piece from major to minor as the Confederacy reels from the defeat at Gettysburg. The song Cavaliers Of Dixie (1861) by Benjamin Porter embodies the chivalry, gentility and cultural sensibilities of the South.

마지막으로, 그의 사운드 스케이프에 필요한 문화적 진정성을 주입하기 위해 스타이너는 스티븐 포스터의 'Under the Willow'(1860) 'Lousiana Belle'(1847) 'My Old Kentucky Home'(1852) 'Swanee River'(1851) 'Old Folks Home'(1851) 'Massa's in de Cold'(1852) 등 몇 곡의 대중적인 노래를 삽입시키고 있다.

Lastly, to infuse his soundscape with the requisite cultural authenticity, Steiner interpolated several popular songs of the day by Stephen Foster including.
Under the Willow (1860), Lou'siana Belle (1847), My Old Kentucky Home (1852), Swanee River (1851), Old Folks Home (1851) and Massa's in de Cold (1852).

'Overture'는 영화를 열지만 앨범에는 없다. 우리는 '멜라니 테마'의 은혜로 스트링 테네로를 열고 멋진 '멜라니와 애쉴리 테마'로 이어지고 있다.
'레트의 테마'에 대한 자신 있는 설명이 나오며 이는 다시 '유모의 테마'로 이어지고 있다. '스칼렛 테마'의 아름다운 확장 렌더링과 함께 마감 된다.
이어 알프레드 뉴먼의 트레이드 마크 음악을 축하하는 종소리와 경적을 울리는 선언과 함께 최고의 스코어 하이라이트를 제공하는 '메인 타이틀'로 이어지고 있다.

'Overture' opens the film but is not found on the album. We open on strings tenero with the grace of Melanie's Theme. we segue into the gorgeous Melanie and Ashley Love Theme. a confident statement of Rhett's Theme which in turn flows into Mammy's Theme. We close with a beautiful extended rendering of Scarlett's Theme.

the film we segue into the 'Main Title' which offers a supreme score highlight, opening grandly with the celebratory bells and horns bravura declarations of Alfred Newman's trademark music.

오프닝 크레디트가 일몰(日沒)을 배경으로 한 들판과 구름의 풍경을 배경으로 하는 동안 '딕시 및 유모 테마'에 대한 간략한 설명을 듣게 된다. 영화 제목이 휩쓸면서 상징적인 '타라의 테마'가 탄생하는 계단식 혼 선언을 안내하고 있다.

화면을 가로질러. 마스터스트로크에서 스타이너는 영화의 감정적 핵심을 포착하여 불멸을 얻게 된다.

As the opening credits roll against sunset hued fields and cloudscapes.

we hear brief statements of the Dixie and Mammy Themes, that usher in stepped horn declarations from which is born the iconic Tara Theme in all its magnificence as the film title sweeps across the screen. In a masterstroke Steiner earns immortality by capturing the film's emotional core.

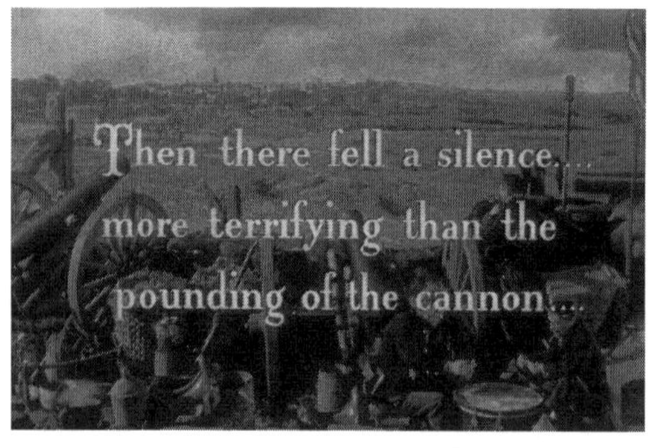

〈바람과 함께 사라지다〉. © Selznick International Pictures, Metro-Goldwyn-Mayer

'Tara'는 오하라의 부동산 앞 베란다에서 스칼렛과 타레튼 쌍둥이 사이의 들뜬 농담을 보여주고 있다.

스타이너는 스칼렛의 '캐티 벨 테마'와 '쌍둥이 테마'의 상호 작용을 지원하고 있다.

스칼렛은 애쉴 리가 멜라니와 결혼할 의사가 있다는 소식을 듣고 황폐해짐에 따라 '애쉴리 테마'로 이어지고 있다. 우리는 유모가 손님을 버린 것에 대해 위층 창에서 스칼렛을 꾸짖는 '유모의 테마'를 가볍고 거의 뛸 듯이 표현하는 것으로 끝을 맺는다. '오하라 가족'은 목화밭에서 긴 하루를 마감하는 오하라의 노예를 지원하는 현악과 밴조의 목축으로 시작되고 있다. 우리는 '제랄드 오하라 테마'의 대담한 아일랜드 계통으로 이어지며 확장된 설명을 받아 그의 분야를 가로질러 그의 용감한 라이딩을 지원한다. 스칼렛이 사랑스럽게 그를 맞이하자 그의 주제는 부드러워지고 있다.

'Tara' reveals flirtatious banter between Scarlett and the Tarleton twins on the O'Hara estate's front porch. Steiner supports the interaction with interplay of Scarlett's Katie Belle Theme and the Twins Theme.

we segue into Ashley's Theme as Scarlett is devastated upon hearing that Ashley intent to marry Melanie. We conclude with a light-hearted almost prancing rendering of Mammy's Theme as she scolds Scarlett from an upstairs window for abandoning her guests. 'The O'Hara Family' opens with a pastorale of strings and banjo which supports O'Hara's slaves ending their long day in the cotton fields.

we segue into the bold Irish strains of the Gerald O'Hara Theme which receives an extended exposition supporting his gallant ride across his fields.

His theme softens and becomes tender as Scarlett lovingly greets him.

우리는 '타라의 테마'의 진심 어린 표현으로 이어지고 있다. 그가 스칼렛에게 타라 땅의 중요성과 그녀에게 유산을 물려주려는 의도에 대해 이야기 하고 있다.

그들이 불타는 석양에 드리워진 구름을 배경으로 타라를 바라보는 실루엣으로 서 있을 때, 주제는 장엄한 언급(言及)을 위해 팽창하고 있다.

We segue into a heartfelt rendering of Tara Theme as he speaks to Scarlett of the importance of Tara's land and his intent to bequeath the estate to her.

As they stand in silhouette viewing Tara against the fiery sunset draped clouds, the theme swells for a magnificent statement.

'Scarlett In Mist'에서는 또 다른 스코어 하이라이트가 실현되고 있다.
여기서 스타이너의 열정적인 음악은 영화의 감정을 뒷받침해주고 있다.
그녀는 그가 떠났다는 것을 깨닫고 그녀는 '보니의 테마'에 의해 필사적으로 그를 부르는 안개 속으로 달려가고 있다.

In 'Scarlett In The Mist' another score highlight is realized where Steiner's impassioned music supports the film's emotional she discovers that he has left.
she runs out into the mist calling for him desperately carried by Bonnie's Theme.

그가 여행 가방을 꾸리기 시작하면서 우리는 'Rhett Leaves'로 이동하게 된다.
스칼렛은 그녀의 주제에 대한 절망적인 표현으로 뒷받침되는 그를 위한 사랑을 확인하면서 머물기를 간청하기 시작한다. 오케스트라 강하가 그녀를 계단으로 데려가 문 앞에서 그를 붙잡고 '내가 무엇을 할까? 어디로 갈까요?'
그는 퉁명스럽게 '솔직히 내 사랑, 난 상관하지 않아'라고 대답한다.

We segue into 'Rhett Leaves' as he begins packing his travel bag. Scarlet begins pleading with him to stay while affirming her love for him supported by a desperate rendering of her theme, now impassioned with a rising sense of urgency.
An orchestral descent carries her down the staircase where she grabs him at the door and declares 'What shall I do? Where shall I go?' and he retorts 'Frankly my dear, I don't give a damn'

우리는 계단에서 희망 없이 우는 스칼렛을 보는 'Flashback/ Finale'로 멋지게 마무리 한다.

We conclude in fine fashion with 'Flash-back/ Finale' where we see Scarlett weeping without hope on the stairs.

스칼렛의 희망찬 선언.
'나는 집에 갈 것이다. 그리고 나는 그를 되찾기 위해 어떻게든 생각할 것이다. 결국 내일은 또 다른 태양이 뜰 것이다'

〈바람과 함께 사라지다〉. © Selznick International Pictures, Metro-Goldwyn-Mayer

Scarlett's hopeful declaration. 'I'll go home and I'll think of someway to get him back. After all, tomorrow is another day'

스타이너는 타라의 불타는 일몰 하늘을 배경으로 그녀의 실루엣이 보이면서 화려하게 마무리되는 합창으로 강화 된 '타라 테마'의 장엄한 렌더링으로 그녀의 선언을 지지하고 있다.

Steiner supports her declaration with a magnificent rendering of a choral empowered Tara Theme which ends gloriously in a flourish as her silhouette is seen against the fiery sunset skies of Tara.

Track listing

1. Gone With The Wind Suite-Part 1 Gone With The Wind-Tara-Invitation to the dance-Melanie's Theme-Ashley-The prayer-Bonnie Ble Flag-Scarlett O'Hara
2. Gone With The Wind Suite-Part 2, Scarlett's agony-War-Return to Tara-Rhett Butler-Bonnie's Theme-Ashley and Melanie-The oath
3. Main Title

4. Scarlett a Rhett's first meeting
5. Ashley and Scarlett
6. Mammy
7. Christmas During The War in Atlanta
8. Atlanta in Flames
9. Reconstruction
10. Ashley Returns to Tara from the War Prison
11. Scarlett and Rhett Rebuild Tara
12. Scarlett Makes Her Demands of Rhett
13. Rhett and Bonnie
14. Scarlett's Fall Down the Staircase
15. Bonnie's Fatal Pony Ride
16. Finale

〈바람과 함께 사라지다〉 사운드트랙. ⓒ Rhino

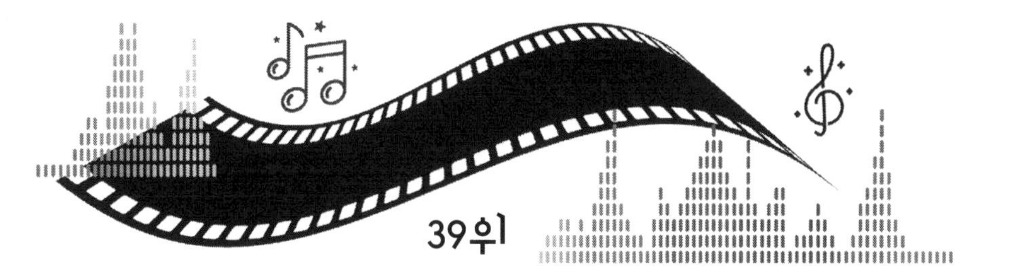

<파리의 아메리카인 An American in Paris> - 조지 거신이 들려준 뮤지컬 코미디 진수(眞髓)

작곡: 조지 거신 George Gershwin

빈센트 미넬리 감독이 조지 거신의 멜로디를 통해 성인 로맨틱 코미디를 펼쳐준 〈파리의 아메리카인〉.

1. <파리의 아메리카인> 버라이어티 평

파리에서 고군분투하는 미국화가 제리 멀리간.
제리의 예술에 관심이 있는 영향력 있는 상속녀에 의해 '발견'된다.
제리는 차례로 카바레 가수와 약혼한 프랑스 소녀 리제에게 반한다.
제리는 낭만적인 문제가 많은 가운데 가장 친한 친구인 콘서트 피아니스트와 농담을 하고 노래를 부르고 춤을 추고 있다.

Jerry Mulligan, a struggling American painter in Paris, is 'discovered' by an influential heiress with an interest in more than Jerry's art.
Jerry in turn falls for Lise, a young French girl already engaged to a cabaret singer.
Jerry jokes sings and dances with his best friend, an acerbic would-be concert pianist while romantic complications abound.

〈파리의 아메리카인〉은 조지 거신(George Gershwin)의 1928년 오케스트라 작곡인 'An American in Paris'에서 영감을 얻어 제작된 1951년 미국 뮤지컬 코미디 영화이다. 진 켈리, 레슬리 캐론-영화 데뷔, 오스카 레반트, 조르쥬 거타리, 니나 포치가 출연한 영화는 파리가 배경. 알란 제이 러너가 각본을 쓰고 빈센트 미넬리가 감독했다. 음악은 조지 거신. 그의 형제 이라가 가사, 자니 그린과 음악 감독 사울 채플린이 추가 음악을 작곡했다.

An American in Paris is a 1951 American musical comedy film inspired by the 1928 orchestral composition An American in Paris by George Gershwin. Starring Gene Kelly, Leslie Caron-her film debut- Oscar Levant, Georges Guétary and Nina Foch.
the film is set in Paris and was directed by Vincente Minnelli from a script by Alan Jay Lerner. The music is by George Gershwin with lyrics by his brother Ira with additional music by Johnny Green, and Saul Chaplin, the music directors.

영화 이야기는 진 켈리가 안무한 댄스곡과 거신 음악에 맞추어져 있다.

MGM 실무 책임자 아서 프리드는 조지가 1937년에 사망한 이후 1940년대 후반에 조지 형제 이이라로부터 거신 뮤지컬 카탈로그를 구입한다.

이 카탈로그의 일부 곡은 'I Got Rhythm' 및 'Love is Here to Stay' 등이 영화에 포함 되었다. 영화에 나오는 다른 노래로는 'I'll Build A Stairway to Paradise' 'S Wonderful' 등이 있다. 영화 클라이맥스는 발레 곡 'The American in Paris'이다. 거신의 'An American in Paris'를 배경으로 했으며 켈리와 캐론이 등장하는 17분 동안 대사 없는 춤이다. 발레 시퀀스를 촬영하는 데 거의 50만 달러가 들었다.

The story of the film is interspersed with dance numbers choreographed by Gene Kelly and set to Gershwin's music. MGM executive Arthur Freed bought the Gershwin musical catalog from George's brother Ira in the late 1940s, since George died in 1937.

Some of the tunes in this catalog were included in the movie such as 'I Got Rhythm' and 'Love Is Here to Stay'. Other songs in the movie include 'I'll Build A Stairway to Paradise' and 'S Wonderful'. The climax of the film is 'The American in Paris' ballet, a 17-minute dialogue-free dance featuring Kelly and Caron set to Gershwin's An American in Paris. The ballet sequence cost almost half a million dollars to shoot.

2009년 폴 오그래디 인터뷰 쇼에서 레슬리 캐론에 따르면 영화는 검열 기관 헤이즈 오피스와 그녀가 의자와 함께 하는 댄스 장면의 일부에 대해 논쟁을 벌였다고 한다. 이를 지켜보던 검열관은 '성적인 도발'이라고 하자 놀란 캐론은 '의자로 무엇을 할 수 있을까?'라고 응답했다고 한다.

According to Leslie Caron in a 2009 interview on Paul O'Grady's interview show the film ran into controversy with the Hays Office over part of her dance sequence with a chair. the censor viewing the scene called it 'sexually provocative' which surprised

Caron who answered 'What can you do with a chair?'

라울 더피, 피에르-어거스트 르노와르, 모리스 우트릴로, 앙리 루소 및 툴로즈-로트렉을 포함한 프랑스 화가를 참조하는 세트와 의상이 있는 17분짜리 발레 장면은 영화의 클라이막스이다.스튜디오 추산 제작비용은 약 $450,000가 소요됐다. 영화 제작은 1950년 9월 15일에 중단되었다. 미넬리는 다른 영화인 〈아버지의 작은 배당 Father's Little Dividend〉을 감독하기 위해 떠났다.
10월 말에 그 영화가 완성되자 그는 발레 시퀀스를 촬영하기 위해 돌아온다.

The 17-minute ballet sequence with sets and costumes referencing French painters including Raoul Dufy, Pierre-Auguste Renoir, Maurice Utrillo, Henri Rousseau and Toulouse-Lautrec is the climax of the film and cost the studio approximately $450,000 to produce. Production on the film was halted on September 15, 1950.
Minnelli left to direct another film, Father's Little Dividend. Upon completion of that film in late October, he returned to film the ballet sequence.

2. 'An American in Paris' 해설

'An American in Paris'는 1928년 초연된 미국 작곡가 조지 거신의 재즈 영향을 받은 오케스트라 작품이다. 거신이 파리에서 보낸 시간에서 영감을 받아 아네의 추종자들 기간 동안 프랑스 수도 광경과 에너지를 불러일으키고 있다.

An American in Paris is a jazz-influenced orchestral piece by American composer George Gershwin first performed in 1928. It was inspired by the time that Gershwin had spent in Paris and evokes the sights and energy of the French capital during the

Années folles.

〈파리의 아메리카인〉. © Metro-Goldwyn-Mayer

거신은 교향악단의 표준 악기와 첼레스타, 색소폰, 자동 호른을 위한 곡을 작곡한다.

그는 1928년 12월 13일 카네기 홀에서 열린 이 작품의 뉴욕 초연을 위해 파리의 택시 경적 4대를 가져와 월터 담로쉬와 함께 뉴욕 필하모닉을 지휘한다.

Gershwin scored the piece for the standard instruments of the symphony orchestra plus celesta, saxophones and automobile horns.

He brought back four Parisian taxi horns for the New York premiere of the composition which took place on December 13, 1928, in Carnegie Hall with Walter Damrosch conducting the New York Philharmonic.

〈랩소디 인 블루〉(1924) 초기 성공에 이어 거신에게 자신의 협주곡을 F로 작곡하도록 위임한 사람은 담로쉬였다. 그는 작품 초연이 4주도 채 남지 않은 11월 18일에 오케스트라를 완성한다. 그는 비평가이자 작곡가 딤스 테일러와 함께 오리지널 프로그램 노트를 공동 작업한다.

It was Damrosch who had commissioned Gershwin to write his Concerto in F following the earlier success of Rhapsody in Blue (1924). He completed the orchestration on November 18, less than four weeks before the work's premiere. He collaborated on the original program notes with critic and composer Deems Taylor.

3. 'An American in Paris' 작곡 일화

이야기가 진부할 가능성이 높다. 하지만 거신은 모리스 라벨의 특이한 코드에 매료 되었다고 전해지고 있다. 거신은 라벨과 함께 공부할 준비가 되어 1926년 파리로 첫 여행을 떠나게 된다. 라벨과의 초기 학생 오디션이 음악 이론의 공유로 변한 후 라벨은 '1류 거신이 될 수 있는데 왜 2류 라벨이 되어야 하는가? 라고 말하면서 그를 가르칠 수 없다고 말했다고 한다.

Although the story is likely apocryphal, Gershwin is said to have been attracted by Maurice Ravel's unusual chords and Gershwin went on his first trip to Paris in 1926 ready to study with Ravel. After his initial student audition with Ravel turned into a sharing of musical theories, Ravel said he could not teach him saying 'Why be a second-rate Ravel when you can be a first-rate Gershwin?'.

거신은 라벨이 미국으로 여행을 오도록 강력히 권장했다고 한다. 이를 위해 뉴욕으로 돌아온 거신은 피아니스트 라벨이 전쟁 중에 만났던 라벨 친구 로버트 슈미츠 노력에 가세해 라벨에게 미국 순회를 촉구한다. 슈미츠는 프로뮤지카의 수장이었다. 관계를 맺었고 라벨에게 투어 비용으로 $10,000를 제안한다.

거신은 라벨에게 중요할 것이라는 유인책을 알고 있었다.

Gershwin strongly encouraged Ravel to come to the United States for a tour. To this end, upon his return to New York, Gershwin joined the efforts of Ravel's friend Robert Schmitz, a pianist Ravel had met during the war to urge Ravel to tour the U.S. Schmitz was the head of Pro Musica promoting Franco-American musical relations and was able to offer Ravel a $10,000 fee for the tour an enticement Gershwin knew would be important to Ravel.

거신은 1928년 3월 에바 거티에르가 라벨의 생일을 축하하기 위해 개최한 파티에서 뉴욕에서 라벨을 맞이한다.

라벨의 여행은 거신이 파리로 돌아가고자 하는 열망에 다시 불을 붙이게 된다. 거신과 그의 형제 아이라는 라벨을 만난 후 그렇게 했다.

Gershwin greeted Ravel in New York in March 1928 during a party held for Ravel's birthday by Éva Gauthier. Ravel's tour reignited Gershwin's desire to return to Paris which he and his brother Ira did after meeting Ravel.

〈파리의 아메리카인〉. © Metro-Goldwyn-Mayer

라벨이 나디아 불랭거에게 보낸 소개 편지에서 거신에 대한 높은 평가를 받은 거신은 파리에서 유학하는 데 훨씬 더 많은 시간을 할애하는 것을 진지하게 고려하게 된다.

그러나 그가 그녀를 위해 연주한 후 그녀는 그에게 가르칠 수 없다고 말한다.

불랭거는 거신에게 기본적으로 그녀가 모든 숙련된 마스터 학생들에게 했던 것과 동일한 조언을 하게 된다.

Ravel's high praise of Gershwin in an introductory letter to Nadia Boulanger caused Gershwin to seriously consider taking much more time to study abroad in Paris.

Yet after he played for her, she told him she could not teach him. Boulanger gave Gershwin basically the same advice she gave all her accomplished master students.

'당신이 아직 얻지 못한 것을 내가 당신에게 줄 수 있습니까?' 해외에서 거신의 진정한 의도는 파리를 기반으로 한 새 작품과 아마도 피아노와 랩소디를 위한 두 번째 랩소디를 완성하는 것이었다. 이 때문에 뒤로 물러나지 않았다.

그의 'Rhapsody in Blue'를 따라가는 오케스트라.

〈파리의 아메리카인〉 사운드트랙. © CBS Records

당시 파리에는 에즈라 파운드(Ezra Pound), W. B. 예이츠(W. B. Yeats), 어네스트 헤밍웨이(Ernest Hemingway), 예술가 파블로 피카소(Pablo Picasso) 등 많은 해외 작가들이 머물러 있었다.

'What could I give you that you haven't already got?' This did not set Gershwin back, as his real intent abroad was to complete a new work based on Paris and perhaps a second rhapsody for piano and orchestra to follow his Rhapsody in Blue. Paris at this time hosted many expatriate writers among them Ezra Pound, W. B. Yeats, Ernest Hemingway and artist Pablo Picasso.

거신은 그의 초청자인 로버트와 마벨 쉬머에게 선물로 파리를 처음 방문했을 때인 1926년에 쓴 'Very Parisienne'이라는 선율 단편을 바탕으로 'An American in Paris'를 기반으로 했다. 거신은 그것을 '랩소딕 발레'라고 불렀다.
그것은 그의 이전 작품들보다 훨씬 더 현대적인 관용구로 자유롭게 쓰여 졌다.

Gershwin based An American in Paris on a melodic fragment called 'Very Parisienne' written in 1926 on his first visit to Paris as a gift to his hosts, Robert and Mabel Schirmer. Gershwin called it 'a rhapsodic ballet'.
it is written freely and in a much more modern idiom than his prior works.

거신은 뮤지칼 아메리카를 통해 '여기서 나의 목적은 파리를 방문하는 미국인 방문객이 도시를 산책하고 다양한 거리 소음을 듣고 프랑스 분위기를 흡수하는 인상을 묘사하는 것이다'라고 설명한다.

Gershwin explained in Musical America 'My purpose here is to portray the impressions of an American visitor in Paris as he strolls about the city, listens to the various street noises and absorbs the French atmosphere'

비평가들은 'An American in Paris'가 거신의 '협주곡 F' 보다 더 잘 만들어졌다고 믿었다. 거신은 비평가들에게 다음과 같이 대답한다.

'그것은 베토벤 교향곡이 아니다. 알다시피... 그것은 유머러스하고 엄숙하지 않은 곡이다. 눈물을 흘리려는 것이 아니다. 가볍고 유쾌한 작품, 음악적으로 표현된 일련의 인상으로 교향곡 청중을 기쁘게 하면 그것은 성공한 것이다'

Critics believed that An American in Paris was better crafted than Gershwin's Concerto in F. Gershwin responded to the critics.

'It's not a Beethoven Symphony, you know... It's a humorous piece nothing solemn about it. It's not intended to draw tears. If it pleases symphony audiences as a light, jolly piece, a series of impressions musically expressed, it succeeds'

Track listing

1. Overture
2. Embraceable You!
3. By Strauss!
4. I Got Rythm
5. Tra-La-La
6. Love is Here To Stay
7. I'll Build a Stairway to Paradise
8. Concerto in F, Third Movement

9. Tra-La-La/ Love is Here to Stay
10. S Wonderful
11. Something to tell you...
12. An American in Paris (Ballet)
13. Finale

1928년 12월 13일 빅터 레코드를 통해 발매된 조지 거신의 LP 앨범 'An American in Paris'. © Victor Records

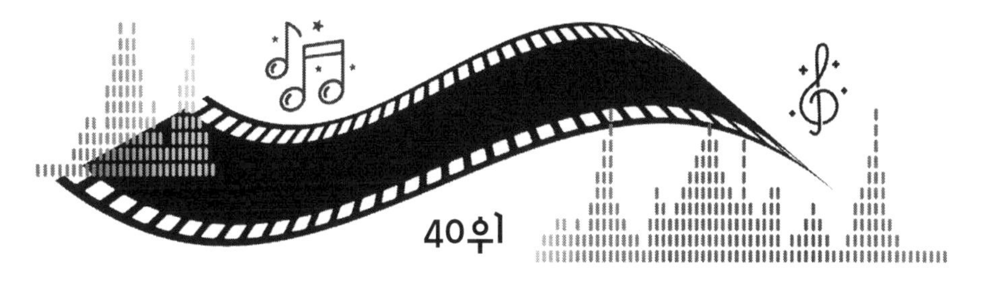

<아웃 오브 아프리카 Out of Africa>(1985) - 서방 진영의 여성이 아프리카에서 겪는 애환을 위로해준 'Clarinet Concerto'

작곡: 볼프강 아마데우스 모차르트 Wolfgang Amadeus Mozart

모차르트 명곡 '클라리넷 협주곡'이 테마 음악으로 선곡돼 잔잔한 감동의 여운을 선사한 〈아웃 오브 아프리카〉. © Universal Pictures

1. <아웃 오브 아프리카> 버라이어티 평

〈아웃 오브 아프리카〉는 시드니 폴락이 감독과 제작을 맡은 1985년 미국 서사 로맨틱 드라마 영화이다. 영화는 아이작 디네센-덴마크 작가 카렌 브릭센의 필명-이 쓴 1937년 자전적 책 'Out of Africa'를 느슨하게 기반을 두고 있다.

디네센의 1960년 책 '초원의 그림자 Shadows on the Grass' 및 기타 출처에서 추가 자료를 제공 받았다.

Out of Africa is a 1985 American epic romantic drama film directed and produced by Sydney Pollack

The film is based loosely on the 1937 autobiographical book Out of Africa written by Isak Dinesen-The pseudonym of Danish author Karen Blixen-with additional material from Dinesen's 1960 book Shadows on the Grass and other sources.

카렌 브릭센은 1913년 미혼의 부유한 덴마크인으로 이사한 아프리카에서의 생활을 회상한다.

스웨덴 귀족 연인에게 버림받은 그녀는 동생 블릭센 남작에게 편의상 결혼을 청하고 그들은 영국령 동 아프리카 나이로비 부근으로 이사하게 된다.

Karen Blixen recalls her life in Africa where she moved in 1913 as an unmarried wealthy Dane. After having been spurned by her Swedish nobleman lover, she asks his brother Baron Bror Blixen to marry out of mutual convenience and they move to the vicinity of Nairobi, British East Africa.

그녀의 자금(資金)을 사용하여 그는 가축 목장을 차릴 예정이다.

몇 달 후 그녀가 합류하여 결혼하게 된다.

나이로비로 가는 도중 그녀의 기차는 그녀의 약혼자를 알고 그녀에게 상아

운반을 맡기는 거물 사냥꾼 데니스 핀치 해튼의 환영을 받게 된다.

Using her funds, he is to set up a cattle ranch with her joining him a few months later at which time they will marry.

En route to Nairobi, her train is hailed by a big-game hunter named Denys Finch Hatton who knows her fiancé and entrusts his haul of ivory to her.

카렌은 아프리카와 아프리카 사람들을 사랑하게 된다. 인근의 농 힐스와 그 너머에 있는 그레이트 리프트 밸리의 숨 막히는 전경에 사로잡히게 된다. 한편, 그녀는 그녀의 땅에 쪼그리고 앉아있는 키쿠유 사람들을 돌보고 있다. 무엇보다도 그녀는 학교를 설립하고, 그들의 의학적 필요를 돕고, 분쟁을 중재한다.

Karen comes to love Africa and the African people and is taken in by the breath-taking view of the nearby Ngong Hills and the Great Rift Valley beyond. Meanwhile, she looks after the Kikuyu people who are squatting on her land. Among other things, she establishes a school helps with their medical needs and arbitrates their disputes.

그녀는 또한 그 지역의 다른 상류계급 식민지 개척자들과 동등하게 공식적인 유럽 가정생활을 확립하려고 시도한다. 한편, 그녀는 젊은 여성 펠리시티-젊은 버릴 마크햄을 기반으로 한 캐릭터-와 친구가 된다. 결국 카렌과 브로는 서로에 대한 감정을 키우게 된다. 그러나 브로는 그들의 결혼이 여전히 편의에 기반 한 파트너십이기 때문에 다른 성적 관계를 계속 추구한다.

She also attempts to establish a formal European homelife on par with the other upper class colonists in the area. Meanwhile, she becomes friends with a young woman, Felicity (whose character is based on a young Beryl Markham). Eventually, Karen and Bror develop feelings for each other. But Bror continues to pursue other sexual relationships because their marriage is still a partnership based on convenience.

모차르트 명곡 '클라리넷 협주곡'이 테마 음악으로 선곡돼 잔잔한 감동의 여운을 선사한 〈아웃 오브 아프리카〉. © Universal Pictures

제1차 세계 대전이 동아프리카에 이르자, 식민지 개척자들은 데니스와 브로를 포함시켜서 식민지 총대주교 델라미오 경(卿)이 이끄는 민병대를 형성한다. 독일 동 아프리카 이웃 독일 식민지에서 군대를 찾기 위한 군사 원정대가 출발하게 된다.

보급품이 필요한 민병대에 대응하여 카렌은 보급품을 찾기 위한 어려운 원정대를 이끌고 안전하게 돌아오게 된다. 전쟁이 끝난 직후 저녁에 카렌은 방문객들을 즐겁게 하기 위해 이국적이고 상상력이 풍부한 이야기를 만들어 낸다.

As the First World War reaches East Africa, the colonists form a militia led by the colonial patriarch Lord Delamere which includes Denys and Bror among their number.

A military expedition sets out in search of the forces from the neighboring German colony of German East Africa. Responding to the militia's need for supplies Karen leads a difficult expedition to find them and returns safely.

Shortly after the end of the war, in the evenings Karen makes up exotic and imaginative stories to entertain her visitors.

카렌은 브로가 그녀에게 매독을 옮긴 것을 발견하게 된다. 나이로비에서 적절한 치료를 받을 수 없자 치료와 회복을 위해 덴마크로 돌아간다. 브로는 그녀가 없는 동안 농장을 관리하기로 동의한다. 이제 아이를 낳을 수 없는 그녀가 돌아왔을 때 브로는 사파리 작업을 재개하고 그들은 따로 살기 시작한다.

Karen discovers that Bror has given her syphilis. As she is unable to receive proper treatment in Nairobi. she returns to Denmark for treatment and recuperation. Bror agrees to manage the farm while she is away. When she returns, now unable to bear children, Bror resumes his safari work and they begin to live separately.

영화가 끝날 때 화면 내러티브는 카렌이 나중에 아이작 디네센이라는 필명으로 출판된 작가가 되었음을 알려준다. 그녀의 작품 중 아프리카에서의 경험에 대한 회고록, 이 영화를 소개하는 첫 번째 줄인 'Out of Africa'가 있다.

그녀는 아프리카로 돌아가지 않았다.

As the movie ends, the on-screen narrative notes that Karen later became a published author under the pen name Isak Dinesen. Among her work is the memoir about her experiences in Africa, Out of Africa, the first line from which is used to introduce this film. She never returned to Africa.

2. <아웃 오브 아프리카> 사운드트랙 리뷰

〈아웃 오브 아프리카〉 음악은 베테랑 영국 작곡가 존 배리가 작곡하고 지휘했다.

악보는 모차르트의 '클라리넷 협주곡'과 아프리카 전통 노래와 같은 다수의 외부 곡을 포함시키고 있다.

사운드트랙으로 배리는 오스카 작곡상을 수여 받는다.

미국 영화 연구소 상위 25개 미국 영화 스코어 목록에서 15위에 지명 받는다.

The music for Out of Africa was composed and conducted by veteran English composer John Barry. The score included a number of outside pieces such as Mozart's Clarinet Concerto and African traditional songs.

The soundtrack garnered Barry an Oscar for Best Original Score and sits in fifteenth place in the American Film Institute's list of top 25 American film scores.

3. 'Clarinet Concerto' 해설

볼프강 아마데우스 모차르트의 '클라리넷 협주곡 A장조 K. 622'는 클라리넷 연주자 안톤 스태들러를 위해 1791년 10월에 작곡 된다.

이 곡은 1791년 10월 16일 프라하에서 초연된다.

이 곡은 빠른-느림-빠른 연속의 3악장으로 구성되어 있다.

Wolfgang Amadeus Mozart's Clarinet Concerto in A major, K. 622, was written in October 1791 for the clarinetist Anton Stadler. It was premiered in Prague on October 16, 1791. It consists of three movements, in a fast-slow-fast succession.

이 협주곡은 친필 사인이 없고 사후에 출판된 것이기 때문에 모차르트의 의도를 모두 이해하기 어렵다.

As there is no autograph for this concerto and as it was published posthumously, it is difficult to understand all of Mozart's intentions.

모차르트 손으로 쓰여 진 이 협주곡의 유일한 유물은 G에서 바셋 호른을 위해 작곡된 협주곡의 이전 버전에서 발췌한 것이다. K. 584b/621b.

The only relic of this concerto written in Mozart's hand is an excerpt of an earlier rendition of the concerto written for basset horn in G (K. 584b/621b).

이 발췌 부분은 A 클라리넷에 대한 출판된 버전의 해당 섹션과 거의 동일하지만 멜로디 라인만 완전히 채워져 있다.

This excerpt is nearly identical to the corresponding section in the published version for A clarinet although only the melody lines are completely filled out.

〈아웃 오브 아프리카〉. © Universal Pictures

안톤 스태들러도 바셋 호른 연주자였다.

이런 이유 때문에 모차르트는 원래 이 곡을 바셋 호른을 위해 작곡할 예정이었다.

하지만 결국에는 이 곡이 클라리넷에 더 효과적일 것이라고 확신했다고 한다.

그러나 작품 전체에 걸쳐 여러 음표가 A 클라리넷의 기존 범위 그 이상을 넘어서게 된다. 모차르트는 이 곡을 표준 클라리넷처럼 E에서 멈추는 대신 낮은 C까지 범위를 가진 스태들러가 옹호한 특수 클라리넷인 바셋 클라리넷에서 연주하도록 의도했을 수 있다.

Mozart originally intended the piece to be written for basset horn as Anton Stadler was also a virtuoso basset horn player but eventually was convinced the piece would be more effective for clarinet. However, several notes throughout the piece go beyond the conventional range of the A clarinet. Mozart may have intended the piece to be played on the basset clarinet a special clarinet championed by Stadler that had a range down to low C instead of stopping at E as standard clarinets do.

모차르트 시대에도 바셋 클라리넷은 희귀한 주문 제작 악기였다.

이런 이유 때문에 사후에 이 작품이 출판되었을 때 낮은 음표를 일반 음역으로 조옮김하여 새 버전으로 편곡하게 된다.

Even in Mozart's day, the basset clarinet was a rare, custom-made instrument, so when the piece was published posthumously, a new version was arranged with the low notes transposed to regular range.

이것은 성가신 결정임이 입증 되었다. 서명(書名)이 더 이상 존재하지 않아 스태들러가 저당 잡는다. 20세기 중반까지 음악학자들은 모차르트 손이 작곡한 협주곡의 유일한 버전이 스태들러의 생애 이후 들어본 적이 없다는 사실을 알지 못하게 된다. 원래 버전을 재구성하려는 시도가 있었다.

모차르트 협주곡과 클라리넷 5 중주를 연주하기 위한 특정 목적을 위해 새로운 바셋 클라리넷이 제작된다.

This has proven a troublesome decision, as the autograph no longer exists having been pawned by Stadler and until the mid 20th century musicologists did not know that the only version of the concerto written by Mozart's hand had not been heard since Stadler's lifetime. Attempts were made to reconstruct the original version, and new basset clarinets have been built for the specific purpose of performing Mozart's concerto and clarinet quintet.

스태들러는 1791년 10월 16일 프라하 초연에서 협주곡을 연주한다. 그의 연주는 호평을 받는다. 모차르트 작품에 대해서는 언급하지 않고 베를린 '뮤지카리치 우첸블라트'는 1792년 1월 '빈 출신 클라리넷 연주자 스태들러. 뛰어난 재능을 가진 사람이고 코트로 인정받는 그의 연주는 훌륭하고 그의 확신을 증언하고 있다'이라고 언급했다.

스태들러의 확장 가치에 대해 약간의 불일치가 있었다.

일부는 확장된 악기를 위한 작곡에 대해 모차르트를 비난하기도 했다.
최근 몇 년 동안 복원된 원본 버전은 많은 아티스트에 의해 녹음된다.

Stadler played the concerto at its premiere in Prague on October 16, 1791 and his performance was favorably received. Without mentioning Mozart's work, the Berlin Musikalisches Wochenblatt noted in January 1792 'Herr Stadeler, a clarinettist from Vienna. A man of great talent and recognised as such at court... His playing is brilliant and bears witness to his assurance'

There was some disagreement on the value of Stadler's extension.
some even faulted Mozart for writing for the extended instrument.
In recent years, the restored original version has been recorded by many artists.

* 사운드트랙 리스트는 8위 참조

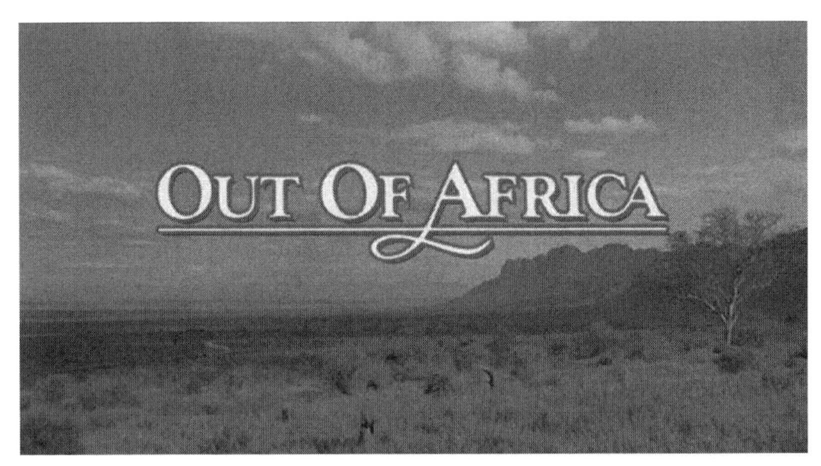

〈아웃 오브 아프리카〉. © Universal Pictures

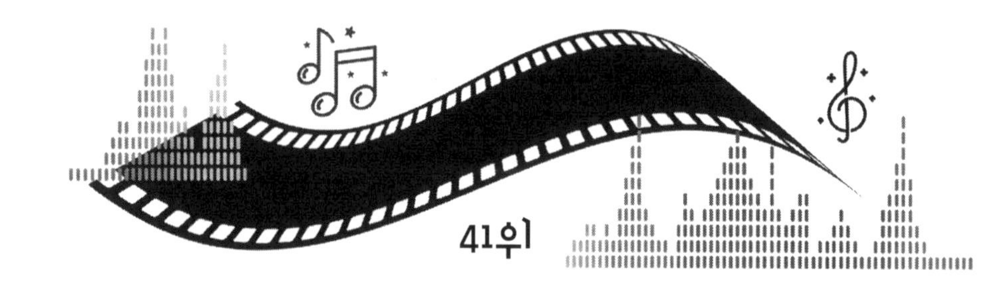

41위

<미지의 땅 남극 Antarctica>(1991) -

지구 대륙 및 동물들의 행태를 추적한 이색 다큐

작곡: 니겔 웨스트레이크 Nigel Westlake

호주 출신 작곡가 니겔 웨스트레이크가 펼쳐 주는 지구 대륙의 감추어진 이색적 풍광(風光)이 담겨 있는 〈미지의 땅 남극〉. © Australian Film Finance Corporation (AFFC)

1. <미지의 땅 남극> 버라이어티 평

이 대형 영화는 지구 상 마지막 대자연을 탐험하고 있다. 가장 춥고, 가장 건조하고, 가장 바람이 많이 부는 대륙, 남극으로 여러분을 데려간다.

영화는 남극에 사는 동물과 그곳에서 일하는 과학자 모두를 위해 남극 대륙의 삶을 탐구하고 있다.

This large format film explores the last great wilderness on earth. It takes you to the coldest, driest, windiest continent, Antarctica. The film explores life in Antarctica both for the animals that live there and the scientists that work there.

〈미지의 땅 남극〉은 남극 대륙을 기록한 1991년 IMAX 영화이다.

38분의 러닝타임을 갖고 있다. 대륙의 지형과 동물 군에 대한 항공 영상으로 구성되어 있다. 알렉 스코트가 나레이션을 담당했으며 오스트레일리아 작곡가 니겔 웨스트레이크가 음악을 작곡했다. 니겔 웨스트레이크는 나중에 자신의 배경 음악을 기타와 오케스트라를 위한 같은 이름의 인기 있는 콘서트 모음곡으로 각색한다. 영화는 IMAX 극장에서 상영될 뿐만 아니라 레이저 디스크, DVD, Blu-ray로 출시되었다. DVD 이미지 품질이 좋지 않았지만 스트리밍 서비스에서 고화질로 제공되었다. 6,500만 달러 이상의 수익을 올렸으며 호주에서 자금을 조달한 영화 중 가장 수익성이 높은 영화 중 한 편이다.

Antarctica is a 1991 IMAX film documenting the continent of Antarctica. The film has a 38-minute runtime and consists of aerial footage of the topography and fauna of the continent. It was narrated by Alex Scott and has music by Australian composer Nigel Westlake who later adapted his score into a popular concert suite of the same name for guitar and orchestra. As well as screening in IMAX theatres, the movie was released on laser disc, DVD, Blu-ray and has been available in high definition on streaming services although the quality of the image on DVD was poor. It grossed more than US $ 65 million and is one of the most profitable Australian-financed films.

2. <미지의 땅 남극> 배경 지역 'Antarctica' 영토 해설

남극(南極)은 지구 최남단 대륙이다. 남극권의 거의 완전히 남쪽에 위치하고 남극해로 둘러싸여 있으며 지리적 남극을 포함하고 있다.

Antarctica is Earth's southernmost continent. Situated almost entirely south of the Antarctic Circle and surrounded by the Southern Ocean.
it contains the geographic South Pole.

남극 대륙은 5번째로 큰 대륙으로 호주의 거의 두 배 크기이다.
면적은 14,200,000 평방 미터-5,500,000 스퀘어 마일-이다.
남극 대륙 대부분은 평균 두께가 1.9km-1.2마일-인 얼음으로 덮여 있다.

Antarctica is the fifth-largest continent being nearly twice the size of Australia and has an area of 14,200,000 km2-5,500,000 sq mi-.
Most of Antarctica is covered by ice, with an average thickness of 1.9 km-1.2 mi.

남극은 평균적으로 대륙 중 가장 춥고, 가장 건조하고, 가장 바람이 많이 부는 곳이다. 평균 고도가 가장 높다. 주로 극지방 사막으로 해안을 따라 연간 강수량이 200mm-8 인치-이다. 내륙 지역은 훨씬 적다. 세계 담수 매장량의 약 70%가 그곳에 얼어붙어 있다. 녹으면 전 세계 해수면이 60미터-200 피트-이상 상승할 것이다.

Antarctica is on average the coldest, driest and windiest of the continents and has the highest average elevation.

It is mainly a polar desert, with annual precipitation of 200 mm-8 in-along the coast and far less inland. About 70% of the world's freshwater reserves are frozen there which if melted would raise global sea levels by over 60 metres-200 ft.

남극은 지구에서 측정된 가장 낮은 온도인 -89.2°C(-128.6°F)의 기록을 보유하고 있다. 3/4 분기-연중 가장 추운 부분-의 평균 기온은 -63°C(-81°F)이다.

동물의 토착 종에는 진드기, 선충류, 펭귄, 물개 및 완보(緩步) 동물이 포함되고 있다. 식물은 툰드라로 구성되어 있다.

Antarctica holds the record for the lowest measured temperature on Earth, -89.2 °C(-128.6 °F). The average temperature for the third quarter-the coldest part of the year-is -63 °C (-81 °F). Native species of animals include mites, nematodes, penguins, seals and tardigrades. Vegetation consists of tundra.

3. <미지의 땅 남극> 사운드트랙 작곡가 니겔 웨스트레이크는 누구?

니겔 웨스트레이크 Nigel Westlake-1958년 9월 6일 출생-은 오스트리아 출신 작곡가, 뮤지션 그리고 지휘자이다.

Nigel Westlake-born 6 September 1958-is an Australian composer, musician and conductor.

웨스트레이크는 클라리넷 연주자 도날드 웨스트레이크 아들로 서 호주 퍼스에서 태어난다. 시드니 콘세르바토리움 오브 뮤직에 다녔다.

하지만 아버지와 함께 클라리넷을 공부하면서 음악 분야에서 전문적인 경력을 쌓기 위해 일찍 학교를 떠난다. 마침내 호주 영화 및 TV 학교 윌리암 모트징 교수 밑에서 공부한다. 경력 초기에는 프리랜서 연주자이자 작곡가였다.

호주 전역과 유럽 일부 지역에서 녹음 세션, 실내악 콘서트, 연극 및 발레 공연, 투어를 펼친다. 매직 푸딩 밴드 멤버였다. 하지만 나중에 새로운 호주 클래식 음악을 연주하는 음악가 그룹 오스트리아 앙상블 일원으로 초빙 된다.

Westlake was born in Perth, Western Australia, the son of clarinettist Donald Westlake. He attended the Sydney Conservatorium of Music but left the school early to pursue a professional career in music, studying clarinet with his father. Eventually, he studied at the Australian Film and Television School under William Motzing.

In the early years of his career he was a freelance performer and composer playing throughout Australia and in parts of Europe in recording sessions, chamber music concerts, theatre and ballet performances as well as tours. He was a member of the Magic Puddin Band and was later invited to be a part of the Australia Ensemble, a group of musicians that played new Australian classical music.

그는 이 기간 동안 작곡가로서 오스트리아 방송협회와 로얄 호주 해군 밴드를 포함한 그룹 의뢰로 음악을 작곡하게 된다. 그는 1989년 첫 영화 음악을 작곡한다.

나중에 오스카 상 후보에 오른 영화 〈베이브〉로 그의 음악이 널리 알려지게 된다. 그가 작곡한 다른 영화 음악으로는 〈남극 대륙〉 〈펭귄 플레이〉 〈너겟〉 〈미스 포터〉 등이 있다.

He remained a composer during this time, writing music on commission for groups including the Australian Broadcasting Corporation and the Royal Australian Navy Band. He composed his first film score in 1989 and later was widely recognized with his score for the Oscar-nominated film Babe. Other film scores he has composed include Antarctica, Penguin Play, The Nugget and Miss Potter.

그는 오스트레일리안 버투오시 오케스트라와 멜버른 심포니 오케스트라의 교향곡을 작곡한다.

He has composed symphonies for the Australian Virtuosi Orchestra and the Melbourne Symphony Orchestra.

그의 'Op. 1, 타악 4중주를 위한 Omphalo Centric Lecture'는 1984년 작곡 이후 타악기 레퍼토리에서 가장 자주 연주되는 작품 중 하나가 된다.
시드니 기반의 타악 그룹 시너지를 통해 초연된다. 1995년 마이클 아스킬이 앨범 'Onomatopoeia'에 멀티트랙 녹음을 사용하여 녹음한다.
웨스트레이크는 앨범의 첫 번째 트랙에서 동일한 기술을 사용한다.

His Op. 1, Omphalo Centric Lecture for percussion quartet, has become one of the most frequently performed works in the percussion repertoire since its composition in 1984. It was premiered by the Sydney-based percussion group Synergy. It was recorded through the use of multitrack recording by Michael Askill in 1995 on the album 'Onomatopoeia'. Westlake uses the same technique on the album's first track.

2006년, 그의 타악기 협주곡 'When the Clock Strikes Me'는 레베카 라고스와 시드니 심포니와 함께 초연된다. 2007년 새로 의뢰된 클라리넷 협주곡 'Rare Sugar'가 캐서린 맥코킬과 오스트레일리아 앙상블에 의해 초연된다.

In 2006, his Percussion Concerto When the Clock Strikes Me was premiered with Rebecca Lagos and the Sydney Symphony.
In 2007, the newly commissioned clarinet concertino 'Rare Sugar' was premiered by Catherine McCorkill and the Australia Ensemble.

4. 니겔 웨스트레이크의 주요 경력 Nigel Westlake's Career highlights

- 1983년 첫 번째 영화 음악 〈필름 오스트레일리아 Film Australia〉 작곡.
- 1997년 영화 〈베이브 2 Babe: Pig in the City〉 사운드트랙 작곡
- 1998년 〈리틀 비트 오브 소울 A Little Bit of Soul〉 사운드트랙 작곡
- 2000년 아이맥스 장편 영화 〈솔라맥스 Solarmax〉 사운드트랙 작곡
- 2001년 〈너게트 The Nuggett〉, TV 영화 〈신부의 계부(繼父) Stepfather of the Bride〉
- 2015년 〈종이 비행기 Paper Planes〉 사운드트랙 작곡
- 2017년 〈엘리의 결혼 Ali's Wedding〉 사운드트랙 작곡

5. 수상 기록

APRA-AGSC 스크린 뮤직 어워드는 APRA와 AGSC(Australian Guild of Screen Composers)가 텔레비전 및 영화 음악과 사운드트랙에 대해 수여하는 시상 제도이다.

The annual APRA-AGSC Screen Music Awards are presented by APRA and Australian Guild of Screen Composers (AGSC) for television and film scores and soundtracks.

- 2005년 〈헬 해즈 하버 뷰 Hell Has Harbour Views〉-미니 시리즈 혹은 TV

영화 부문 수상

- 2007년 〈미스 포터 Miss Potter〉-장편 영화 부문 수상
- 2007년 〈신부의 계부 Stepfather of the Bride〉-미니 시리즈 혹은 TV 영화 부문 수상

호주 출신 영화 음악 작곡가 니겔 웨스트레이크가 배경 음악 작곡을 맡은 르네 젤위거 초기 출연작 〈미스 포터〉. ⓒ Phoenix Pictures, UK Film Council, Grosvenor Park Media

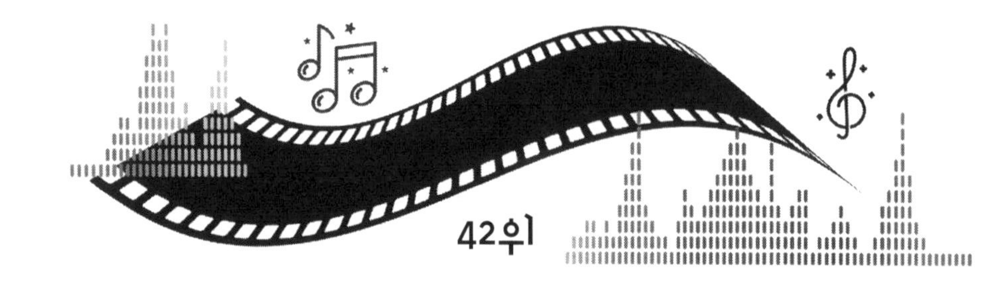

<대부 The Godfather>(1972) - 니노 로타가 펼쳐주는 갱스터 일가(一家)의 파란만장(波瀾萬丈)한 연대기(年代記)

작곡: 니노 로타 Nino Rota

프란시스 코폴라 감독의 장대한 갱스터극 〈대부〉. 니노 로타의 애조된 선율이 거친 남성들의 세계를 완화시켜주는 역할을 해낸다. Ⓒ Paramount Pictures

1. <대부> 버라이어티 평

대부 '돈' 비토 꼴레오네는 뉴욕에 있는 꼴레오네 마피아 가문의 수장(首長)이다. 딸의 결혼식에 참석하고 있다. 비토의 막내아들이자 훈장을 받은 2차 세계대전 해병 마이클도 행사에 참석한다. 마이클은 가족 사업의 일부가 되는데 관심이 없는 것 같다. 비토는 강력한 사람으로 그를 존경하는 모든 사람에게 친절하지만 존경하지 않는 사람에게는 무자비하다.

그러나 강력하고 위험한 라이벌이 마약을 팔고 싶어 하고 그에 대한 '돈'의 영향력이 필요하다. 하지만 비토는 그것을 거부한다.

The Godfather 'Don' Vito Corleone is the head of the Corleone mafia family in New York. He is at the event of his daughter's wedding. Michael, Vito's youngest son and a decorated WW II Marine is also present at the wedding.

Michael seems to be uninterested in being a part of the family business.

Vito is a powerful man and is kind to all those who give him respect but is ruthless against those who do not. But when a powerful and treacherous rival wants to sell drugs and needs the Don's influence for the same. Vito refuses to do it.

다음은 비토의 퇴색된 오래된 가치와 마이클이 가장 꺼려했던 일을 하게 만든다. 콜레오네 가족을 갈라놓을 수 있는 다른 모든 마피아 가족과 갱스터 무리들간의 전쟁을 벌이게 할 수 있는 새로운 방식 간의 충돌이다.

What follows is a clash between Vito's fading old values and the new ways which may cause Michael to do the thing he was most reluctant in doing and wage a mob war against all the other mafia families which could tear the Corleone family apart.

〈대부〉는 1972년 미국 범죄 영화. 푸조의 1969년 베스트셀러 동명 소설을 원작으로 마리오 푸조와 각본을 공동 집필한 프란시스 포드 코폴라가 감독했다.

The Godfather is a 1972 American crime film directed by Francis Ford Coppola who co wrote the screenplay with Mario Puzo based on Puzo's best-selling 1969 novel of the same name.

〈대부 3부작〉의 첫 번째 작품이다. 1945년부터 1955년까지 이어지는 이야기는 마피아 족장(族丈)비토 꼴레오네(브란도)가 이끄는 꼴레오네 가족 연대기를 보여주고 있다. 박내아들 마이클 꼴레오네(파치노)가 꺼리는 가족 외부인에서 무자비한 마피아 보스로 변하는데 초점을 맞추고 있다.

It is the first installment in The Godfather trilogy.
The story, spanning from 1945 to 1955, chronicles the Corleone family under patriarch Vito Corleone (Brando) focusing on the transformation of his youngest son Michael Corleone (Pacino) from reluctant family outsider to ruthless mafia boss.

파라마운트 픽쳐스는 인기를 얻기 전에 $80,000 가격으로 소설 판권을 획득한다. 스튜디오 경영진은 감독을 찾는 데 어려움을 겪는다.
처음 몇 명의 후보자는 코폴라가 영화감독에 서명하기 전에 직위를 거절한다.
여러 캐릭터 특히 비토와 마이클 캐스팅하는 데 의견 불일치가 뒤따랐다.

Paramount Pictures obtained the rights to the novel for the price of $80,000, before it gained popularity. Studio executives had trouble finding a director.
the first few candidates turned down the position before Coppola signed on to direct the film but disagreement followed over casting several characters, in particular Vito and Michael.

촬영은 주로 뉴욕시와 시칠리아 지역에서 진행되었다. 예정보다 일찍 완료된다. 배경 음악은 주로 니노 로타가 작곡한다. 카민 코폴라가 추가 곡을 작곡한다.

Filming took place primarily on location around New York City and in Sicily and was completed ahead of schedule. The musical score was composed principally by Nino Rota with additional pieces by Carmine Coppola.

〈대부〉는 1972년 3월 14일 로웨 주립 극장에서 초연된다. 1972년 3월 24일 미국 전역에서 개봉된다. 이 작품은 1972년 가장 높은 수익을 올린 영화가 된다. 한 때 박스 오피스에서 2억 5천만 달러에서 2억 9천 1백만 달러 사이를 벌어들인 가장 높은 수익을 올린 영화가 된다.

The Godfather premiered at the Loew's State Theatre on March 14, 1972 and was widely released in the United States on March 24, 1972.

It was the highest-grossing film of 1972 and was for a time the highest-grossing film ever made earning between $250 and $291 million at the box office.

〈대부〉. © Paramount Pictures

영화는 특히 브란도와 파치노의 연기, 감독, 각본, 촬영, 편집, 배경 음악 및 마피아 묘사에 대한 찬사와 함께 비평가와 관객들로부터 보편적인 찬사를 받아낸다.

The film received universal acclaim from critics and audiences, with praise for the performances, particularly those of Brando and Pacino, the directing, screenplay, cinematography, editing, score and portrayal of the mafia.

〈대부〉는 코폴라, 파치노 및 기타 출연진과 상대적인 신인 스태프들의 성공적인 경력을 위한 촉매제 역할을 해낸다. 영화는 또한 1960년대에 쇠퇴했던 브란도의 경력에 활력을 불어 넣는다. 그는 계속해서 〈파리에서 마지막 탱고〉 〈슈퍼맨〉 〈지옥의 묵시록〉 등과 같은 영화에서 주역을 맡게 된다.

The Godfather acted as a catalyst for the successful careers of Coppola, Pacino and other relative newcomers in the cast and crew.
The film also revitalized Brando's career which had declined in the 1960s and he went on to star in films such as Last Tango in Paris, Superman and Apocalypse Now.

〈대부〉는 특히 갱스터 장르에서 만들어진 가장 위대하고 영향력 있는 영화 중 한 편으로 널리 알려져 있다.

The Godfather has been widely regarded as one of the greatest and most influential films ever made especially in the gangster genre.

2. <대부> 사운드트랙 리뷰

코폴라는 이태리 출신 작곡가 니노 로타를 채용하여 '〈대부〉의 사랑 테마'를 포함한 영화의 배경음악을 만들어 낸다. 스코어를 위해 로타는 영화의 상황과 등장인물 등을 이해하게 된다. 로타는 영화를 위한 새로운 음악을 합성하고 1958년 〈포르투넬라 Fortunella〉 영화 음악 일부를 가져와 이태리 느낌을 만들어 영화 내에서 비극을 불러일으킨다. 파라마운트 임원 에반스가 배경 음악이 너무 '높은 수준'이라는 것을 알고 사용하고 싶지 않아 한다.
하지만 코폴라는 에반스의 동의를 얻은 후에 사용하게 된다. 코폴라는 로타의 음악 작품이 영화에 이태리 느낌을 더 많이 주었다고 믿는다.

코폴라의 부친 카민은 영화를 위한 몇 가지 추가 음악을 만들어 낸다.

특히 오프닝 결혼식 장면에서 밴드가 연주한 음악을 만든다.

Coppola hired Italian composer Nino Rota to create the underscore for the film including 'Love Theme from The Godfather' For the score, Rota was to relate to the situations and characters in the film. Rota synthesized new music for the film and took some parts from his 1958 Fortunella film score in order to create an Italian feel and evoke the tragedy within the film. Paramount executive Evans found the score to be too 'highbrow' and did not want to use it. however, it was used after Coppola managed to get Evans to agree. Coppola believed that Rota's musical piece gave the film even more of an Italian feel.

Coppola's father Carmine created some additional music for the film particularly the music played by the band during the opening wedding scene.

부수 음악에는 '피가로의 결혼 Le Nozze di Figaro' 중 'C'è la luna mezzo mare'와 체루비노의 아리아 'Non so più cosa son'이 포함된다. 1972년에는 파라마운트 레코드에서 LP 형식, 1991년에는 게펜 레코드에서 CD, 2005년 8월 18일에는 게펜에서 디지털 방식으로 사운드트랙을 출반한다.

앨범에는 영화에 사용된 31분 이상의 음악이 포함되어 있다.

대부분은 코폴라의 노래와 함께 로타가 작곡한다. 자니 파로우와 마티 시메스의 노래도 포함되어 있다. 올뮤직 AllMusic은 앨범에 별 5개 만점에 5개를 주었다.

편집자 자크 커드는 '어둡고 어렴풋하며 우아한 사운드트랙'이라고 말했다.

Incidental music includes 'C'è la luna mezzo mare' and Cherubino's aria 'Non so più cosa son' from Le Nozze di Figaro. There was a soundtrack released for the film in 1972 in vinyl form by Paramount Records, on CD in 1991 by Geffen Records and digitally by Geffen on August 18, 2005. The album contains over 31 minutes of music that was used in the film most of which was composed by Rota along with a song from Coppola and one by Johnny Farrow and Marty Symes. AllMusic gave the album five out of five stars with editor Zach Curd saying it is a 'dark, looming and elegant soundtrack'

3. <대부> 사운드트랙 해설 - 빌보드

〈대부〉는 1972년 파라마운트 레코드, 1991년에는 MCA에서 CD로 발매한 동명의 영화의 사운드트랙이다. 언급되지 않는 한, 선곡은 니노 로타가 작곡하고 카를로 사비나-LP에는 있지만 CD에는 수록되지 않음-가 지휘했다.

'I Have But One Heart'라는 노래는 영화에서 자니 폰테인 역할을 맡은 알 마티노가 불러주고 있다.

The Godfather is the soundtrack from the film of the same name released in 1972 by Paramount Records and in 1991 on compact disc by MCA. Unless noted, the cues were composed by Nino Rota and conducted by Carlo Savina-who was credited on the LP, but not the CD. The song 'I Have but One Heart' is sung by Al Martino who performed it in the film as character Johnny Fontane.

배경 음악은 아카데미상 후보에 오른다.

그러나 아카데미는 'Love Theme'이 1958년 영화 〈포르투넬라〉에서 니노 로타 음악을 다시 쓴 버전이라고 판단하여 후보 지명을 철회시킨다.

The score was nominated for an Academy Award; however, the Academy withdrew the nomination after determining that the 'Love Theme' was a rewritten version of Nino Rota's music from the 1958 film Fortunella.

필름트랙 편집자는 로타가 음악을 영화의 핵심 측면과 연결하는데 성공했다고 믿었다.

An editor for Filmtracks believed that Rota was successful in relating the music to the film's core aspects.

〈대부〉. © Paramount Pictures

4. <대부> 테마 음악 작곡 에피소드

니노 로타는 메인 테마 'Speak Softly, Love'를 포함하여 영화 배경 음악을 만들어낸다. 1971년 10월, 코폴라는 로타가 관람하고 그에 따라 배경 음악을 만들 수 있도록 영화 사본을 갖고 로마로 날아간다.

Nino Rota to create the underscore for the film, including the main theme 'Speak Softly, Love' In October 1971, Coppola flew to Rome with a copy of the film to give Rota to view and create the score accordingly.

아틀란타 저널 앤 컨스티튜션(Atlanta Journal and Constitution)의 스코트 케인(Scott Cain)은 영화가 어떻게 되든 '로타가 기여한 것만으로도 가치가 있을 것'이라며 영화 배경 음악에 대한 로타의 작업에 반응한다.

이태리 느낌을 만들고 비극적인 영화의 주제를 불러일으키기 위해 로타는 1958년 〈포르투넬라〉 영화 음악의 일부를 새로운 음악과 융합시킨다.

For the score, Rota was to relate to the situations and characters in the film. Scott Cain of The Atlanta Journal and Constitution reacted to Rota's work with the movie's score by saying that regardless of how the movie turned out. 'it will be worthwhile just for Rota's contributions' Rota synthesized new music for the film and took some parts from his 1958 Fortunella film score in order to create an Italian feel and evoke the tragic film's themes.

로타는 또한 장 시벨리우스의 '교향곡 1번' 오프닝 멜로디에서 'Main Theme'-대부 왈츠를 기반으로 했다.
코폴라는 로타 음악이 영화에 이태리 느낌을 더 많이 주었다고 믿었다.

Rota also based the piece Main Theme-The Godfather Waltz-off the opening melody of Jean Sibelius Symphony No. 1. Coppola believed that Rota's musical piece gave the film even more of an Italian feel.

앨범에는 영화에서 가져 온 31분 이상의 음악이 포함되어 있다.
대부분은 로타가 작곡하고 자니 패로우와 마티 시메즈가 한 곡을 작곡한다.

The album contains over 31 minutes of music coming from the film, with most being composed by Rota, along with a song from and one by Johnny Farrow and Marty Symes.

사운드트랙은 음악 평론가들로부터 좋은 평가를 받는다. UPI의 윌리암 D. 래플러는 'Main Title이 과거에 대한 향수를 가열시켜 주고 불길한 근본적인 주제를 불러일으키는 잊혀지지 않는 음악'이라고 썼다. 플레이하고 달력 연도에 가장 많이 판매되는 제품 중 하나가 될 것이라고 예측해 준다.
데일리 뉴스-포스트의 윌리암 J. 크니틀 주니어는 로타의 타이틀 테마가 '대부가 완벽한 미국 영화에 가까운 이유'라고 평한다.

The soundtrack was well received by music critics. The United Press International's William D. Laffler wrote that the 'Main Title was a haunting piece of music which generates nostalgic longing for things past and a foreboding underlying theme'

He felt that the soundtrack grows on the listener with each play and predicted it would become one of the biggest sellers in the calendar year.

William J. Knittle Jr. of the Daily News-Post felt Rota's titular theme was why The Godfather was close to being the perfect American film.

그는 로타가 '평소의 무성한 현악기 연주'에서 벗어났다고 말한다.

그는 음악이 '의미 있고 참여적(參與的)'이라고 느꼈다. 하지만 첼로와 코넷 솔로의 사용은 콜레오네 가족의 고립과 절연(絶緣)을 보여 주었다. 그는 음악이 이태리의 영향을 받았고 자연스럽게 발전했다'고 말하면서 마무리한다

저널 앤 쿠리에의 버나드 드류는 '로타의 음악이 잊혀지지 않고 갭을 메우고 상황이 어땠는지 상기시켜 주는 역할을 했다고 느꼈다'고 언급했다.

He continued by stating Rota broke from his 'usual lush string tour de force'

He felt the music was 'meaningful and involving' while the use of cello and cornet solos demonstrated the isolation and insulation of the Corleone family.

He closed by saying the music showed Italian influence and had a natural progression. The Journal and Courier's Bernard Drew felt Rota's musical pieces were haunting and 'bridged gaps and served as a reminder of how things were'

테네시안의 해리 하운은 '로타의 배경 음악을 나쁜 것으로 묘사했다. 하지만 영화 속도와 잘 맞는다고 느꼈다.

타임지에 글을 쓴 피터 바소치니는 〈대부〉 사운드트랙이 독자적으로 설 수 있다고 썼다. 그는 사운드트랙이 '매우 인상적'이며 영화가 설정된 기간과 함께 유지되었다고 설명했다.

Harry Haun of The Tennessean described Rota's score as 'baleful' but felt it kept

〈대부〉. © Paramount Pictures

with the pace of the movie well. Peter Barsocchini who wrote for The Times wrote that The Godfather soundtrack was able to stand on its own.

He elaborated on the soundtrack stating it was 'extremely evocative' and that it kept with the time period the movie was set.

그는 사운드트랙이 '풍부하고 흥미롭고, 한 컷-알 마티노의 보컬-을 제외하고는 전혀 타이핑 되지 않았다'고 말했다. 그는 'Main Title이 앨범에서 최고의 트랙이라고 느꼈다. 왜냐하면 '오싹하면서도 애절하면서도 향수를 불러일으키지만 대부의 인간미를 불러일으키며 무자비한 괴물이 아닌 남자의 이미지를 선사하는 화려한 구성이 있기 때문이다'라고 언급했다.

He did state that the soundtrack was 'rich and interesting, without, except for one cut-the vocal by Al Martino-being at all typed'

He felt the 'Main Title was the best track on the album because. It is at once chilling and plaintive and nostalgic but it also evokes the humanity of The Godfather gives the image of a man instead of a ruthless monster which is a brilliant composition'

바소치니는 'Halls of Fear'가 공포 개념을 멜로드라마틱 한 방식으로 잘 탐구했다'고 썼다. 그는 영화에 관심이 없더라도 관심을 가질 만한 가치 있는 앨범이라고 말하면서 앨범을 요약해 주었다.

디트로이트 프리 프레스(Detroit Free Press)의 밥 탈버트(Bob Talbert)는 로타의 배경 음악을 '정확하게 들어맞는다'고 하면서 '1940년대 느낌과 말론 브란도의 힘을 포착했다'고 평가했다.

Barsocchini wrote that 'The Halls of Fear' explored the concept of fear well in an a-melodramatic way. He summed up the album by stating it was worthy of one's attention even if not interested in the film.

Detroit Free Press's Bob Talbert described Rota's score as 'right on the money' and 'captured the feel of the 40s and the power of Marlon Brando'

그는 일반적으로 영화에서 사용된 악기가 브란도와 알 파치노의 강도와 일치한다고 언급한다. 그는 또한 마티노를 '얇게 위장한 프랭크 시나트라'로 묘사했다.

He generally commented that the instruments used in the movie matched the intensity of Brando and Al Pacino.

He also described Martino as 'a thinly disguised Frank Sinatra'

1972년 4월까지 니노 로타 음악이 29개 녹음되어 시장에 출반된다.

특히 녹음된 곡은 'The Godfather Waltz' 'Speak Softly Love' 'Love Theme from Godfather'였다.

해가 거듭될수록 더 많은 음반이 시장에 출시될 것으로 예상되었다.

There were 29 recordings of Nino Rota's music on the market by April 1972 specifically the songs recorded were 'The Godfather Waltz' 'Speak Softly Love' and 'Love Theme from The Godfather'

It was expected more recordings would be hitting the market as the year went on.

Track listing

1. Main Title-The Godfather Waltz
2. I Have But One Heart by Johnny Farrow, Marty Symes
3. The Pickup

4. Connie's Wedding by Carmine Coppola
5. The Halls of Fear
6. Sicilian Pastorale
7. Love Theme from The Godfather
8. The Godfather Waltz
9. Apollonia
10. The New Godfather
11. The Baptism
12. The Godfather Finale

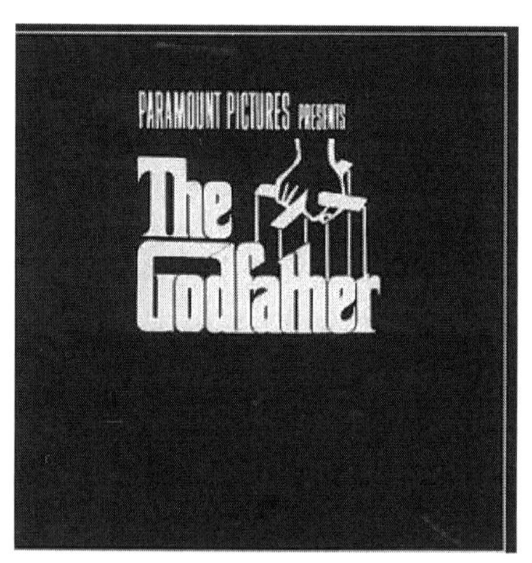

〈대부〉 사운드트랙. © Paramount, MCA

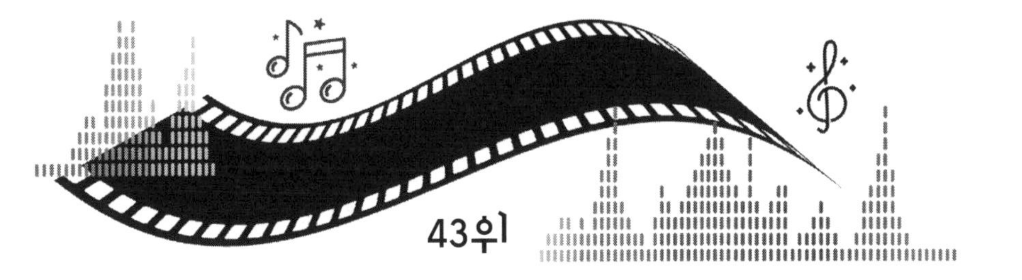

<와호장룡 Crouching Tiger, Hidden Dragon>(2000) - 중국 전통 가락을 담아 묘사한 무림(武林) 세계의 치열한 암투(暗鬪)

작곡: 탄 둔 Tan Dun

대만 출신 이 안 감독의 SF를 보는 듯한 현란한 무협 극 〈와호장룡〉. © Sony Pictures Classics, Columbia TriStar Film Distributors International

1. <와호장룡> 버라이어티 평

젊은 중국 전사(戰士)는 유명한 검사의 검을 훔친 다음 나라의 국경에서 신비한 남자와 함께 낭만적 모험의 세계로 탈출하게 된다.

A young Chinese warrior steals a sword from a famed swordsman and then escapes into a world of romantic adventure with a mysterious man in the frontier of the nation.

19세기 초 중국, 청나라 말기, 깨달음을 갈망하는 유명한 검사 리 무 바이는 전설적인 청 명 검(清 明 檢)인 예리한 400년 된 영웅의 칼을 포기하기로 결정한다.

In early nineteenth-century China, in the waning years of the Qing dynasty, the renowned swordsman who yearns for enlightenment, Li Mu Bai, decides to give up his legendary Green Destiny sword: the sharp four-hundred-year-old blade of heroes.

피로 물든 경력의 끝을 알리기 위해 리는 뛰어난 여전사 유 수련에게 귀중한 무기를 맡겨 유 총독에게 전달한다. 그러나 일단 거기에 가면 대담하고 민첩한 가면을 쓴 도둑이 그것을 훔친다. 수련은 숙련된 강도(强盜)의 뒤를 따라 뜨겁게 짝사랑을 하게 된다. 열렬한 열정; 자유에 대한 정복할 수 없는 욕망과 쓰라린 느슨한 끝이 가로막고 있다. 무 바이는 폭력적인 과거를 떨쳐낼 수 있을까?

To mark the end of a blood-stained career, Li entrusts the excellent female warrior, Yu Shu Lien, with the precious weapon to deliver it to Governor Yu: however, once there, an audacious and nimble masked thief manages to steal it.

As Shu Lien is hot on the trail of the skilled burglar, unrequited loves; fervent passions; an unconquerable desire for freedom and bitter loose ends stand in the way. Can Mu Bai shake off his violent past?

〈와호장룡〉은 이 안이 감독하고 왕 휘-링, 제임스 샤머스 및 쿠오 정 타이가 집필한 2000년 무사 영화이다. 왕 두루가 1941년에서 1942년 사이 연재한 동명의 중국 소설을 원작으로 한 작품이다.

'학 철 5개 일조(鶴鐵 5個 一組) Crane Iron pentalogy' 4번째 에피소드다.

Crouching Tiger, Hidden Dragon is a 2000 wuxia film directed by Ang Lee and written by Wang Hui-ling, James Schamus and Kuo Jung Tsai. It is based on the Chinese novel of the same name serialized between 1941 and 1942 by Wang Dulu,

the fourth part of his Crane Iron pentalogy.

다국적 벤처인 영화는 1,700만 달러의 예산으로 제작되었다.

아시안 유니온 필름 & 엔터테인먼트에서 제작했다.

A multinational venture, the film was made on a US$ 17 million budget and was produced by Asian Union Film & Entertainment.

다양한 시장에서 자막이 제공되는 북경어 대화와 함께 〈와호장룡〉은 전 세계적으로 2억 1,350만 달러의 수익을 올리며 놀라운 국제적 성공을 거둔다.

미국에서 1억 2,800만 달러를 벌어들여 미국 역사상 해외에서 제작된 외국어 영화 중 가장 높은 수익을 올린다.

With dialogue in Mandarin subtitled for various markets, Crouching Tiger, Hidden Dragon became a surprise international success, grossing $213.5 million worldwide.

It grossed US$128 million in the United States, becoming the highest-grossing foreign-language film produced overseas in American history.

영화는 미국에서 1억 달러-5,100만 파운드-를 돌파한 최초의 외국어 영화-북경어로 촬영-가 된다.

The film was the first foreign-language movie-it was filmed in Mandarin Chinese-to break the $100 million (£51 million) mark in USA.

영화는 2000년 5월 18일 칸 영화제에서 초연된다. 12월 8일 미국에서 극장 개봉된다. 압도적인 비평 및 상업적 성공으로 〈와호장룡〉은 40개 이상의 상을 수상한다. 2001년 최우수 작품상을 포함하여 10개의 아카데미상 후보에 오른다. 최우수 외국어 영화상, 최우수 예술 감독상, 최우수 작곡상 및 최우수 촬영상을 수상한다. 2018년 〈로마〉가 이 기록을 동률로 만들기 전까지 당시 비영어권 영화로는 가장 많은 후보에 오른다.

The film premiered at the Cannes Film Festival on 18 May 2000 and was theatrically released in the United States on 8 December.

An overwhelming critical and commercial success Crouching Tiger, Hidden Dragon won over 40 awards and was nominated for 10 Academy Awards in 2001 including Best Picture and won Best Foreign Language Film, Best Art Direction, Best Original Score and Best Cinematography receiving the most nominations ever for a non-English language film at the time until 2018's Roma tied this record.

〈와호장룡〉. © Sony Pictures Classics, Columbia TriStar Film Distributors International

수상 성공과 함께 〈와호장룡〉은 가장 위대하고 가장 영향력 있는 무사(武士) 영화 중 한 편으로 계속 환영받고 있다.

영화는 스토리, 연출, 촬영 및 무술 시퀀스에 대한 찬사를 받는다.

Along with its awards success, Crouching Tiger continues to be hailed as one of the greatest and most influential wuxia films. The film has been praised for its story, direction, cinematography and martial arts sequences.

2. <와호장룡> 사운드트랙 리뷰

이 배경 음악은 원래 상하이 심포니 오케스트라, 상하이 국립 오케스트라, 상하이 타악 앙상블이 연주하고 탄 둔이 작곡한다. 또한 요-요 마가 연주하는 첼로를 위한 솔로 악절도 많이 있다. '마지막 트랙'-'A Love Before Time'은 나중에 아카데미 시상식에서 공연한 코코 리가 피처링 하고 있다.

전체 영화 음악은 2주 만에 제작 되었다.

The score was composed by Tan Dun, originally performed by Shanghai Symphony Orchestra, Shanghai National Orchestra and Shanghai Percussion Ensemble. It also features many solo passages for cello played by Yo-Yo Ma. The 'last track'-'A Love Before Time' features Coco Lee who later performed it at the Academy Awards.

The music for the entire film was produced in two weeks.

3. <와호장룡> 사운드트랙 해설 - 빌보드

탄 둔(Tan Dun)과 이 안(Ang Lee)의 개별 작업은 동양과 서양 문화의 만남, 그리고 그 결과 더 이상 완전히 동양이나 서양이 아닌 매혹적인 혼합에 초점을 맞추고 있다. 탄 둔의 4개의 관현악 극장 작품은 고전 서양 오케스트라가 고전적이지도 서양적이지도 않은 음악을 생성할 수 있는 방법을 탐구하고 있다.

마찬가지로 그는 중국 오페라, 아시아 연극, 고대 의식의 전통과 영화 및 라이브 비디오의 추가를 통해 서양 콘서트 경험을 다시 상상하고 활력을 불어넣으려 했다. 이 안 감독의 초기작인 〈쿵후 선생〉 〈결혼 피로연〉 〈음식 남녀〉 역시 동시대 서양 문화의 영향 아래 살고 있는 아시아 가족에 대한 인간 관심 드라마에서 동양과 서양의 혼합을 탐구해 주고 있다.

Tan Dun's and Ang Lee's individual bodies of work have focused on the meeting of the cultures of East and West and the fascinating hybrid that results something no longer wholly Eastern or Western.

Tan Dun's four Orchestral Theater works explored the ways in which a classical Western orchestra can generate music that is neither classical nor Western. He has likewise sought to re-imagine and re-invigorate the Western concert experience through the integration of traditions from Chinese opera, Asian theater, ancient ritual and the addition of film and live video. Ang Lee's earlier films Pushing Hands, The Wedding Banquet and Eat Drink Man Woman have likewise explored the mingling of East and West in human interest dramas about Asian families living under the influences of contemporary Western culture.

탄 둔의 관현악극 시리즈처럼 이 영화들은 문화, 전통, 세대가 교차하여 탄생하는 것에 초점을 맞추고 있다. 그의 영화에 사용할 배경 음악을 개발하는 과정에서 이 안 감독은 두 음악 전통을 혼합하여 현대적인 사운드를 만드는 데 능숙한 혁신적인 작곡가를 찾게 된다. 따라서 탄 둔과 이 안 감독의 작업이 이미지를 수반하는 음악의 형식뿐만 아니라, 이미지가 음악을 수반하는 작품으로 뭉쳐야 하는 것은 자연스러운 전개로 보인다.

Like Tan Dun's Orchestral Theater series, these films focus on that which is born of the cross-fertilization of cultures, traditions and generations.

In developing the musical scores to accompany his films, Lee has sought out innovative composers who are adept at creating a contemporary sound in the blending of these two musical traditions. It thus seems a natural progression that Tan Dun's and Ang Lee's work should come together not only in the format of music accompanying images but also as a work in which images accompany music.

'The Crouching Tiger Concerto for cello and chamber orchestra'는 아카데미상을 수상한 이 안 감독의 〈와호장룡〉을 위한 탄 둔의 콘서트 작품이다. 깊은 은유적 메시지가 담긴 서부 로맨스와 함께 무협 영화의 전형적인 아시아 장르에 합류한 영화다.

The Crouching Tiger Concerto for cello and chamber orchestra is a concert work based on Tan's Oscar-winning score for Lee's Oscar-winning film Crouching Tiger, Hidden Dragon a film which joins the quintessential Asian genre of martial arts cinema with the drama of a western romance with a deep metaphorical message.

협주곡은 오케스트라 악장을 연결하는 첼로 카덴차와 함께 6악장으로 되어

〈와호장룡〉. © Sony Pictures Classics, Columbia TriStar Film Distributors International

있다. 오케스트라의 각 악장에는 이 안과 제임스 샤머스가 만든 비디오 영상이 동반되고 있다.

The concerto is in six movements with cello cadenzas connecting the orchestral movements. Each of the orchestral movements are accompanied by video footage created by Ang Lee and James Schamus.

많은 콘서트 작품이 영화 음악으로 개발된다. 하지만 이 협주곡은 협업/ 창의적인 과정을 전체 순환시킨다는 점에서 독특하다. 영화 감상과 극적인 경험을 강화하고 보완하기 위해 쓰여 진 탄의 영화 스코어는 영화의 시적 이미지, 복잡한 감정, 이국적인 풍경에 깊은 영향을 받는다.

이 협주곡을 제작할 때 영화 제작자는 탄의 연상시키는 음악이 콘서트 감상 경험을 동반하고 향상시키기 위해 이미지 재구성에 영감을 준 작곡가 의자에 앉았다. 리와 샤머스는 이러한 비디오 이미지를 음악에 부차적인 것으로 간주하며 협주곡에 어떤 내러티브도 전달하지 않고 있다.

Although numerous concert works have been developed from film scores, this concerto is unique in that it brings the collaborative/ creative process full circle. Tan's film score written to strengthen and complement the viewing and dramatic experience of the film was profoundly influenced by the film's poetic imagery, complex emotions and exotic landscapes. In the creation of this concerto, the filmmakers were put into the composer's chair where Tan's evocative music inspired the reshaping of their images to accompany and enhance the concert listening experience.

Lee and Schamus consider these video images as secondary to the music and they are not meant to impart any narrative to the concerto.

협주곡의 비디오 부분은 〈와호장룡〉을 만드는 동안 전적으로 제작된 자료로 만들어졌다. 한 가지 예외는 1 악장에서 새로 촬영된 뉴욕시 디지털 비디오로, 기존의 컴퓨터로 생성된 스케치와 신화적인 구 현대 베이징의 모형과 얽혀 있다.

The concerto's video segments are created from material produced entirely during the making of Crouching Tiger, Hidden Dragon.
The one exception is newly filmed digital video of New York City in the first movement which is interwoven with pre-existing computer-generated sketches and mock-ups of a mythical old and contemporary Beijing.

베이징 이미지-세계적으로 유명한 효과 회사 맨넥스 엔터테인먼트와 함께 제작-와 뉴욕시가 혼합된 것은 리 감독과 샤머스에게 탄 둔 음악에서 발견되는 옛 것과 새 것, 동양과 서양 등의 유사한 다면적 아이디어를 나타내고 있다.

This intermingling of the Beijing imagery-created with the world-renowned effects house Mannex Entertainment-and New York City represents for Lee and Schamus multi faceted ideas akin to those found in Tan Dun's music: old and new, East and West.

이어지는 움직임은 중국 남부의 대나무 숲에 대한 꿈같은 비전을 제공하고 있다. 경외심을 불러일으키는 고비 사막과 타클리마칸 고원의 추상적인 풍경; 그녀의 서재에서 어린 소녀에 대한 친밀한 베르메르식 관찰과 그녀의 서예의 시적 우아함; 첼로 위의 요-요 마 손가락의 우아한 움직임을 통해 움직이는 중국 전사; 그리고 마지막으로 영화 제작자의 눈을 통해 제작 작업과 결과적으로 〈와호장룡〉의 시그니처 이미지의 초월을 살펴보게 된다.

The subsequent movements offer dream-like visions of the bamboo forest of Southern China; abstracted landscapes of the awe-inspiring Gobi Desert and Taklimakan Plateau; an intimate Vermeer-like observation of a young girl in her study and the poetic grace of her calligraphy; a Chinese warrior moving through the elegant movement of Yo-Yo Ma's fingers on the cello and finally, a look through the film-maker's eyes at the production work and resulting transcendence of the signature image of Crouching Tiger, Hidden Dragon a breathtaking leap off a mountain bridge into the mists of eternity.

'The Crouching Tiger Concerto'는 실크로드의 역사적 문화에 대한 탄둔의 현재 관심을 잘 반영하고 있다.

영화 악보와 협주곡에는 중국 신장(新疆) 성의 실크로드(Silk Road)를 따라 뒤섞인 문화 고유의 악기, 연주 기법과 표현, 멜로디가 짜여져 있다.

특히 흥미로운 것은 이 지역의 민요인 3번째 카덴차의 첼로 선율이다.

The Crouching Tiger Concerto is highly reflective of Tan Dun's current interest in the historical cultures of the Silk Road. Woven into the film score and concerto are instruments, their performing techniques and articulations and melodies native to the cultures which intermingled along the Silk Road in China's Xinjiang province.

Of particular interest is the cello melody in the third cadenza which is a folk song from this region.

이러한 실크로드 문화 고유의 협주곡에서 들리는 악기는 타르-북 아프리카 틀 북-와 바우-동남아시아에서 중국으로 들어 온 대나무, 구리 갈대 피리-이다.

Instruments heard in the concerto which are indigenous to these Silk Road cultures are the tar-a North African frame drum-and the bawu-a bamboo, copper reed flute which came into China from Southeast Asia.

라왑-타클리마칸 지역의 위가르 문화 고유의 고음 현악기-은 영화 배경 음악에서 두드러지고 있다. 그리고 첼로와 오케스트라에 전사(轉寫) 된 멜로디와 조음으로 협주곡에서 표현되고 있다.

The rawap-a high-pitched, plucked string instrument native to the Uygar culture of the Taklimakan area-is prominent in the film score and represented in the concerto in melodies and articulations transcribed to the cello and the orchestra.

〈와호장룡〉. © Sony Pictures Classics, Columbia TriStar Film Distributors International

얼후-인도에 뿌리를 둔 중국 현악기-는 첼로 선율과 카덴차에서 요구되는 선율적 윤곽과 울림으로 협주곡 전체에 걸쳐 불러일으키게 된다.

실크로드 문화의 추가 악기는 탄이 이 서양 오케스트라 작곡을 통해 만든 제스처와 음색에서 들을 수 있다.

The erhu-a Chinese bowed string instrument which has its roots in India-is evoked throughout the concerto in the melodic contours and sonorities called for in the cello's melodies and cadenzas.

Additional instruments from Silk Road cultures can be heard throughout in the gestures and timbres that Tan crafted into the scoring of this Western orchestra.

'The Crouching Tiger Concerto'는 요-요 마를 위해 작곡되고 영감을 받았다. 이 곡은 2000년 9월 30일 런던 바비칸 센터 페스티벌 Barbican Center Festival: Fire Cross Water을 통해 세계 초연이 된다.

탄 툰이 예술 감독을 맡았다.

The Crouching Tiger Concerto was written for and inspired by Yo-Yo Ma.

The work received its world premiere in September 30, 2000, at London's Barbican Centre Festival: Fire Cross Water of which Tan Dun was artistic director.

Track listing

1. Crouching Tiger, Hidden Dragon
2. The Eternal Vow
3. A Wedding Interrupted
4. Night Fight
5. Silk Road
6. To the South
7. Through the Bamboo Forest
8. The Encounter
9. Desert Capriccio
10. In the Old Temple
11. Yearning of the Sword
12. Sorrow
13. Farewell
14. A Love Before Time (English)
15. A Love Before Time (Mandarin)
16. Green Destiny (Love Theme)

〈와호장룡〉 사운드트랙. © Sony Classical

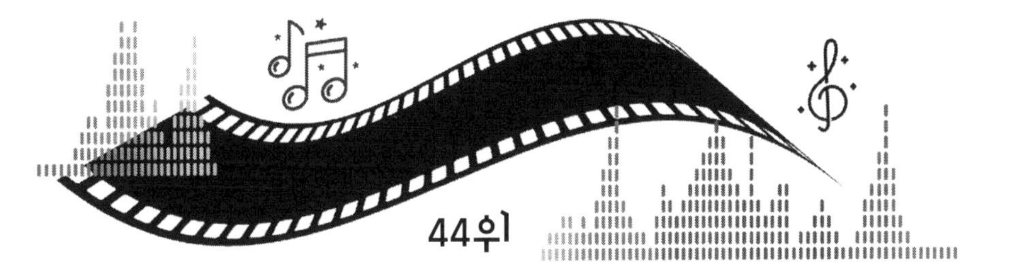

44위

<디어 헌터 The Deer Hunter>(1978) - 베트남 전장(戰場)터에서 울려오는 처연한 기타 선율 'Cavatina'

작곡: 스탠리 마이어스 Stanley Myers

마이클 치미노 감독의 〈디어 헌터〉. 스탠리 마이어스가 들려 주는 애조 띈 'Cavatina'가 전쟁의 비극을 새삼 반추시켜 주었다. © Universal Pictures, EMI Films

1. <디어 헌터> 버라이어티 평

베트남 전쟁이 펜실베니아의 작은 제철소 마을에서 여러 친구의 삶에 영향을 미치고 혼란을 일으키는 방식에 대한 심층 조사

An in-depth examination of the ways in which the Vietnam War impacts and disrupts the lives of several friends in a small steel mill town in Pennsylvania.

마이클(로버트 드 니로), 스티븐(존 새비지), 닉(크리스토퍼 월켄) 등은 사슴 사냥을 자주 가는 가장 친한 친구 3명. 이 남자들은 조국을 위해 싸우기 위해 베트남으로 향한다. 송별회를 축하하기 위해 입대하고 스티븐은 '안젤라(메릴 스트립)'라는 이름의 임산부와 결혼한다.

Michael, Steven and Nicky are 3 best friends who enjoy going deer hunting quite often. These men get enlisted to head to Vietnam to fight for their country and celebrate with a farewell party as well as Steven marrying a pregnant woman named 'Angela'

전쟁 중 공포와 이 남자들이 강제로 놀이를 하게 된 러시안 룰렛 게임 이후, 마이클은 집으로 돌아와서 전쟁 때문에 사슴 사냥이 예전과 같지 않다는 것을 깨닫는다. 결국 그는 스티븐이 장애인이 됐고 닉이 베트남에서 돌아오지 않았다는 사실을 알게 된다. 마이클은 닉을 구하기 위해 베트남으로 되돌아간다.

After the horrors during the war and edge-grabbing games of Russian Roulette that these men are forced to play Michael returns home and realizes that his deer hunting outings aren't the same as they used to be because of the war and he eventually finds out that Steven is handicapped and Nicky hasn't returned from Vietnam and in response. he heads back to Vietnam to rescue him.

〈디어 헌터〉는 1978년 미국의 서사 전쟁 드라마 영화.

마이클 치미노가 공동 집필하고 감독한 슬라브계 미국인 3명의 철강 노동자가 베트남 전쟁에서 싸운 후 삶이 완전히 바뀌게 된다.

3명의 군인은 로버트 드 니로, 크리스토퍼 월켄, 존 새비지가 연기하고 존 카잘(스탠 역)-연기 생활 마지막 역할-등이 연기하고 있다.

The Deer Hunter is a 1978 American epic war drama film co-written and directed by Michael Cimino about a trio of Slavic-American steelworkers whose lives were changed forever after fighting in the Vietnam War.

The three soldiers are played by Robert De Niro, Christopher Walken and John Savage, with John Cazale-in his final role.

이야기는 펜실베니아 주 클레어턴, 피츠버그 남쪽 모농가헬라 강변 노동 계급 마을과 베트남을 배경으로 하고 있다.

The story takes place in Clairton, Pennsylvania, a working-class town on the Monongahela River south of Pittsburgh and in Vietnam.

영화는 루이스 A. 가핀클과 퀸 K. 레더커가 라스 베가스와 러시안 룰렛에 대해 쓴 '놀러 온 남자 The Man Who Came to Play'라는 미 제작 시나리오를 부분적으로 토대를 삼았다. 대본을 구입한 프로듀서 마이클 디리는 작가이자 감독 마이클 치미노를 고용했다. 그는 데릭 워시번과 함께 대본을 다시 작성하여 러시안 룰렛 요소를 가져와 베트남 전쟁에 삽입하게 된다.

The film was based in part on an unproduced screenplay called The Man Who Came to Play by Louis A. Garfinkle and Quinn K. Redeker about Las Vegas and Russian roulette. Producer Michael Deeley who bought the script hired writer/ director Michael Cimino who with Deric Washburn rewrote the script taking the Russian roulette element and placing it in the Vietnam War.

영화는 예산을 초과하고 일정이 초과되어 결국 1,500만 달러의 비용이 투입된다. 러시안 룰렛을 묘사한 장면은 영화 개봉 후 큰 논란이 된다.

The film went over-budget and over-schedule, and ended up costing $15 million. The scenes depicting Russian roulette were highly controversial after the film's release.

〈디어 헌터〉. © Universal Pictures, EMI Films

영화는 치미노의 연출력, 출연진-특히 드 니로, 월켄, 자칼, 스트립-등의 연기, 각본, 사실적인 주제와 음색, 촬영법에 대한 찬사를 통해 비평가와 관객들로부터 찬사를 받아낸다. 4,900만 달러의 흥행 수익을 올리며 흥행에도 성공한다.

The film received acclaim from critics and audiences with praise for Cimino's direction, the performances of its cast-particularly from De Niro, Walken, Cazale and Streep-and its screenplay, realistic themes and tones and cinematography. It was also successful at the box office grossing $49 million.

제51회 아카데미 시상식에서 9개의 아카데미상 후보에 오른다. 작품상, 감독상 치미노, 월켄이 조연 남우상, 음향상, 편집상 등 5개 부문을 수상한다.

At the 51st Academy Awards, it was nominated for nine Academy Awards and won five: Best Picture, Best Director for Cimino, Best Supporting Actor for Walken, Best Sound and Best Film Editing.

영화는 AFI의 100년…100 영화 목록의 10주년 기념 판에서 2007년 미국 영화 연구소(American Film Institute)가 선정한 역대 최고의 미국 영화 53위에 오르는 등 최고의 영화 목록에 포함 된다.

It has been featured on lists of the best films ever made such as being named the 53rd-greatest American film of all time by the American Film Institute in 2007 in their 10th Anniversary Edition of the AFI's 100 Years...100 Movies list.

2. <디어 헌터> 사운드트랙 선곡 리뷰

〈디어 헌터〉 사운드트랙은 1990년 10월 25일 오디오 CD로 발매된다.

The soundtrack to The Deer Hunter was released on audio CD on October 25, 1990.

- 스탠리 마이어스 작곡의 '카바티나' Stanley Myers's 'Cavatina'/ also known as 'He Was Beautiful' 클래식 기타리스트 존 윌리암스가 연주한 이 곡은 일반적으로 'The Theme from Deer Hunter'로 알려져 있다.

제작자 디리에 따르면, 그는 이 작품이 원래 〈워킹 스틱 The Walking Stick〉(1970)이라는 영화를 위해 작성되었으며 결과적으로 원래 구매자에게 공개되지 않은 금액을 지불해야 한다는 것을 발견했다고 한다.

performed by classical guitarist John Williams is commonly known as 'The Theme from The Deer Hunter' According to producer Deeley, he discovered that the piece was originally written for a film called The Walking Stick (1970) and as a result had to pay the original purchaser an undisclosed sum.

- 'Can't Take My Eyes Off You'

프랭키 밸리가 부른 1967년의 히트곡.

이 노래는 결혼식 피로연에서 존의 바에서 연주되고 있으며 모든 친구들이 따라 부르고 있다. 치미노에 따르면 배우들은 표준 영화 제작 관행인 비트 트랙에 따라 부르는 대신 노래가 재생될 때 녹음에 따라 불렀다고 한다. 치미노는 노래를 따라 부르는 것이 더 사실적으로 보일 것이라고 느꼈다고 한다.

a 1967 hit song, sung by Frankie Valli. It is played in John's bar when all of the friends sing along and at the wedding reception.

According to Cimino, the actors sang along to a recording of the song as it was played instead of singing to a beat track, a standard filmmaking practice.

Cimino felt that would make the sing a long seem more real.

- 'God Bless America'

모든 등장인물들이 모여 'God Bless America'를 불러 주는 마지막 장면은 개봉 당시 비평가들 사이에서 뜨거운 논쟁거리가 됐다.

그것은 이 결론이 '애국심에 대한 비판이나 애국심에 대한 찬사'로서 아이러니하게 의미가 있는지 없는지에 대한 질문을 제기했기 때문이다.

The final scene in which all the main characters gather and sing 'God Bless America' became a subject of heated debate among critics when the film was released.

It raised the question of whether this conclusion was meant ironically or not 'as a critique of patriotism or a paean to it'

- 결혼식과 파티 장에서는 'Slava'와 같은 동방 정교회(東方 正教會) 노래와 'Korobushka' 'Katyusha' 등과 같은 러시아 민요가 연주되고 있다.

During the wedding ceremonies and party, the Eastern Orthodox Church songs such as 'Slava' and Russian folk songs such as 'Korobushka' and 'Katyusha' are played.

- 미하일 그린카의 'Kamarinskaya'의 마지막 소절(小節)이 남자들이 산을 통과할 때 짧게 들려오고 있다. 또한 마이클이 사슴을 쏘려고 하는 두 번째 사냥에서 같은 작품의 오프닝 부분의 일부가 들려오고 있다.

The final passage from Kamarinskaya by Mikhail Glinka is heard briefly when the men are driving through the mountains. Also, a part of the opening section of the same work is heard during the second hunt when Michael is about to shoot the stag.

〈디어 헌터〉. © Universal Pictures, EMI Films

- 러시아 정교회 장례식 음악은 닉의 장례식 장면에서도 또한 사용되고 있다. 대체로 '영원한 기억'을 의미하는 'Vechnaya Pamyat'이다.

Russian Orthodox funeral music is also employed during Nicks funeral scene mainly 'Vechnaya Pamyat' which means 'eternal memory'

3. <디어 헌터> 사운드 효과의 특징

〈디어 헌터〉는 돌비 Dolby 노이즈 감소 시스템을 사용한 치미노의 첫 번째 영화였다. 치미노는 '돌비가 하는 일은 사운드의 디테일 밀도를 생성하는 기능을 제공하는 것이다. 따라서 관객과 영화를 분리하는 벽을 허물 수 있다'고 풀이해 주었다.

The Deer Hunter was Cimino's first film to use Dolby noise reduction system. 'What Dolby does' replied Cimino 'is to give you the ability to create a density of detail of sound a richness so you can demolish the wall separating the viewer from the film'

'화면을 거의 부숴버릴 수 있다. 사운드트랙을 믹싱하는데 5개월이 걸렸다. 하나의 짧은 전투 시퀀스-최종 컷에서 200피트 필름-를 더빙하는데 5일이 걸렸다.'

'You can come close to demolishing the screen.
It took five months to mix the soundtrack. One short battle sequence 200 feet of film in the final cut took five days to dub'

또 다른 시퀀스는 1975년 사이공의 미국인 철수를 재현했다.
치미노는 영화 작곡가 스탠리 마이어스를 현장으로 데려가 시퀀스가 촬영되는 동안 자동차, 탱크, 지프 경적 소리를 듣게 했다.

Another sequence recreated the 1975 American evacuation of Saigon.

Cimino brought the film's composer Stanley Myers out to the location to listen to the auto, tank and jeep horns as the sequence was being photographed.

이 결과에 따르면 치미노와 마이어스는 경적 소리와 같은 키 key로 해당 장면의 음악을 작곡했다. 그래서 음악과 음향 효과가 이미지와 혼합되어 하나의 거슬리고 황량한 경험을 만들어냈다고 한다.

The result, according to Cimino: Myers composed the music for that scene in the same key as the horn sounds so the music and the sound effects would blend with the images to create one jarring, desolate experience.

4. 'Cavatina'는 무슨 곡?

'Cavatina'는 영국 작곡가 스탠리 마이어스가 영화 〈워킹 스틱 The Walking Stick〉(1970)을 위해 작곡한 1970년 클래식 기타 곡이다. 약 8년 후 〈디어 헌터 The Deer Hunter〉의 주제로 대중화 되었다. 이태리 음악 용어 'cavatina'는 단순하고 선율적인 분위기에 자주 적용되고 있다.

'Cavatina' is a 1970 classical guitar piece by British composer Stanley Myers written for the film The Walking Stick (1970) and popularised as the theme from The Deer Hunter some eight years later.

The Italian musical term cavatina is frequently applied to any simple, melodious air.

이 곡은 1969년 런던 올림픽 사운드 스튜디오에서 클래식 기타리스트 존 윌리암스에 의해 영화가 유명해 지기 훨씬 이전에 녹음되었다. 원래 피아노 용으로 작곡 되었다. 하지만 윌리암스의 초대로 마이어스가 기타용으로 다시 쓰고 확장시킨다. 이 형식으로 영화 〈워킹 스틱 The Walking Stick〉(1970)에 처음 사용된다. 1973년 클레오 레인 Cleo Laine은 윌리암스와 함께 'He Was Beautiful'로 가사를 쓰고 녹음한다.

The piece had been recorded in 1969 by classical guitarist John Williams at Olympic Sound Studios in London long before the film that made it famous. It had originally been written for piano but at William's invitation Myers re-wrote it for guitar and expanded it. In this form, it was first used for the film The Walking Stick (1970). In 1973, Cleo Laine wrote lyrics and recorded the song as 'He Was Beautiful' accompanied by Williams.

〈디어 헌터〉. © Universal Pictures, EMI Films

1978년 〈디어 헌터 The Deer Hunter〉가 개봉된 이후 윌리암스의 연주 버전은 1979년 UK Top 20 히트곡이 된다. 같은 해 두 개의 다른 버전도 Top 20에 이름을 올리게 된다.

더 새도우의 또 다른 연주 녹음, 행크 마빈이 연주하는 일렉트릭 기타 버전, 〈디어 헌터〉 테마 음악 'Cavatina'라는 이름의 앨범 'String of Hits' 등이 발매 된다-영국 싱글 차트 9위, 네덜란드 1위. 아이리스 윌리암스가 연주해 주고 클레오 레인이 노래해 준 보컬 버전 등도 발표된다.

After the release of The Deer Hunter in 1978, William's instrumental version became a UK Top 20 hit in 1979. Two other versions also made the Top 20 in the same year: another instrumental recording by The Shadows, with an electric guitar played by Hank Marvin released on their album String of Hits with the name 'Theme from The Deer Hunter (Cavatina)'-number 9 in the UK singles charts and number 1 in The Netherlands and a vocal version-using Cleo Laine's lyrics by Iris Williams.

5. 여러 연주자들이 발매한 다양한 버전의 'Cavatina' 발매 사례

- 1982년 기타리스트 리오나 보이드 Liona Boyd는 에릭 로버트슨 Eric Robertson, 윌리암스와 함께 편곡시켜 그녀의 앨범 'Best of Collection'에 수록한다.
- 안젤로 로메로 Angel Romero는 1988년 발매한 앨범 'A Touch of Class'를 통해 'Cavatina' 버전을 녹음, 수록한다.
- 칸타빌레-런던 콰르텟 Cantabile-the London Quartet은 1992년 앨범 'A Tribute to Hollywood'에서 닐 리차드슨 Neil Richardson 편곡과 브래스 퀸텟 Brass Quintet의 반주를 받아 'She Was Beautiful'를 수록한다.
- 노버트 크래프트 Norbert Kraft는 1996년 발매한 앨범 'Guitar Favourites'를 통해 'Cavatina' 버전을 수록한다.
- 'Beautiful'이라고 불리는 'Cavatina' 복음 버전이 있다. 저자는 빌리 에브무어 Billy Evmur이다. 앨범 'the Dove on a Distant Oak Tree collection'에 수록된다. 다른 가사를 가진 또 다른 보컬 버전은 빈스 힐 Vince Hill에 의해 녹음된다. 이 곡은 앨범 'The Ember Records Story Vol. 2'(1960-1979)를 통해 수록된다.

- 2009년 카밀라 커슬레이크 Camilla Kerslake 데뷔 앨범 'Camilla Kerslake'의 10번째 트랙으로 '카바티나'가 수록된다.
- 2013년 마크 빈센트 Mark Vincent가 앨범 'Songs from the Heart'를 통해 수록한다.
- 2016년 일본 출신 여류 기타리스트 카오리 무라이 Kaori Muraji가 앨범 'Rhapsody Japan'을 통해 수록한다.

6. 사운드트랙에 활용된 사례들

- 윌리암스는 1979년 국제 앰네스티 자선 콘서트, 영화, 사운드트랙 〈시크릿 폴리스맨 볼 The Secret Policeman's Ball〉을 통해 이 곡을 연주해 주고 있다.
- 이 곡은 카라 스타벅 쓰레이스 Kara Starbuck Thrace가 사랑하는 일을 하다가 비극적으로 사망한 조종사를 추모하는 〈배틀스타 갤럭티카 Battlestar Galactica〉 에피소드 'Scar' 끝 부문에서 흘러나오고 있다.
- 2005년 공개된 영화 〈자헤드 Jarhead〉 사운드트랙으로 선곡된다.

Track listing

1. Cavatina by Stanley Myers, Guitar Solo John Williams
2. Praise The Name of The Lord by Trad. adapt arr. Kenneth Kovach
3. Troika by Trad. adapt arr. Stanley Myers
4. Katyusha by Trad. adapt arr. Kenneth Kovach

5. Struggling Ahead by Stanley Myers
6. Sarabande by Stanley Myers, Guitar Solo John Williams
7. Waiting His Turn by Stanley Myers
8. Memory Eternal by Trad. adapt / arr. Kenneth Kovach
9. God Bless America by Irving Berlin
10. Cavatina (Reprise) by Stanley Myers, Guitar Solo John Williams

〈디어 헌터〉 사운드트랙. Ⓒ Capitol Records

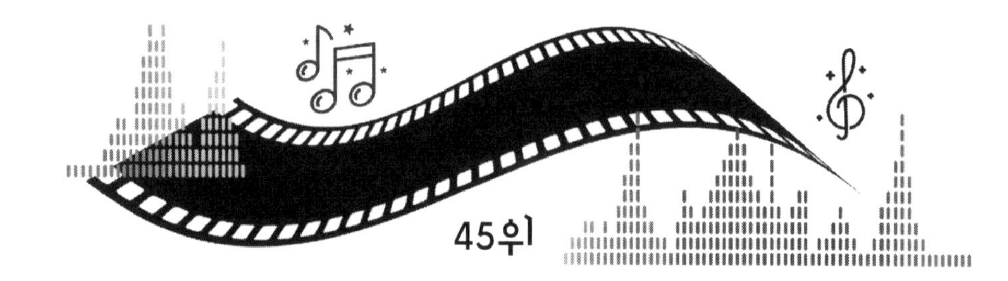

<베니스의 죽음 Death in Venice>(1971) - 말러 '심포니 5', 10대 미소년에게 집착하는 늙은 작곡가의 애증 리듬으로 차용

작곡: 구스타프 말러 Gustav Mahler

토마스 만의 원작 소설을 말러 '교향곡 5번'을 배경으로 삽입시켜 극화한 〈베니스의 죽음〉. © Alfa Cinematografica, Warner Bros

1. <베니스의 죽음> 버라이어티 평

베니스에서 회복하는 동안 병약한 작곡가 구스타프 폰 아셴바흐는 10대 소년 타지오에게 위험할 정도로 집착하게 된다.

While recovering in Venice, sickly composer Gustav von Aschenbach becomes dangerously fixated with teenager Tadzio.

아방 가르드 작곡가 구스타프 폰 아셴바흐(디르크 보가르드 경(卿)).

예술적, 개인적 스트레스 기간을 보낸 뒤 휴식을 취하기 위해 베네치아 해변 휴양지로 여행을 떠난다. 그러나 그는 그곳에서 평화를 찾지 못한다.

곧 가족과 함께 휴가를 떠난 청소년 타지오(뵨 앤드레센)에게 골치 아픈 매력을 느끼게 되기 때문이다. 소년은 아셴바흐가 오랫동안 추구해 왔던 아름다움의 이상을 구현하고 그는 매료된다.

avant-garde composer Gustav von Aschenbach (Sir Dirk Bogarde) travels to a Venetian seaside resort seeking repose after a period of artistic and personal stress.

But he finds no peace there, for he soon develops a troubling attraction to Tadzio (Björn Andrésen) an adolescent on vacation with his family. The boy embodies an ideal of beauty that Aschenbach has long sought and he becomes infatuated.

그렇지만 치명적(致命的) 역병의 발병은 그들을 물리적으로 위협하고 모든 이상을 타협하고 위협하는 부패를 드러내게 된다.

However, the onset of a deadly pestilence threatens them physically and represents the corruption that compromises and threatens all ideals.

〈베니스의 죽음 Death in Venice/ Der Tod in Venedig〉은 1912년 출판

된 독일 작가 토마스 만의 소설이다. 원작은 1911년 만이 도시를 방문하는 동안 관찰한 실제 소년을 바탕으로 한 아름다운 폴란드 소년 타지오-타데우즈라는 별명-를 보고 베니스를 방문하여 해방되고 고양된 다음 점점 더 집착하는 고귀한 작가 모습을 보여주게 된다. 그러나 그 이야기는 허구이다.

Death in Venice/ Der Tod in Venedig is a novella by German author Thomas Mann, published in 1912. It presents an ennobled writer who visits Venice and is liberated, uplifted and then increasingly obsessed by the sight of a beautiful Polish boy Tadzio so nicknamed for Tadeusz based on a real boy Mann had observed during his 1911 visit to the city but the story is fictional.

2. 구스타프 말러의 '심포니 5번 Symphony No. 5'은 어떤 곡?

구스타프 말러 '교향곡 5번'은 1901년과 1902년에 작곡되었다.

대부분 여름 동안 메이러르니그 Maiernigg에 있는 말러 별장에서 이루어졌다고 한다. 가장 두드러진 특징은 루트비히 판 베토벤 '교향곡 5번' 도입부와 유사한 리드미컬한 모티브로 작품을 여는 트럼펫 독주, 3악장의 호른 독주, 자주 연주되는 아다지에토(Adagietto)가 특징이다.

The Symphony No. 5 by Gustav Mahler was composed in 1901 and 1902 mostly during the summer months at Mahler's holiday cottage at Maiernigg.

Among its most distinctive features are the trumpet solo that opens the work with a rhythmic motif similar to the opening of Ludwig van Beethoven's Symphony No. 5, the horn solos in the third movement and the frequently performed Adagietto.

1시간이 넘는 작품의 음악적 캔버스와 감정적 범위는 방대하다.

교향곡은 첫 번째 악장이 이 키로 되어 있기 때문에 때때로 C# 단조의 키로 설명되고 있다. 피날레는 D 장조.

The musical canvas and emotional scope of the work which lasts over an hour are huge. The symphony is sometimes described as being in the key of C# minor since the first movement is in this key. the finale, however is in D major.

말러는 레이블에 대해 다음과 같이 반대했다.

'악장 순서-일반적인 첫 번째 악장이 이제 두 번째로 옴-에서 '교향곡 전체' 키를 말하는 것은 어려우며, 오해를 피하기 위해 키를 생략하는 것이 가장 좋다'

Mahler objected to the label. 'From the order of the movements where the usual first movement now comes second. it is difficult to speak of a key for the 'whole Symphony' and to avoid misunderstandings the key should best be omitted'

3. 'Fifth Symphony' 작곡 일화

말러는 1901년과 1902년 여름에 '교향곡 5번'을 작곡한다. 1901년 2월 말러는 갑자기 큰 출혈을 겪는다. 나중에 의사는 그가 출혈로 1시간 이내에 사망에 이를 수 있다고 말했다.

Mahler wrote his fifth symphony during the summers of 1901 and 1902. In February 1901 Mahler had suffered a sudden major hemorrhage and his doctor later told him that he had come within an hour of bleeding to death.

구스타프 말러. © wikipedia.com

작곡가는 회복하는 데 꽤 오랜 시간을 보낸다. 1901년 6월 남부 오스트리아 카린티아 지방에 있는 호숫가 별장으로 이사한다. 말러는 대저택 소유자라는 새로운 지위에 기뻐한다.

The composer spent quite a while recuperating. He moved into his own lakeside villa in the southern Austrian province of Carinthia in June 1901.

Mahler was delighted with his new-found status as the owner of a grand villa.

친구들에 따르면, 말러는 겸손한 시작에서 얼마나 멀리 왔는지 거의 믿을 수 없었다. 빈 궁정 오페라 감독이자 빈 필하모닉 상임 지휘자였다. 자신의 음악도 성공하기 시작한다.

According to friends, he could hardly believe how far he had come from his humble beginnings. He was director of the Vienna Court Opera and the principal conductor of the Vienna Philharmonic. His own music was also starting to be successful.

1901년 후반 그는 알마 쉰들러를 만난다. 1902년 여름 별장으로 돌아왔을 때 그들은 결혼한다. 그녀는 첫 아이를 임신하고 있었다.

Later in 1901 he met Alma Schindler and by the time he returned to his summer villa in summer 1902. they were married and she was expecting their first child.

모두 이 시기에 속하는 '교향곡 5번, 6번, 7번'은 공통점이 많다. 성악과 강한 연관성을 지닌 처음 4번과 확연히 다르다. 대조적으로 중간 교향곡은 순수한 관현악 작품이다. 말러의 기준에 따르면 팽팽하고 가늘다.

Symphonies Nos. 5, 6 and 7 which all belong to this period have much in common and are markedly different from the first four which all have strong links to vocal music. The middle symphonies by contrast are pure orchestral works and are by Mahler's standards, taut and lean.

대위법은 또한 '교향곡 5번' 부터 말러의 음악에서 더욱 중요한 요소가 된다. 좋은 대위법을 쓰는 능력은 바로크 작곡가들에 의해 높이 평가되었다. 요한 세바스티안 바흐는 일반적으로 대위법 음악의 가장 위대한 작곡가로 간주되고 있다. 바흐는 이 시기에 말러의 음악적 삶에서 중요한 역할을 한다. 그는 세기의 전환기에 출판되고 있던 바흐의 전집을 구독한다. 후에 공연을 위해 바흐의 작품을 지휘하고 편곡했다.

Counterpoint also becomes a more important element in Mahler's music from Symphony No. 5 onwards. The ability to write good counterpoint was highly cherished by Baroque composers and Johann Sebastian Bach is generally regarded as the greatest composer of contrapuntal music. Bach played an important part in Mahler's musical life at this time. He subscribed to the edition of Bach's collected works that was being published at the turn of the century and later conducted and arranged works by Bach for performance.

대위법에 대한 말러의 새로운 관심은 이 교향곡의 2악장, 3악장, 5악장에서 가장 잘 들을 수 있다.

Mahler's renewed interest in counterpoint can best be heard in the second, third and fifth movements of this symphony.

4. '교향곡 5번'에 대한 음악계의 평가

〈베니스의 죽음〉. © Alfa Cinematografica, Warner Bros

- 말러는 초연 후 '아무도 이해하지 못했다. 내가 죽은 지 50년 후에 첫 공연을 했으면 좋겠다'고 말한 것으로 전해졌다.

After its premiere, Mahler is reported to have said 'Nobody understood it. I wish I could conduct the first performance fifty years after my death'

- 헤르베르트 폰 카라얀은 교향곡을 들을 때 '시간이 지난 것을 잊는다. 5번의 훌륭한 연주는 변화하는 경험이다. 환상적인 피날레는 거의 숨을 멈추게 만든다'고 말했다.

Herbert von Karajan once said that when you hear the symphony 'you forget that time has passed. A great performance of the Fifth is a transforming experience. The fantastic finale almost forces you to hold your breath'

5. <베니스의 죽음> 원작 소설이 남긴 에피소드

소설은 고대, 특히 그리스 고대와 18세기 독일 작품-문학, 예술-역사, 음악, 시각-에 대한 암시(暗示)로 가득 차 있다.

The novella is rife with allusions from antiquity forward, especially to Greek antiquity and to German works-literary, art-historical, musical, visual-from the 18th century.

소설은 상호 텍스트적이다.
주된 출처는 첫 째로 플라톤의 심포지엄과 파이드로스에서 추적된 철학적 지혜에 대한 에로틱한 사랑의 연결이다. 둘째로 억제와 형태 형성의 신 아폴론과 과잉과 열정의 신 디오니소스 사이의 니체적 대조이다.

The novella is intertextual with the chief sources being first the connection of erotic love to philosophical wisdom traced in Plato's Symposium and Phaedrus and second the Nietzschean contrast between Apollo the god of restraint and shaping form and Dionysus the god of excess and passion.

고전적 신을 현대적 배경에 배치한다는 비유는 만(Mann)이 〈베니스의 죽음 Death in Venice〉을 집필할 당시 유행했다.

The trope of placing classical deities in contemporary settings was popular at the time when Mann was writing Death in Venice.

아센바흐의 이름과 성격은 동성애 독일 시인 어거스트 폰 플라텐-할레르문드에서 영감을 받은 것 일 수 있다.
소설에는 베니스에 대한 그의 시에 대한 암시가 있다.
아센바흐처럼 이태리 섬에서 콜레라로 사망한다.

Aschenbach's name and character may be inspired by the homosexual German poet August von Platen-Hallermünde. There are allusions to his poems about Venice in the novella and like Aschenbach. he died of cholera on an Italian island.

아센바흐 이름은 거의 어거스트의 아나그램-철자 순서를 바꾼 말-이다. 캐릭터 성은 플라텐 출생지 안스바흐에서 따온 것 같다.
그러나 그 이름에는 또 다른 분명한 의미가 있다. 아센바흐는 문자 그대로 '재(災) 시냇물'을 의미하고 있다. 소설의 아센바흐에 대한 물리적 설명은 작곡가 구스타프 말러의 사진을 기반으로 했다.

Aschenbach's first name is almost an anagram of August and the character's last name may be derived from Ansbach, Platen's birthplace. However, the name has another clear significance. Aschenbach literally means 'ash brook'. The novella's physical description of Aschenbach was based on a photograph of the composer Gustav Mahler.

말러는 뮌헨에서 만났을 때 만에게 강한 인상을 남겼다.
만은 말러가 비엔나에서 사망했다는 소식에 충격을 받는다. 만은 아센바흐에게 말러의 이름과 얼굴을 알려줬지만 공개적으로는 말하지 않았다.
소설을 기반으로 한 1971년 영화 사운드트랙은 말러의 작곡, 특히 교향곡 5번의 'Adagietto' 4악장을 사용하고 있다.

Mahler had made a strong personal impression on Mann when they met in Munich and Mann was shocked by the news of Mahler's death in Vienna. Mann gave Mahler's first name and facial appearance to Aschenbach but did not talk about it in public.
The soundtrack of the 1971 film based on the novella made use of Mahler's compositions, particularly the 'Adagietto' 4th movement from the Symphony No. 5.

만의 소설에서 발견되는 것들인 아센바흐 이름은 크레티앙 드 트루아-12세기 프랑스 시인, 궁정 풍(風) 기사도 이야기를 다수 집필-의 '성배 추격 Grail Quest' 로맨스를 재해석하고 계속해서 독일 중세 로맨스 '파지발' 저자 볼프램

폰 에센바흐에 대한 암시일 수 있다. 젊음의 순수함과 아름다움의 순수함에 대한 작가의 매혹과 이상화, 상처 입은 늙은 어부 왕 안포르타스에게 치유와 젊음을 회복하려는 동명 주인공의 탐구 등이 있다.

Aschenbach's name may be an allusion to Wolfram von Eschenbach, the author of the Middle High German medieval romance Parzival whose reimagining and continuation of the Grail Quest romance of Chrétien de Troyes contained themes similar to those found in Mann's novella such as the author's fascination with and idealization of the purity of youthful innocence and beauty as well as the eponymous protagonist's quest to restore healing and youthfulness to Anfortas, the wounded old Fisher King.

폰 에센바흐의 서사시를 오페라 '파르지팔'로 각색하고 변형한 것으로 유명하게 알려진 리하르트 바그너 작품에 대한 만의 집착을 고려할 때, 만은 작곡가에게 영감을 준 작품의 저자를 언급함으로써 바그너 오페라를 인정했을 가능성이 있다.

Given Mann's obsession with the works of Richard Wagner who famously adapted and transformed von Eschenbach's epic into his opera Parsifal.
it is possible that Mann was crediting Wagner's opera by referencing the author of the work that had inspired the composer.

모드리스 엑스테인스는 아센바흐와 러시아 안무가 세르게이 디아길레프 사이의 유사점에 주목하고 있다.
두 사람이 만나지는 않았지만 디아길레프는 만의 이야기를 잘 알고 있었다.

Modris Eksteins notes the similarities between Aschenbach and the Russian choreographer Sergei Diaghilev writing that although the two never met Diaghilev knew

Mann's story well.

〈베니스의 죽음〉. © Alfa Cinematografica, Warner Bros

그는 그 복사본을 그의 친지들에게 주었다. 디아길레프는 종종 아센바흐와 같은 호텔인 그랜드 호텔 데스 베인스에 머물며 젊은 남성 연인들을 그곳으로 데려갔다.

결국 아센바흐와 마찬가지로 디아길레프도 베니스에서 사망했다.

He gave copies of it to his intimates. Diaghilev often stayed at the same hotel as Aschenbach, the Grand Hotel des Bains and took his young male lovers there.

Eventually like Aschenbach, Diaghilev died in Venice.

6. 다양하게 각색 된 소설 <베니스의 죽음>

- 1973년 벤자민 브리튼 Benjamin Britten은 〈베니스의 죽음〉을 오페라 형식으로 각색했다.
- 1997년 피터 울프 Peter Wolf는 BBC 라디오 3를 통해 드라마로 각색해서 방송한다.
- 2003년 12월 존 뉴메이어르 John Neumeier는 함버그 발레 단 Hamburg Ballet company을 통해 발레 공연 극으로 무대에 올린다.
- 베를린에 위치한 샤우뷔네 Schaubühne 극장에서 토마스 오스터마이어르

Thomas Ostermeier가 감독한 2013년의 무대 작품 〈베니스의 죽음 Death in Venice/ Kindertotenlieder〉은 구스타프 말러 Gustav Mahler 노래 사이클 'Kindertotenlieder'에서 스토리 초안을 원용(援用) 한다.

- 1990년 길버트 아데어 Gilbert Adair가 발표한 소설 '롱 아일랜드의 사랑과 죽음 Love and Death on Long Island'은 토마스 만의 '베니스의 죽음'에 대한 오마쥬이다.

- 1997년 영국+캐나다 합작 영화인 리차드 크위트니오스키 Richard Kwietniowski 감독의 〈롱 아일랜드의 사랑과 죽음 Love and Death on Long Island〉은 길버트 아데어(Gilbert Adair)의 책을 바탕으로 한 영화이다.
  제이슨 프리스틀리(Jason Priestley)가 연기한 젊은 배우에게 집착하는 중년 작가로 존 허트(John Hurt)가 출연하고 있다.

- 2001년 루퍼스 웨인라이트 Rufus Wainwright가 발매한 앨범 'Poses' 수록곡 'Grey Gardens'는 소설 〈베니스의 죽음〉에서 소재를 얻어 노랫말을 작성한 것으로 알려졌다.

- 2006년 모리세이 Morrissey가 발매한 앨범 'Ringleader of the Tormentors'에 담겨 있는 싱글 'I Just Want to See the Boy Happy'는 〈베니스의 죽음〉에서 묘사된 미소년 타지오를 지칭하는 노랫말이다.

- 다프네 드 모리에르 Daphne du Maurier 단편 소설 '개니메드 Ganymede'는 비극적 결과를 초래한 베니스 출신 어린 소년에 대한 영국인의 동경에 관한 내용을 담은 소설이다.
  1959년 8 편의 단편 모음 집 '브레이킹 포인트 Breaking Point' 중 한편으로 출간된다.

Track listing

1. Adagietto Della 5 Sinfonia Composed by Gustav Mahler Orchestra Dell'-Accademia Di S. Cecilia conducted by Franco Mannino
2. Tema Dei Ricordi Composed by Ludwig Van Beethoven, Piano: Claudio Gizzi
3. Ninna Nanna Composed by Modest Mussorgsky, Soprano: Mascia Predit
4. IV Tempo Della 3 Sinfonia Composed by Gustav Mahler, Contralto: Lucrezia West, Orchestra Dell'Accademia Di S. Cecilia conducted by Franco Mannino
5. Canti Nuovi (Chi Con Le Donne Vuole Aver Fortuna) Composed by Armando Gil, Gruppo Folkloristico

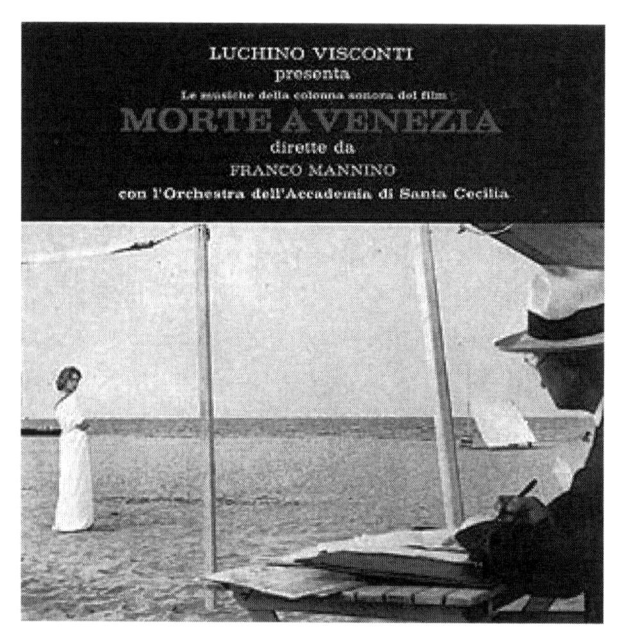

〈베니스의 죽음〉 사운드트랙. ⓒ Beat Records

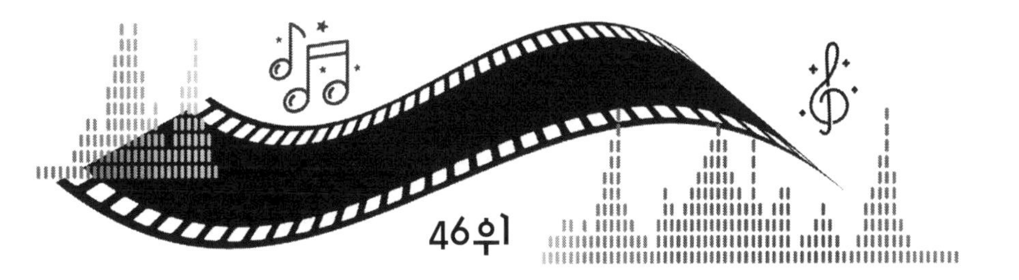

<마스터 앤드 커맨더: 위대한 정복자 Master and Commander : The Far Side of the World>(2003) - 바흐의 '무반주 첼로를 위한 모음곡', 19세기 영국 함장의 애국적 위용담 격려

작곡: 요한 세바스티안 바흐 Johann Sebastian Bach

피터 위어 감독이 1805년 나폴레옹 시대를 무대로 펼쳐 준 해양 전투 전문가의 활약상을 다룬 〈마스터 앤드 커맨더: 위대한 정복자〉. Ⓒ 20th Century Fox, Miramax Films, Samuel Goldwyn Company

1. <마스터 앤드 커맨더: 위대한 정복자> 버라이어티 평

나폴레옹 전쟁 중에 뻔뻔스러운 영국 선장이 남 아메리카를 순회하는 강력한 프랑스 군함을 추격하기 위해 배와 선원을 한계까지 밀어 붙인다.

During the Napoleonic Wars, a brash British captain pushes his ship and crew to their limits in pursuit of a formidable French war vessel around South America

1805년 4월 나폴레옹 전쟁 중 H.M.S. 영국 프리깃 함 서프라이즈는 잭 오브리 선장의 지휘 하에 있다. 오브리와 서프라이즈의 현재 명령은 아케론이라는 프랑스 사나포 선-민간 소유지만 교전국 정부로 부터 적선을 공격하고 나포할 권리를 인정받은 배-을 추적하고 포획하거나 파괴하는 것.

In April 1805 during the Napoleonic Wars, H.M.S. Surprise, a British frigate is under the command of Captain Jack Aubrey. Aubrey and the Surprise's current orders are to track and capture or destroy a French privateer named Acheron.

아케론은 현재 나폴레옹의 전쟁 범위를 확장하기 위해 태평양으로 향하는 남 아메리카 앞의 대서양에 있다. 오브리는 아케론과의 초기 전투에서 그것이 서프라이즈 호 보다 더 크고 빠른 함선이라는 것을 빠르게 알게 된다.

서프라이즈가 불리하게 작용하기 때문에 이 작업은 어려운 일이 될 것이다.

The Acheron is currently in the Atlantic off South America headed toward the Pacific in order to extend Napoleon's reach of the wars. This task will be a difficult one as Aubrey quickly learns in an initial battle with the Acheron that it is a bigger and faster ship than the Surprise which puts the Surprise at a disadvantage.

이 불가능해 보이는 추구에서 오브리의 외골수 목표는 오브리의 가장 신뢰할 수 있는 조언자이자 가장 가까운 친구이기도 한 서프라이즈 호 의사이자 박물학자 스티븐 마투린과의 갈등을 불러일으킨다.

일련의 불운을 초래한 다른 내부 장애물에 직면한 오브리는 궁극적으로 마투린의 과학적 업적을 사용하여 자신과 선박의 불가능해 보이는 목표를 달성하는 방법을 알아낸다.

Aubrey's single-mindedness in this seemingly impossible pursuit puts him at odds with the Surprise's doctor and naturalist, Stephen Maturin who is also Aubrey's most trusted advisor on board and closest friend.

Facing other internal obstacles which have resulted in what they consider a string of bad luck, Aubrey ultimately uses Maturin's scientific exploits to figure out a way to achieve his and the ship's seemingly impossible goal

〈마스터 앤드 커맨더: 위대한 정복자〉는 나폴레옹 전쟁을 배경으로 피터 위어가 공동 집필, 제작, 감독한 2003년 미국 서사 전쟁 드라마 영화이다.

Master and Commander: The Far Side of the World is a 2003 American epic period war-drama film co-written, produced and directed by Peter Weir set during the Napoleonic Wars.

영화 줄거리와 캐릭터는 잭 오브리의 해군 경력에 대한 20편의 완성된 소설을 포함하는 작가 패트릭 오브라이언의 오브리-마투린 시리즈 중 3편의 소설을 바탕으로 각색된다.

The film's plot and characters are adapted from three novels in author Patrick O'Brian's Aubrey-Maturin series which includes 20 completed novels of Jack Aubrey's naval career.

2. <마스터 앤드 커맨더: 위대한 정복자> 사운드트랙 리뷰

오스트레일리아 밴드 아이스하우스 리드 싱어 이바 데이비스는 크리스토퍼 고든, 리차드 투그네티와 함께 영화 사운드트랙을 녹음하기 위해 로스 엔젤레스를 방문한다.

Iva Davies, lead singer of the Australian band Icehouse traveled to Los Angeles to record the soundtrack to the film with Christopher Gordon and Richard Tognetti.

〈마스터 앤드 커맨더: 위대한 정복자〉. © 20th Century Fox, Miramax Films, Samuel Goldwyn Company

이들은 함께 '최고의 사운드트랙 앨범' 부문에서 2004년 APRA/AGSC 스크린 뮤직 어워드를 수상한다. 배경 음악은 다양한 바로크 음악과 클래식 음악을 포함하고 있다.

특히 요한 세바스티안 바흐의 '무반주 첼로를 위한 모음곡' '모음곡 1번 G장조, BWV 1007', 요-요 마 연주의 볼프강 아마데우스 모차르트의 '바이올린 협주곡 3번' 3악장에 있는 스트라스부르크 주제, 코렐리의 '크리스마스 협주곡 제 3악장'-아다지오 Concerto Groso in G단조, Op. 6, No. 8, 그리고 토마스 탤리스를 주제로 한 랄프 본 윌리암스의 'Fantasia'를 반복적으로 연주해 주고 있다.

Together, they won the 2004 APRA/AGSC Screen Music Award in the 'Best Soundtrack Album' category. The score includes an assortment of baroque and classical music notably the first of Johann Sebastian Bach's Suites for Unaccompanied Cello, Suite No. 1 in G major, BWV 1007 played by Yo-Yo Ma; the Strassburg theme in the third movement of Wolfgang Amadeus Mozart's Violin Concerto No. 3; the third (Adagio) movement of Corelli's Christmas Concerto-Concerto grosso in G minor, Op. 6, No. 8 and a recurring rendition of Ralph Vaughan Williams's Fantasia on a Theme of Thomas Tallis.

종료 전에 '바이올린과 첼로'로 연주되는 음악은 루이지 보케리니의 '2대의 바이올린, 비올라', '2대의 첼로를 위한 현악 5중주 C장조'-'Musica notturna delle strade di Madrid' G. 324 Op. 30. CD에 포함된 이 선곡의 두 가지 배열은 영화에서 들리는 것과 크게 다르다.

The music played on violin and cello before the end is Luigi Boccherini's String Quintet (Quintettino) for 2 violins, viola & 2 cellos in C major-'Musica notturna delle strade di Madrid', G. 324 Op. 30. The two arrangements of this cue contained in the CD differ significantly from the one heard in the movie.

병실에서 부르는 노래는 짐 마기안이 앨범 'Of Ships...and Men'에서 1800년대 초에 작곡하고 1978년에 편곡한 영국 해군 노래 'Don't Forget Your Old Shipmates'이다. 밤에 갑판에서 승무원이 부르고 연주하는 곡은 'Bonnie Ship the Diamond'의 곡으로 설정된 'O'Sullivan's March' 'Spanish Ladies' 및 'The British Tars'-'The Shipwrecked tar'이다. 사운드트랙에서는 'Raging Sea/ Bonnie Ship Diamond'라고 부르고 있다.

The song sung in the wardroom is 'Don't Forget Your Old Shipmates' a British Navy song written in the early 1800s and arranged in 1978 by Jim Mageean from his album Of Ships...and Men. The tunes sung and played by the crew on deck at night are 'O'Sullivan's March' 'Spanish Ladies' and 'The British Tars'-'The shipwrecked tar' which was set to tune of 'Bonnie Ship the Diamond' and called 'Raging Sea/ Bonnie Ship the Diamond' on the soundtrack.

3. <마스터 앤드 커맨더: 위대한 정복자> 사운드 특징

사운드 디자이너 리차드 킹은 특히 전투 장면과 폭풍 장면에 대해 사실적인 사운드를 녹음하기 위해 많은 시간을 들였다. 이러한 노력으로 아카데미 음향효과 상을 수여 받는다. 킹과 피터 위어 감독은 몇 달 동안 패트릭 오브라이언의 소설을 읽고 대포 발사의 '삐걱거리는 소리'와 머리 위로 지나가는 포탄의 '깊은 울부짖음' 등 배에서 들었을 소리에 대한 설명을 찾기 시작했다고 한다.

Sound designer Richard King earned Master and Commander an Oscar for its sound effects by going to great lengths to record realistic sounds, particularly for the battle scenes and the storm scenes. King and director Peter Weir began by spending months reading the Patrick O'Brian novels in search of descriptions of the sounds that would have been heard on board the ship for example, the 'screeching bellow' of cannon fire and the 'deep howl' of a cannonball passing overhead.

킹은 24 파운드와 12 파운드 대포를 소유한 미시간 주에서 수집가를 찾은 영화의 수석 역사 컨설턴트 고든 라코와 함께 작업한다. 킹, 라코 및 두 명의 조수는 미시간으로 가서 근처 방위군 기지에서 대포가 발사되는 소리를 녹음한다.
그들은 대포 발사의 '균열'을 얻기 위해 대포 근처에 마이크를 배치했다.
머리 위로 통과할 때 연쇄 사격의 '비명'을 녹음하기 위해 약 300야드(270m)의 다운 레인지를 배치했다고 한다.

King worked with the film's Lead Historical Consultant Gordon Laco who located collectors in Michigan who owned a 24-pounder and a 12-pounder cannon.
King, Laco and two assistants went to Michigan and recorded the sounds of the cannon firing at a nearby National Guard base. They placed microphones near the cannon to get the 'crack' of the cannon fire and also about 300 yards (270 m) downrange to

record the 'shrieking' of the chain shot as it passed overhead.

그들은 또한 막대 샷과 포도 샷이 머리 위로 지나가는 소리를 녹음했다. 나중에 전투 장면을 위해 3가지 유형의 총소리를 모두 혼합한다.

They also recorded the sounds of bar shot and grape shot passing overhead and later mixed the sounds of all three types of shot for the battle scenes.

〈마스터 앤드 커맨더: 위대한 정복자〉. © 20th Century Fox, Miramax Films, Samuel Goldwyn Company

함선(艦船)을 타격하는 총소리에 대해 그들은 포병 범위에 나무 목표물을 설치하고 대포로 그들을 폭파한다. 하지만 음향 결과는 실망스러웠다. 대신 그들은 로스 엔젤레스로 돌아가 나무통이 부서지는 소리를 녹음한다.

킹은 때때로 소총의 '균열'을 추가하여 함포가 배의 선체를 치는 소리를 강조해 주게 된다.

For the sounds of the shot hitting the ships, they set up wooden targets at the artillery range and blasted them with the cannon but found the sonic results underwhelming.

Instead, they returned to Los Angeles and there recorded sounds of wooden barrels being destroyed. King sometimes added the 'crack' of a rifle shot to punctuate the sound of a cannonball hitting a ship's hull.

배가 케이프 혼(Cape Horn)을 돌 때 폭풍우 속에서 나는 바람 소리를 듣기 위해 킹은 1,000 피트의 선으로 장비된 나무 프레임을 고안하여 픽업 트럭 뒤에 설치한다. 시속 70마일(110km/h) 속도로 트럭을 운전하여 30-40노트(56-74km/h, 35-46mph) 바람을 맞고 바비큐와 냉장고 그릴로 바람을 조절함으로써 킹은 '비명'에서 '휘파람' '한숨'에 이르기까지 다양한 소리를 만들어 낸다. 이어 배의 장비를 통과하는 바람 소리를 시뮬레이션 시킨다.

For the sound of wind in the storm as the ship rounds Cape Horn, King devised a wooden frame rigged with one thousand feet of line and set it in the back of a pickup truck. By driving the truck at 70 miles per hour (110 km/h) into a 30-40-knot (56-74 km/h; 35-46 mph) wind and modulating the wind with barbecue and refrigerator grills, King was able to create a range of sounds from 'shrieking' to 'whistling' to 'sighing' simulating the sounds of wind passing through the ship's rigging.

영화 음악을 담당한 리차드 토그네티는 오브리가 영화에서 마투린의 첼로와 함께 바이올린을 연주하는 것처럼 크로우에게 바이올린 연주 방법을 가르친다.
크로우는 예산이 비용을 허용하지 않았기 때문에 바이올린을 개인적으로 구입한다. 바이올린은 1890년 이태리 바이올린 제작자 린드로 리바치가 제작했다.
2018년 경매에서 US $ 104,000에 판매 되었다.

Richard Tognetti, who scored the film's music taught Crowe how to play the violin as Aubrey plays the violin with Maturin on his cello in the movie.
Crowe purchased the violin personally as the budget did not allow for the expense.
The violin was made in 1890 by the Italian violin maker Leandro Bisiach and sold at auction in 2018 for US $ 104,000.

폴 베타니는 마투린 역할을 위해 첼로 연주 방법을 배웠다. 두 사람이 제대로 연주하는 모습을 촬영할 수 있었다. 녹음은 영화 최종 버전에서 더빙 되었다.

Paul Bettany learned how to play the cello for the role of Maturi so the pair could be filmed playing properly. The recording was dubbed in the final version of the film.

4. 'Don't Forget Your Old Shipmat' 해설

'Don't Forget Your Old Shipmate'는 나폴레옹 시대 영국 해군 선원들이 부른 해군 전통 노래이다.

Don't Forget Your Old Shipmate is a naval traditional song that was sung by British Royal Navy sailors in the Napoleonic Era.

영화에서는 찰스 하딩 퍼스의 'Naval Songs and Ballads'(1908)가 대중화된 형식과 약간 다른 형식으로 녹음되어 있다.
여기에서 시작 구절이 생략되고 2행 대신 4행 연(聯)이 사용되고 있다.

It is recorded in Charles Harding Firth's Naval Songs and Ballads (1908) in a slightly different form from the one popularized in cinema where its opening verse has been omitted and with quatrain stanzas instead of couplets.

영화에서 불러 주고 있는 버전은 짐 마기안이 앨범 'Of Ships... and Men'에서 1978년에 편곡한 것이다. 이 노래는 〈마스터 앤드 커맨더: 위대한 정복자〉와 그리고 여전히 왕립 해군의 수상 전투함에서 불리워지고 있다.

The version sung in the film was arranged in 1978 by Jim Mageean from his album 'Of Ships... and Men'. The song is sung in the wardroom scene of Master and Commander: The Far Side of the World and is still sung aboard surface combatant ships of the Royal Navy.

안전하게 집으로 돌아가세요, 잭.

Safe and sound at home again, let the waters roar, Jack.

안전하게 집으로 돌아가세요, 잭.

Safe and sound at home again, let the waters roar, Jack.

합창 Chorus

오랫동안 우리는 롤링 메인에 던져졌다.
이제 우리는 안전하게 해변에 도착했다, 잭

Long we've tossed on the rolling main, now we're safe ashore, Jack.

옛 동료, 팔디 랄디 랄디 랄디 라이아이도를 잊지 마세요!

Don't forget yer old shipmate, faldee raldee raldee raldee rye-eye-doe!

우리가 플리머스 사운드에서 항해 한 이후로 4년이 지났거나 거의 잭이다.

Since we sailed from Plymouth Sound, four years gone, or nigh, Jack.

당신과 나, 잭과 같은 친구가 있었습니까?

Was there ever chummies, now, such as you and I, Jack?

5. 바흐의 'Cello Suites'은 어떤 클래식?

'6곡의 첼로 모음곡 BWV 1007-1012'는 요한 세바스티안 바흐의 '무반주 첼로 모음곡'이다. 첼로를 위해 작곡된 가장 자주 연주되는 솔로 작곡 중 일부이다.
바흐는 쾨텐에서 카펠마이스터로 일하던 1717-1723년에 이 곡들을 작곡했을 가능성이 크다.

The six Cello Suites, BWV 1007-1012 are suites for unaccompanied cello by Johann Sebastian Bach. They are some of the most frequently performed solo compositions ever written for cello. Bach most likely composed them during the period 1717-1723, when he served as Kapellmeister in Köthen.

바로크 음악 모음곡에서 평소와 같이 각 모음곡을 시작하는 전주곡 이후에 다른 모든 악장은 바로크 춤 형식을 기반으로 하고 있다.
첼로 모음곡은 각각 6악장으로 구성되어 있다.
또는 두 개의 부레 또는 두 개의 가보트, 그리고 마지막 지그다.

As usual in a Baroque musical suite after the prelude which begins each suite all the other movements are based around baroque dance types.
the cello suites are structured in six movements each prelude, allemande, courante, sarabande, two minuets or two bourrées or two gavottes and a final gigue.

뮤직웹 인터내셔널의 게리 S. 달킨은 바흐의 첼로 모음곡을 '모든 클래식 음악 작품 중 가장 심오한 것'이라고 불렀다. 윌프리드 멜러즈는 1980년에 이 모음곡을 '사람이 신의 춤을 창조한 모노포닉 음악'으로 묘사했다.

Gary S. Dalkin of MusicWeb International called Bach's cello suites 'among the most profound of all classical music works' and Wilfrid Mellers described them in 1980 as 'Monophonic music wherein a man has created a dance of God'

〈마스터 앤드 커맨더: 위대한 정복자〉. © 20th Century Fox, Miramax Films, Samuel Goldwyn Company

안나 막달레나 바흐의 원고 표지에 주어진 제목은 모음곡 '베이스 없는 첼로 솔로를 위한 모음 곡 à Violoncello Solo senza Basso'이였다.

The title given on the cover of the Anna Magdalena Bach manuscript was Suites à Violoncello Solo senza Basso-Suites for cello solo without bass.

Track listing

1. The Far Side of the World
2. Into the Fog
3. Violin Concerto No. 3 'Strassburg' K. 216, 3rd Movement Composed by Wolfgang Amadeus Mozart
4. The Cuckold Came out of the Amery (Traditional)
5. Smoke N'Oakum
6. Fantsia on a Theme By Thomas Tallia, Composed by Ralph Vaughan Williams
7. Adagio from Concerto Grosso Op. 6, No. 8 in G Minor Composed by Arcangelo Corelli
8. The Doldrums
9. Prelude from the Unaccompanied Cello Suite No. 1 in G Major, BWV 1007 Composed by Johann Sebastian Bach
10. The Galapagos

11. Folk Melody Traditional by O'Sullivan's March, The Cuckold Comes out of the Amery, Mothern Hen, Mary Scott, Nancy Dawson
12. The Phasmid by Contains elements of Ghost of Time and Endless Ocean
13. The Battle
14. La Musica Notturna Delle Strade de Madrid, No. 6, Op. 30 Composed by Luigi Boccherini
15. Full Circle

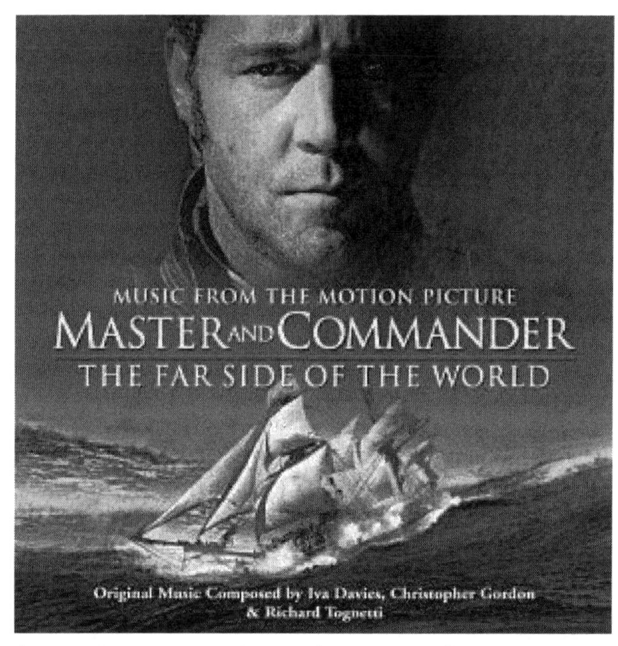

〈마스터 앤드 커맨더: 위대한 정복자〉 사운드트랙. © Decca Records

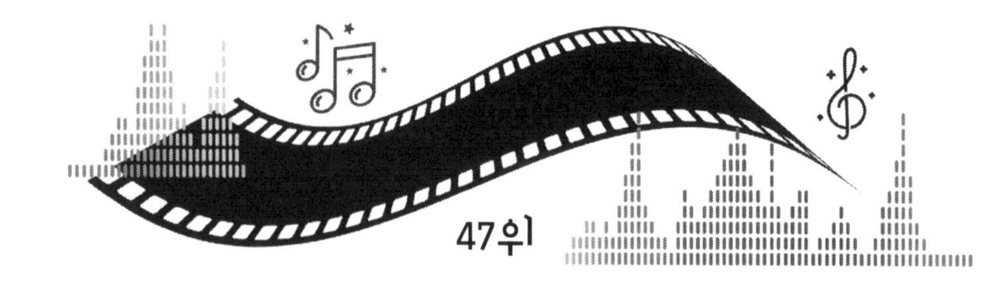

<사이코 Psycho>(1960) - 정신 질환자의 계획적 살인 만행 고발해준 거친 현악 리듬

작곡: 버나드 허만 Bernard Herrmann

알프레드 히치콕 감독의 심리 공포 스릴러 〈사이코〉. © Paramount Pictures

1. <사이코> 버라이어티 평

피닉스 회사원 마리온 크레인은 삶이 그녀를 대하는 방식에 질려 버렸다.
그녀는 점심시간에 연인 샘을 만나야 한다.
샘은 그의 돈 대부분을 위자료로 주어야 하기 때문에 결혼할 수 없다.

Phoenix office worker Marion Crane is fed up with the way life has treated her.
She has to meet her lover Sam in lunch breaks and they cannot get married because Sam has to give most of his money away in alimony.

어느 금요일, 마리온은 고용주의 4만 달러를 은행에 맡기기로 했다.
돈을 받아 새 삶을 시작할 기회를 찾은 마리온은 마을을 떠나 샘의 캘리포니아 매장으로 향한다. 오랜 운전에 지쳐 폭풍우를 만난 그녀는 주요 고속도로에서 내려 베이츠 모텔에 차를 대고 들어오게 된다. 모텔은 그의 어머니가 지배하는 것처럼 보이는 노만이라는 조용한 청년이 관리하고 있었다.

One Friday, Marion is trusted to bank forty thousand dollars by her employer.
Seeing the opportunity to take the money and start a new life Marion leaves town and heads towards Sam's California store. Tired after the long drive and caught in a storm, she gets off the main highway and pulls into the Bates Motel.
The motel is managed by a quiet young man called Norman who seems to be dominated by his mother.

〈사이코〉는 알프레드 히치콕이 제작 및 감독한 1960년 미국 심리 공포 스릴러 영화이다. 조셉 스테파노의 각본은 로버트 블로흐가 1959년 발표한 동명 소설을 원작으로 했다. 영화에는 안소니 퍼킨스, 자넷 리, 베라 마일즈, 존 가방, 마틴 발삼 등이 출연하고 있다.

줄거리는 공금 횡령 범 마리온 크레인(리)과 수줍음이 많은 모텔 주인 노만 베이츠(퍼킨스)의 만남과 그 여파로 벌어지는 사립 탐정(발삼), 마리온의 연인 샘 루미스(개빈), 자매 릴라(마일즈) 등은 그녀의 실종 원인을 조사하게 된다.

Psycho is a 1960 American psychological horror thriller film produced and directed by Alfred Hitchcock. The screenplay written by Joseph Stefano was based on the 1959 novel of the same name by Robert Bloch. The film stars Anthony Perkins, Janet Leigh, Vera Miles, John Gavin and Martin Balsam.

The plot centers on an encounter between on-the-run embezzler Marion Crane (Leigh) and shy motel proprietor Norman Bates (Perkins) and its aftermath in which a private investigator (Balsam), Marion's lover Sam Loomis (Gavin) and her sister Lila (Miles) investigate the cause of her disappearance.

〈사이코〉는 텔레비전 시리즈 알프레드 히치콕 제공 제작진이 흑백으로 저예산으로 촬영했기 때문에 히치콕의 이전 영화 〈북 북서로 진로를 돌려라〉에서 출발한 것으로 여겨졌다. 영화는 처음에 논란의 여지가 있는 것으로 간주되어 엇갈린 평가를 받았다. 하지만 관객의 관심과 뛰어난 흥행 수익으로 인해 주요 비판적 재평가가 촉발된다.

Psycho was seen as a departure from Hitchcock's previous film North by Northwest as it was filmed on a lower budget in black-and-white by the crew of his television series Alfred Hitchcock Presents. The film was initially considered controversial and received mixed reviews but audience interest and outstanding box-office returns prompted a major critical re-evaluation.

〈사이코〉는 이제 히치콕 최고의 영화 중 한 편으로 간주되고 있다.

틀림없이 그의 가장 유명한 작품일 것이다. 유려한 연출과 긴장감 넘치는 분위기, 인상적인 카메라워크, 기억에 남을 만한 배경 음악, 상징적인 연기로 인해 국제 영화 평론가와 학자들로부터 영화 예술의 주요 작품으로 찬사를 받아 왔다.

Psycho is now considered one of Hitchcock's best films and is arguably his most famous work. It has been praised as a major work of cinematic art by international film critics and scholars due to its slick direction, tense atmosphere, impressive camerawork, a memorable score and iconic performances.

종종 역사상 가장 위대한 영화 중 한 편으로 선정되고 있는 이 영화는 미국 영화에서 폭력, 일탈 행동 및 섹슈얼리티에 대한 새로운 수준의 수용도를 설정했다. 슬래셔 영화 장르의 초기 사례로 널리 인식되고 있다.

Often ranked among the greatest films of all time. it set a new level of acceptability for violence, deviant behavior and sexuality in American films and is widely considered to be the earliest example of the slasher film genre.

1980년 히치콕이 사망한 후 유니버설 픽처스는 3개의 속편, 1개의 리메이크, 1개의 TV용 스핀오프 및 2010년대를 배경으로 한 프리퀄 TV 시리즈의 후속작을 제작한다.

After Hitchcock's death in 1980, Universal Pictures produced follow-ups: three sequels, a remake, a made-for-television spin-off and a prequel television series set in the 2010s.

〈사이코〉. © Paramount Pictures

2. <사이코> 사운드트랙 리뷰

히치콕은 작곡가가 영화의 낮은 예산 때문에 감축된 비용을 수락하는 것을 거부했음에도 불구하고 버나드 허만이 〈사이코〉 배경 음악 작곡을 받아들일 것을 주장한다. 〈할리우드 작곡가 The Composer in Hollywood〉(1990)의 크리스토퍼 팔머에 따르면 이러한 결과 배경 음악은 '아마도 허만의 가장 놀라운 히치콕 업적일 것이다'라고 평했다.

히치콕은 영화에 추가된 긴장감과 드라마에 만족했다.

나중에 '사이코 효과의 33%는 음악 때문이었다. 〈사이코〉는 긴장과 파멸에 대한 감각 때문에 허만의 음악에 크게 의존했다'고 만족감을 드러낸다.

Hitchcock insisted that Bernard Herrmann write the score for Psycho despite the composer's refusal to accept a reduced fee for the film's lower budget.

The resulting score, according to Christopher Palmer in The Composer in Hollywood (1990) is 'perhaps Herrmann's most spectacular Hitchcock achievement'

Hitchcock was pleased with the tension and drama the score added to the film, later remarking '33% of the effect of Psycho was due to the music' and that 'Psycho depended heavily on Herrmann's music for its tension and sense of pervading doom'

허만은 재즈 악보에 대한 히치콕의 요청과는 다르게 전체 교향악 앙상블이 아닌 현악 오케스트라를 위해 작곡함으로써 감소된 음악 예산을 자신의 잇점으로 활용한다. 그는 전체 스트링 사운드트랙의 단일 톤 색상을 영화의 흑백 영화 촬영법을 반영하는 방법으로 생각했다고 한다. 현은 샤워 장면을 제외한 모든 음악에 대해 소르디니(음 소거)를 연주하여 더 어둡고 강렬한 효과를 만들어낸다.

Herrmann used the lowered music budget to his advantage by writing for a string orchestra rather than a full symphonic ensemble contrary to Hitchcock's request for a jazz score. He thought of the single tone color of the all-string soundtrack as a way of reflecting the black-and-white cinematography of the film.

The strings play con sordini (muted) for all the music other than the shower scene, creating a darker and more intense effect.

영화 작곡가 프레드 스타이너(Fred Steiner)는 〈사이코〉의 악보 분석을 통해 현악기가 허만이 다른 단일 기악 그룹보다 더 넓은 범위의 음색, 역학 및 기악 특수 효과에 접근할 수 있게 했다고 지적해 준다.

Film composer Fred Steiner, in an analysis of the score to Psycho, points out that string instruments gave Herrmann access to a wider range in tone, dynamics and instrumental special effects than any other single instrumental group would have.

메인 타이틀 음악, 긴장되고 돌진하는 곡은 임박한 폭력의 톤을 설정하고 사운드 트랙에서 3번 반복되고 있다. 영화의 처음 15-20분 동안은 아무 충격도 발생하지 않고 있다. 하지만 타이틀 음악은 관객의 마음에 남아 초기 장면에 긴장감을 주고 있다. 허만은 또한 오스티나토-일정한 음형(音型)을 동일 성부(聲部)에서 반복-를 사용하여 영화의 느린 순간을 통해 긴장을 유지해 주고 있다.

The main title music, a tense, hurtling piece, sets the tone of impending violence and returns three times on the soundtrack. Though nothing shocking occurs during the first 15-20 minutes of the film, the title music remains in the audience's mind, lending tension to these early scenes. Herrmann also maintains tension through the slower moments in the film through the use of ostinato.

허만이 샤워 장면에서 음악의 충격적인 효과를 얻기 위해 증폭된 새 지저귐을 포함하여 전자적 수단을 사용했다는 소문이 있었다.

그러나 그 효과는 '삐걱거리는 소리, 찌르는 듯한 소리와 함께 비범한 악의적 움직임' 으로 바이올린을 사용했을 때만 달성되었다.

There were rumors that Herrmann had used electronic means including amplified bird screeches to achieve the shocking effect of the music in the shower scene. The effect was achieved, however only with violins in a 'screeching, stabbing sound-motion of extraordinary viciousness'

사용된 유일한 전자 증폭은 더 거친 소리를 얻기 위해 악기 가까이에 마이크를 배치하는 것이었다. 감정적인 영향 외에도 샤워 장면 신호는 사운드트랙을 새와 연결하고 있다. 샤워 장면 음악과 새의 연관성은 또한 그의 어머니가 아닌 박제된 새 수집가 노만이 살인자임을 관객들에게 알려주고 있다.

The only electronic amplification employed was in the placing of the microphones close to the instruments to get a harsher sound. Besides the emotional impact, the shower scene cue ties the soundtrack to birds. The association of the shower scene music with birds also telegraphs to the audience that it is Norman the stuffed-bird collector who is the murderer rather than his mother.

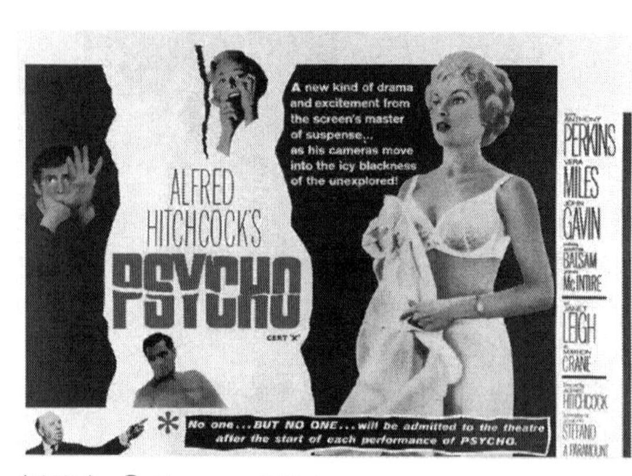

〈사이코〉. © Paramount Pictures

허만 전기 작가 스티븐 C. 스미스는 샤워 장면 음악이 '영화 음악에서 아마도 가장 유명한-그리고 가장 모방된-선곡' 이라고 썼다.

하지만 히치콕은 원래 이 장면에서 음악을 사용하는 것을 반대했다고 한다.

Herrmann biographer Steven C. Smith writes that the music for the shower scene is 'probably the most famous-and most imitated-cue in film music'.
but Hitchcock was originally opposed to having music in this scene.

허만이 히치콕의 샤워 장면 신호를 연주했을 때 감독은 영화에서 사용을 승인하게 된다. 허만은 히치콕에게 이 장면을 기록하지 말라는 지시를 상기시킨다.
히치콕은 '부적절한 제안, 애야! 부적절한 제안'이라고 대답했다고 한다.

When Herrmann played the shower scene cue for Hitchcock, the director approved its use in the film. Herrmann reminded Hitchcock of his instructions not to score this scene to which Hitchcock replied 'Improper suggestion, my boy! improper suggestion'

이것은 히치콕이 허만과 갖고 있었던 두 가지 중요한 불일치 중 하나였다.
허만은 히치콕의 지시를 무시한다.
두 번째는 〈찢어진 커튼 Torn Curtain〉 (1966)의 배경 음악을 완료하면서 그들의 전문적인 협력은 끝나게 된다.

This was one of two important disagreements Hitchcock had with Herrmann in which Herrmann ignored Hitchcock's instructions. The second one, over the score for Torn Curtain (1966) resulted in the end of their professional collaboration.

2009년 PRS for Music에서 실시한 설문 조사에 따르면 영국 시민은 '샤워 장면'의 배경 음악을 영화에서 가장 무서운 주제로 평가했다.

A survey conducted by PRS for Music, in 2009, showed that the British public consider the score from 'the shower scene' to be the scariest theme from any film.

〈사이코〉 50주년을 기념하기 위해 2010년 7월 샌 프란시스코 심포니는 사운드트랙이 제거된 영화 프린트를 입수하여 오케스트라가 라이브로 악보를 연주하는 동안 데이비스 심포니 홀의 대형 스크린에 영사한다.

이보다 앞서 2009년 10월 시애틀 심포니에 의해 설치되어 베나로야 홀에서 2일 연속 저녁 공연을 했다.

To honor the fiftieth anniversary of Psycho, in July 2010, the San Francisco Symphony obtained a print of the film with the soundtrack removed and projected it on a large screen in Davies Symphony Hall while the orchestra performed the score live. This was previously mounted by the Seattle Symphony in October 2009 as well performing at the Benaroya Hall for two consecutive evenings.

3. <사이코>의 가장 유명한 배경 음악 'The Murder'

'The Murder'는 알프레드 히치콕 감독의 공포 스릴러 영화 〈사이코〉(1960)의 버나드 허만(Bernard Herrmann)이 작곡한 영화 음악이다.

특히 2악장 악보는 영화사에서 가장 유명한 배경 음악 중 하나로 잘 알려져 있다.

원래 오케스트라의 현악 섹션을 위해 작곡됐다.

'The Murder' is a cinematic score written and composed by Bernard Herrmann for the horror-thriller film Psycho (1960) directed by Alfred Hitchcock.

The score, its second movement in particular is well recognized as one of the most famous scores in film history. It scored for an original orchestra's string section.

4. <사이코> 샤워 장면 배경 음악

배경 음악은 자넷 리 캐릭터 마리온 크레인이 살해된 유명한 '샤워 장면'을 위해 작곡되었다. 히치콕은 원래 시퀀스 및 모든 모텔 장면가 음악 없이 재생되기를 원했다. 하지만 허만은 그가 작곡한 선곡으로 시도해야 한다고 주장한다.

그 후 히치콕은 그것이 장면을 크게 강화한다는 데 동의하면서 허만의 급여를 거의 두 배로 늘려 지불했다고 한다.

The score was composed for the famous 'shower scene'. the murder of Janet Leigh's character, Marion Crane. Hitchcock originally wanted the sequence and all motel scenes to play without music but Herrmann insisted he try it with the cue he had composed. Afterward, Hitchcock agreed that it vastly intensified the scene and he nearly doubled Herrmann's salary.

〈사이코〉. © Paramount Pictures

5. 'shower scene' 3가지 주요 악장

1. 제1악장 1st Movement

악보의 첫 번째 악장은 다중 실행, 트릴 및 짧은 스타카토 찌르기로 구성되어 있다. 직접적인 멜로디는 없다.

하지만 빠른 속도로 진행되는 실행은 F, F#, C# 및 D 키 사이에서 계속 전환되고 있다. 일부 섹션은 G로 연주되고 있다. 허만이 구현한 주목할만한 기능은 다가오고 있는 임박한 위험감각을 만들기 위해 8분 음표를 번갈아 사용한 것이다.

The first movement of the score is made up of multiple runs, trills and short, staccato stabs played agitato. While there is no direct melody, the fast-paced runs constantly switch around between the keys of F, F#, C# and D with a few sections played in G. A notable feature that Herrmann implemented is the use of alternating eighth-note semitones to create a sense of approaching and imminent danger.

존 윌리암스는 15년 후 스티븐 스필버그의 〈죠스 Jaws〉(1975)를 위한 배경 음악에서 이 기술을 유명하게 만들었다. 움직임은 갑작스러운 페르마타 컷 오프에 도달하는 높은 Bbm9 코드로 끝나고 있다.

John Williams made this technique famous 15 years later in his score for Steven Spielberg's Jaws (1975). The movement ends with a high Bbm9 chord that crescendoes to an abrupt fermata cutoff.

2. 제2악장 2nd Movement

2번째 악장은 악보에서 가장 눈에 띄는 부분이다. 첫 번째 악장의 페르마타 직후에 외로운 제1 바이올린이 현악기 부분의 나머지 부분과 합류하기 전에 불협화음과 삐걱거리는 글리산도의 연속으로 직접 시작되고 있다.

이 패턴은 2번 반복 되고 있다. 하지만 2번째 글리산도 세트는 다소 다르게 표기되고 있다. 움직임은 또 다른 페르마타로 끝나고 있다.

The second movement is the most recognizable piece of the score: directly after the first movement's fermata, a lone first violin launches directly into a series of discordant, screechy glissandos before being joined by the rest of the string section.

This pattern is repeated twice, albeit the second set of glissandos is notated somewhat differently. The movements ends with another fermata.

3. 제3악장 3rd Movement

첼로와 콘트라베이스는 3번째 악장을 길고 낮으며 점선이 있는 하프 음표로 시작하고 있다. 나머지 현 섹션에서는 미세한 스타카토 소리가 난다. 반음은 E와 F를 3번 번갈아가며 C로 내려가고 있다.

〈사이코〉 사운드트랙. © RCA Cinematre

The cello and contrabass start the third movement with long, low, drawn out dotted half-notes that are answered with minute, staccato stabs from the rest of the string section.

The half-notes alternate between E and F 3 three times before going down to C.

Track listing

Disc/ Cassette 1

1. Prelude / The City / Marion And Sam / Temptation
2. Flight / The Patrol Car / The Car Lot / The Package / The Rainstorm
3. Hotel Room / The Window / The Parlour / The Madhouse / The Peephole

Disc/ Cassette 2

1. The Bathroom / The Murder/ The Body / The Office / The Curtain / The Water
2. The Search / The Shadow / Phone Booth / The Porch / The Stairs / The Knife
3. Search / The First Floor / Cabin 10 / Cabin 1
4. The Hill / The Bedroom / The Toys / The Cellar / Discovery / Finale

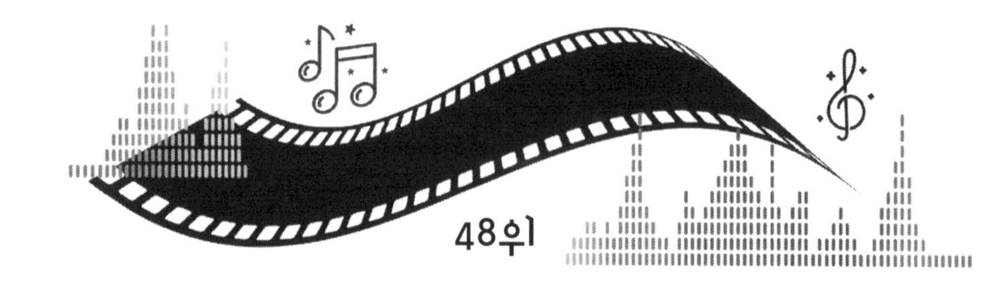

<환타지아>(1940) - 바흐의 'Toccata and Fugue in D minor', 애니메이션과 환상적 조우(遭遇) 주도

작곡: 요한 세바스찬 바흐 Johann Sebastian Bach

〈환타지아〉는 다채로운 클래식 명곡을 배경 음악으로 선곡해, 애니메이션 가치를 증폭시키는데 일조한다. © Walt Disney Production

1. <환타지아> 버라이어티 평

1936년 월트 디즈니는 디즈니 스튜디오의 스타 캐릭터 미키 마우스 인기를 높일 필요가 있다고 느낀다. 그는 요한 볼프강 폰 괴테가 쓴 1797년 시를 기반으로 하고 원본 이야기에서 영감을 받은 폴 두카스의 1897년 오케스트라 작품을 배경으로 한 고급 만화 단편 〈마법사의 제자 The Sorcerer's Apprentice〉에 미키 마우스를 등장시키기로 결정한다.

애니메이션을 클래식 음악에 맞추는 개념은 이미 1928년 디즈니 만화 시리즈 〈실리 심포니 Silly Symphonies〉에서 사용되었다. 하지만 일반적인 슬랩스틱을 넘어 '순수한 환타지가 펼쳐지는 음악적 패턴에 의해 제어되는 액션'이 있는 단편을 제작하고 싶었다. 비현실의 영역에서 큰 매력을 갖고 있었다.

In 1936, Walt Disney felt that the Disney studio's star character Mickey Mouse needed a boost in popularity. He decided to feature the mouse in The Sorcerer's Apprentice, a deluxe cartoon short based on the 1797 poem written by Johann Wolfgang von Goethe and set to the 1897 orchestral piece by Paul Dukas inspired by the original tale. The concept of matching animation to classical music was used as early as 1928 in Disney's cartoon series the Silly Symphonies but he wanted to go beyond the usual slapstick and produce shorts where 'sheer fantasy unfolds...action controlled by a musical pattern has great charm in the realm of unreality.

1937년 7월 말까지 음악을 사용할 수 있는 권리를 받은 디즈니는 명성을 더하기 위해 잘 알려진 지휘자를 사용하여 음악을 녹음하는 것을 고려한다.

1912년부터 필라델피아 오케스트라의 지휘자였던 레오폴드 스토코프스키(Leopold Stokowski)를 할리우드에 있는 체이슨 레스토랑에서 우연히 만나 단편에 대한 계획에 대해 이야기한다.

스토코프스키는 월트가 '음악을 좋아했다'고 회상했다.
프로젝트에 협력하게 되어 기뻤고 무료로 이 작품을 지휘하겠다고 제안한다.

Upon receiving the rights to use the music by the end of July 1937. Disney considered using a well-known conductor to record the music for added prestige. He happened to meet Leopold Stokowski, conductor of the Philadelphia Orchestra since 1912 at Chasen's restaurant in Hollywood and talked about his plans for the short.
Stokowski recalled that he did 'like the music' was happy to collaborate on the project and offered to conduct the piece at no cost.

회의 후 디즈니 뉴욕 담당자는 동부 해안으로 향하는 기차에서 스토코프스키와 마주쳤다. 그는 디즈니에 편지를 보내며 스토코프스키가 '아무 것도 하지 않고 음악을 하자는 제안에 정말 진지했다'고 보고한다.

Following their meeting, Disney's New York representative ran into Stokowski on a train headed for the East Coast. In writing to Disney. he reported that Stokowski was 'really serious in his offer to do the music for nothing'

그는 애니메이션 매체에 딱 맞는 도구적 채색에 대한 몇 가지 매우 흥미로운 아이디어를 갖고 있었다. 1937년 10월 26일자 그의 흥분된 응답에서 디즈니는 '스토코프스키는 우리와 함께 일한다는 아이디어에 흥분한 것 같다'고 썼다.
'스토코프스키와 그의 음악이 최고의 매체와 결합하는 것은 성공의 수단이 될 것이며 새로운 스타일의 영화 프레젠테이션으로 이어질 것이다. 그는 이미 스토리 개요 작업을 시작했다. 단편에서 '최고의 남자...유색 인종...애니메이터에 이르기까지'를 사용하기를 원했다.
〈마법사의 제자 Sorcerer's Apprentice〉은 '스페셜'로 홍보되고 미키 마우스 만화 시리즈 이외의 독특한 영화로 극장을 단기간 빌리게 된다.

He had some very interesting ideas on instrumental coloring which would be perfect for an animation medium.

In his excited response dated October 26, 1937, Disney wrote that he felt 'all steamed up over the idea of Stokowski working with us... The union of Stokowski and his music together with the best of our medium would be the means of a success and should lead to a new style of motion picture presentation'

He had already begun working on a story outline, and wished to use 'the finest men...from color...down to animators' on the short.

The Sorcerer's Apprentice was to be promoted as a 'special' and rented to theatres as a unique film, outside of the Mickey Mouse cartoon series.

1937년 12월 16일 디즈니와 스토코프스키가 서명한 계약에 따라 지휘자는 녹음을 위해 '완벽한 교향악단을 선택하고 고용'할 수 있게 된다.

스토코프스키는 그의 작업에 대해 5,000 달러를 받는다.

디즈니는 세션을 위해 캘리포니아 컬버 스튜디오에서 무대를 임대한다.

〈환타지아〉. © Walt Disney Production

1938년 1월 9일 자정에 시작하여 85명의 할리우드 뮤지션과 함께 3시간 동안 진행된다.

An agreement signed by Disney and Stokowski on December 16, 1937 allowed the conductor to 'select and employ a complete symphony orchestra' for the recording.

Stokowski was paid $5,000 for his work. Disney hired a stage at the Culver Studios in California for the session. It began at midnight on January 9, 1938 and lasted for three hours using eighty-five Hollywood musicians.

2. <환타지아> 사운드트랙 선곡 일화

디즈니는 스토리 작가 조 그랜트와 딕 휴머가 사전에 선별한 음악을 모아 스토코프스키, 테일러, 다양한 부서장들과 함께 아이디어를 의논한다.
각 회의는 속기사가 그대로 녹음한다.
참가자에게는 검토를 위해 전체 대화 사본이 제공된다.
선택을 고려하면서, 그 작품의 녹음을 찾아 다음 모임에서 재생했다고 한다.

Disney made story writers Joe Grant and Dick Huemer gather a preliminary selection of music and along with Stokowski, Taylor and the heads of various departments discussed their ideas. Each meeting was recorded verbatim by stenographers with participants being given a copy of the entire conversation for review.
As selections were considered, a recording of the piece was located and played back at the next gathering.

디즈니는 초기 논의에 크게 기여하지 않았다. 그는 음악에 대한 자신의 지식이 본능적이며 훈련되지 않았음을 인정한다. 회의에서 그는 '동물과 함께 선사시대 테마를 만들 수 있는' 작품에 대해 질문을 던진다.

Disney did not contribute much to early discussions. he admitted that his knowledge of music was instinctive and untrained. In one meeting, he inquired about a piece 'on which we might build something of a prehistoric theme...with animals'

이 그룹은 이고르 스트라빈스키의 'The Firebird'를 생각하고 있었다. 하지만 테일러는 'Le Sacre du printemps'가 순서대로 될 것이다'라고 언급했다.
디즈니는 녹음을 듣고 '이것은 놀랍다! 선사 시대 동물에게 완벽할 것이다'는 소감을 밝힌다.

The group was considering The Firebird by Igor Stravinsky but Taylor noted that his 'Le Sacre du printemps would be something on that order' to which Disney replied upon hearing a recording 'This is marvelous! It would be perfect for prehistoric animals'

'공룡, 날으는 도마뱀, 선사 시대 괴물들에게는 굉장한 것이 있을 것이다. 설정에 아름다움이 있을 수 있다.'

'There would be something terrific in dinosaurs, flying lizards and prehistoric monsters. There could be beauty in the settings'

니콜로 파가니니의 'Moto Perpetuo'를 포함하여 '다이나모, 톱니, 피스톤의 샷' 및 칼라 버튼의 생산을 보여주는 '회전 하는 바퀴'를 포함하여 대화가 계속되는 동안 수많은 선택이 취소된다.

삭제된 다른 자료에는 세르게이 라흐마니노프의 '트로이카와 G단조 전주곡', 로렌스 티벳이 부른 무소르그스키의 '벼룩의 노래' 등의 연주가 포함된다.

Numerous choices were discarded as talks continued including Moto Perpetuo by Niccolò Paganini with 'shots of dynamos, cogs, pistons' and 'whirling wheels' to show the production of a collar button. Other deleted material included Prelude in G minor and Troika by Sergei Rachmaninoff and a rendition of 'The Song of the Flea' by Mussorgsky which was to be sung by Lawrence Tibbett.

1938년 9월 29일, 디즈니 아티스트 약 60명이 모여 2시간 30분 동안의 피아노 콘서트를 개최하고 그가 새로운 음악적 특징에 대한 해설을 제공한다.

'The Sorcerer's Apprentice'의 대략적인 버전은 또한 한 참석자에 따르면 군중이 '손이 붉어질 때 까지' 박수와 환성을 하게 하는 것으로 나타난다.

On September 29, 1938, around sixty of Disney's artists gathered for a two-and-a-half hour piano concert while he provided a running commentary about the new musical feature.

A rough version of The Sorcerer's Apprentice was also shown that according to one attendee had the crowd applauding and cheering 'until their hands were red'

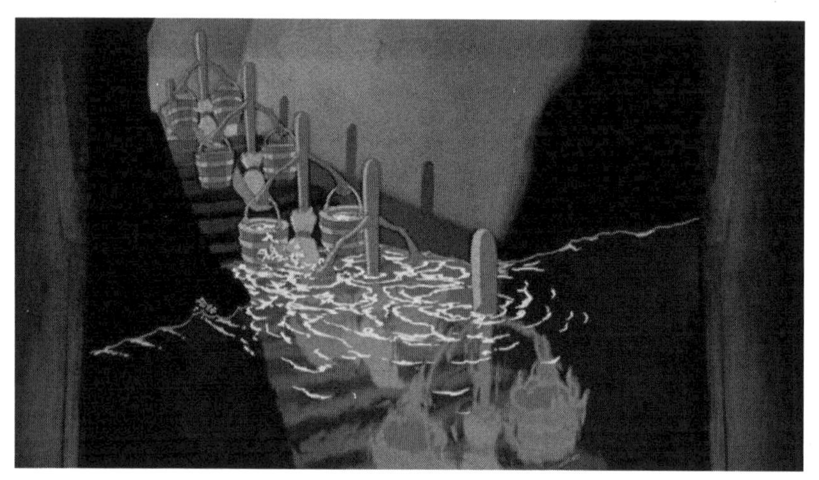

〈환타지아〉. © Walt Disney Production

다음 날 아침 최종 작품이 선택된다.

여기에는 '토카타와 푸가 D 단조', 가브리엘 피에르네의 '시달리즈'와 '르 쉐브르 피' '호두까기 인형 모음곡' '민둥 산의 밤' '아베 마리아' '시간의 춤' 클로드 드뷔시의 '달 빛', '봄의 제전'과 '마법사의 제자' 등이 포함된다.

디즈니는 이미 세그먼트에 대한 세부 사항을 작업하기 시작한다.

〈피노키오〉를 시작하는 동안 불안과 반대로 더 큰 열정과 열의를 보인다.

The final pieces were chosen the following morning which included Toccata and Fugue in D minor, Cydalise et le Chèvre-pied by Gabriel Pierné, The Nutcracker Suite, Night on Bald Mountain, Ave Maria, Dance of the Hours, Clair de Lune by Claude

Debussy, The Rite of Spring and The Sorcerer's Apprentice. Disney had already begun working out the details for the segments and showed greater enthusiasm and eagerness as opposed to his anxiety while starting on Pinocchio.

'달 빛'은 〈환타지아〉 프로그램에서 곧 제거 된다. 하지만 디즈니와 그의 작가는 '시달리즈'에 구체적인 이야기를 설정하는 데 문제가 있었다.
오프닝 행진 '작은 목신의 입장'은 처음에 그가 원했던 목신(牧神)의 적절한 묘사를 제공한 작품에 디즈니를 매료시킨다. 1939년 1월 5일 신화적 주제에 맞는 더 강력한 곡을 찾은 후 이 곡은 베토벤의 '교향곡 6번' 섹션으로 대체 된다.

Clair de Lune was soon removed from the Fantasia program but Disney and his writers encountered problems of setting a concrete story to Cydalise.
Its opening march 'The Entry of the Little Fauns' attracted Disney to the piece which at first provided suitable depictions of fauns he wanted.
On January 5, 1939, following a search for a stronger piece to fit the mythological theme, the piece was replaced with sections of Beethoven's sixth symphony.

스토코프스키는 디즈니의 '신화(神話)에 대한 생각은...이 교향곡의 주제가 아니다'라고 믿으며 전환에 동의하지 않았다. 그는 또한 작곡가 의도에서 너무 멀리 모험을 떠난 디즈니를 비판하는 클래식 음악 애호가들의 반응에 대해 우려를 보낸다. 반면 테일러는 변화를 환영하며 '놀라운 것'이라고 설명한다.
'이에 대해 가능한 이의가 없다'라고 말했다.

Stokowski disagreed with the switch believing that Disney's 'idea of mythology...is not quite what this symphony is about'. He was also concerned about the reception from classical music enthusiasts who would criticize Disney for venturing too far from the composer's intent. Taylor on the other hand welcomed the change, describing it as 'a stunning one' and saw 'no possible objection to it'

새 장편은 1938년 11월까지 콘서트 장편 또는 뮤지컬 장편으로 계속 알려진다. 디즈니 영화 배급사 RKO Radio Pictures 홍보 담당자 할 혼은 다른 제목을 원하면서 〈필하모닉 콘서트 Filmharmonic Concert〉를 제안한다.

The new feature continued to be known as The Concert Feature or Musical Feature as late as November 1938. Hal Horne, a publicist for Disney's film distributor RKO Radio Pictures wished for a different title and gave the suggestion Filmharmonic Concert.

스튜어트 부치난은 그 후 스튜디오에서 '바흐 투 스트라빈스키 Bach to Stravinsky' '스토코프스키의 바흐 앤 하이브로스키 Bach and Highbrowski by Stokowski' 등을 포함하여 거의 1,800개의 제안을 생성한 타이틀을 놓고 콘테스트를 개최한다.

Stuart Buchanan then held a contest at the studio for a title that produced almost 1,800 suggestions including Bach to Stravinsky and Bach and Highbrowski by Stokowski.

그럼에도 불구하고 영화 감독자들 사이에서 가장 좋아하는 것은 '단어만이 아니라 우리가 그 안에 담긴 의미를 읽는다'는 혼에서 조차 성장한 초기 작업 제목인 〈환타지아 Fantasia〉였다.

Still, the favorite among the film's supervisors was Fantasia, an early working title that had even grown on Horne. 'It isn't the word alone but the meaning we read into it'

디즈니는 개발 초기부터 자신의 과거 작품에 비해 〈환타지아〉에서 음악의 중요성이 더 크다고 표현했다. '평소 우리 음악은 항상 활동 중이다. 하지만 이것

에 관해서는 ...우리 이야기에 맞는 음악이 아니라 이 음악을 상상해야 한다.'

From the beginning of its development, Disney expressed the greater importance of music in Fantasia compared to his past work.

'In our ordinary stuff, our music is always under action but on this... we're supposed to be picturing this music not the music fitting our story'

디즈니는 이 영화가 자신과 같이 이전에 '이런 종류의 일을 하고 있는' 사람들에게 클래식 음악을 가져다 줄 수 있기를 바랐다.

Disney had hoped that the film would bring classical music to people who like himself had previously 'walked out on this kind of stuff'

3. 'Toccata and Fugue in D minor, BWV 565'는 어떤 곡?

'토카타와 푸가 D 단조 BWV 565'는 현존하는 가장 오래된 자료에 따르면 요한 세바스티안 바흐(Johann Sebastian Bach, 1685-1750)가 작곡한 오르간 음악이다. 이 작품은 토카타 섹션으로 시작하고 코다로 끝나며 푸가가 이어지고 있다. 그것이 언제 작곡되었는지에 대해서는 학자마다 다르다.

그것은 일찍이 1704년 작곡된 것으로 추정되고 있다.

The Toccata and Fugue in D minor, BWV 565 is a piece of organ music written according to its oldest extant sources by Johann Sebastian Bach (1685-1750).

The piece opens with a toccata section followed by a fugue that ends in a coda. Scholars differ as to when it was composed. It could have been as early as c. 1704.

〈환타지아〉. © Walt Disney Production

또는 1750년대만큼 늦은 날짜가 제안되기도 한다.

이 작품은 남부 독일 특성과 같은 다양한 문체적 영향으로 바로크 시대 북부 독일 오르간 학교의 전형으로 간주되는 특성과 상당 부분 일치하고 있다.

Alternatively, a date as late as the 1750s has been suggested. To a large extent, the piece conforms to the characteristics deemed typical of the north German organ school of the Baroque era with divergent stylistic influences such as south German characteristics.

4. 'Toccata and Fugue'를 위한 애니메이션 제작 포기

디즈니는 1935년부터 렌 라이 Len Lye 감독의 〈칼라 박스 A Color Box〉를 본 이후로 추상 애니메이션 제작에 관심을 갖게 된다. 그는 'Toccata and Fugue'에서 수행된 작업이 '갑작스러운 생각은 아니다. 그것들은 우리가 몇 년 동안 숙성시켜 놓은 것이며 시도할 기회가 없었을 뿐이다'라고 설명해 주었다.

예비 디자인에는 사운드 필름 가장자리 패턴에서 영향을 받은 그림을 제작한 효과 애니메이터 사이 영 Cy Young의 디자인이 포함된다.

Disney had been interested in producing abstract animation since he saw A Colour Box by Len Lye from 1935. He explained the work done in the Toccata and Fugue was 'no sudden idea... they were something we had nursed along several years but we never had a chance to try'.

Preliminary designs included those from effects animator Cy Young who produced drawings influenced by the patterns on the edge of a piece of sound film.

1938년 말. 디즈니는 영과 함께 작업할 클래식 음악을 포함하여 수많은 추상 애니메이션 영화를 제작한 독일 예술가 오스카 피싱거(Oskar Fischinger)를 고용한다. 두 회사가 생산한 3개의 라이카 릴을 검토한 결과 디즈니는 3 개 모두를 거부한다. 후머에 따르면 피싱거는 '작은 삼각형과 디자인을 하고 전혀 떨어지지 않았다. 너무 뚱뚱하다고 말했다.'

피싱거는 디즈니와 마찬가지로 자신의 작업을 완전히 통제하는 데 익숙했지만 그룹에서 일하는 것에 더 익숙했다.

그의 디자인이 대중에게 너무 추상적이라고 생각하여 피싱거는 1939년 10월 세그먼트가 완성되기 전에 명백한 절망감을 갖고 스튜디오를 떠나게 된다.

In late 1938, Disney hired Oskar Fischinger, a German artist who had produced numerous abstract animated films including some with classical music to work with Young. Upon review of three leica reels produced by the two, Disney rejected all three.

According to Huemer all Fishinger 'did was little triangles and designs... it didn't come off at all. Too dinky, Walt said. Fischinger like Disney was used to having full control over his work and not used to working in a group. Feeling his designs were too abstract for a mass audience. Fishinger left the studio in apparent despair before the segment was completed in October 1939.

디즈니는 'Toccata and Fugue'를 실험적인 3차원 영화로 만들 계획이었다.

하지만 관객에게 기념품 프로그램과 함께 판지 입체 프레임을 제공했지만 이 아이디어는 포기된다.

Disney had plans to make the Toccata and Fugue an experimental three-dimensional film with audiences being given cardboard stereoscopic frames with their souvenir programs but this idea was abandoned.

* 사운드트랙 리스트는 37위 〈환타지아 Fantasia〉 참조

거물 지휘자 레오폴드 스토코프스키 Leopold Stokowski가 사운드트랙 제작에 참여해 작품 품위를 높여준 〈환타지아〉. © Walt Disney

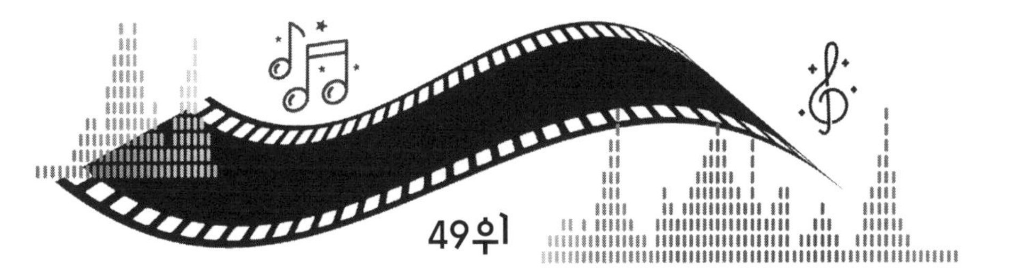

<콰이 강의 다리 The Bridge on the River Kwai>(1957) - 일본군 포로가 된 연합군의 응원곡으로 선곡된 '보기 대령 행진곡'

작곡: 말콤 아놀드 Malcolm Arnold

2차 대전 당시 일본 군 포로로 생포된 연합 군인들의 애환을 경쾌한 군가(軍歌)를 가미시켜 전개시켜준 〈콰이 강의 다리〉. © Columbia Pictures

1. <콰이 강의 다리> 버라이어티 평

제2차 세계 대전 중 버마. 영국 전쟁 포로 그룹은 콰이 강에 다리를 건설하기 위해 포로로 잡혀 있는 일본 수용소 소장 사이토 대령의 명령을 받게 된다.

항복한 여단 고위 장교 니콜슨 대령은 영국 장교들에게도 교량에서 작업을 수행해야 하는 명령을 놓고 사이토와 갈등을 겪는다. 형벌로 장교와 대령은 감금된다. 의기소침한 병사들은 노동 현장으로 차출된다.

In Burma during World War II, a group of British prisoners of war is commanded by the warden of the Japanese camp they're being held captive in, Colonel Saito to build a bridge over the River Kwai. The senior officer of the capitulated brigade Colonel Nicolson conflicts with Saito over the order which obliges the British officers to perform work on the bridge as well. As punishment, the officers and the colonel are locked away and the demoralized men are sent off to work.

니콜슨과 장교들은 얼마 후 필사적인 사이토에 의해 석방되어 부하들을 맡게 된다. 사이토는 죄수들의 열악한 업무 의욕으로 인해 다리가 제시간에 완공되지 않아 결국 그로 인해 할복자살(割腹自殺)을 한다.

권한 변경 후 작업이 진행 중인 것으로 보인다.

하지만 두 대령이 모르는 사이에 탈출한 전직 미군 사령관 시어스는 콰이 강 다리 폭파를 목표로 스리랑카에서 임무를 이끌어낸다.

Nicholson and the officers are after some time released by and put in charge of their men by a desperate Saito who fear that the lackluster work morale of the prisoners may cause the bridge to not be completed in time which would in turn force him to commit seppuku.

After the change in authority work seems to be going on the way but unbeknownst to the two colonels escaped former inmate US Commander Shears is leading a mission from Ceylon with the goal of blowing up the bridge on the River Kwai.

〈콰이 강의 다리〉는 데이비드 린이 감독하고 1952년 피에르 불이 쓴 소설을 원작으로 한 1957년 서사 전쟁 영화이다. 영화는 1942-1943년 건설 된 버마(현재 미얀마) 철도의 역사적 배경을 사용하고 있다.

하지만 불의 소설과 시나리오 줄거리와 등장인물은 거의 완전히 허구이다.

The Bridge on the River Kwai is a 1957 epic war film directed by David Lean and based on the 1952 novel written by Pierre Boulle. Although the film uses the historical setting of the construction of the Burma Railway in 1942-1943, the plot and characters of Boulle's novel and the screenplay are almost entirely fictional.

처음에는 시나리오 작가 칼 포먼이 각본을 썼다. 나중에 마이클 윌슨으로 대체 된다. 두 작가 모두 할리우드 블랙리스트에 올라 작업을 계속하기 위해 영국으로 도피했기 때문에 비밀리에 작업해야 했다. 그 결과, 영어를 할 줄 모르는 불은 크레디트를 받았고 아카데미 각본상을 수상하게 된다.

몇 년 후, 포먼과 윌슨은 사망 후에 아카데미상을 수여 받게 된다.

It was initially scripted by screenwriter Carl Foreman who was later replaced by Michael Wilson. Both writers had to work in secret as they were on the Hollywood blacklist and had fled to the UK in order to continue working.

As a result, Boulle who did not speak English was credited and received the Academy Award for Best Adapted Screenplay.

many years later, Foreman and Wilson posthumously received the Academy Award.

〈콰이 강의 다리〉는 역사상 가장 위대한 영화 중 한 편으로 널리 알려져 있다.

그것은 1957년 가장 높은 수익을 올린 영화였다. 비평가들로부터 압도적으로 긍정적인 평가를 받는다. 영화는 제30회 아카데미 시상식에서 작품상을 포함한 7개 부문 아카데미상을 수상한다.

The Bridge on the River Kwai is widely regarded as one of the greatest films of all time. It was the highest-grossing film of 1957 and received overwhelmingly positive reviews from critics. The film won seven Academy Awards including Best Picture at the 30th Academy Awards.

2. <콰이 강의 다리> 사운드트랙 리뷰

〈콰이 강의 다리〉. © Columbia Pictures

영국 작곡가 말콤 아놀드는 '45분 분량의 음악을 쓸 수 있는 10일'이 있었다고 회상하고 있다. 그는 〈콰이 강의 다리〉 음악을 시간의 관점에서 '내 인생에서 가장 나쁜 직업'으로 묘사하고 있다.

그럼에도 불구하고 그는 오스카상과 그래미상을 수상하게 된다.

British composer Malcolm Arnold recalled that he had 'ten days to write around forty-five minutes worth of music' much less time than he was used to. He described the music for The Bridge on the River Kwai as the 'worst job I ever had in my life' from the point of view of time. Despite this, he won an Oscar and a Grammy.

영화에서 기억에 남는 부분은 포로가 수용소에 들어갈 때 'Colonel Bogey' 행진의 첫 번째 변형인 휘파람을 부르는 노래이다.

A memorable feature of the film is the tune that is whistled by the POWs the first strain of the march 'Colonel Bogey' when they enter the camp.

가방 영은 버마 철도에서 일했던 전직 일본 포로인 도날드 와이즈와의 만남에 대해 이야기하고 있다. 영: '도날드, 보기 대령에게 휘파람을 불던 사람이 영화에서처럼…? 와이즈: '태국에서는 들어본 적이 없다. 우리는 휘파람을 부를 시간이 얼마 남지 않았다. 그러나 방콕에서 나는 그 영화감독 데이비드 린이 제시간에 행진하지 못하기 때문에 죄수인 우리를 연기한 엑스트라들에게 화를 냈다고 들었다.

Gavin Young recounts meeting Donald Wise, a former prisoner of the Japanese who had worked on the Burma Railway.

Young: 'Donald, did anyone whistle Colonel Bogey...as they did in the film?'

Wise: 'I never heard it in Thailand. We hadn't much breath left for whistling. But in Bangkok I was told that David Lean, the film's director became mad at the extras who played the prisoners us because they couldnt march in time'

린은 그들에게 '맙소사! 시간을 지키기 위해 호루라기를 불러' 그리고 조지 시가츠라는 녀석이…휘파람 전문가가 보기 대령에게 휘파람을 불기 시작했다. 히트작이 탄생했다.'

Lean shouted at them, 'For God's sake, whistle a march to keep time to'.
And a bloke called George Siegatz... an expert whistler began to whistle Colonel Bogey and a hit was born.

행진곡은 1914년 영국 밴드마스터 프레데릭 J. 릭케츠의 가명인 케네스 J. 알포드가 작성한다.

The march was written in 1914 by Kenneth J. Alford, a pseudonym of British Bandmaster Frederick J. Ricketts.

대령 보기 변형은 동일한 코드 진행을 사용하는 카운터 멜로디를 동반한 다음 영화 작곡가 말콤 아돌드가 자신이 작곡한 'The River Kwai March'로 계속 이어졌다. 사운드트랙에서 완전히 들리지 않았다.
미치 밀러는 두 행진곡을 모두 녹음하여 히트를 기록한다.

The Colonel Bogey strain was accompanied by a counter melody using the same chord progressions then continued with film composer Malcolm Arnold's own composition, 'The River Kwai March' played by the off-screen orchestra taking over from the whistlers, though Arnold's march was not heard in completion on the soundtrack.
Mitch Miller had a hit with a recording of both marches.

많이 긴장되고 극적인 장면에서 자연의 소리만 사용되고 있다.
이에 대한 사례는 특공대 워든과 조이스가 정글을 통해 도망치는 일본 군인을 사냥하고 그가 다른 군대에게 경고하는 것을 필사적으로 막을 때이다.

In many tense, dramatic scenes, only the sounds of nature are used.
An example of this is when commandos Warden and Joyce hunt a fleeing Japanese soldier through the jungle desperate to prevent him from alerting other troops.

3. <콰이 강의 다리>가 유행시킨 'Colonel Bogey March' 작곡 에피소드

'Colonel Bogey March'는 1914년 F J 리켓츠 중위(1881-1945)-필명 케네스 J. 알포드-가 작곡한 영국 행진곡이다. 그는 훗날 플리머스에서 왕립 해병대 음악 감독이 된 영국 육군 밴드마스터이다.

The 'Colonel Bogey March' is a British march that was composed in 1914 by Lieutenant F. J. Ricketts (1881-1945)-pen name Kenneth J. Alford-a British Army bandmaster who later became the director of music for the Royal Marines at Plymouth.

당시 군인들은 군대 밖에서 직업 생활을 하는 것이 권장되지 않았다.

이 때문에 영국군 악단장 F. J. 리켓츠는 케네스 알포드라는 가명으로 'Colonel Bogey'와 다른 작곡을 출판하게 된다.

아마도 이 곡은 골프를 칠 때 'Fore!'를 외치는 것보다 '내림차순 마이너 3도 소리를 더 좋아하는' 영국군 장교에서 영감을 받은 것으로 추정되고 있다.

멜로디의 각 줄을 시작하는 것은 이 내림차순 간격이다.

'Colonel Bogey'라는 이름은 19세기 후반에 보기 대령 Colonel Bogey 골프 득점 시스템의 가상의 '표준 상대'로 시작 되었다.

에드워드 시대 '더 코로넬 The Colonel'은 골프계에서 코스를 주관하는 정신으로 채택 되었다고 한다.

〈콰이 강의 다리〉. © Columbia Pictures

Since service personnel were, at that time, not encouraged to have professional lives outside the armed forces, British Army bandmaster F. J. Ricketts published 'Colonel Bogey' and his other compositions under the pseudonym Kenneth Alford.

Supposedly, the tune was inspired by a British military officer who 'preferred to whistle a descending minor third' rather than shout 'Fore!' when playing golf.

It is this descending interval that begins each line of the melody.

The name 'Colonel Bogey' began in the late 19th century as the imaginary 'standard opponent' of the Colonel Bogey golf scoring system and by Edwardian times the Colonel had been adopted by the golfing world as the presiding spirit of the course.

대서양 양쪽 에드워드 골퍼들은 종종 '보기 대령'과 경기를 했다고 한다.

'보기'는 이제 '1 오버 파'를 의미하는 골프 용어가 된다.

Edwardian golfers on both sides of the Atlantic often played matches against 'Colonel Bogey' Bogey is now a golfing term meaning 'one over par'

배경 음악은 밀리언셀러가 되었다. 행진곡은 여러 번 녹음 된다.

제2차 세계 대전이 시작될 때 'Hitler Has Only Got One Ball'-원래 'Göring Has Only Got One Ball'-이 노래로 맞춰지면서 'Colonel Bogey'는 영국인의 생활 방식의 일부가 되었다. '루프트바페 지도자가 심각한 사타구니 부상을 입었지만 나중에 대중의 취향에 맞게 수정된 후, 이 곡은 비공식적인 국가가 되어 본질적으로 무례함을 찬양하고 있다.

'보기 대령'은 캐나다 원정군의 10 및 50 대대의 행진으로 사용 된다.

후자는 '보기 대령'이라고 주장하는 캐나다 군대 왕 소유 캘거리 연대(RCAC)에 의해 오늘날 그들의 승인된 행진으로 빠른 시간 내에 영속되고 있다.

The sheet music was a million-seller and the march was recorded many times.

At the start of World War II 'Colonel Bogey' became part of the British way of life[6] when a popular song was set to the tune. 'Hitler Has Only Got One Ball'-originally 'Göring Has Only Got One Ball' after the Luftwaffe leader suffered a grievous groin injury but later reworded to suit the popular taste with the tune becoming an unofficial national anthem, essentially exalting rudeness.

'Colonel Bogey' was used as a march-past by the 10th and 50th Battalions of the Canadian Expeditionary Force. the latter perpetuated today by The King's Own Calgary Regiment (RCAC) of the Canadian Forces who claim 'Colonel Bogey' as their authorised march-past in quick time.

'Colonel Bogey March' 멜로디는 1943년부터 1978년 정규 육군에 흡수될 때까지 미 육군의 한 분과인 여군 부대 노래로 사용된다. 도로시 E. 넬센 소령(USAR)이 작사한 가사는 다음과 같다. '의무가 당신과 나를 부르고 있다. 우리는 운명과 함께 데이트를 하고 있다. 준비가 되어 있다. WAC는 준비가 되어 있다. 그들의 맥박은 안정되어 세상을 자유롭게 할 수 있다. 봉사, 우리는 그 안에 마음과 영혼이 있다. 승리는 우리의 유일한 목표. 우리는 조국의 명예를 사랑하며 어떤 적에게도 이를 방어할 것이다.'

The 'Colonel Bogey March' melody was used for a song of the Women's Army Corps a branch of the U.S. Army from 1943 until its absorption into the regular Army in 1978.

The lyrics written by Major Dorothy E. Nielsen (USAR) were this.

'Duty is calling you and me, we have a date with destiny, ready, the WACs are ready, their pulse is steady a world to set free. Service. we're in it heart and soul, victory is our only goal. we love our country's honor and we'll defend it against any foe'

1951년 호주에서 열린 첫 번째 컴퓨터 회의에서 'Colonel Bogey March'는 Commonwealth Scientific and Industrial Research Organisation에서

개발한 컴퓨터 CSIRAC에 의해 컴퓨터로 연주된 최초의 음악이 된다.

1961년 영화 〈패런트 트랩 The Parent Trap〉에서 여학생들로만 구성된 여름 캠프 야영자들은 'Colonel Bogey March'를 휘파람으로 부르며 캠프를 행진하며 〈콰이 강의 다리〉 장면을 따라하고 있다.

In 1951, during the first computer conference held in Australia, the 'Colonel Bogey March' was the first music played by a computer by CSIRAC, a computer developed by the Commonwealth Scientific and Industrial Research Organisation.

In the 1961 film The Parent Trap, the campers at an all-girls summer camp whistle the 'Colonel Bogey March' as they march through camp, mirroring the scene from The Bridge on the River Kwai.

'행진곡'은 1970년대부터 독일 광고 Underberg digestif bitter에서 사용된다. 그곳에서는 고전적인 CM 송이 된다. 혜성(Comet)이라는 패러디는 같은 이름의 청소용품을 소비하는 것의 부작용에 대한 유머러스한 노래가 된다.

〈콰이 강의 다리〉. © Columbia Pictures

1985년 영화 〈블렉퍼스트 클럽〉에서는 모든 10대 주인공들이 토요일 방과 후 남게 되는 체벌을 받을 때 노래를 휘파람으로 부르고 있다.

이때 버논 교장-폴 그리슨-이 방으로 걸어 들어오고 있다.

또한 〈숏 서키트〉 및 〈스페이스볼〉에서도 사용된다.

The march has been used in German commercials for Underberg digestif bitter since the 1970s and has become a classic jingle there. A parody titled 'Comet' is a humorous song about the ill effects of consuming the cleaning product of the same name.

In the 1985 film The Breakfast Club, all the teenage main characters are whistling the tune during their Saturday detention when Principal Vernon-played by Paul Gleason-walks into the room. It was also used in Short Circuit and Spaceballs.

2019년 '보기 대령 행진곡'은 TV 시리즈 〈맨 인 더 하이 캐슬〉 시즌 4 중 에피소드 8에서 사용된다.

In the 2019, the Colonel Bogey March was used in the TV series The Man in the High Castle, in episode 8 of season 4.

4. <콰이 강의 다리>에서 'Colonel Bogey March'가 선곡된 일화

영국 출신 작곡가 말콤 아놀드(Malcolm Arnold).

제2차 세계 대전을 배경으로 한 1957년 드라마 영화 〈콰이 강의 다리〉를 위해 'The River Kwai March'라는 제목의 반대(反對) 행진 곡을 추가시킨다.

두 행진 곡은 미치 밀러에 의해 'March from Kwai-Colonel Bogey'로 함께 녹음돼 1958년 미국 팝 차트 20위까지 진입하게 된다. 영화 때문에 '보기 대령 행진곡'은 종종 '콰이 강 행진'이라고 오해 받고 있다고 한다.

English composer Malcolm Arnold added a counter-march, which he titled 'The River Kwai March' for the 1957 dramatic film The Bridge on the River Kwai, set during

World War II. The two marches were recorded together by Mitch Miller as 'March from the River Kwai-Colonel Bogey' and it reached USA #20/1958. On account of the movie, the 'Colonel Bogey March' is often miscredited as the 'River Kwai March'

아놀드가 영화의 배경 음악으로 '보기 대령'을 사용한다.

그것은 영국 포로들이 수용소로 행진할 때 동반 없이 여러 번 휘파람을 불던 '보기 대령'의 첫 번째 주제이자 두 번째 주제의 약간에 불과했다.

영화가 일본에 의해 비인간적인 환경에 갇힌 전쟁 포로를 묘사한 이후, 캐나다 관리들은 1980년 5월 일본 총리 오히라 마사요시가 오타와를 방문하는 동안 '킹즈 오운 캘가리 연대 밴드'가 'Colonel Bogey'를 연주했을 때 당황한다.

While Arnold did use 'Colonel Bogey' in his score for the film. it was only the first theme and a bit of the second theme of 'Colonel Bogey' whistled unaccompanied by the British prisoners several times as they marched into the prison camp.

Since the film depicted prisoners of war held under inhumane conditions by the Japanese, Canadian officials were embarrassed in May 1980 when the King's Own Calgary Regiment Band played 'Colonel Bogey' during a visit to Ottawa by Japanese prime minister Masayoshi Ōhira.

〈콰이 강의 다리〉에 출연했던 영국 배우 퍼시 허버트가 영화에서 이 노래의 사용을 제안했다고 한다. 그는 일본 포로수용소에 대한 직접적인 경험이 있었다.

이 때문에 데이비드 린 감독은 그를 컨설턴트로 활용하기 위해 주 당 £5.00를 추가로 지불했다고 한다.

A British actor, Percy Herbert who appeared in The Bridge on the River Kwai suggested the use of the song in the movie.

Because he had first-hand experience of Japanese POW camps.

he was paid an extra £5.00 per week by director David Lean to act as a consultant.

Track listing

1. Overture
2. The River Kwai March/Colonel Bogey by Mitch Miller & His Orchestra
3. Shears Escape
4. Nicholson's Victory
5. Sunset
6. Working on the Bridge
7. Trek to the Bridge
8. Camp Concert Dance
9. Finale
10. The Colonel Bogey March (Kenneth Alford) by The Band of HM Royal Marines conducted by Lt. Col. F. Vivian Dunn
11. The Key (To Your Heart) by Mitch Miller & His Orchestra and Chorus
12. U-Boat Alley
13. The Key
14. Stella
15. Chop Suey Polka

〈콰이 강의 다리〉 사운드트랙. © Atlas Records

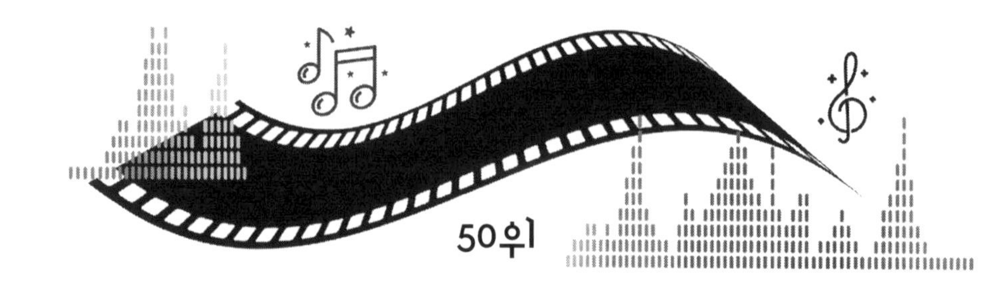

<꼬마 돼지 베이브 Babe>(1995) - 아기 돼지 베이브의 인간 세상 모험담을 격려해주고 있는 생-상의 'Symphony No. 3'

작곡: 카밀 생-상 Camille Saint-Saëns

호주 크리스 누난 감독이 동물 돼지를 내세워 인간 풍속도를 제시해준 이색 코믹극 〈꼬마 돼지 베이브〉. 생-생 작곡 클래식이 배경 음악으로 선곡되고 있다. ⓒ Universal Pictures

1. <꼬마 돼지 베이브> 버라이어티 평

영국 시골 농장에서 양치기 개들이 키운 돼지 베이브는 농부 호게트의 도움을 받아 양 치는 법을 배우게 된다.

Babe, a pig raised by sheepdogs on a rural English farm, learns to herd sheep with a little help from Farmer Hoggett.

온화한 농부 아서 호게트는 카운티 박람회에서 베이브라는 새끼 돼지를 얻게 된다. 농부 호게트는 다음 박람회에서 그를 보여주기로 결정한다.

크리스마스 만찬이라는 운명을 가까스로 도피하게 된 베이브는 어머니 보더 콜리 플라이와 유대 관계를 맺고 자신도 양 떼를 몰 수 있다는 사실을 알게 된다.

Gentle farmer Arthur Hoggett wins a piglet named Babe at a county fair. Narrowly escaping his fate as Christmas dinner when Farmer Hoggett decides to show him at the next fair, Babe bonds with motherly border collie Fly and discovers that he can herd sheep too.

하지만 플라이의 질투심 많은 남편 렉스를 비롯한 다른 농장 동물들은 농장의 사회적 계층에 맞지 않는 돼지를 받아들일 수 있을까?

But will the other farm animals including Fly's jealous husband, Rex, accept a pig who doesn't conform to the farm's social hierarchy?

〈꼬마 돼지 베이브〉-가 제목은 베이브 쉽-피그-는 크리스 누난 감독, 조지 밀러가 제작했다. 두 사람이 집필해서 공개한 1995년 코미디 드라마 영화이다.

딕 킹-스미스(Dick King-Smith)의 1983년 소설 〈쉽-피그 The Sheep-Pig〉를 각색한 작품이다. 양치기 개 일을 하고 싶어 하는 농장 돼지의 이야기를 다루고 있다. 영화 나레이션은 로스코 리 브라운이 맡았다.

주요 동물 캐릭터는 실제 동물과 애니마트로닉스 인형이 연기하고 있다.

Babe-also known as Babe the Sheep-Pig in the working title-is a 1995 comedy-drama film directed by Chris Noonan, produced by George Miller and written by both.

It is an adaptation of Dick King-Smith's 1983 novel The Sheep-Pig which tells the story of a farm pig who wants to do the work of a sheepdog.

The film is narrated by Roscoe Lee Browne and the main animal characters are played by both real animals and animatronic puppets.

〈꼬마 돼지 베이브〉는 1994년 뉴 사우스 웨일스 로버트슨에서 촬영된다.

1995년 8월 4일에 극장 개봉된다. 여러 아카데미 상 후보에 오르면서 비평적이고 상업적인 성공을 거둔다. 속편 〈꼬마 돼지 베이브 2〉는 1998년 개봉된다.

Babe was filmed in Robertson, New South Wales in 1994 and released theatrically on 4 August 1995, going on to become a critical and commercial success, with several Academy Award nominations. A sequel, Babe: Pig in the City, was released in 1998.

2. <꼬마 돼지 베이브> 사운드트랙 리뷰

〈꼬마 돼지 베이브〉 배경 음악은 니겔 웨스트레이크가 작곡하고 멜버른 심포니 오케스트라가 연주해 주고 있다. 19세기 프랑스 작곡가의 클래식 오케스트라 음악이 영화 전체에 사용되고 있다. 다양한 방식으로 변장되고 있으며 종종 웨스트레이크가 그의 배경 음악에 통합시키고 있다. 영화가 끝날 무렵 호겟트가 불러 주는 주제곡 'If I Had Words'-작사: 요한 호지-는 카밀 생-상의 오르간 교향곡 'Maestoso' 마지막 악장을 각색한 것이다. 애초 이 곡은 스코트 피츠제랄드와 이본 킬리가 1977년에 공연해 주었다. 이 곡은 영화 악보 전체에서 반복되고 있다.

〈꼬마 돼지 베이브〉. © Universal Pictures

The musical score for Babe was composed by Nigel Westlake and performed by the Melbourne Symphony Orchestra. Classical orchestral music by 19th-century French composers is used throughout the film but is disguised in a variety of ways and often integrated by Westlake into his score.

The theme song 'If I Had Words'-lyrics by Jonathan Hodge-sung by Hoggett near the film's conclusion is an adaptation of the Maestoso final movement of the Organ Symphony by Camille Saint-Saëns and was originally performed in 1977 by Scott Fitzgerald and Yvonne Keeley. This tune also recurs throughout the film's score.

또한 에드바드 그리그의 'Lyric Pieces, Op.71 No. 1'의 배경 음악이 짧게 인용되고 있다. 다른 음악은 레오 들리비, 리차드 로저스, 가브리엘 포레 및 조르쥬 비제 등이 화면에서 사용되고 있다.

There are also brief quotations within the score from Edvard Grieg's Lyric Pieces, Op.71 No. 1. Other music featured is by Léo Delibes, Richard Rodgers, Gabriel Fauré and Georges Bizet.

'Nigel Westlake / Melbourne Symphony Orchestra-Babe: Orchestral Soundtrack'는 인기 있는 1995년 영화 〈꼬마 돼지 베이브 Babe: A Little Pig Goes a Long Way〉 악보를 오케스트라로 재녹음한 것이다.

영화 개봉 20주년을 축하하기 위해 오리지널 작곡가인 니겔 웨스트레이크는 멜버른 심포니 오케스트라와 재회하여 19세기 프랑스 고전 음악, 특히 생상스 오르간 교향곡 등 다양한 인용문과 모티브를 통합한 자신의 악보를 다시 구성해 주고 있다. 1995년 처음 등장한 멜버른 심포니와 함께 녹음한 오리지널 사운드트랙에는 영화에서 가져온 노래와 대사가 포함되어 있다.

2015년 기념일 녹음은 전적으로 도구적이며 웨스트레이크의 매력적이고 다양한 음악에 초점을 맞추고 있다.

'Nigel Westlake / Melbourne Symphony Orchestra-Babe: Orchestral Soundtrack' is an orchestral re-recording of the score for the popular 1995 film Babe: A Little Pig Goes a Long Way. In celebration of the film's 20th anniversary, original composer Nigel Westlake reunited with the Melbourne Symphony Orchestra to revisit his score, which incorporated various quotations and motifs from 19th century French classic music, particularly Saint-Saëns' Organ Symphony. The original soundtrack, which first appeared in 1995 and was also recorded with the Melbourne Symphony, featured singing and selections of dialogue taken from the movie.

The 2015 anniversary recording is entirely instrumental and focuses solely on Westlake's charming and diverse score.

3. 'Westlake: Babe Orchestral Soundtrack (Melbourne Symphony Orchestra' 리뷰

이 놀라운 영화는 1995년에 개봉되었을 때 히트를 쳤다.

수많은 상을 휩쓸고 박스 오피스에서 엄청난 흥행을 기록한다.

호주 영화 제작의 승리. 조지 밀러(George Miller)와 크리스 누난은 애니메이션, 실사, 애니마트로닉스를 창의적으로 조합하여 말하는 동물과 드라마의 설득력 있는 세계를 만들어 냈다. 니겔 웨스트레이크의 훌륭한 배경 음악 덕분에 이 사업은 순조롭게 진행되었다. 주로 생상스의 오르간 교향곡이 이끌고 있다.

This remarkable film was a hit when released in 1995, garnering an armful of awards and making a squillion at the box office. a triumph for Australian filmmaking. George Miller and Chris Noonan used an imaginative mix of animation, live action and animatronics to create a convincing world of talking animals and drama.

The enterprise was helped on its merry way by Nigel Westlake's fine score in which he primarily drew on Saint-Saëns organ symphony.

우리는 '메리'라는 단어를 의도적으로 사용하고 있다.

이야기의 고귀한 주제와 진행 방식이 즐겁기 때문이다.

We use the word 'merry' purposefully as the noble theme of the story and the way it plays out is joyful.

그리그, 비제, 포레 및 들리비와 같은 다른 고전 작곡가들을 스쳐 지나간다.

실비아의 'Pizzickati'가 큰 효과를 내는 데 사용되고 있다.

웨스트레이크는 생-상의 위대한 주제를 이 삶을 긍정하는 이야기의 음악적 구속력으로 남겨두고 있다. 이 소스 자료를 창의적으로 자주 유머와 함께 사용하고 있다. 마지막 트랙에서 농부 호겟트의 춤을 위한 이 큰 곡의 장난기 가득한 편곡은 순수한 기쁨이다.

There are passing glances at other classical composers such as Grieg, Bizet, Fauré and Delibes whose Pizzicati from Sylvia is used to great effect.

Westlake uses this source material creatively and often with humour leaving the great theme by Saint-Saëns as the musical binding for this life-affirming story.

The playful arrangement of this big tune for Farmer Hoggett's dance in the last track is a sheer delight.

〈꼬마 돼지 베이브〉. © Universal Pictures

작곡가로서 웨스트레이크의 기술은 그의 뛰어난 오케스트레이션과 일치하고 있다.

그리고 작곡의 세계에서 두 기술이 항상 균형을 이루는 것은 아니다.

MSO가 새롭게 녹음한 이 음악은 영화 개봉 20주년을 기념하기 위한 것이다. 그리고 멋지다. 작곡가 지휘 아래 오케스트라가 아름답게 연주해 주고 있다.

Westlake's skill as a composer is matched by his brilliant orchestration and in the world of composition the two skills are not always in balance.

This new recording of the score by the MSO is timed to celebrate the 20th anniversary of the film's release. And it's a corker. Under the direction of the composer, the orchestra plays the music beautifully.

4. 생-상 작곡 'Symphony No. 3' 해설

'교향곡 3번 다단조 Op. 78'.

카밀 생-상이 1886년에 완성한 이 작품은 아마도 그의 경력의 예술적 정점이었을 것이다. 오르간을 위한 진정한 교향곡은 아니다.

하지만 4개 중 2개 섹션이 파이프 오르간을 사용하는 단순한 오케스트라 교향곡임에도 불구하고 오르간 교향곡으로도 널리 알려져 있다.

작곡가는 그 곡을 다음과 같이 새겼다.

'교향곡 3번 아벡 오르그'-오르간 포함.

The Symphony No. 3 in C minor, Op. 78 was completed by Camille Saint-Saëns in 1886 at what was probably the artistic peak of his career. It is also popularly known as the Organ Symphony even though it is not a true symphony for organ but simply an orchestral symphony where two sections out of four use the pipe organ. The composer inscribed it as. Symphonie No. 3 'avec orgue'-with organ.

생-상은 작품을 작곡하면서 '나는 내가 줄 수 있는 모든 것을 바쳤다. 내가 여기서 이룬 것은 다시는 이루지 못할 것이다.'

Of composing the work Saint-Saëns said 'I gave everything to it I was able to give. What I have here accomplished, I will never achieve again'

작곡가는 이것이 교향곡 형식에 대한 그의 마지막 시도라는 것을 알고 있는 것처럼 보였다. 거의 자신의 경력의 '역사' 유형으로 대성당이나 가장 큰 콘서트홀에 적합한 파이프 오르간 작품을 썼다.

The composer seemed to know it would be his last attempt at the symphonic form and he wrote the work almost as a type of 'history' of his own career. virtuoso piano passages, brilliant orchestral writing characteristic of the Romantic period and the sound of a pipe organ suitable for a cathedral or the largest of concert halls.

이 교향곡은 영국 왕립 필하모닉 협회의 의뢰를 받았다. 1886년 5월 19일 런던 세인트 제임스 홀에서 작곡가가 지휘한 첫 공연이 진행된다. 1886년 7월 31일 친구 프란츠 리스트가 사망한 후 생-상은 리스트를 기리기 위해 이 작품을 헌정한다. 작곡가는 또한 1887년 1월 이 교향곡의 프랑스 초연을 지휘한다.

The symphony was commissioned by the Royal Philharmonic Society in England and the first performance was given in London on 19 May 1886, at St James's Hall conducted by the composer. After the death of his friend Franz Liszt on 31 July 1886, Saint-Saëns dedicated the work to Liszt's memory.

The composer also conducted the symphony's French premiere in January 1887.

5. 생-상 작곡 'Symphony No. 3'이 현대적으로 편곡된 사례들

- 'Maestoso'의 전체 주요 테마는 나중에 스코트 피츠제랄드와 이본 킬리의 1977년 팝송 'If I have words'를 통해 각색되어 사용된다. 'Maestoso 운동'은 월트 디즈니 월드 리조트의 '엡코트 Epcot'에 있는 프랑스 전시관에서 연주되는 영화 〈프랑스 인상파 Impressions de France〉 사운드트랙 마지막 음악으로 포함된다. 1989년 코미디 영화 〈하우 투 겟 어헤드 인 에드버타이징 How to Get Ahead in Advertising〉에서도 들을 수 있다.

The entire main theme of the Maestoso was later adapted and used in the 1977 pop-song 'If I had words' by Scott Fitzgerald and Yvonne Keeley.

The Maestoso movement is also included as the final piece of music in the soundtrack for the film Impressions de France which plays in the France pavilion at Epcot at the Walt Disney World Resort. the symphony were can be heard in the 1989 comedy film How to Get Ahead in Advertising.

악보는 '블루 스타 드럼 앤 버글러 콥 2008' 쇼 피날레 'Le Tour: Every Second Counts'에도 등장하고 있다. 교향곡 선율은 'Auroran Hymn'이라는 이름으로 아틀란티움 제국의 소국 국가로도 사용되고 있다.

사운드트랙에는 포함되어 있지 않지만 에밀 쿠스트리차 감독의 영화 〈언더그라운드〉에서 'Maestoso 움직임'은 드보르작의 '교향곡 9번'과 함께 들을 수 있다. 'Maestoso'는 또한 라세리움의 첫 번째 완전 고전 쇼 그리고 실제 플롯이 있는 첫 번째인 크리스탈 오딧세이 오프닝 작업으로 사용되고 있다.

The piece is also featured in the Blue Stars Drum and Bugle Corps 2008 show 'Le Tour: Every Second Counts' in the finale.

The tune of the symphony also serves as the national anthem of the micronation of the Empire of Atlantium under the name 'Auroran Hymn'.

Although not included in the soundtrack, the Maestoso movement can be heard along with Dvořák's 9th Symphony in Emir Kusturica's film Underground.

The Maestoso also served as the opening work on Laserium's first all-classical show and the first to have an actual plot, Crystal Odyssey.

작곡가 필립 스파크(Philip Sparke)는 교향곡을 기반으로 금관악대 테스트 악보를 만든다. 이후 2010년 영국 내셔널 브라스 밴드 챔피언십(National Brass Band Championships of Great Britain) 4번째 섹션 밴드에 할당된다.

The composer Philip Sparke created a brass band test piece based on the symphony which was then assigned to Fourth Section bands for the National Brass Band Championships of Great Britain in 2010.

코로나 19 전염병 동안 BBC Proms 시리즈 일부로 오르가니스트 조나단 스코트는 빈 로얄 알버트 홀에서 솔로 오르간을 위한 전체 교향곡을 직접 녹음하여 연주한다.

During the COVID-19 pandemic, as part of the BBC Proms series, the organist Jonathan Scott performed in an empty Royal Albert Hall his own transcription of the entire symphony for solo organ.

Track listing

1. Opening Titles (from the Motion Picture Babe)–Piggery
2. Fairground (Extended Version)
3. I Want My Mum/ The Way Things Are
4. Fly Would Never/ Crime And Punishment
5. Anorexic Duck Pizzicati (Extended Version)
6. Repercussions/ Into The Knackery
7. Pig, Pig, Piggy/ Mother And Son
8. Pork is a Nice Sweet Meat
9. Christmas Morning (Extended Version)
10. Separate The Chickens/ Round Up
11. Babe's Round Up (Extended Version)
12. Mad Dog Rex
13. The Sheep Pig (Extended Version)
14. Dog Tragedy
15. Hoggett Shows Babe/ Maa's Death
16. Home Pig/ Hoggett With Gun
17. Pig of Destiny/ Up to Trouble
18. The Cat/ What are Pigs For
19. Where's Babe/ Hoggett's Song
20. Babe in The Kitchen/ Help For Babe
21. Baa Ram Ewe/ Rex on Truck
22. The Gauntlet/ Moment of Truth (Extended Version)

23. Finale-That'll Do, Pig, That'll Do
24. If I Had Words sung by Yvonne Keely & Scott Fitzgerald
25. Toreador Aria (Excerpt)
26. Pork is A Nice Sweet Meat (With Vocals)
27. Blue Moon (Excerpt)
28. Cantique de Jean Racine (Excerpt)
29. If I Had Words (Hoggett's Song) sung by James Cromwell

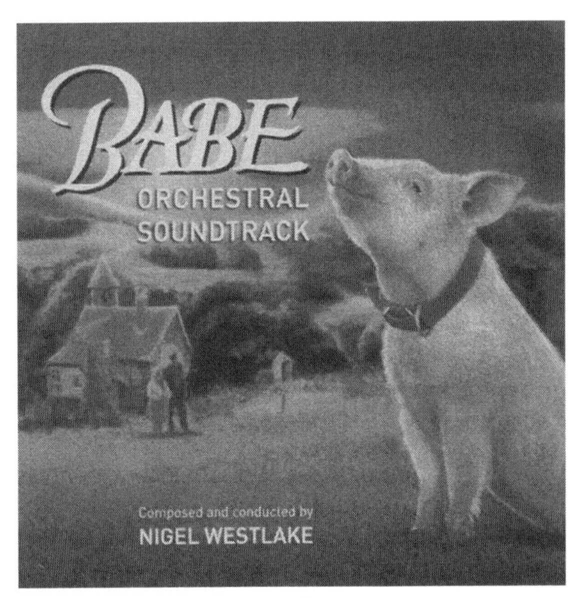

〈꼬마 돼지 베이브〉 사운드트랙. © ABC Classics

참고 자료(Reference Books)

이 책을 쓰기 위해 각국의 영화음악, 팝 전문지 외에도 단행본이 큰 도움이 되었다. 좀 더 전문적 영화음악 공부를 하려는 독자들을 위해 참고 자료를 밝힌다.

1. sound track-definition of sound track by Merriam-Webster.com. Merriam -Webster.
2. The 50 greatest film soundtracks. The Guardian. 18 March 2007.
3. Why Does Nearly Every Broadway Show Still Release a Cast Album. Vulture. October 6, 2015.
5. Savage, Mark. Where Are the New Movie Themes? BBC, 28 July 2008.
6. Bebe Barron: Co-composer of the first electronic film score, for Forbidden Planet, The Independent. London. May 8, 2008. Retrieved May 2, 2010.
7. Rockwell, John (May 21, 1978). When the Soundtrack Makes the Film. The New York Times. Retrieved August 10, 2010.
8. Karlin, Fred; Wright, Rayburn (January 1, 2004). On the Track: A Guide to Contemporary Film Scoring.
9. Kompanek, Sonny. From Score To Screen: Sequencers, Scores And Second Thoughts: The New Film Scoring Process. Schirmer Trade Books, 2004.

10. George Burt, The art of film music, Northeastern University Press.

11. Music on Film New Article in Variety about James Newton Howard's King Kong score. Archived from the original on 12 December 2007. Retrieved 30 July 2008.

12. About the Film Music Society. Film Music Society.

13. Film music: a history By James Eugene Wierzbicki.

14. Jump up to: a b Cooke, Mervyn (2008). A History of Film Music. New York: Cambridge University Press.

15. Are David Fincher And Trent Reznor The Next Leone and Morricone? October 4, 2014.

16. Elal, Sammy and Kristian Dupont (eds.). The Essentials of Scoring Film". Minimum Noise. Copenhagen, Denmark.

17. Harris, Steve. Film, Television, and Stage Music on Phonograph Records: A Discography. Jefferson, N.C.: McFarland & Co. 1988.

책자에 언급된 영화 제작 연도, 음반 출시사, 사운드트랙 리스트 등은 http://www.imdb.com, www.about.com, EW article, www.Moviereporter.net, Variety article, www.amazon.com, www.wikipedia.org 등을 참고했다.

Photo References Notice

본 저술 물에서 인용된 이미지는 press release still cut을 활용했습니다.
저작권자는 각 스틸과 앨범 자켓에 명시했습니다.
단, 의도하지 않게 스튜디오 컷을 사용해 저작권을 침해했을 경우 합당한 사진 저작료를 지불하겠습니다.
영화 설명 가이드 및 해당 국가의 관광 정보 자료의 경우도 영화 홍보 사에서 제공하는 '보도 자료'를 참고했습니다. 홍보 사 제공 자료를 인용하는 과정에서 본의 아니게 텍스트 저작권을 침해했을 경우 정보 저작료를 지불하겠습니다.
아울러 본 책자에 게재된 사진들은 저작권법 제28조 '공표된 저작물은 보도, 비평, 교육, 연구 등을 위하여 정당한 범위 안에서 공정한 관행에 합치되게 이를 인용할 수 있다'에 의거해서 사용한 사진입니다.
출처가 인터넷의 경우 원저작권자는 영화 제작사임을 밝힙니다.

본 저술물에 대한 제반 문의:
영화 칼럼니스트 이경기 (LNEWS4@chol.com)

미국 영화연구소(AFI) 선정

영화, 할리우드를 뒤흔든
창의적이고 혁명적 사건 101 장면

영화 전공자 및 애호가들이 쉽고 평이하게 일독(一讀)할 수 있는 세계 영화 발달사에 대한 에세이 개론서

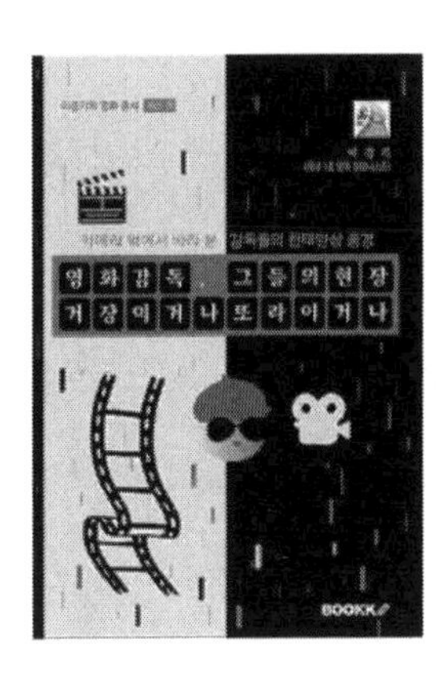

카메라 밖에서 바라 본
감독들의 천태만상 풍경

영화감독, 그들의 현장
거장이거나 또라이거나

카메라 밖에서 바라 본 할리우드 1급 감독들의 적나라한 천태만상 풍경

흥행작 타이틀에 숨겨 있는
재밌고 흥미있는 스토리

영화 제목, 아 하!
그렇게 깊은 뜻이!

약 5,700여 편에 달하는 방대한 작품에 대한 국내 최초 영화 타이틀 해제(解題) 도서.

와우(Wow)! 시네마 천국에서
펼쳐지는 발칙한 영화 100과

영화, 알고 싶었던 모든 것.
하지만 차마 묻지 못했던 여러 가지

영화가 제작되기 까지 기기묘묘한 일화 및 약 3,500여 편의 영화 종합 백과사전.

1960년대-2019년 팝 아티스트 212명의
사운드트랙 협력 에피소드

영화 음악을 만들어 내는 팝 아티스트 1권, 2권

록 음악과 영화계의 최전성시기로 꼽히고 있는 1960년대부터 2019년 최근까지 흥행가를 강타했던 히트 영화 속에서 차용됐거나 배경 음악으로 흘러나와 관객들을 매료시켰던 창작자들의 음악 이력을 살펴 본 이 분야 국내 최초이자 최대 분량을 담은 의미 있는 단행본이다.

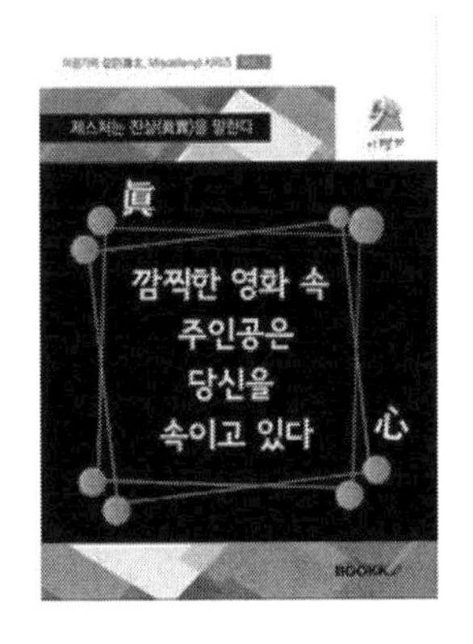

제스처는 진실(眞實)을 말한다.

깜찍한 영화 속 주인공은
당신을 속이고 있다

타인의 속마음을 편견 없이 파악하는 동시에 내실 있는 대인 관계를 맺어 갈 수 있는 요령 제시.

A, B, AB, O 형에 담겨
있는 대인 관계 비법

혈액형을 알면
성공이 보인다

A, B, AB, O 형에 담겨 있는 대인 관계 비법 및 자신의 참모습을 발견할 수 있는 가이드 북.

발타자르 그라시안(Baltasar Gracián)이
제시한 삶의 지혜 234 가지

하마터면 밤새워 읽을 뻔 했네
읽어도 읽어도 가슴 벅찬 글들

400년 전 발타자르 신부가 제시한 인생과 삶의 나침반.

청춘의 책갈피를 장식했던 참 좋은 글

내 가슴을 뛰게 만든
명구(名句)들 - 제1권 -

독서를 통해 한 자락 감동을 느낄 수 있을 것이다. 적어두고 싶은 글, 공감을 하거나 여운을 주었던 명구들을 모아 보았다.

해외 OST 전문지 추천 베스트 콜렉션

영화 음악, 사운드트랙
히트 차트로 듣다

서구 영화 음악 히트 발달사에 대한 가장 핵심적인 베스트 영화 음악 자료를 소개한 책자.

007 제임스 본드 25부 + 〈조커〉
그리고 무성영화 걸작까지

영화, 스크린에서 절대 찾을 수 없는
1896가지 정보들

영화 관람에서 놓쳤던 기기묘묘한 영화 상식을 흥미롭게 증가시킬 수 있는 영화 정보 서적이자 영화 만물 사전.

이경기의 영화 총서 흥미진진 시네마 천국의 세계

스티븐 스필버그도 궁금해 하는 절대적 영화 파일 1,001

제1권 영화 일반 흥미진진 에피소드

〈보헤미안 랩소디〉 흥행 비화 및 극장 의자는 왜 붉은 색일까? 등 극장 화면에서 펼쳐졌지만 무심하게 지나쳤던 영상 세계의 정보 수록.

제2권 히트작 흥미진진 에피소드

괴도 신사 뤼팽, 〈돈키호테〉, 마술 영화 등이 장수 인기를 얻고 있는 매력 포인트 분석 등 할리우드 흥행 영화의 히트 요인 등을 감칠맛 담긴 에세이 스타일로 구성.

제3권 배우, 감독 흥미진진 에피소드

팝 스타 겸 배우 마이클 잭슨 업적, 007 제임스 본드 히트의 1등 공신 본드 걸이 남긴 일화 등 해외 발행 연예 매체 뉴스를 국내 실정에 맞게 종합 구성.

제4권 흥행가 흥미진진 에피소드

성인 영화의 대명사 〈목구멍 깊숙이〉 상영 저지를 위해 미국 첩보 기관까지 동원됐다는 흥미로운 비사 등 스크린 밖에서 펼쳐지고 있는 다양한 핫 이슈 수록.

제5권 영화 제목 흥미진진 에피소드

'갈리 폴리 전투'의 역사적 의미, 〈다모클레스의 검〉 〈달과 6펜스〉 등 히트작 제목에 담겨 있는 서구 신화 일화를 일목요연하게 정리.

제6권 지구촌 영화계 흥미진진 에피소드

닌자 영화에 스며있는 일본인들의 민족 특성을 비롯해 말보로 등 담배 영화가 남성 관객들의 호기심을 끌고 있는 심리적 요인 등 영화 세계가 전파시키고 있는 감추어진 토픽을 집대성.

이경기의 영화 음악(OST) 총서 시리즈

국내 최초이자 가장 방대한 분량의 영화 음악 해설서

팝 전문지 『빌보드』 『롤링 스톤』 誌 강력 추천

영화 음악, 죽기 전에 꼭 들어야 할 OST 5001

각국 음악 전문가들이 사운드트랙의 의미와 가치를 평가하는 전문적 평 외에도 각 영화에서 배경 음악이나 삽입곡들이 어떤 효과를 보여 주고 있는지에 초점을 맞추어 원고를 구성, 영화와 음악 애호가들은 좀 더 새로운 시각에서 작품을 음미해 볼 수 있도록 했다.

제1권 〈갈리폴리〉 〈갈매기의 꿈〉에서 〈리틀 숍 오브 호러〉 〈리틀 트램프〉 까지 126편

제2권 〈마고 여왕〉 〈마다가스카 2〉에서 〈빠리가 당신을 부를 때〉 〈빠삐용〉 까지 110편

제3권 〈사 계〉 〈사관과 신사〉에서 〈일요일은 참으세요〉 〈일 포스티노〉 까지 167편

제4권 〈자이안트〉 〈작은 신의 아이들〉에서 〈후즈 댓 걸〉 〈흑인 오르페〉 까지 169편

푹 빠지게 만드는 또 다른 시네마 천국의 세계

영화 엄청나게 재밌는 필름용어 알파 & 오메가 1권, 2권, 3권

영화 용어는 영화를 효과적으로 관람하기 위한 최소한의 준비 재료이다 국내외 주요 일간지와 방송가에서 빈번하게 쓰고 있는 영상 용어를 국내 출판 사상 최초로 엄선해 용어의 탄생 유래와 구체적인 사용 사례를 보다 심층적이고 다양한 영상 세계에 대한 체계적인 학습을 할 수 있는 참고 자료로 꾸몄다.

스크린을 수놓은 고전 음악의 선율들

시네마 클래식 2022 Edition

영화계는 고전 음악을 배경 곡으로 차용함으로써 관객들에게 영화에 대한 호감도와 작품에 대한 품위를 높이는 이중 효과를 거두어 왔다. 클래식이 영화 음악으로 효과적으로 쓰일 수 있는 다양한 작품을 볼 수 있다.

당연히 알 것 같지만 전혀 몰랐던
영화제작 현장 일화들

영화 흥행 현장의 기기묘묘한 에피소드

이 책은 주로 할리우드 제작 현상에서 쏟아진 정보를 다양하게 집대성한 에피소드 모음집이다.

21C 언택트(Untact) 시대에서
〈기차 도착〉 까지

영화계를 깜짝 놀라게 한 이슈 127

이번 책자는 영화 역사에서 획기적인 계기를 초래한 사건을 파노라마처럼 엮은 영화 교양서이다.
필독서로 늘 유용하게 활용될 책자라고 자부한다.

서구(西歐) 소설+신화+감독+작가들이
창조한 영상 세계

영화계가 즐겨 찾는 흥행 소재

영화계가 가장 고민하고 큰 비중을 두고 있는 것이 '뭐 확 끌어당길 만한 이야기꺼리 없어?'라는 질문이다. 그에 대한 해답을 조금 엿보기로 하자.

스크린 명언 명대사 콜렉션

영화 관람하다 찾아낸 암기하고 싶었던 그 한마디

작가들의 땀과 영화 혼이 배어있는 촌철살인의 지혜는, 영화 애호가들에게 대화의 소재를 다양하게 해 줄 언어 화수분이 되어 줄 것이라고 믿는다.

한국에서 영화칼럼니스트로 산다는 것은

영화 기자는 영화를 모른다

패기만만한 초년 기자 시절부터 직접 체험한 취재 뒷이야기와 국내외 유명 엔터테이너들을 만나고 나서 느낀 소회와 짧은 인연의 사연을 실었다.

사운드트랙이 남긴
달콤 쌉싸름한 이야기들

영화 음악, 이런 노래 저런 사연

영화 배경 음악 단골로 활용되고 있는 팝 선율이나 클래식이 탄생되는 뒷이야기를 모아 본 탄생 스토리는 색다른 영화 음악 감상법을 제공할 것이다.

스크린을 바라보는 삐따기의 또 다른 시선

영화가 알려주는 세상에 대한 모든 지식

관객들이 무심코 흘려보낸 극중 사건의 의미, 등장인물들이 제시한 귀감이 될 만한 인생 교훈 등 영화 한 편을 통해 다양한 정보와 상식으로 구성하였다.

사운드트랙이 남긴
달콤 쌉싸름한 이야기들

영화 음악 2019-2022 시즌 핫 이슈 콜렉션

흥행작 중 영화 음악으로 재평가 받고 있는 작품들을 정리한 최신 영화 음악 뉴스 모음 칼럼집이다.

2021-2022 시즌 핫 토픽
사운드트랙 앤소로지(anthology)

**영화 음악 <미나리> <블랙 팬서>
그리고 OST 289**

1950년대 흘러간 명화부터 2022년 근래 뜨거운 호응을 불러 일으켰던 작품과 영화 음악으로 이슈를 만들어낸 화제작 등 영화 음악 해설을 담고 있다.

2021-2022 시즌을 장식한 Hot OST

**영화음악 크루엘라 + 캐시 트럭 그리고
빌보드 추천 사운드트랙 450**

배경 음악 덕분에 꾸준히 상영되고 있는 흥행작, 팝 전문지 등에서 총력 특집으로 보도한 베스트 OST 등 원문(原文)을 병기해서 사운드트랙 해설을 접할 수 있도록 구성하였다.

『엠파이어』『할리우드리포터』
『버라이어티』 탑을 장식한 핫 이슈

**영화, 할리우드를 시끄럽고
흥미롭게 만든 엄청난 토픽들**

할리우드 현지에서 발간되고 있는 영화 전문지와 엔터테인먼트 관련 매체에서 쏟아내는 뉴스와 토픽은 대형 화면에서 펼쳐지는 감동적 화면에 버금가는 호기심을 줄 것이다.

해외 음악 전문지 절대 추천

사운드트랙 퍼레이드

영화음악
21세기 최고의 사운드트랙 2525

미국 및 영국 등 영화 선진국에서 발행되는 영화, 영화 음악, 대중음악 및 연예 전문지 등에서 보도한 핫이슈를 특집 기획 기사를 꼼꼼하게 체크한 뒤 국내 영화 음악 애호가들의 정보 욕구에 충족할만한 내용을 중심으로 재구성했다.

할리우드 영화 음악 비평지 강력 추천

사운드트랙 퍼레이드

영화 음악에 대해 베스트 10으로
묻고 싶었던 것들 [1][2][3][4]

최신 사운드트랙 뉴스, 역대 베스트 OST 콜렉션, 팝 및 록 뮤지션과 영화 음악의 협력 작업 사례, 사운드트랙 발달에 획기적 계기를 제시했던 사건 등 주옥같은 팝 선율 중 영화 음악으로 단골 채택되고 있는 베스트 10을 선정, 핵심적인 내용을 조망해 볼 수 있도록 구성하였다.

베스트 10으로

할리우드 최신 흥행작 둘러보기

영화 틱! 톡! 100과 정보

〈영화 틱! 톡! 100과 정보〉는 책자 타이틀처럼 유튜브를 뜨겁게 달구고 있는 어플 '틱! 톡!'과 밀폐된 용기에 다양한 먹거리를 담고 있는 용기처럼 베스트 10 혹은 15 그리고 근래 극장가를 노크한 최신작 등을 30가지 주제로 묶어서 흥미로운 영화 에피소드 일화를 수록했다.

스크린을 장식한 바로 그 말(語)

영화 대사에는 뭔가
특별한 것이 있다

등장인물들이 주고받는 감칠 맛 나는 대사는 영화 흥행 성공의 1차적인 조건이다. 주인공의 성격이 규정되고, 관객이 그 주인공을 좋아하게 되는 지름길은 바로 영화 캐릭터가 구사하는 대사가 핵심적인 요소라는 점이다. 명작 영화에서 흘러나왔던 보석 같은 명대사를 엿보자.